KB103548

비련의 시나리오 온라인: Slow fantasy

1

비련의 시나리오 온라인:Slow fantasy1

발　행 | 2024년 05월 19일
저　자 | 장성우(살생금지)
펴낸이 | 한건희
펴낸곳 | 주식회사 부크크
출판사등록 | 2014.07.15.(제2014-16호)
주　소 | 서울특별시 금천구 가산디지털1로 119 SK트윈타워 A동 305호
전　화 | 1670-8316
이메일 | info@bookk.co.kr

ISBN | 979-11-410-8554-4

www.bookk.co.kr

ⓒ 장성우(살생금지) 2024
본 책은 저작자의 지적 재산으로서 무단 전재와 복제를 금합니다.

비련의 시나리오 온라인: Slow fantasy 1

장성우(살생금지) 장편 판타지 소설

목차

작가의 말

비련의 시나리오 온라인,
입니다.
비련의 시나리오 온라인이라는 건 이제… 작 내에 등장하는 게임의 이름이고요.
수십 여 년 뒤의 한국을 배경으로 하고 있으며.
이런 류의 마이너, 서브 컬쳐 등에서 흔하게 등장하는 상상력을 모티브로 하고 있는 판타지 소설입니다.
완벽하게 현실과 똑같은 가상현실 세계를 구현할 수 있다면.
그 속에서 마치 판타지 월드로 여행을 떠나는 것마냥
다양한 경험을 할 수 있다면.

그런 삶은 어떻게 보일까, 그런 시대는 어떨까,

뭐 그런 상상력으로 만들어지는 부류를.
'가상현실 게임 판타지' '게임 판타지' 뭐 이런 식으로 부르곤 합니다. VRMMO, 증강 현실 대규모 온라인, 이라고도 부르고요.
아무튼.
그렇습니다.
시대는 특이할지 몰라도. 결국 판타지라는 건 현실에 있는 삶과, 감정을 이야기할 뿐인 장르입니다. 이것도 결국은, 현대 사회에서 고민하고 번뇌하는, 어느 청년의 이야기를 담을 뿐이고요.
음, 부디. 즐겨주시면 감사하겠습니다.
제목에도 써있듯 다소 느린 템포라, 다른 서브 컬쳐의 느낌과는 다를 테지만…. 아무튼.
1권, 시작합니다.

24.5.17. 저자, 장성우:살생금지 올림

0. Prologue.

*

비련의 시나리오 온라인On-line.

어느 게임 프로그램의 이름이었다.

서기 2000년을 깨나 지난 어느 무렵, 지구상의 선진국들은 기술 개발 경쟁을 앞다투어 해나가다 어느 특이점을 만들어내고 만다. 완벽한 오감 체현이 가능한 가상현실 체험 기계의 개발이었다.

여러 나라의 기술력이 쌓이고, 또한 동아시아 지방의 자유화와 공상업을 필두로 한 선진국화가 진행되면서 세계 시장은 이전에 비해 남다른 경쟁력을 갖게 되었다. 아시아 권과 아프리카 권의 급속한 성장에 맞물려 이전까지의 선진국들은 경험하지 못한 규모의 시장 속에서 막대한 자본과 함께 개발의 가속화를 멈추지 않았고, 21세기가 시작되고 또 반세기 이상의 시간이 지난 어느 때의 이야기다.

기술은 개발되었고 그리 긴 시간이 지나지 않아 상용화로 이어졌다. 가상현실 체험 기기는 후유증이나 부작용이 없는 보편적인 기계로서 체험소나, 가정에 비치되기 시작한다. 모델에 따라 성능과 가격이 다르지만 전부 같은 규격의 프로그램과 연동할 수 있는 건 다르지 않았다.

하드웨어의 개발과 맞물려 소프트웨어 개발이 이루어졌고, 이전까지 발돋움을 하던 여러 게임 회사들이 신기술의 습득과 함께 다종의 게임을 만들어낸다.

그런 개발이 이루어지고, 다양한 게임들의 팬층이 생기며 가상현실체험 기기가 일상에 파고들었을 무렵.

한 개의 신흥 회사가 다국적 거대 기업으로부터 투자를 유치 받아 만들어낸 게임이 모습을 드러내며 세간의 이목을 끌게 되는데, 그 이름이 저것이었다.

비련의 시나리오 온라인.

여태까지 상용화 되었던 다른 게임들에 비해 압도적인 완성도와 오감 체현률을 자랑하는 초고성능의 게임이었고, 동시에 수많은 유저들을 받아들이고 게임 시나리오를 진행 시켜 갈 수 있는 대규모 다중 접속 온라인 게임이었다.

더 새로운 것, 더 나은 성능에 눈을 돌리게 되어 있는 유저들의 눈길이 비련의 시나리오에 빠져들게 되고 무수한 접속자와 마니아 층이 생겨나기까지 오랜 시간이 걸리지는 않았다.

다만 한 가지 특이하고 괴악한 점이 있다면, 시나리오 온라인이 처음 시작할 때 공지된 어떤 설정에 대한 문구였다.

[게임에서의 목숨은 단 하나. 게임은 현실이 아니지만, 현실과 비슷한 것으로 만들어내었습니다. 체력 포인트가 0가 되어 캐릭터

가 게임 오버 된다면 동일 ID로 캐릭터를 생성하는 것이 불가능합니다.]

그야말로, 지독하게 불친절한 협박이 아닐 수 없었다.

***

1. 파란 귀 토끼

-12억 명.

비련의 시나리오에 가입되어 있는 사람의 숫자였다. 그리고, 현재까지의 생존자 숫자를 말한다.

한적한 길모퉁이.

주변으로 임야가 펼쳐져 있는 미개발 지역의 한 곳이었다.

도심에서 생활을 하다 보면, 이제는 이런 광경을 구경하기가 다소 어려운 게 사실이다. 지방까지 빼곡하게 개발이 되어 있는 선진국에서는 일부러 발품을 팔아 차를 끌고 시외로 나서야만 볼 수 있었고, 그마저도 이토록 황량한 지평선을 구경하기는 어려운 일이다.

그다지 넓지 않은 국토 내에 빽빽한 인구가 모여서 살아가는 한국에서는 더욱 그렇다. 거대한 땅덩이를 지닌 나라들의 경우에는 물론 이야기가 다르기는 할 테지만. 여러 도시가 모여있는 메갈로폴리스 지역 심부에 살고 있다면 요원한 건 마찬가지이리라.

그러나 지금에 와서는, 이런 경치를 흔하게 구경할 수 있게 된 게 사실이다. 그것이 실제의 장소냐 아니냐 하는 문제만 빼놓는다면 말이다.

"후."

급하고 짧게 숨을 내뱉는다. 격하게 움직이기 직전의 호흡이었다. 짧은 숨처럼 빠르게 근육을 튕겨 움직인다.

길모퉁이에 서 있던 사내는 그대로 허공에 가볍게 주먹을 휘둘렀다. 허리가 돌아가는 느낌. 발끝의 감각. 팔의 근력과 어깨의 강인함 역시 인상적이었다. 몇 번을 혼자서 춤을 추듯 동작을 해 본 남자는 스트레칭처럼 몸을 풀었다.

가죽 보호구로 온몸을 잘 감싼 차림새의 청년이었다. 검은 머리칼. 일반적인 동양인의 모습에 약간은 부리부리한 눈매를 가지고 있다. 눈 근처의 기색을 보면 약간은 피로해 보이기도 한다. 허리춤에는 숏소드, 등에는 단창을 하나 메고 있다.

'제냐'는 사내의 이름이었다. 제냐 킴. 성은 원래의 것을 따르고, 이름은 새로운 것을 만드는 것이 보통의 규칙이었다. 이곳에서의 말이다.

"들어올 때마다 적응이 안된단 말이지."

원래는 혼잣말을 늘어놓는 성격이 아니었다. 그러나 경험해보지 못한 새로운 환경에 들어와 있다는 것과, 그것이 아주 고도로 설계된 가상 현실의 내부라는 사실이 그를 조금 들뜨게 만들었을 지도 모른다.

그가 있는 곳은 게임의 내부였다. 21세기의 중반을 넘어서고도 꽤나 시간이 지난 시점, 게임이라는 건 보다 복잡한 이름이 되어 있었다. 단순하게 현란한 그래픽을 모니터로 띄우고 내부의 사물을 조작하는 것을 넘어서, 1인칭 시점으로 전방위의 그래픽 내부를 탐험할 수 있게 되었다.

그리고 그것에서 더 발전해서, 단순한 시각만이 아니라 뇌과학의 발전과 더불어 사람의 정신만이 가수면 상태에서 가상 세계에 들어와 체험을 할 수 있게 되었다. 이미 단순한 게임이라고 부르기에는 많이 거창한 기술력이 들어간 무언가가 되어 있었고, 사회 전반의 다양한 분야에서 가상현실 기술이 쓰이고 있는 실정이었다.

그런 다양한 가상현실 기술들 중에서도, 최고조의 구현 능력을 보여주는 것이 이 분야이다. 온라인 게임, 그리고 개중 '비련의 시나리오 온라인'.

사용자들의 평에 따르면, 조금의 이질감도 없이 현실을 느낄 수 있다고 하는 그야말로 지고의 가상현실 구현 능력의 게임. 개발 과정에서 대체 어떤 묘기를 부렸는지 알 수는 없지만 명실공히 최고의 시뮬레이션 프로그램이었다.

사내, 제냐, 킴은 이런 류의 가상현실 게임에 익숙한 편은 아니었다. 동시대의 동년배들에 비해서 무지하다고 해도 좋을 정도로 동떨어져 있는 편이었지.

"세상 참 좋아졌어."

그는 손을 펴고 주먹을 쥐어보기도 하고, 가볍게 발끝을 땅에 대고 발목을 눌러보기도 했다. 숨을 들이마시며 먼 경치를 바라본다. 한낮, 오른쪽으로는 녹음이 우거진 숲이 빼곡하게 시야를 가로막고 있었고, 앞으로는 작은 길이 굽이굽이 이어지며 저 멀리 지평선과, 하늘이 보인다.

한동안 비가 잘 오지 않았는지 어딘가 메마른 듯한 평야 지대와 그 위를 채우고 있는 잡초들이 왼쪽으로 너른 경치를 만들고 있다.

유행에 따라, 제냐는 게임에 접속했다. 원래 좋아하는 편은 아니었지만, 비련의 시나리오라는 게임은 어디를 가나 늘 화두에 오르도록 인기 있는 이름이었다. 입이 마르도록 칭찬을 아끼지 않는 관련자들이나 플레이어들의 감탄에 잘 하지 않는 게임을 시작해 본 것이 몇 주 전의 일.

대학교 강의 시간을 피해 적당히 플레이 해보는 것이 오늘로 몇 시간 째의 일이었다.

"IV."

재고 목록, 의 약자였다. 인벤토리Inventory를 뜻하는 말을 입술 바깥으로 읊자 그의 시야 한켠에 푸르스름하고 반투명한 창이 나타났다. 가상현실에서도 실재하는 창은 아니었다. 접속해 있는 캐릭터의 1인칭 시야에서만 존재하는 것이었고, 다른 이들은 볼 길이 없다.

비련의 시나리오는 옛날 옛적부터 이어져 오는 평범한 RPG 온라인 게임의 형식을 많이 차용하고 있었다. 계보라는 것이, 발전을 이어가면서도 늘 평이한 구석을 남겨두는 것이다 보니 그렇다.

아주 오래전 평면 모니터로 2D나 3D그래픽을 조종하며 플레이하던 게임의 향수를 느낄 수 있는 곳이 많았다. 만일 그런 고전 게임을 즐겨오던 낡은 취미가 있는 매니아라면 말이다.

제냐는 일단 걸음을 옮기면서 시스템 인터페이스를 조작하며 게임에 익숙해지기 위한 시간을 투자했다. 가죽 장화의 두터운 밑창 아래로 느껴지는 울퉁불퉁한 흙길의 감촉이며, 먼지 섞인 풀이나 숲의 내음이나 먼 곳으로부터 가끔씩 불어오는 바람의 감촉은 여전했다.

그가 가상현실을 많이 체험해보는 건 아니었지만 그가 느끼기에도 확실히 두, 세 세대는 앞서 있는 듯한 기술력이었다. 어디서 이런 괴물같은 시뮬레이션이 등장을 한 건지. 그다지 이름도 알려지지 않았던 중소 기업의 신작이라고 하기에는 이질적인 부분이 많은 게 사실이다.

세간에 들려오는 소문으로는 거대한 다국적 기업의 본격적인 투자 유치가 이루어져서 오랜 개발 기간 끝에 나온 물건이라고 하던데, 그 내부에 복잡하고 남모를 사정 따위가 있다고 해도 이상하지 않았다.

아무튼, 제나는 창을 눈으로 훑었다. 반투명한 창 너머로 경치가 전부 가려지지는 않는다. 언제 어느 곳에서 위험 요소로 인해 체력을 잃을지 모르는 괴악한 난이도의 게임 내에서 약간은 늘 신경을 쓰고 있어야만 했다.

"물약⋯⋯."

무엇으로 만들어져 있는지도 잘 알 수 없는 물약. 판타지즘 세계관에서 허용이 되는 듯한 대충의 설정이다. 뭐만 하면, 현대 과학으로는 알 수 없는 신비의 물건이라는 설정으로 대부분 설명이 된다.

사실 바른대로 말하자면, 실제로 그가 살아가고 있는 세상 또한 과학으로 증명하고 있는 것은 극히 일부분이라는 걸 생각하면 또 말이 되는 뻔뻔함인 것 같기도 하다.

반투명한 푸른 창은 단순한 형태로 표가 만들어져 있었고, 주욱 아래로 이어지는 가로줄이 시야의 흐름에 따라서 위아래로 목록의 나열을 바꿔가며 현재 캐릭터가 소지하고 있는 물건을 설명한다.

그가 들고 있는 것은 별 것 없었고, 사실 비련의 시나리오에서 인벤토리로 옮길 수 있는 물건의 적재량 또한 쓸데없이 현실적인 구석이 있어서 그렇게 기적적이거나 획기적이지는 못했다. 인벤토리 내부의 적재는 캐릭터의 움직임에 어떤 영향도 미치지 않지만, 대용량 더플백 두 개 분량 정도의 용량을 채우고 나면 나머지는 실물로 캐릭터가 지고 다녀야 했다.

그렇게 들고 다니는 물건들은 당연히 게임 내의 물리 엔진의 영향 하에 있었고, 캐릭터의 근체력에 따라 운반량이 결정되기 마련이다. 지나치게 많은 짐은, 전투 상황에서 목숨을 갉아먹기도 하는 법이었다.

'소형 석궁 한 개. 석궁용 화살 20대. 체력 포인트의 소실을 막는 붉은 물약 10개, 초상 기술Supernatural skill을 쓰는데 필요한 정신력 포인트의 증가를 위한 파란 물약 10개⋯ 에 물과 건량식 꾸러미.'

나름대로 필요한 것들만 챙겨서 나온 실정이었다. 게임 내에서 물건을 얻기 위해서는 돈이 필요했고, 아직 시작한 지 얼마 되지 않은 그로서는 많은 돈을 얻지 못했으니까. 이렇게 마을 바깥으로 나오고 여행을 떠날 때마다 실제 짐처럼 리스트를 짜서 챙겨야 하는 건 참 번거로운 일이었다.

툭.

제냐는 발치에 걸리는 돌멩이 하나를 걸음의 궤적에 맞추어 차 날렸다. 그대로 걸린 작은 돌멩이가 낮은 포물선을 그리며 길바닥 위를 날다 구른다.

그 자연스러운 모습은 현실 그대로의 것과 같았다. 아무리 정밀한 눈을 가진 영상 전공자라고 하더라도, 이질감을 찾기 어렵다. 그에 더해 발에 걸리는 부하나 힘을 주는대로 제대로 움직이는 팔다리 역시 실제와 다름 없다.

이런 현실성을 가지고 있는만큼, 게임 내 설정으로 보조되지 않는 대부분의 요소들은 현실과 거의 비슷하다고 봐도 좋았다. 밥 역시, 칼로리 개념이 있어 충분한 양을 섭취하지 않는다면 기력이 쇠하고 움직임이 둔해진다.

30초 이상 가만히 있을 수 있다면 언제나 로그아웃이 가능하고, 하루에 세 번까지는 재접속 시 로그아웃 장소가 아닌 마지막에 들른 세이브 포인트에서 재시작이 가능하다.

묘한 부분에서 편의를 봐주는 게임 시스템이 들어가있는데, 이 정도도 없었다면 정말로 해먹을 만한 물건이 아니었을 것이다. '비련의 시나리오 온라인'은.

*

한 번이라도 체력 포인트가 0이 되어 게임 오버를 당한다면 게임 내에서 그대로 아웃이었다. 이 '아웃out'은 말 그대로의 것이었고, 재접속조차 불가능하다. 그 자리에서 플레이어가 다루는 캐릭터는 게임 내에서 소멸된다. 한 개의 주민 정보 ID로 한 개의 캐릭터만을 만들 수 있었고, 개인 정보를 어디서 도용이라도 하지 않는 한 게임은 다시는 플레이할 수 없게 되는 것이다.

그렇게 정지된 계정은 관찰자 모드로 게임 내 세상을 활보할 수는 있었지만, 어떤 상호작용도 할 수 없었고 플레이어에 의해서 밝혀진 맵이 아니라면 탐험할 수 없었다.

단 한 번의 목숨으로 운용되는 게임 플레잉.

대체 어디 사는 누가 이런 극악한 난이도의 물건을 만들었는지 궁금해지는 지경이다. 이 정도의 불친절함이라면, 이건 이미 상용화된 게임이라고 할 수 있는가 싶어지지만 시나리오 온라인은 현존하는 어떤 가상현실 시뮬레이션보다 압도적인 세계 구현을 보여주는 걸작이었다.

울며 겨자먹기로, 모든 플레이어들은 이 서버에 들어와서 게임을 즐긴다. 그렇게 게임에 이끌린 플레이어들이 시나리오를 진행하다가, 목숨을 잃고 게임에서 아웃되는 그 양상 자체가 그처럼이나 게임의 제목과 잘 어울릴 수가 없었다.

흔한 인터넷 게시판 따위에 들어가 보기만 해도 안다. 비련의 시나리오에서 게임 오버 당한 사람들의 온갖 하소연들이 넘쳐나고 있었다. 울분에 차서 욕을 하는 사람들도 아주 많았지만, 게임 시스템은 기획 당시부터 확고했던 것인지 마치 그들의 정체성이라는 것처럼 바뀔 기미가 보이지 않았다.

주식회사 '태Tae迨'라는 이름의 듣도 보도 못한 게임 회사가 그들이었다. 한자어를 차용하고 있다는 점에서 극동아시아 권의 사람들이 모여 만들어진 회사인지, 그도 아니면 단순히 차용했을 뿐인 다른 문화권의 인물들인지도 알 수 없다.

어디서 돌이라도 날아들 것을 경계하는 것인지 철저하게 비밀리에 신원을 감추고 운영하는 게임사는 공식 홈페이지나, 게임 내 알림을 통해서만 입장을 전달하고 있었고.

'낯짝이라도 보고 싶긴 한데.'

제냐는 게임 운영진들에 대해 그렇게 생각하며 길 위를 지나고 있었다.

게임에는 캐릭터 레벨과 스킬 레벨이 있었다. 캐릭터 레벨은, 게임에서 인도하는 다양한 행위와 상호작용을 통해 '경험치'를 얻어 올라가는 구조다. 캐릭터 레벨이 오르면 플레이어 캐릭터는 '가상 점수'를 일정량 얻게 되는데, 이것으로 몇 가지 일을 할 수 있는 것이 게임의 주요 플레이 방식이었다.

첫 번째로, 분류된 능력치의 성장률을 증가시킬 수 있었다.

이것은 정신력, 집중력, 지구력, 근력, 순발력, 초월 방어력으로 크게 분류되는 6가지 스테이터스status의 증가율에 관여하는 작업이다. 레벨 2에서 가상 점수를 소모해 정신력에 투자하면, 레벨 3이 되는 순간까지 같은 행위를 하더라도 정신력이 빠르게 오르게 된다.

성장 방향성 설정 기능으로, 중복해서 한 가지 능력치에 부과할 수도 있었고 상한 또한 없었다. 성장률 증가가 중복되면 당연히 그만큼 스텟(status;stat)이 가파르게 오르게 된다.

성장률 증가에 가상 점수가 투입되지 않은 능력치는 기본적인 증가율대로 오르게 되고, 가상 점수가 아닌 다른 행위의 누적으로도 성장률은 오르거나 혹은 낮아질 수 있었다.

가장 빠르고, 확실한 방법이 레벨업 포인트를 소모하는 것일 뿐이다.

두 번째로, '명예 점수'로 바꿀 수 있었다.

명예 점수란 곧 캐릭터의 사회적 지위를 나타내는 것이었고, 고레벨의 플레이어 캐릭터는 게임 내 세계에서 저명 인사로 취급되기 쉬웠다. 긍정적인 영향력의 유명세는 신분을 대신했고, 게임 내 사회의 유력 인사들과 만나는데 가산점을 얻게 된다.

똑같은 상황이더라도, 명예 점수가 높다면 귀족이나 왕족과 편안하게 응대할 수 있는 것이다.

시나리오 온라인의 세계관은 중세 사회와 같은 신분제가 존재하는 곳이었고, 귀족과 왕이 존재한다. 죄를 짓거나 빚이 쌓인다면 노예가 될 수 있었고, 이러한 신분 변화는 RPG(Role playing game)이라는 이름답게 플레이어 역시 경험할 수 있었다.

명예 점수는 게임 내 롤 플레잉과 시스템 이용과 결합된 다양한 상호 작용에서 영향을 미치며, 숨겨진 아이템이나 요소를 얻는 조건이 되기도 하고 게임 플레이 시에 다양한 혜택으로 이어진다.

일반적인 사용처의 마지막인 세 번째로, '돈'으로 바꿀 수 있었다.

게임 내 세계 전역에서 통용되는 단일 통화 단위인 '젠Jen'으로 직접 교환이 가능했고, 포인트는 그것을 얻기 위해 들어갔던 경험치에 따라 같은 포인트더라도 더 많은 양의 돈과 교환이 가능했다.

즉 레벨 업마다 받는 가상 점수의 양은 일정하지만, 고레벨 플레이어의 가상 점수로 환전하는 젠이 훨씬 더 많은 양을 얻을 수 있다는 이야기다.

돈은 게임 내 형성되어 있는 시장에서 온갖 아이템들을 구매하는데 사용할 수 있었고, 또한 시스템으로 보장되어서 무수한 물량을 감당할 수 있는 기본 상점 급의 아이템들을 거진 무한하게 이용하는데 써먹을 수 있었다.

기본적으로 가장 흔하게 잡을 수 있는 저레벨 플레이어용 몬스터 캐릭터인 '토끼'나 '젤리 슬라임Slime'을 세 마리쯤 잡아서 얻을 수 있는 경험치가 회복 물약 하나를 살 수 있는 돈으로 환전된다.

레벨 업Level-up 시 얻는 가상 점수(Imaginary point)는 10점이었고, 이를 적절하게 분배하여 자원 활용을 하는 것이 플레이어의 전략이 들어가야 하는 부분이다.

제냐의 캐릭터 레벨은 7이었고, 흔하게 다다를 수 있는 수치였다. 비련의 시나리오가 대중에게 공개된 지도 벌써 1년이란 시간이 흘렀고, 게이머 중에서도 하드한 플레이를 즐기는 골수분자들은 수백 이상의 레벨을 쌓은 시점이었다.

고레벨이 될수록 레벨 업은 어려웠으나, 공개된 설정에서 레벨업에는 상한이 없다고 했었다. 게임 오버를 당하지 않고 침착하게 레벨을 올려 나간다면, 대부분의 플레이어들은 싫어도 거부巨富나 사회의 유력인사가 되어 플레이를 하게 될 테다.

지나치게 빠르게 달리다가 자칫 게임 오버를 당하면 모든 것을 잃지만, 너무 안전주의로 가다보면 결국 경쟁자들에게 뒤쳐진다.

다른 대부분의 게임을 즐기는 것과 같이 비련의 시나리오를 즐기는 게임 매니아들은 그런 딜레마 속에서 날카로운 감각을 키워

20

나가며 게임에서 승리를 쌓아나가고 있었다.

게임이란 건 그다지 인생에 도움이 되지 않는다.

라는 생각을 가진 제냐로서는 그 정도까지 혈안이 되어 즐길 생각은 없었지만, 일단 경험하기로 한 이상 남들이 겪는 정도의 속도감은 느껴볼 생각이 있었다.

어쨌거나, 새로운 기술이며 최첨단의 시뮬레이션 프로그램이 아니겠는가. 뉴스 각 면에서 혁신이라고까지 소개하는 이름이었으니. 그 내용물을 한 번쯤 살펴보는 것도 나쁘지 않은 일일 테였다.

지금 그가 걷고 있는 지루한 걸음 역시 그런 착실한 게임 플레이의 일환이었다. 시작지가 되는 마을 근처에서 일정 반경 이상까지를 두 발로 걷고, 인근에 자생하는 몬스터 캐릭터들을 사냥하는 것. 시작한 지 그리 오래되지 않은 그가 해치워야 할 게임 내 임무였다.

이런 다양한 임무와 자유로운 오픈 월드 내에서의 특정 행동들이 스킬과 능력치 증가를 얻는 방법이었으니, 부지런히 해낼 필요가 있다. 어쨌거나 제작진이 준비한 방대한 세계 내의 내용물들을 훑어보기라도 해야 할 것이다.

기본적인 인터페이스나 게임 구조는 구식 RPG게임의 향수를 느낄 수 있는 것이 많았다. 각 시작지가 되는 도시에는 초보자들을 인도하는 에스코트 NPC(Non-Player Character)들이 있었고, 단계별로 해당하는 캐릭터들과 친분을 쌓아 기초 스토리를 진행한다.

기초 스토리는 사용자가 게임에 적응할 수 있도록 돕는 튜토리얼의 개념이었고, 지금 제냐가 하고 있는 것 역시 그것의 끝자락이었다.

*

그가 시작지로 삼은 곳은 평화의 숲 옆 도시, 라는 이름의 장소였다. 광활한 대륙 수준의 넓이를 실제로 구현해내는 미치광이같은 고성능의 게임에는 각 지역에 9군데 정도의 커다란 시작점이 있었고, 대부분의 플레이어들은 그곳에서 게임을 처음 시작하게 된다.

제냐가 선택한 도시 역시 개중 하나로, 대륙 중남부에 위치한 대도시이다.

거대한 도시 내부에 바글거리는 사람들이 있었고, 쏟아져 들어오는 플레이어들을 맞이하는 여러 명의 에스코트 캐릭터들이 있었다. 대도시를 구획별로 나누었을 때 시민들의 구획장이나, 상점가의 가게 주인, 치안대 부대장 정도의 인물들이 그런 역할이다.

제냐는 치안대의 부대장에게 초기 메뉴얼대로 말을 걸어 스토리를 시작했고, 이후로도 그럴 용의가 있다면 치안대와 관련한 임무들을 받고 스킬을 익혀볼 수도 있었다.

플레이어들이 거대한 지역에서 길을 잃지 않도록 길은 대륙 전역에 평탄하게 나 있는 편이었다. 물론 이런 배려가 없는 오지들 역시 무수하게 많았고, 고레벨 플레이어가 탐험을 하다 그런 곳에서 조난을 당한다면 그대로 게임 오버를 당할 확률 역시 높았다.

게임 내부의 배려는 대개 최소한의 것들이었는데, 그것이 나침반과 같은 기능이었다.

인벤토리 창처럼 켜고 닫을 수 있는 인터페이스 창 중에는 방향 창이 있었고, 미리 설정해 둔 출발지와 목적지의 방향을 알 수 있었다. 동서남북의 방향이 표시되며, 주변 지역의 지도 아이템과 같이 활용한다면 보통 길을 잃을 경우는 거의 없다.

어지간해서는 전자동 네비게이션에 익숙해진 현대인의 입장에서, 이것만으로도 불편할 수는 있겠으나 게임이라는 점을 생각하면 오히려 참신한 즐거움일지 모른다.

지나치게 편리함만을 추구하다 간혹 비대해진 것 같은 삶의 태도를 게임 내부에서 구태여 이런 불편함으로 다시금 되돌아본다. 굳이 그럴 필요가 있는가, 싶지만 어쨌든 비련의 시나리오는 단순한 게임 이상의 경험을 느끼게 해줄 수 있는 공간임은 틀림없었다.

이 정도로 강렬한 오감 체현이라면 이미 생생하게 자각하고 꾸고 있는 꿈과도 다르지 않다. 사람에게 있어 상상이나 꿈 또한 생각을 정리하는 중요한 요소라는 걸 떠올려보면, 뭐 여가 시간을 보낼만한 가치가 있는 장소라고 할 수 있겠다.

가상현실 시뮬레이션 기술이 여러 방면에서 교육을 위해 쓰이고 있다는 점을 들면, 어쩌면 이곳에서 익히는 것들도 현실에서 요령의 한 자락 정도는 보탬이 될 지도 모르겠고.

"오."

제냐는 굳이 입을 벌려 탄성을 질렀다. 게임에서의 감각과 움직임은 현실과 같기에 더욱이 특이하게 느껴진다. 이곳이 게임 속이라는 인지와, 완벽하게 현실과 닮아 있는 감각 사이의 애매한 부조화였다.

바깥에서는 아무리 애를 써도 본격적인 방호구를 착용하고, 제 발로 수 km를 걸어서 토끼를 사냥할 일은 없었다. 사냥 애호가라면 모르겠지만, 그들도 냉병기를 이용하는 경우는 아주 드물 것이다.

깡-총.

하고, 토끼가 뛰었다. 애초에 그가 소리를 낸 건 드디어 목적지에 다다랐기 때문이었다. 도시 외곽 성벽에서 한참을 걸으면 나오는 파란 귀 토끼의 서식지였다. 길목과 평야와 맞닿은 숲의 가장자리 부근에 자리를 잡고 초원과 숲 양쪽을 터전으로 삼는 놈들이었다.

토끼라고는 하지만, 그리고 현실의 토끼와 같은 외관을 갖고 있지만 실상은 아예 다른 놈들이었다. 풀을 먹기야 하지만 귀의 색깔은 파랗고, 덩치도 토끼종 중 몸집이 커다란 녀석들이 눈 앞의 놈들의 평균이었다.

무엇보다,

깡-총

하고 뛰는 모습을 보고 있노라면 현실의 것과 같다는 생각이 들지 않는다. 어떤 토끼도 사람을 보고 공격적으로 달려들지는 않으니 말이다.

차라리 몸집은 달라도 내면에 든 소프트 웨어는 성질이 더러운 캥거루라고 보는 것이 좋을지도 몰랐다.

'우왓.'

눈에 걸린 건 한 마리였으나, 서식지 근처에 무리 생활을 하고 꼭 단체 행동을 한다고 하니 근처에 여러 마리가 있을 것이다. 파란 귀 토끼는 귀를 제외하고는 그림으로 그린 듯 예쁜 하얀 털을 가지고 있었다. 이런 임야 지대에 저런 털 색이라는 것이 도리어 이질적이다. 이 공간이 게임의 내부라는 것을 도드라지게 알려주는 장치처럼도 보였다.

일반적으로 동물들은, 그리고 저런 먹이사슬의 하위에 있을 듯한 작은 몸집의 녀석들은 서식지의 환경과 비슷한 색깔의 외형을 가지게 마련이다. 포식자나 위험으로부터 자신의 몸을 보호하기 위해. 뜬금없이 설원에서 뛰어 다닐듯한 새하얀 털이나, 더군다나 일부러 칠해놓은 듯 시퍼렇게 물든 두 귀라니.

휘익- 하고, 달려드는 토끼를 일단 제냐는 피했다. 파란 귀 토끼 역시 제냐를 발견하자마자, 마치 적이라는 듯 그 뒷다리를 이용해서 성큼성큼 다가왔던 것이다. 순식간에 거리를 좁히고 반경에 들자마자 몸통 박치기를 해오는 솜씨가 참 만만치 않다.

이런 소형 초식동물이 일반적으로 가지고 있는 행동은 아니었다. 자신의 둥지를 지키려는 대형 초식동물이라면 이렇게 싸움을 걸어

올 지는 모르겠다.

동체시력으로 판단하는데(게임 내 신체기능은 현실의 것보다 훨씬 좋다, 시력 역시)아마 현실이었으면 피하기 어려웠을 것 같은 속도도. 가까이서 보자면 빠르게 날아드는 공과 구분하기 어려울 지경이다.

픽!

그 움직임과 궤도가 눈에 읽혔지만, 제냐는 일단 한 대는 맞아 주었다. 가장 튼튼한 보호구를 차고 있는 복부를 일부러 내밀면서 말이다. 살벌한 타격음과 함께 토끼가 굳게 연마된 가죽 갑옷의 하드 파츠에 박았다.

그가 입고 있는 갑옷은 꽤나 성능이 좋았다. 초반 플레이에서 상점가의 갑옷 상인에게 호감을 얻고 질 좋은 녀석을 구매할 수 있었다. 방어력 성능은 2D게임처럼 절대적인 수치는 아니었고, 충격을 완화하고 늦게 부서지지만 부딪힌 이상 완전히 피해가 없을 수는 없었다.

체급의 차이도 아득하지만, 제 온 몸을 불살라 던져대는 토끼의 박치기는 나름의 묵직함이 있었다.

'욱.'

갑작스러운 충격에 속으로 숨을 삼켰다. 실제적인 피해보다는 놀라는 의미였다. 놀란…. 그리고 보면 고전 영화 감독 중에서는 크리스토퍼 놀란의 것을 많이 찾아봤던 제냐이다.

전투 상황에서 뒤로 헛소리같은 발상을 하고 있을 때, 부딪힌 토끼는 반발력으로 제멋대로 튕겨 나가 땅바닥을 굴렀다. 아무래도 자기의 무게에 비교했을 때 단단한 거인과 같은 대상에 부딪힌 것일 테니, 저 짐승도 제정신이 아니리라.

다만 야성과 그 지독한 강성이 살아있는지 금세 자세를 잡고 다시 달려드려 한다. 이번에는 맞아줄 생각이 없었다. 작고 또 나약해 보이는 소형 포유류였지만 잡아야 할 때는 잡아야 한다. 진지하게 마주봐도 만만찮은 구석이 있는 상대이기도 했다.

제냐는 길바닥에서 토끼와 마주한다.

토끼가 그 뒷다리를 차며 다시 좁게 뛰었다. 저렇게 한 두 번 깡충대다가 마지막에 온 힘을 실어 갖다 박을 테였다. 물론 그 모습을 지켜만 볼 생각은 아니다.

제냐는 숏소드를 꺼내들었다. 날뛰는 소형 짐승의 몸뚱이에 검날을 갖다 대는 건 이미 기예의 영역이었지만, 게임 내의 수많은 보정과 효과들은 그것을 가능하게 만든다. 일단 플레이어는, 전투형 성장 과정을 선택했다면 초기에 능숙한 운동선수나 비슷한 신체적 재능들을 얻고 시작한다.

직접적으로 너무 큰 영향을 끼치는 근력 따위는 일반적인 수준에서 조금 나은 정도였지만, 동체 시력이나 유연성을 비롯해 동작 수행 능력의 재능은 최상위의 것이다.

왼쪽 허리춤에 있는 숏소드에 손을 대고 그대로 뽑아 올린다.

27

대각선 방향으로 발검과 동시에 휘두르는 궤적이었고, 그것은 마침 날아드는 토끼의 돌진과 맞닿아야 의미가 있는 것이다.

한 손으로 야구 배트보다 좀 더 무거운 쇠칼을 휘두르고, 이상한 궤도로 휘는 흰 물건을 맞춰야 하는 일이었고, 그건 현실에서 경험하기 어려운 제법 재미있는 작업이었다.

서-걱.

하는 소름 돋는 소리가 들려왔다. 제냐의 근력은 제법 훌륭하다. 한 손의 완력으로도 충분한 베기였고, 그 칼날의 길에 들어온 토끼는 공중에서 피륙이 갈려 얻어맞은 듯 옆으로 튀어나갔다.

한 번에 깔끔하게 몸통 부위에 자상을 만들어낸 일격이었다. 야구 배트장에서, 기계를 상대로 홈런을 치는 것과 비슷한 쾌감이 있었다. 실제 운동과 달리 칼로리 소모 효과는 없었지만, 단순히 감각을 익히는 것이라면 확실히 가상현실 기술은 의미가 있을지 모른다.

지독하게 생생하게 보조 장치를 두고 하는 이미지 트레이닝이나 비슷해 보였다.

띠링. 하고 단번에 숨이 죽은 토끼를 관찰하고 있을 때 알림음이 울렸다. 지나치게 게임에 몰입되지 않도록 돕는 것처럼, 이질적인 파란 창. 불투명한 인터페이스가 그의 시야 한켠에 떴다. 상단에 자그마하게 표시되는 것으로, 눈을 깜빡이는 것으로 끌 수 있다.

[튜토리얼 임무 - 도시 밖 10km 보행;완료. 토끼 사냥;1마리 /100마리]

간단한 정보를 표시하는 진행 창이었고, 게임 플레이가 오래되고 여러 임무가 섞인다면 쓸모 있는 기능이었다. 제나는 양쪽 눈을 빠르게 깜빡이며 진행창 인터페이스를 종료했다.

계속 나오게 된다면 귀찮을 테다. 전투 상황과 일반 상황의 경계선이 따로 없는 게임 내에서 시도 때도 없이 눈을 감아댔다가는 게임 오버로 가는 지름길이기도 했고. 그는 메뉴얼대로, 오른손 검지로 오른쪽 관자놀이를 두 번 건드렸다. 그렇게 되면 설정창이 나온다. 시야 정면에 크게 자리를 차지하는 설정창은 손가락으로 직접 조작이 가능하다.

공중에 떠 있는 터치 패널을 조작하듯이 몇 번인가 목록을 툭툭 건드려, 임무 알람을 꺼두었다. 게임성과 현실성의 조화란 게임 제작의 입장에서 늘 고민해야 하는 딜레마이다. 더군다나, 이렇게까지 현실과 유사한 가상공간을 만들 수 있는 시대에야 더 그럴 것이고.

현실의 삶에 유해하지 않는 선에서, 제한된 경험 내에서 어느 정도로 게임성을 추구하고 현실성을 추구할 것인가. 그런 고민이 담겨 있는 곳일 테였다. 이 비련의 시나리오 온라인 내부는.

그런 게임성의 일환이다.

피나, 동물의 내장 기관이 제대로 구현되어 보이지 않는 것은 말이다. 지나친 선정성이나 유해성은 플레이어에게 자칫 트라우마를 안겨줄 수도 있다. 인위적인 작업물에서 불필요한 표현은 감상자의 현실에 악영향을 끼칠 수도 있는 것이다.

몸뚱이가 베여 날아간 토끼는 그 베인 자리가 발광하며 빛나고 있었다. 그 내부가 보이지 않는 모자이크 처리와 비슷하다. 기술력으로 따지자면 해낼 수 있었겠지만, 굳이 표현하지 않는 쪽을 택한 것이다.

자리에 떨어진 토끼의 사체는 얼마 지나지 않아 그곳에서 사라진다. '몬스터 해체'라는 스킬을 갖고 있다면 시간을 지연시킬 수 있고 직접 짐승의 시신으로부터 부속물을 얻을 수도 있으나, 다른 처리를 하지 않는다면 상처 부위의 빛이 온 몸뚱아리로 번지며 가루가 흩날리듯 사라지게 되는 것이다.

토끼가 사라지며 그 자리에 작은 정사각형 박스 하나가 남았다. 박스라곤 하지만 포장지는 아니었고, 그저 그런 모양의 빛나는 미확인 물체일 뿐이다. 제냐는 길바닥에 굴러다니는 작은 돌멩이 하나를 주웠다. 손가락 마디 두 개쯤 되는 크기의 작은 돌이다.

가벼운 손목 스냅으로, 그대로 던진다. 몇 걸음 떨어진 자리에 있던 박스에 명중을 했고, 그대로 사라졌다. 사라진 박스는 '아이템'의 가시화였고, 전리품의 권한을 지닌 플레이어가 직접 행동을 해 무엇으로든 건드리게 되면 해당 플레이어의 인벤토리로 귀속된다.

아이템 중에서는 물론 인벤토리에 들어가지 않을 만큼 거대하고 무거운 것들도 있었는데, 그런 종류는 박스가 사라지지 않고 플레이어에게 날아와 눈앞에서 물건으로 변하게 된다. 그 때부터는, 직접 운반을 해야 하는 상황이고 말이다.

'IV.'라고 작게 중얼거리며 창을 띄워 확인해보니 파란 귀 토끼의 파란 귀 한쪽이 들어 있었다. 선명하고 어딘지 신비로운 빛깔을 내는 귀 부위의 털은 다량을 모으면 모피 제품의 원료로 비싸게 팔린다.

'계속 가볼까.'

속으로 마음을 먹으며 제냐는 발길을 돌렸다. 파란 귀 토끼의 서식지인 것을 알았으니, 주변을 돌며 백 마리를 해치워야 할 때다. 그는 오른쪽에 갑갑하게 펼쳐진 숲으로 걸어 들어갔다. 오늘 안에 끝낼 수 있다면 좋으련만, 무작위로 돌아다니는 사냥감을 발견하는 것도 고생스러운 일이었다.

이 놈의 게임은, 영 불친절한 구석이 많은 편이었다.

***

2. 개멋진나 최

고요하다.

숲의 내부는 물론 온갖 잡음으로 가득 차 있었다. 번잡스러운 마음을 내려놓고, 자신의 호흡을 가다듬어보면 다양한 생물과 자연의 소리가 시종일관 바스락거리고 있는 것이다.

그럼에도 고요하다는 느낌은, 자신의 것이었다. 호흡을 가라앉히고 주변의 움직임에 자신의 리듬을 맞춘다. 사람이 살아있는 이상 떨림은 없을 수 없었지만, 그 오르내리는 낙차에서 리듬감을 만들어낼 수는 있었다.

그렇게 숨을 멈추고 한참이나 집중을 깊이 하다보면 쓸데 없는 잔떨림이 사라지고, 고요하다고 느끼는 순간이 오는 것이다.

'제냐'는 소형 석궁을 들고 풀숲 어귀, 사람의 허리 근처까지 자란 작은 나무들 사이에 모습을 숨기고 있었다. 무성하게 또 무분별하게 자라난 활엽수가 그의 모습을 가리운다. 적당한 거목의 나무 둥치에 몸을 대고, 앞으로는 시야를 가리는 잎사귀 사이로 숨은 채 목표를 노리고 있었다.

시야가 원만하지 않지만 준비된 사냥 자세에서 조그마한 틈으로, 상대를 바라보고 있었다.

그가 노리는 건 파란 귀 토끼의 서식지에 같이 나타나는 숲 노루였다. 토끼를 사냥하다가 나타난 큰 목표물의 흔적에 숨을 죽이고, 그대로 근처에 모습을 감춘 채 한참을 기다리고서 잡은 기회였다.

제냐는 현실에서 능숙한 사냥꾼과는 거리가 멀었지만, 게임 속 환경은 얼추 비슷한 짓을 해낼 수 있게 만들어주었다. 숲 노루는 감각이 둔한 것인지, 아니면 그저 우연의 일치인지 초보자인 제냐의 노림수 안쪽으로 제 발로 걸어 들어왔다.

흔들리는 잎사귀와 작은 나무의 가지 사이에 빈 공간이 있었다. 그 사이로 노루를 살피며 석궁을 겨누고 조준을 한다. 석궁은 소형이었고, 팔뚝만한 길이의 것으로 그 살 역시 긴 편은 아니었다. 그러나 나름의 장력이 있고 잘 맞춘다면 사냥의 성공 역시 기대해볼 수 있으리라.

시나리오 온라인 내부에 존재하는 적대적 몬스터들 중에서, 본격적인 괴물 형상의 것들에게는 잘 먹히지 않겠지만 노루 정도라면 노려볼만한 무장이었다.

-컹.

짐승의 성대에서 걸걸한 울음 소리가 나왔다. 노루가 낸 소리였고, 별다른 경계를 하지 않는 듯 풀어진 모습으로 이리저리 고갯짓을 하다 땅에 떨어진 열매인지 무엇인지로 주둥이를 가져다 댄다.

짐승의 시선이 아래로 내려가는 때에 맞추어서,

툭.

제냐가 방아쇠에 걸린 손가락을 눌렀고 그대로 화살이 날아갔다.

푹, 하고 충격음과 함께 살이 노루의 옆구리를 파고들었다. 근접 거리에서 꽂힌 촉이 깊이 박히며 그것의 내장 일부를 상하게 한 모양이다.

-끼이익!

하고 비명처럼 소리를 지르는 노루가 움직이지 못하고 옆으로 쓰러졌다. 다시금 재차 일어서려 하지만 헛발질을 하며 채 빠르게 회복하지 못했다. 활 솜씨는 없었지만, 어떻게 운이라도 좋게 급소라도 맞춘 모양이다.

야생 동물이란 건 어느 정도 터프함을 지니고 있어서, 상상 속에서 생각하는 것보다 더 큰 충격을 주어야 움직임을 멈추게 되어 있는데도 말이다.

"Ⅳ."

제냐가 빠르게 중얼거렸고, 눈앞에 반투명한 인벤토리 창이 켜졌다. 시야에 걸리는 그것이 실제 존재하는 것인양 손이 간다. 한 손으로는 석궁 시위를 다시 뒤쪽으로 걸고 있는 와중에.

왼 손으로 푸른 창에 올라오는 리스트 중 '소형 석궁 화살x19'를 건드리자 양각으로 만들어진 조형물처럼 칸이 부풀어 오른다. 그대로 손가락을 놀리고 물건을 움켜쥐듯 손으로 잡자 허공의 창에서 쑤욱, 하고 화살 하나가 빠져나왔다.

게임의 인터페이스는 상황을 불문하고 언제든 사용할 수 있었고, 인벤토리는 수출납이 자유롭고 빠른 기능이었다. 잘 만들어진 몸 주위의 장구류보다는 다소 둔할 수 있지만, 가벼운 긴장감의 상황에서는 인벤토리를 직접 이용하는 것도 나쁘진 않다.

손에 들린 화살 하나를 그대로 석궁 몸체, 위쪽에 끼운다. 제대로 살이 들어가고 장전이 다시 되었음을 안 제냐는 수풀에서 일어서며 노루를 겨누었다.

-끼이익, 끼익!

시끄럽게 울음을 울며 노루가 허둥지둥, 자리를 피하려 했다. 낑낑대지만 아직 완전히 죽지는 않았고, 힘이 남아있다. 가속도를 받아 거리를 벌리기 전에 다행히 그가 조준을 마쳤다. 그대로 쏜다.

퉁, 하고 짧은 석궁에서 화살이 발사되었다. 마치 라이플처럼 어깨 근처에 두고 한쪽 눈을 감으며 서서 쏴로 쏴 날린 것이다. 푹, 끼이이! 화살 한 대 더 박혀 들어갔고, 노루의 앞다리 오른 어깨 근처에 석궁살이 박혔다.

노루가 달리려다가 그대로 균형을 잃고 앞으로 한 번 넘어졌다. 안쓰러움을 느낄 틈은 사냥 중에는 없었고, 그대로 제냐는 석궁을 버려두고 허리춤에 메었던 숏소드를 뽑으며 달려들었다.

" 으랴! "

평상시에 기합을 지를 일은 많이 없다.

답잖은 호기를 뽐내며 몸을 박차는데 현실의 몸보다 훨씬 더 탄력적이고 강한 힘을 받으며 몸이 튀어 나갔다. 전투 직종 성향을 선택한 제냐의 캐릭터는 기본적으로 운동 체질이었고, 약간의 레벨업과 플레이를 거치며 근지구력과 순발력 따위가 늘었다.

현실의 것이었다면 그대로 발이 꼬여서 넘어질 수도 있지만, 제냐는 능숙한 전사처럼 몇 걸음에 노루의 앞에 닿아 그 기세 그대로 숏소드를 아래로 휘둘렀다. 콱!

묵직한 저항감이 조금 느껴지지만 달려든 힘과 같이 내리 그어진 숏소드의 날이 노루의 긴 목덜미를 뒤에서 사선으로 베었다. 뼈가 조금 걸린 것도 같았는데 그대로 내리 쳐졌고, 그 목이 꺾이며 곧 노루의 시신이 운동성을 잃고 바닥에 내팽개쳐진다.

쓸데없는 현실감으로, 사후의 근육 반응이나 관성 따위가 남아서 다소 움찔거리던 노루 시신의 움직임이 곧 완전히 멎었다.

여전히 피가 베어나와야 할 곳이나 상처 부위는 하얗고 또 푸른빛의 입자로 가려져 있었고, 제냐가 짐승 해체를 시도하지 않기에 그대로 사라진다.

해체 스킬은 보통 마을 도축장 따위에서 돈을 주고 배워와서 현장에서 써먹는다. 기본적인 수준의 스킬들은 마을의 NPC들에게서 어렵지 않게 배울 수 있었고, 혹은 현장에서 직접 행위를 통해서 얻을 수도 있었다.

아직 시작한 지 얼마 되지도 않았고, 스킬을 배우지도 않았기에 노루를 두고 해체 행위를 몇 번이나 반복해야 익혀지리라. 현장에서 까다롭게 익히기보단 돈을 주고 배우려는 생각에, 굳이 연습을 하진 않는 것이다.

노루가 사라진 자리에 아이템 박스가 남았다. 꽂혀 있던 화살 역시 노루 시체가 사라지자 덩그러니 땅바닥에 놓여 있다. 제냐는 허리를 굽혀 화살을 줍고 박스를 건드렸다.

소유권자가 어떤 식으로든 건드리면 된다. 손끝이라도 작게 닿아도 되고, 혹은 물건을 직접 던져도 좋다. 공격 역시 건드린 것으로 판정이 되기 때문에 석궁 따위로 조준해서 쏘아도 되었고, 초상 기술로 원거리 타격을 해도 된다.

손끝으로 스치자 박스가 사라졌고, 제냐는 인벤토리 창을 열어 확인한다.

[숲노루 고기 5kg]
[숲노루 왼쪽 뿔]

리스트에 새로운 제목과 작은 사진이 나란히 적혀 있었다.

해체 스킬을 가지고 직접 노루를 분해했다면 이보다 훨씬 많은 양을 제대로 얻을 수 있으리라. 다만 지금은 전리품이 목적이 아니라 사냥과 전투 경험이 주였기에 그냥 넘어간다. 아이템 창에 들어갈 수 있는 목록도 한계가 있었고.

"쿵."

배가 고프다면, 이렇게 짐승을 사냥한 뒤에 나오는 고기로 조리를 해서 먹어도 된다. 과한 양을 섭취하지 않는다면, 심지어 생고기도 식료로 쓸 수 있다. 어쨌거나 게임 내 캐릭터의 건강은 아주 양호였고, 질병에도 거의 걸리지 않는 편이었으니.

그러다가 간혹 '유해한 기생충이 있음'이라고 작게 아이템 설명에 적힌 짐승의 생고기를 섭취했다가는 곧바로 캐릭터가 이상 상태에 빠지고 만다. 굳이 세세하게 아이템을 살펴야만 알 수 있는 설명으로, 지독한 장난기가 느껴지고는 하는 불친절함이었다.

토끼는 수십 마리를 잡았고, 노루도 사냥을 했다. 시간은 RT(Real Time)으로 오후 9시 경이었고, 내일 수업을 생각하면 밤을 세는 건 못할 짓이다. 대학에 들어와 동기들은 술판을 벌이며 새벽까지 놀다가 그대로 아침 수업을 가는 경우도 있는 듯하지만, 그는 별다른 이유가 없으면 굳이 힘든 일을 자처하지는 않았다.

게임 시간으로는 한낮. 그는 몇 시간 정도는 더 즐길 생각을 하며, 버려두었던 석궁을 주웠다.

*

바스락거리는 소리가 들린다.

숲에서의 사냥은 감각이 예민해지는 경우가 많다. 잡아야 하는 야생동물을 따라가려 집중하다 보니 그렇다. 콧속으로 가득 들어오는 풀내음, 짐승의 잡내 따위 역시 구현하고 있는 점이 놀랍다.

청년은 사냥꾼 행세를 하고 있었다. 기척을 죽인다. 손에는 자그마한 도끼가 들려 있다. 근거리의 적을 처치할 때도 쓸만한 놈이지만, 가볍게 어깨를 돌려 날린다면 근방 십여 미터 정도의 목표물은 전부 쪼개버릴 수 있는 도구였다.

물론 사람을 향해 날리면 안된다… 지만 이곳은 전근대의 중세 시대 정도의 사회상을 구현하고 있는 게임의 내부였고… 자신의 목숨을 위협하는 강도의 경우라면 부담없이 던지게 될 지 몰랐다.

게임 내 행위들은 현실에 미칠 영향을 고려해서, 적절히 모자이크 처리가 되는 게 많았다. 몬스터를 비롯해 모든 동물들, 혹은 사람에게 공격하는 행위와 그 피해 상태는 피나 상처가 아닌 빛의 입자로 대신된다.

동물의 신체 내부 역시 구현되지 않고, 그건 플레이어끼리도 마찬가지였다.

비런의 시나리오에서 공격 불가 대상은 없었다. 모든 상호 작용이 거의 오픈되어 있었고, 그러고자 한다면 중임을 맡은 귀족이나 왕족 NPC에게도 행패를 부리는 게 가능했다.
플레이어 간의 공격, PVP행위 역시 장소를 가리지 않고 가능했다.

시스템적으로 행위를 막는 프로그램은 없었고, 거의 현실이나 마찬가지로 움직이는 물리 엔진 속에서 난전이 벌어지면 동료의 등 뒤를 실수로 노리는 일이 없도록 조심해야 했다.

자유도를 보장하는 오픈 월드 시뮬레이션이라고 하지만, 게임을 만든 이들이 일관적으로 주도하는 정서상 인격 모독적인 플레이는 패널티가 강했다. 애초에 한 번의 게임 오버가 게임을 즐길 기회를 박탈해버리는 극악한 난이도의 게임이라지만, 게임 내부에서의 패널티 역시 만만찮은 것이다.

예컨데 일상적인 대화가 가능한 평화로운 상태의 마을 따위에서 적의가 없는 NPC를 습격하게 된다면, 곧바로 마커Maker가 작동해서 해당하는 캐릭터 위에 뜨게 된다. 비인격적 행위 플레이어라는 표시로, 마주하는 모든 NPC가 그의 행위를 알게 되고 그 때부터 제대로 된 상호 작용이 불가능해진다.

전투력이 있는 캐릭터라면, 곧바로 플레이어를 쫓아 공격하며, 게임 내에 존재하는 법률에 따라 처리된다.

플레이어가 이런 식의 행위를 했을 때는 가장 지독한 벌을 받게 되는데, 곧바로 국가 단위의 흉악범 수감소에 갇혀 감옥 생활 시뮬레이션 게임이 되어버리고 만다. 의도적인 비인격적 플레이라고 판단되었을 때는 풀려날 수 있는 별다른 방법이 없었고, 해당하는 감옥의 건물이 물리적으로 날아가 버리지 않는 이상 게이머는 파괴적인 초상 현상 스킬이 차단당한 채 계속해서 그곳에 있게 된다.

다른 의미로, 게임 오버라고 해도 좋았다.

다만 시나리오 상에서 전쟁이나 전투 상황 등, 다양한 경우에 대인 전투는 발생하고는 한다. 플레이어 간의 전투는 악의적이며 인격을 괴롭힐 의도로 자행하는 플레이어 킬링이 아니고서는 대부분 용인되고, 실수라 하더라도 그대로 게임 오버 처리로 직행되었다.

그러니까, 예컨데 이런 상황이다.

손도끼를 쥐고 있는 청년은 귀를 기울인다. 회색 빛깔의 머리칼을 길게 늘어뜨린 사내는 마른 체형이었고, 형형하게 빛나는 두 눈동자는 어딘지 현실감 없는 짙은 녹빛이다.

예민하게 소리를 찾는 귀가 움찔거린다.

그는 숨을 죽이고 나무의 뒤에 모습을 숨기고 있다가, 손에 슬쩍 힘을 준다.

하나, 둘, 셋.

별다른 의미는 없는 것 같지만 본인의 리듬감을 찾기 위해서인지 그는 속으로 숫자를 세다가, 그대로 몸을 돌리며 팔을 휘두른다. 손도끼를 날리는 동작은 그가 게임을 시작한 이래 가장 많이 반복한 전투 동작이었고, 짙은 익숙함이 배인 움직임이었다.

단 한 호흡에, 소리가 난 곳을 눈이 좇고 이미 손도끼가 날아간다.

"엇."

그런데, 숲에서 그가 노렸을 터인 짐승이 생경한 소리를 낸다. 사람의 목소리였다. '왁'.

도끼를 날린 청년은 이미 도끼를 날린 뒤에 모습을 확인했다. 토끼는 없었다. 한참 동안 그 외에는 아무도 발견할 수 없었던 숲의 내부에 느닷없이 사람이 모습을 나타낸 것이다.

공중을 회전하며 날아간 투척용 손도끼는, 자신도 뭐가 날아오는 지 모르는 채 반사적으로 팔을 내밀었던 상대방의 팔뚝에 박혀 들어갔다. 콰직, 하는 섬뜩한 소리는 트라우마를 일으키기 충분하다. 과한 현실감을 배제하고 싶다면 얼마든지 설정에서 변경할 수 있는 부분이었다.

"⋯."

팔뚝에 도끼가 박힌 상대방은, 평범한 가죽 보호구로 치장한 플레이어처럼 보였다. 검은 머리칼의 동양계 남성, 자신과 비슷한 나이대의 청년.

그는 잠시 말을 잃고 시선을 돌려, 자신의 몸과 합체된 도끼를 보고 곧 반응했다.

"우아악!"

어딘지 한참이나 늦은 반응이었지만 그럴 수 있었다. 치명상으로 분류되며 체력 포인트를 갉아 먹는 공격 판정에 대해서 게임은 통감을 제공하지 않는다. 어딘가 둔한 감각과 함께, 시각 정보로 받아 들일 때 자신의 피해를 확인할 수 있는 것이다.

물론 설정에서, 조금 더 예민한 반응으로 수치를 조절해 보지 않고도 체력 포인트의 잔여량을 가늠하는 플레이 역시 가능하다. 상대방의 반응으로 생각하건데, 아주 둔감한 수치로 설정을 해둔 듯하다.

자기 팔에 도끼가 날아와 머무는 모습은 평생 살면서 쉽게 상상하기 어려운 장면이었다. 게임은 그것에 상처나 피를 나타내지 않지만, 곧 그만한 양의 빛의 입자들을 흩뿌리면서 심각성을 표현했다.

"으아악!"

도끼를 날린 쪽의 청년 역시 긴 머리칼을 휘날리며 호들갑을 떨었다. 미안함의 발로였다. 전혀 예상치 못한 상황이었고, 아직 게임 내에서 누군가와 상호 교류를 하는 일이 아주 드물었던 탓이다.

-으아아악!

숲의 한 가운데 두 사내의 비명 소리가 번진다. 둘은 멍청하게 잠시 소리를 내며 게임의 적응을 해나갔다.

*

"…미안하게 됐습니다."

긴 머리칼을 늘어뜨린 청년이 먼저 입을 열었다. 그는 짙은 톤의 경갑옷으로 가슴팍이나 관절부 따위 정도만 가리고 있는 가벼운 행색이었는데, 제대로 된 크기의 활을 등에 지고 있는 것으로 보아 순발력 위주로 원거리 데미지 딜링Damage Dealing을 하는 전투 캐릭터인 듯 했다.

비슷한 나이 또래의 두 사내가 함께 숲 어귀 공터에 주저앉아 이야기를 나누고 있었다. 서로 거리를 벌린 채 각자 나무 등치에 기대어 있는 모습이다.

팔뚝에 도끼가 날아와 박혔던 청년, '제냐'가 고개를 끄덕였다.

"게임은 아직 익숙치 않지만 그런 일도 있나 보죠. 신경쓰지 마세요."

제냐가 착용하고 있던 가죽 갑옷보다 날아든 손도끼의 위력이 훨씬 강했는지, 그 위를 파고들어 내부까지 박히든 것이다. 실제였다면 차마 말 못 할 참상이었겠지만, 게임 내부에서는 피나 상처가 표현되지 않는다.

그저 지속적으로 빛의 입자가 흘러나오며 제냐의 캐릭터가 입은 피해를 표현하고 있을 뿐이었다.

도끼를 맞은 부위 위에는 방어구를 풀고, 상처 부위에 뿌리는 치료약을 발라 덮은 뒤 대강 붕대로 묶어 두었다. 그리고 나서 붉은 색의 체력 포인트 물약을 마시면 처치는 끝난다. 전투 중에 세세한 행위를 할 수는 없었지만, 일반 상황에서는 이렇게 하는 게 정석이었다.

'초상 기술Supernatural Skill'은 현실에서 보여지기 힘든 여러 효과들을 나타내는 것으로, 힐링Healing을 습득한 자라면 영화의 마법처럼 즉각 낫게 할 수도 있었지만 그 외의 캐릭터들은 물리적인 처치가 필요하다.

그럴싸한 내 외상 피해별로 처치 모션이 달랐고, 정확한 순서로 처치를 한다면 더 빠르게 낫고 체력 회복에 도움을 준다.

여타의 게임과 차이가 있는 점은, 체력 포션이랄만한 붉은 물약을 마셔도 체력 포인트가 올라가지는 않는다는 점이다. 피해를 입은 상황에서 시간이 지나면 점차 캐릭터는 지속 데미지를 입게 되는데, 그 지속 데미지를 줄이거나 없애줄 뿐이다.

캐릭터는 전투에 들어갈 때, 자신의 총 체력 수치를 단 1회 사용해서 전투가 끝날 때까지 버텨야 하는 것이다.

이는 전투 행위에 대해 소극적이 될 수도 있는 룰이었지만 도리어 더 집중을 하게 되고, 신중하게 게임 플레이에 접근하게 되는 점이기도 했다.

비련의 시나리오의 물리 법칙은 굉장히 뛰어난 편이었고, 방어력으로 나타나는 게임 내의 맷집으로 보정되지 않는 대부분의 피해는 마치 현실처럼 나타났다. 이번처럼 팔뚝에 도끼가 꽂힌다면, 힐링이나 제대로 된 처치로 상처를 낮게 할 때까지는 팔 움직임에 제한이 걸리는 것이다.

물론 방어구나 자체 물리계 스테이터스 증가로 맷집을 키운다면 만화나 영화처럼 맨 몸으로도 창칼을 버텨내는 초인이 될 수도 있기는 했다.

체력 수치는 바닥을 보이기 전에 휴식처를 찾아가 제대로 된 휴식을 취해야만 오르게 되어 있었고, 시간에 따라 오르게 되어 있었다. 물론 게임이니만큼, 즉사 직전의 위협이라고 하더라도 게임 내 시간으로 하루 정도를 푹 쉬면 완치되고는 한다.

알맞은 처치 모션이나 힐링 스킬로 피해를 복구하지 않는다면, 체력 포인트는 오르더라도 해당 부위는 부상 상태로 움직임 제약이 지속될 수도 있었고.

제냐는 도끼를 맞은 쪽의 손을 천천히 쥐었다 펴며 움직임을 확인했다. 조금 불편하지만 아예 움직이지 못할 정도는 아니었다. 곧바로 처치를 한 점도 있었고, 생각보다 전투 캐릭터의 몸은 터프한 편이었다.

아예 사지가 결손될 정도로 날아간다면 '고급 스킬'로 분류되는 리제네레이션Regeneration을 받지 않는다면 그대로 쭉 플레이를 해야 했다.

"그래도 움직이긴 하는 군요. HP(체력 포인트Health point)도 심각하게 날아가지는 않았고요. 임무를 마저 할 정도는 되는 것 같아요. 물약 감사합니다."

제냐의 말이었다. HP가 10퍼센트 정도 날아가 있었지만, 위험 수준은 아니었다. 50이하로 떨어지면 슬슬 복귀를 생각해야 하는 수준이었으니.

"그, 드릴 게 없어서 죄송하군요. 저도 아직 뉴비Newbie라서……."

청년은 그렇게 말하면서 인벤토리 창을 열어, 소지품을 조금 꺼내 들었다. 돈을 인벤토리 창에 넣었다가 꺼내면 거래 가치가 없는 가죽 주머니가 생성되며 그 내부에 담겨 나온다. 회색 머리칼의 청년이 얼마 되지 않는 내용물의 주머니를 제냐 쪽으로 슬쩍 던졌다.

절그럭거리며 주머니가 날아온다. 제냐는 멀쩡한 손으로 어렵지 않게 받았다. 게임 내의 캐릭터 신체는 반응 능력이 매우 뛰어나다. 운동 선수들은 전부 이런 시각으로 사는 건가, 싶을 정도의 느낌이었다. 방금도 예고 없는 던지기였고 궤적이었지만 아주 안정적으로 받아내었다.

제냐는 받은 주머니를 열어 보지도 않고 이야기했다.

"뭐, 충분합니다. 고의도 아닌데. 그런데… 게임은 많이 해보지 않았지만 이 정도 현실감이면 확실히 감정 싸움이 일어날 수도 있겠군요. 서로 전투 상황에서의 몰입도가 상당할 것 같은데요."

청년이 입을 연다.

"그렇…죠? 아무래도. 지나친 노매너 플레이는 운영진 측에서 제제가 강력한 편이라 그리 많지는 않겠지만… 패널티를 감수하고 저지른다면 아마 속이 뒤틀릴 수도 있겠죠, 플레이어끼리."
"거 참 위험하군요."

그 말을 끝으로 제냐는 입을 닫았다. 회색빛 머리칼을 장발로 늘어뜨린 청년은 제법 이목구비가 뚜렷하고 사내답게 생긴 미남이었는데, 얼추 그 치렁치렁한 머리가 잘 어울리는 사람이었다.
청년은 민망하게 가만히 자리에 앉아 있다가 굳이 다시 말을 걸었다.

"제 이름은 최태현입니다. 그 쪽은 동양계이신거죠?"

비련의 시나리오 온라인, Story of Tragedy에서 모든 언어는 통일된다. 다국적으로 서비스되는 전 세계적 인기 게임에는 수 많은 사람들이 로그인Log-in을 하게 마련이었고, 그건 수십에서 많게는 백여개가 넘는 국가의 다인종들이 참여한다는 뜻이었다.

그 많은 인구를 하나의 채널로 운영하는 방대한 규모의 MMORPG게임이 비련의 시나리오였고, 게임 내에서는 자체적인 번역 기능으로 '대륙어'로 표현되는 단일 언어와 문자를 사용하게 된다.

대륙어는 사용자마다 각 국에 맞는 언어로 번역되어 읽히게 되어 있다.

세계화가 진행이 된 지도 1세기가 가깝게 흘러간 시간. 이전에도 그러했듯 인종이 꼭 국적과 일치하는 건 아니었으므로 최태현의 물음은 어느 나라에서 접속을 했느냐는 말이었다.

"예, 동양계이고… 동양인이죠. 한국인입니다."

21세기 종반을 바라보는 지점. 한국은 하나의 나라를 의미했다. 지지부진하게 이어지던 오랜 휴전이 끊어졌고, 남북한은 통일에 이르렀다. 물론 북한이 아닌 남한 주도의 통일이었고, 사멸되어가던 공산주의 사상은 기이하게 변질되어 독재자들을 만들어내고 세계에 폭력을 낳았지만 그 목숨이 오래가지 못하고 끊어지게 된다.

남한을 중심으로 자유주의 국가들의 협력이 공고해지고, 서방 세력의 힘과 영향력이 비대해지면서 자연스레 북한은 상대적 덩치가 점점 더 작아졌고, 종래에 이르러 남한군은 북한의 대지에 무혈 입성을 하게 된다.

장벽처럼 나누어졌던 경계가 무너지고, 독재 정권이 사멸하고, 발악을 하던 마지막 독재자가 집권층의 분란으로 유혈 정쟁이 일어나서 그 다툼 속에서 목숨을 잃었다.

남은 고위층들이 사법부의 판례에 따라 형량을 받았고, 북한을 구실 삼아 사상과 영토 전쟁에 아귀를 벌리던 공산주의 대국들의 기세 역시 다소 잠잠해졌다.

한국이 안정되자 발전은 탄력을 받았고, 북한 지역은 남한에 비해 한참이나 개발이 늦어져 지금까지도 어딘가 이질감이 있는 지역으로 남아 있었지만 편안하게 여행을 다닐 수 있는 국토가 된 것이 한참 전의 일이다.

제냐 킴, 은 게임 내의 아이디였으나 그 성은 본명의 것을 따른다. 시나리오 온라인의 통일된 작명법의 일환이었다. 아이디를 생성할 때 실제 주민 아이디 기록에 따라 본명의 성이 들어가고, 이름란을 자유롭게 적는 식이었다.

완전한 익명을 방지하는 의미도 있었다. 성만으로 게임 내에서 타인의 실제 이력을 추적하는 건 어렵겠지만, 적어도 자신이 실제 정보를 드러내고 있다는 사실만으로 약간의 부담감을 갖게 된다.

아무튼 제냐는 스스로의 이름을 말했다. 그는 대한민국의 대학생이었고, 피곤한 일상 가운데 여가 시간으로 이것을 하고 있었다.

"제냐, 킴입니다. 그쪽도 한국 분이신가 보네요."

평화의 숲 옆 도시는 동양계가 많았고, 개중에서 한국인이 많이 선택하는 스타팅 포인트였다. 세계인들이 함께 즐기고 있었고 언어의 장벽이 없다지만 그럼에도 비슷한 가치관과 문화를 공유하는 국민들은 뭉치기 쉬운 편이다.

초기 유저들 중 한국인들이 많이 골라서 두각을 나타낸 포인트였고, 이후로도 많은 이들이 따라 출발하며 알음알음 돕고 플레이를 하거나 하는 식이다. 그런 식으로 나라 별로 게임 밖 커뮤니티가 활성화되어 만남의 장처럼 특정적인 장소들이 게임 내에 여럿 있었다.

제냐의 말에 최태현이 멋쩍은 표정을 지었다. 그는 본명을 이야기했고, 제냐는 아무리 봐도 게임 아이디로 들리는 것을 이야기한 탓이다. 온라인 상에서 대뜸 본명을 말하는 것이 애초에 유별난 행동일 지 모른다.

"아이디는 개멋진나 최 입니다. 부르기가 좀 어렵죠?"

세계적으로 성을 뒤에 붙이는 것이 일반적이기에, 보통 게임 내 아이디 역시 본명의 성이 뒤로 간다. 그런데… 실제와 약간의 유사성이 있는 얼굴을 서로 마주하고, 마치 현실처럼 대화를 나누는 고성능 시뮬레이터 내부에서 저런 괴랄한 아이디를 만드는 사람은 분명 소수이리라.
최태현이 자신의 아이디 대신 본명으로 이야기를 튼 것도 이해가 가는 점이었다.

"어… 예. 재미는 있겠네요. NPC들과 놀 때는요."
"즉흥적으로 짓고 보니 게임 내에서 곤욕을 치를 때가 많더군요. 시나리오 온라인의 NPC들은 거의 유사 사람이라서, 제 이름을 듣고 혼자 웃음을 못참으면 미친 놈 보듯 볼 때도 있었습니다."

"아… 예."

확실히 진중한 분위기의 게임 시나리오가 진행되는 장면에서 혼자 이름을 듣고 웃고 있으면 이상한 놈처럼 보이기는 하리라.

플레이어 캐릭터의 아이디는 딱히 번역되어 NPC들에게 전달되는 건 아닌지, 그 이름의 이상함은 플레이어들만 이해할 수 있는 것 같았다.

게다가 최태현의 곤욕은 게임 내에서 그보다 더 난감한 것이었는데, 말했듯 비련의 시나리오 내의 NPC들은 거의 사람과 유사했다. 그들과 관계된 임무, 퀘스트 스토리 진행에서 정상적인 커뮤니케이션을 대화나 몸짓으로 해내지 않으면 제대로 된 클리어를 할수가 없는 것이다.

'왕의 부름'같은 임무 상황에서, 일국의 국왕의 명령을 수행하고 그 보상을 받는 자리를 가질 때 느닷없이 반말을 갈겨댄다거나 예의에 어긋나는 행동을 보이면 최악의 경우 보상이 날아가고 상황이 꼬일 수도 있는 것이다.

어지간해서는 돌발 상황으로 크게 비틀어지지 않지만- 즉 다시 말해 시나리오 온라인 내의 NPC들은 대부분 참을성이 많은 성격의 AI들이지만, 객관적으로 반응하기 어려운 수준의 이상함을 보인다면 스토리가 다른 길로 가는 것이다.

그런 점에서… 최태현은 스스로 게임 내의 롤 플레잉 난이도를 높여버린 경우라고 볼 수 있었다. 어려운 게임을 깨는 것을 즐기는 하드한 유저라면 할 만한 선택지이기는 하다. 그로서는 거기까지 생각해보지 못한 채 만들었던 아이디지만.

"고생이 많으시군요."

제냐는 마땅히 할 말이 없어서 적당한 위로의 말을 건넸다. 우연히 만난 플레이어는 특이한 인간이었다. 재미난 구석이 있을지도 몰랐고.

"초보자 퀘스트 중이셨습니까? 파란 토끼 잡기요?"
"어… 예."
"그렇군요. 저는 전에 끝내고 '사냥꾼' 타이틀을 받기 위해서 돌아다니던 중이었는데…. 아무튼 미안합니다. 이렇게 만난 것도 거시기한 인연인데 아는 유저User 등록 하시겠습니까?"

게임 상에서 친구처럼 인연을 맺은 사람들이 서로를 확인하기 위한 기능이었다. 오른쪽 손등을 가볍게 두 번 두드리면 튀어나오는 푸른 창이 있다. '아는 유저 목록'.

광활한 비련의 시나리오의 세계는 실제 대륙과 같은 크기의 맵이 구현되어 있었고, 그곳에서 어떤 약속이나 게임 시스템의 기능 없이 누군가를 다시 만나기란 현실에서 그만한 넓이를 헤매이며 찾는 것과 같은 난이도였다.

대도시의 행정 체제 등을 이용한 알림이나 게시판 기능 따위가 있었지만, 아무래도 직접적인 교류는 아는 유저 등록이 간편하다.

"오, 예 뭐."

제냐는 썩 내키지는 않지만 또 싫지도 않다는 듯 수락했다. 그가 오른쪽 손등을 왼손가락으로 두드렸고, 창이 뜬다. 인터페이스 창들의 디자인은 대부분 심플함의 극치를 달리고 있었다. 별다른 장식도 없이, 반투명한 푸른 창 내에 여러 목록과 설명란들이 구분되어 있고 주욱 아래로 창을 내릴 수 있는 휠 표시가 있을 뿐이다.

직접 터치하며 등록란을 활성화시키고 이야기를 하던 옆에 뜨는 자판으로 입력을 하던 하면 되는 일이다.

"개멋진나 최."
"제냐 킴."

비슷한 때에 두 사내게 중얼거렸고 등록이 완료되었다.

게임 내부에는 캐릭터별로 '지문'이라고 할만한 고유 값이 있었다. 그것은 캐릭터 내부에 존재하며 자석처럼 기능하는데, 자력은 없으나 마치 그것처럼 눈에 보이지 않는 힘의 범위가 있어 마주치는 캐릭터들을 '만난 적 있는' 데이터로 인식하게 한다.

본명의 성과 그리 길지 않은 아이디들은 얼마든지 겹칠 수 있었고, 고유 값으로 한번 더 걸러져서 자신이 만난 적 있고 혹은 근처에 있는 캐릭터에게 아는 유저 등록 신청 메일이 날아가게 되는 것이다.

띠링, 하고 마침 제냐의 눈앞에 신청창이 하나 활성화 되었다. 작은 이메일이 온 것처럼 시야에 알림이 떴고 시선을 집중해 1초간 바라보자 터치가 된 듯 정보를 띄웠다. [개멋진나 최 님에게서 아는 유저 등록이 왔습니다. 수락하시겠습니까?] 라는 창이었는데, 그 옆에 실제 캐릭터의 사진 정보가 자그마하게 붙어 있다.

제냐가 손가락을 움직여 수락란을 눌렀고, 아는 유저 목록에 이름이 추가되었다.

'아는 유저'끼리는 서로의 로그인 로그아웃 여부와, 대륙에서의 대략적인 위치(국가 단위)를 알 수 있었다. 텍스트 메시지를 서로 주고 받을 수 있었는데, 한 번에 300여 자로 제한되는 분량이었다.

텍스트 메시지는 상대가 확인을 했을 때 다음 메시지를 보낼 수 있었고, 상대가 확인 전이라면 그 전까지는 메시지를 중복해서 보내는 것이 불가능했다.

의도를 알 수 없는 제한이었지만, '적당한 불편함'이라는 것이 비련의 시나리오를 만들고 운영하는 제작진의 컨셉 중 하나였으므로 유저들은 대충 이해하고 넘어가는 편이었다.

원거리 통신은 시스템 인터페이스를 통해 직접 텍스트 메시지를 주고 받는 것 외에도, 게임 내 다양한 초상 기술과 그런 초능력이 결부된 공학을 통해 만들어진 수퍼 아티팩트들을 이용해 가능하기도 했다.

간단히 말해, 이 중세 컨셉의 대륙에 존재하는 원거리 전화기 따위였다.

근거리의 임무 상황에서 쓸만한 아티팩트들은 개인용으로 플레이어가 구비해서 들고 다닐 수 있었지만, 도시간이나 국가간 수준의 거리가 되면 그것은 게임 내 NPC들이 귀중하게 관리하는 물건이었으므로 특정한 장소에서만 가능한 일이었다.

개멋진나 최, 최태현이 말했다.

"다음에 또 보죠. 즐거운 사냥 되시고."
"예, 예."

제냐가 고갯짓을 하며 답했고, 최태현은 곧 자리를 떠서 사라졌다.

게임 내에서 처음으로 제대로 당한 타격이었다, 제냐에게는. 확실히 이 거대한 스케일의 고성능 시뮬레이션은 전투의 긴박감이 엄청나다. 지금은 시작한 지 얼마 되지 않아서 토끼나 노루 정도를 상대할 뿐이었지만, 능력치가 오르고 다양한 초상 기술들을 익히면서, 전투력이 누적되면 이후엔 거대한 괴물과도 싸운다고 들었다.

입체적으로 움직이며 대괴수와 드잡이질을 하는 것을 떠올려보면, 확실히 재미가 있을 법하다. 제냐는 잠시 움직이지 않아 굳은 것 같은 팔에 슬슬 힘을 줘보았다.

정확한 처치 모션과 체력 포션은 체력을 직접적으로 늘게 해주진 않지만, 직후에 제대로 휴식 시간을 가진다면 그때 체력 포인트가 차는 것에 가속도를 붙게 한다. 나무 등치에 앉아 시덥잖은 담소를 나누었을 뿐이지만 게임 내 시간은 꽤 흘렀다. 팔도 아예 움직이지 않진 않았고, 약간의 둔함이 있지만 가벼운 전투는 가능할 것 같았다.

잡아야 하는 토끼도 그리 많이 남지 않았다. 오늘 내로 토끼를 전부 잡을 수 있을 듯 하다.

제냐는 몸을 일으키며 현실에서 그러하듯, 스트레칭을 했다.

***

3. 로그 오프Log off

천천히 몸을 일으킨다.

어딘지 뻐적지근한 느낌이었다.

주변은 체열로 약간 데워져 있었다. 먼저 눈앞에 보이는 것은 투명한 막이다. '캡슐'이라고 불러야 할만한 모양의 기기 내부에, 김서원은 누워 있다가 눈을 뜬 것이다.

사람이 눕기 좋게 생긴 구체형의 기계는 상단부의 반원은 뚜껑으로 만들어져 있었고, 하단부는 푸른색의 깔끔한 디자인이 들어간 두께감이 있는 모습이었다.

캡슐 내부는 오래도록 누워 있어도 편안한 푹신한 질감으로 안감을 채워 넣었고, 인체 공학적으로 만들어져 쉽게 관절 따위가 망가지지 않는다. 원한다면, 다소 각도를 조절해서 완전한 눕기가 아니라 조금쯤 기대어 누운 자세로 있을 수도 있었다.

팬Fan이 돌아가는 소리가 미약하게 들리고 있다. 내외부 온도를 측정해 사람이 지내기 알맞은 온도로의 조절 장치 역시 간단하게 나마 들어 있다.

서원은 슬그머니 누워 있던 상체를 세우며 손으로 투명한 뚜껑을 밀었다. 내부에서 힘을 주면 어떤 잠금장치도 없이 곧바로 열리게 되어 있었다. 저항감 없이 바깥쪽으로 밀려났고, 그는 캡슐의 바닥에 손을 짚으며 온전히 일어났다.

사람이 통째로 들어갈 만한 거대한 기계처럼 보이지만 첨단 기술, 고집적 반도체 등이 들어간 부위는 실상 그리 많지 않다. VR(Vritual Reality)시뮬레이터로서 작동하는 접속기는 사용자의 기호에 따라서 얼마든지 작게도 만들어질 수 있었고, 모델별로 차이가 있었다.

원한다면 사용자의 헤드 부분만 감싸는 헬멧처럼 생긴 기계로도 접속이 가능했다. 시뮬레이터의 연산을 감당하는 컴퓨터 본체는 따로 있고, 헬멧을 본체에 연결해 침대 등에 누워서 접속하는 식이다.

서원이 사용하는 기기는 VR시뮬레이터 전용의 물건으로, 컴퓨터 본체와 시뮬레이터 접속기가 하나의 캡슐에 들어가 있고 누워서 플레이하기 좋은 부수적인 부위가 붙어 있는 일체형의 물건이었다.

자리를 많이 차지하는 데다, VR시뮬레이션 프로그램 외에는 기능이 제한되어 있는 기계라서 덩치는 크지만 오히려 가격은 싸다.

서원이 캡슐 내에서 일어난 곳은 그가 묵고 있는 원룸이었다.

시대가 많이 흘렀지만 사람들의 삶의 양상은 그다지- 큰 차이를 보이지 않았다.

도시 공간의 효율화를 위해 1인 가구를 대상으로 만들어진 원룸은 작고, 깔끔하다.

베이지색 톤의 벽지 따위로 인테리어를 해두고 캡슐을 방구석 벽면에 붙여 두었다. 캡슐에서 일어나면 정면에 냉장고가 보이고, 오른쪽 옆에는 책상이 있다. 책상에는 그가 사용하는 구형 컴퓨터, 모니터 등이 보인다.

그 외에 벽면에 슬라이드 도어가 있었고, 붙박이장으로 만들어진 수납장이 있다. 천장에는 역시 천장 벽 내부로 빌트 인 된 에어컨이 있었고.

사람들의 생활은 그렇게 혁신적으로 변하지는 않았다. 이전에 공상 과학에서 말하던 것들 중 상용화가 된 것들도 있었지만(예컨데 가상현실 시뮬레이터)여전히 잡히지 않는 것들도 있었고… 아무리 기술이 발전해도 결국 사람의 삶이라는 건 양식이 있고 또 어느 정도의 고생스러움이 있는 게 시대에 따라 변하지 않는 진실이었다.

21세기의 종반을 바라보는 지금도, 여전히 개발이 이루어지지 않는 오지의 공간들이 있었고 그런 곳에서는 기계 종류 따위가 많지도 않고 수동으로 대부분의 일상을 감당하는 게 일반적이었다.

"으억."

서원은 기기에서 완전히 몸을 빼내서 바깥에 발을 디뎠다. VR 접속기는 그다지 자주 사용하는 물건이 아니었다. 간단한 스트레칭과 함께 가만히 누워 있다가 뻐근해진 몸을 푼다.

밤.

아직 12시는 되기 전이었다.

봄날의 대학생은 어딘지 모르게 여유로운 구석이 있었다.

학기가 시작되었다고는 하지만 시험 기간까지는 다소 시간이 있었고. 대학 공부는 주도적 학습이니만큼 스스로 시간을 내야 하지만 아무래도 주입식 공부보다는 열정을 내기가 어려운 면이 있었다. 간절한 목표의 부재인지도 모른다.

어쩌나 저쩌나, 최소한의 도리만 하자는 식의 방법이었다.

간신히 팔다리를 풀고 고개를 휘휘 돌리며 정신을 차리고 있자 문득 배가 고팠다. 저녁은 이미 먹었지만, 아무것도 하지 않고 누워 있었는데 허기는 진다. VR시뮬레이터에 접속해서 다양한 경험을 하는 동안 뇌가 특별히 활발하게 움직이는 지도 모른다. 아무래도 그로서는 잘 알지 못하지만, 전기 신호니 뭐니 하는 것들을 사용해서 가상 체험을 시켜주는 것이니 가만히 누운 자리에서 근육 반사 따위가 일어나는 지도 몰랐고.

출출함에 서원은 방구석에 있는 냉장고에 다가갔다. 딱, 하고 손을 곁면에 대고 누르자 살짝 전면부가 들어가더니 반발력이 있는 물건처럼 바깥으로 튀어나와 쉽게 열렸다.

내부는 단촐하고, 여러 개의 구획으로 나누어져 있었다. 냉장 보관과 냉동 보관이 가능하고, 사용자의 설정에 따라서 실온 등 다양한 온도 보관이 각 구간마다 가능했다. 그리고 가장 위 칸은, 해동기를 겸하고 있다.

서원은 자신이 선 자리에서 고개를 조금 내려야 보이는 가운데 칸에서 밀폐 용기 하나를 꺼내들었다. 얼마 전에 여러 개를 배달시켜 둔 냉동 도시락이었다. 양념 된 닭고기와 밥 등 이것저것이 들어 있는 한 끼 식사였는데, 솔직히 성인 남성의 기준으로는 약간 모자랐다. 이것에 컵라면 따위를 더해 먹으면 얼추 맞는다.

중간 칸에서 꺼낸 도시락을 상단부의 구획에 올려놓는다. 냉장고의 문을 닫고 해당하는 부위에 손을 올려다 대면, 터치 패널이 작동하며 문자가 나타난다. 적당히 '도시락 해동'을 누르고 조작하면 우웅, 미약한 소리와 함께 해동이 시작된다. 사람의 키보다 조금 더 큰 냉장고는 다양한 음식을 다양한 환경에서 보관 가능하고 가열까지 가능한 조리도구도 포함이다.

얼마 지나지 않아 꺼내든 도시락을 대충 책상 의자에 걸터앉아 욱여 넣는다. 책상 위에 올라와 있는 모니터 앞에서 손가락으로 모션을 취하자 전원이 들어왔다. 책상 아래에 있는 컴퓨터 본체 역시 동시에 켜진다.

본체 위에 올려둔 둘둘 말아진 비닐 같은 것이 있었는데, 보지도 않고 꺼내서 책상 위에 펴두었다. 풀리자 마자 제 모습을 찾는 것은 자판이었다. 그 외에 모니터 프레임의 하단, 모서리에서 빛이 조사되었다. 그리 눈이 부시지 않은 광량 정도로 쬔 빛이 책상 위에 그림을 그린다. 모니터 내부에 터치 조작이 가능한 마우스 패널이었다.

현대에 와서 컴퓨터는 다양한 모습과, 크기를 갖추게 되었다. 입력 기기들만 하더라도 컴퓨터 종류나 혹은 사용자 기호에 맞추어 다양한 물건들이 시중에 나와 있었고. 물리적인 입력기기 없이 모니터와 상호 작용 기능만을 사용해서 컴퓨터를 다루는 사람들도 있었고, 키보드만 쓰는 사람도 있었고, 빛으로 조사되며 나타나는 광학 패널을 쓰는 사람들도 있었다.

서원은 이 세팅이 가장 익숙하고 편안하다. 음성 인식도 괜찮았지만, 그는 도리어 손가락으로 타자를 치는 것이 더 빠른 편이었다.

간혹 이상한 세팅을 즐기는 사람 중에서는 사지는 꼼짝도 하지 않고 동공 반응으로만 입력 기기를 전부 조작하는 사람들도 있었다. 편안해 보이지만, 은근히 정확하게 시선을 움직이는 것이 조금 피로한 면이 있다. 현대에 디지털 기기에서 쬐이는 빛은 안구에 부담이 그리 크지 않았음에도, 의식적으로 시선을 제어하고 움직이는 건 깨나 어려운 일이다. 안구 피로는 다양한 일들 중에서도 늘 체감하는 피곤함이 큰 자극이다.

합, 우물우물.

책상에 앉아 무기질적으로 닭고기와 밥을 씹는다. 도시락에 동봉되어 있는 일회용 스푼을 이용해서였다. 뭔가를 먹고는 있지만, 가끔은 자갈을 씹는 것 같은 마음이다. 실제로는 깨나 맛있다. 양념도 적절하고, 이 시대의 일회용 음식은 거의 주방장이 만들어둔 요리에 버금가는 퀄리티까지 가능했다. 재료별로 특수한 공정으로 가공하기에 그렇다.

그럼에도 불구하고, 그저 배가 고파 밥을 먹는 와중에 일상 속의 따스함은 모자랐다. 누군가가 곁에 없거나, 단순한 외로움보다는 조금 더 본질적인 것이었다. 삶에서 놓치는 것들이 많은가. 내 주변엔 어떤 이들이 자리를 차지하고 있는가. 삶에서, 쓸 데 없는 것들을 목표로 삼아 나아가고 있지는 않은가.

예전의 추억과 감성들은 다 어디로 떠나버렸는지.

게임을 시작한 것도 그런 이유였다. 잘 하지 않는 짓을 하고, 그 시간에 온전히 몰입해서 뭔가를 만들어보려는 속셈이다. 게임은 창작과는 가장 거리가 먼 수동적인 행위였지만 잘 만들어진 게임을 이해하고 그것을 이용하려 머리를 쓰는 과정 중에 나름의 창의성이 나타날 지도 모른다.

세상은 요란하고, 또 시끄럽다.

고도화와 현대화, 도시화가 진행될수록 정보들은 넘쳐난다. 세상이 고도성장으로 가파르게 나아가고 있다는 것은, 그 여타의 떨거지들을 만들어내는 일이 되기도 한다. 그 부스러기를 주워 먹으려는 이리 떼가 어디에나 있기 마련이니까. 그네들은 제대로 된 일을 하지 않으면서 남들의 일터에서 떨어지는 곡식들을 가져 가길 원한다.

그리고 세상의 각 산업과 경제가 거대화 될수록, 그런 이들은 어느 분야에나 바글거리게 되어 있다. 한 분야가 통째로 그런 속셈으로 이루어져 있기도 하다.

어쨌건, 그런 법이었다. 일상 속에서도 마찬가지였고. 공동체가 거대화 되면 그 속에서 편익만을 누리려는 이들, 더군다나 그것이 커져서 다른 이들을 해치려는 이들 또한 있다.

어지럽고 복잡하다. 세상엔 사기꾼들이 많고, 그럴싸한 이야기들을 진실성 있는 친구의 곁에 서서 친구인 것처럼 지껄이는 이들 역시 많았으니. 정신없이 자기 본질을 잊어버린 채 허둥지둥, 살아가다 보면 어느새 이렇게 느끼고 마는 것이다.

별다른, 감각이 없다. 내 삶은 다 어디로 가버렸는가, 하고 말이다.

주도적으로 뭔가를 하면 좀 나을지 모른다.

서원은 우물거리며 닭고기를 씹었다. 간장 양념이 잘 배어들어 있었고 육즙도 풍부하다. 그런데도 어딘지, 맛을 잘 모르겠다. 삶은 늘 잃어버린 것들이 많다.

현대인들은 모두 그럴지 모른다. 비단 그 자신뿐만이 아니라. 근처의 많은 이들 역시.

커뮤니티 따위로 보게 되는 누군가의 글이나 소리들을 겪다보면 그렇게 느낀다. 비슷한 병을 앓고 있는 이들이 많다. 저들 중에서 또, 누군가는 다른 사람들의 재물을 노리는 사기꾼이나 탐욕적인 강도같은 놈들도 있겠지.

세상이란, 그렇게 즐겁지만은 않다. 그것을 넘어서는 기쁨이 있기에 살 수 있겠지만. 그저 안온하기만 한 자리는 확실히 아니었다.

대학생이 되고 나서 더 그런 것들을 느끼는지, 기분 탓인지는 잘 알 수 없었다. 10대 때부터 부모님과는 다소 떨어져 있었다.

도시의 교육 기관과 커리큘럼은 기숙사 제도가 잘 되어 있었고, 다소 거리가 떨어진 곳에 사는 것 역시 그다지 불편함은 없었다. 수십이나 수백 킬로미터가 떨어져 있다고 하더라도 고속 열차나 비행차 따위를 이용하면 최대 1시간 이내로 금세 오갈 수 있는 거리이다.

그러나 그만큼 설비와 교통이 잘 되어 있다고 하더라도, 실제로 거리가 멀다 보면 아무래도 왕래가 줄어들기 마련이었다. 아무리 안락한 열차 내부에 몸을 싣더라도 긴 거리를 오가는 것은 알게 모르게 피로감이 쌓이는 일이었고, 그것이 연세가 들어가는 부모님의 입장이라면 더욱 그럴 것이다.

몸이 멀어지면 마음이 멀어진다. 그것이 누구의 잘못이라기 보다는, 자연스러운 일이었다. 그리고 그렇게 혼자서 살아온 시간 가운데, 마냥 잘 살았다고 할 수 있는 시간들만 쌓여온 건 아니었다. 실수도 했고, 절망도 많았다. 아직까지 살아오고 있는 것을 보면 그렇게 큰 잘못까지는 아직 가지 않았지만.

우물.

하고 기계적으로 씹어 삼키던 밥알을 다 넘겼다. 도시락을 다

비웠고, 이리저리 돌아다니던 인터넷 페이지를 멈춘다.

거대한 지구촌 사회와 그보다 더 성기게 이어져서 큰 규모를 자랑하는 인터넷 내부의 세상은 여전히 시끌시끌하다. 시선을 끌어야만 돈이 된다는 둥의 사고를 가지고 소란을 피우는 이들이 많은 탓이다.

개중에 눈이 가는 것들이 여러가지 있었지만, '비련의 시나리오'에 대한 말들도 많았다. 세계 최고의 게임. 현존하는 가장 앞선 기술을 보여주고 있는 첨단 기술의 총화, 라고 해도 좋았다. 고작 게임일 뿐이었지만 다른 분야들과 비교해도 상용화하고 있는 가장 높은 기술력이다. 다른 분야는, 연구진들 내부적으로 공유하고 또 소규모로 활용되고 있는 반면에 전 세계 인구에게 오픈된 채로 다루어지는 기술 중에서는 압도적인 수준이었다.

실제 그 내부에서 체험했던 세상을 잠시 생각해본다. 거의 현실과 흡사하다. 약간의 이질감이나 어색함이 정말 '현실'이냐 정교하게 만들어진 가짜냐를 판가름짓는데… 그 정도면 거의 실제 경험이라고 해도 좋을 정도의 정밀성이었다.

아무리 눈썰미가 좋고 감각이 예리한 사람이라고 하더라도 부정하지 못하리라. 그만한 기술력이 나온다면 거대한 오물통과도 같은 현대 사회의 사상의 조류라는 것이, 그저 현실적인 쾌락을 추구하는 검은 욕망의 장난감이라도 만들려고 하기 마련일 텐데… 일단 비련의 시나리오 정도의 기술력은 그런 컨텐츠들을 만들지 못하게 차단하고 있었다.

게임 내에서도 무분별한 선정성 따위는 애초에 체험하지 못하게 막고 있었고… 비슷한 수준의 시뮬레이션 프로그램 역시 시중에 다른 개인이 멋대로 바꿀 수 있도록 풀려난 것이 없다. 현재로서는, 그 정도의 질높은 현실감을 체험할 수 있는게 비련의 시나리오 뿐.

다른 게임들 역시 훌륭한 만듦새를 자랑하지만, 거의 현실에 유사하다 뿐이지 어딘가 이질적이고 디테일한 부분에서 조악한 완성도를 보이는 부분들이 있었다. 다른 기업이나 기술자들이 엉성하게 만들어진 플라스틱 장난감을 가지고 완성도 경쟁을 하고 있을 때, 실제의 물건과 전혀 차이가 없는 완벽한 스틸 질감의 자동차 모형을 만들어놓고 시장에 내놓은 것이나 마찬가지였다. 모형품의 이야기로 비유를 하자면.

서원은 책상에 앉은 채로 짧은 식사를 마치고, 데스크탑을 끄며 자리에서 일어났다. 침대를 겸할 수 있는 대형 VR기계를 사고 난 뒤로 잠은 그냥 그 내부에서 자고는 했다. 조립식의 1인용 침대가 있었지만 굳이 꺼내기 귀찮았다.

그는 욕실로 들어가 간단하게 씻고, 잠에 들었다.

"꺼 줘."

누운 채로 눈가를 안마하며 말하자 원룸 내부의 불빛이 사라졌다. 대부분의 집에 들어 있는 음성 인식 기능이었다.

몇 번인가 숫자를 세듯, 숨을 고르며 쉬고 있자 곧 언제 잠에 들었는지도 알 수 없게 의식이 사라졌다.

4. 긴장성 파이어볼

*

"그래서 그리하여, 우리는 여태까지 만들어 온 역사의 도움을 받아 다음과 같은 결론에 다다른다."

교수의 강의가 한창이었다. 강의실은 그렇게 크지 않다. 약 30명 정도가 들어올 수 있는 크기. 규모 있는 건물 내부에는 이보다 훨씬 더 큰 강의실도 여럿이 있었고, 강당과 같은 곳에는 수백 명도 감당이 가능하다.

남자가 앉아 있는 곳에는 정사각형의 배열로 의자들이 줄지어 있었고, 그 자리를 빼곡히 사람들이 채운 채였다. 각양각색의 나이대, 성별과 스타일을 지닌 이들이었다. 덩치가 커다란 장정이 있는가하면 10살을 조금 넘었을까 싶은 어린아이도 그 발을 땅바닥에 채 디디지 못한 채 의자에 앉아 발을 흔들고 있다.

남자는 그런 이들 가운데, 강의실 뒤 편에 앉아 있었다.

교수가 앞에서는 열정적인 강의를 진행하고….

남자, 제냐 킴은 가볍게 입을 다물고 있었다. 시선이 아득하다.

강의를 듣고 있는 그는 게임 내부였다. VR게임 내부에서까지 강의를 듣고 있다니.

그가 이렇게 시간을 보내고 있는 이유는 일종의 퀘스트 때문이었다.

비련의 시나리오는 기술 등을 익히기 위해서 약간의 간접 경험을 요구했다. 그 능력을 익힐만한 행동에 시간을 들여야만 하는 것이다.

제냐는 기초적인 초상 스킬 하나를 익히기 위해서 이렇듯 시간을 투자하고 있었다. 대다수의 사람들이 거쳐가는 습득 방식이기도 했다.

게임에서 가장 기본적으로 사용되는 스킬을 익히기 위해서라지만, 그 스킬이 현실에는 없는 초월적인 것이라면야.

게임의 제작진은 그 괴리감을 많은 양의 노동과 플레이 타임, 번거로움으로 대체했다. 어떻게 하든 애초에 말이 안되는 일이었지만 적어도 충분한 양의 고생을 주어서 최소한의 개연성을 확보하겠다는 의지처럼 보였다.

그저 쉬울 수만은 없다, 는 게 게임을 만들고 있는 제작진의
사상과 모토이기도 했고.

강의실 내부는 깔끔한 편이었다. 비련의 시나리오의 배경이 되는
중세 즈음을 생각했을 때, 오류가 아닌가 생각될 정도로 말이다.

초상 스킬을 이용한 장치가 있는지, 매일 쓸고 닦는 헌신적인
일꾼들의 손길이라도 묻어있는지, 먼지 하나 찾아보기 힘들었다.
강의실에 들어와 앉은 약 서른 명 정도의 학생들의 신발 따위에서
떨어지는 흙먼지가 아니라면 말이다.

현대적이다, 라고 해야할까. 단출한 가구 배치에 복잡한 색도
없이 눈이 편안한 파스텔 톤의 색감으로 전체가 칠해져 있었다.

칠판, 은 녹빛으로 빛난다. 그 위에서 교수는 분필을 이용해서
부지런히 필기를 하다가, 책을 들어 교재의 내용을 읊다가, 를
반복했다.

깜박 잠이 들거나 아예 정신을 놓아버려서도 안된다. 교수로서
기능하는 AI는 고기능이었고, 정밀한 탐지가 가능하다.
일정 정도 이하로 집중도가 떨어진다고 판단되면 우선적으로
호명하여 수업에 참여를 촉구했다.

그러니까, 문제 풀이 같은 것 말이다.

"거기 두 번째 파란 자켓. 나와서 1번 한 번 풀어보게."
"억."

살집이 꽤 있는 남자 플레이어였다. 교실 공간 내부에는
NPC들과 플레이어가 섞여서 수업을 듣고 있었다. 세계관 내에서
플레이어가 있든 없든 계속해서 돌아가는 대학 강의 내에,
플레이어가 끼어드는 형식이다.

다분히 인간적이고 비계산적인 반응을 보이며 남자가 일어선다.
블론드 헤어를 하고 있는 백인 플레이어다. 어차피 비련의
시나리오 내부에서는 만능 통역 시스템이 작동하고 있기에 작은
혼잣말마저 '공용어'로 번역된다.

공용어로 변이된 언어 정보는 접속자의 국가 코드에 따라 해당
나라의 언어로 자동 번역되어 읽히거나 들리게 되어 있었고
물론 언어는 설정에 들어가 임의로 바꿀 수 있었다.

통역 프로그램의 수준이 아주 높은 정도로 발달되어 있는
시대였지만, 개인이 그것을 가지기는 어려웠다.

조금 저급품의 프로그램이나 기계를 사용하는 것보다는 직접 언어를 배우는 것이 훨씬 자유롭고 자연스러운 소통이 가능하다.

그런 면에서 여전히 외국어 공부는 활발하게 이루어지고 있는 학습 분야였고, 공부를 위해 VR 시뮬레이션 프로그램을 이용하는 경우도 있었다.

비련의 시나리오 내부에서도, 그런 쪽으로만 게임을 이용하는 이용자들도 더러 있었고.

단순한 게임보다는 조금 더 폭 넓은 이용이 되고 있는 게 실정이었다.

"어억… 그니까…."

발화자의 감정에 맞추어 미묘한 어감까지 번역을 해낸다. 제냐의 귀엔 서양인의 것이라고는 전혀 들리지 않는 네이티브 코리안의 난처함이 묻은 말이 들리고 있었다.

남자는 제법 품질이 좋아 보이는 가죽 옷을 입고 있었다. 세련되게 마감이 되었고 은근한 광택이 있고, 싸구려같지 않게 두툼한 중량감이 있었다.

비련의 시나리오는 옷들을 디자인할 때, 현대의 패션의 논리를 조금 사용하는 경향이 있었다.

수치적으로 성능이 좋은 방어구, 옷들은 패션적으로 보아도 어딘지 고급스러운 분위기들이 있다. 눈으로 직접 보면 알 수 있는 사소한 디테일과 느낌에 따라 생각해본다면 대강 맞다.

저런 경우에는 자본이 있어서 다른 이들로부터 일찍이 아이템을 받았거나, 혹은 그 자신이 레벨이 높은 플레이어인데 뒤늦게 초상 스킬을 배우기 위해 초보자 코스를 밟고 있는 경우이리라.

다만 초상 스킬에 관한 이론은 정말로 무지한인듯, 그는 짙은 녹빛의 칠판 앞에 서서 교수의 눈빛을 받으며 쩔쩔 매고 있었다.

교수는 마찬가지로 백인이었고, 골격이 큰 체형에 키도 크고 훤칠하다. 모델같은 생김새에, 길게 기른 갈색 머리를 뒤로 묶어서 가지런하게 내리고 있었다.
남성이었고, 외모 지상주의에 빠진 여성이라면 첫 눈에 반하는 경우도 어렵지 않아 보이는 외모였다.

30대 중반 정도의 인상이었는데, 서구인의 나이를 맞추는 재주는 좋은 편이 아니었으므로 틀릴 수 있었다. 제냐의 눈으로 보기에는 말이다.

앞에 선 투실한 볼과 뱃살의 남자는 그보다는 훨씬 젊다. 20대 초, 중반 정도일까.

1번 문제를 제냐가 처다 봤다. 그 역시 모르겠다. 이럴 때는 대강 교재를 뒤적거리면서, 집중하는 척만 해도 스킬은 얻을 수 있었다.

요는 '그럴싸한 분량의 고생'이었다. 비련의 시나리오의 개발 스텝들도 미쳐서, 실제 초상 스킬의 원리를 물리학적으로 개발하고 익히라고 하지는 않는다.

아무리 까다롭게 해봐야 결국에 끝에 가서는 논리적인 거짓말이 될 뿐이었고.

적절한 수준의 집중력을 발휘하면 얻을 수 있는 스킬에 남자는 너무 방심을 한 모양이다.

칠판에는 복잡한 수식이 어지러져 있었고, 알파벳과 비련의 시나리오에서 초상 스킬을 설명하기 위해 사용하는 상형 문자의 무늬가 몇개 들어 있었다.

아라비아 숫자 역시 적극 활용하며, 부가적인 설명은 일반적인 문장으로 풀어둔다.

그러니까… 교재를 열심히 뒤적거려 문제가 무슨 말을 하고 있는지를 간신히 알아 들었다. 제냐는.

'1레벨의 스킬 유저가 10포인트의 정신 에너지를 사용해서 2레벨의 초상 스킬, 불덩이를 시전했다. 전방으로 발사된 불덩이의

위력 비율과 거리를 계산하시오.′

"음……"

제냐 역시 알 수 없었다. 수업은 게으르게 들었다. 전혀 감도
오지 않는다. 모두의 시선을 받으면서, 동시에 다른 이들의 시간을
조금 빼앗고 있다는 부담감을 느끼기 시작한 백인 남성은 땀을
흘리고 있었다.

그의 눈빛이 팽글팽글 도는 것 같았다. 교수의 시선은 단호했고,
이 상황을 적당한 교훈의 말과 함께 넘어갈 생각도 없어 보였다.

남자는 중압감에 약한 스타일인 모양이다. 유리 멘탈. 그는
여기저기로 시선을 주면서 고갯짓을 어지럽게 하더니, 급기야 손을
뻗었다.

"으어어……"

그의 손에서 빨간 빛이 생겨났다. 정신 에너지를 다룰 수 있는
모양이었다. 비련의 시나리오 상에서 스킬을 쓰기 위해 필요한
에너지를 운용한다면, 어쨌건 현상은 비슷하게 일어난다.

그런 점이 이 시뮬레이션 프로그램이 대단한 것이었다. 말로
표현하기 어렵고, 수치적으로도 정확하게 잡아내기 힘든
아날로그적인 실수의 영역을 표현한다는 것이.

프로그래밍과는 상관 없는 전공이었지만, 간단한 머리로 생각을
해보아도 정해진 현상만 도출하는 다른 시뮬레이터들에 비해 말도
안되는 용량이 필요한 자연스러움일 것이다.

"저 새끼 저거 위험한 거 아냐?"

제냐의 근처에 앉은 다른 플레이어가 소근거리는 것이 그의 귀에
들려왔다.
　그는 초상 스킬에 대해서 잘 알지는 못한다. 그런데 일단
직관적으로 위험해 보이는 꼴이기도 하고….

"으어어… 10p… 10p로 불덩이를…."

교수 역시 표정이 찌푸려졌다. 눈 앞의 인간이 무얼 하는지
모르겠다는 인상이다. 블론드 헤어의 투실이, 청년은 머리가
돌아가지 않아 대강 이해한 문제를 실제 검증으로 풀어보려 하는
모양이었다.
　다른 사람들의 관심과 소심한 유형의 인간의 트라우마가 이렇게
위험하다.

금세 그의 손이 강의실 옆, 열려 있는 커다란 창 쪽을 향했다.
손바닥이 벌겋게 달아오른다. 그러니까… 전열식 온풍기가 열의

강도를 알려주기 위해 빨갛게 달아오르는 것과 비슷한가 모습이다.

조금 다른 점은 그건 안정 장치가 있는 기계라는 것이고, 저건 답도 없이 열에너지가 모여들고 있는 모양이다.

남자는 말릴 새도 없이 에너지를 그러 모아서 제멋대로의 방식으로 '불'을 형상화했다. 이제 저걸 스킬 시스템의 보조를 받으면서 안정적으로 발휘하려면 정식으로 스킬을 얻는 절차가 필요하다.

간혹, 제냐가 어느 커뮤니티에서 찾아 듣기로 진정한 고수들은 스킬 시스템의 보조보다 직접 발현 방식을 더 많이 이용해 초상 스킬을 사용하는 경우가 있다고 한다.

완벽하게 보조를 받지 않는 건 아니고, 스스로 제어할 수 있는 부분은 제어를 해서 스킬 별로 차이를 만들어내는 것이다.

그러나 그건 완벽하게 숙달된 고레벨 플레이어의 이야기였고, 지금 저런 상황에서는 스킬 시스템의 보조가 필요한 이유가 여실히 드러나게 된다.

방향성도, 위력도 정밀하게 제어되지 않는 초상 스킬은 그 방향이 거꾸로 날아와서 사용자에게 데미지를 입히는 경우도 많다.

타겟을 오인해서 조금 빗맞는 정도는 차라리 잘 된 경우에 속하는 것이다.

"…이봐. 잠깐 멈출 수 있나?"

NPC교수의 태도는 약간 늦된 구석이 있었다. 이 작자가 이지를 잃고 진심으로 초상 스킬을 멋대로 발휘해서 폭주하려는 지 이해하는게 늦은 모양이었다.

시나리오 내부에서 NPC들은 플레이어들의 돌발 행동에 조금 관대한 처우를 해주는 경우가 많았다.

법에 비유하자면, 무죄 추정의 원칙을 가장 극한으로 늘 적용시켜 준다고 해야 할까.

완벽하게 자유로운 롤플레잉이라고 하지만, 너무 깐깐하게 굴다보면 그 시나리오 롤플레잉만으로도 숨이 조여서 게임을 플레이 할 수 없는 것이었다.

개발진이 제안하는 것 외의 요소들로 지나치게 난이도가 올라가는 건 그들도 바라는 일이 아니었다.

"아니 이거 모르겠…."

블론드 헤어의 뚱뚱이는 약간 정신을 차린 기색이었지만 주입한 정신 에너지는 이미 게임 내에서 물리적으로 작용하고 있었다.

저거 터진다. 제냐가 보기에도 그랬다. 얼마 남지 않았다.

"이런 씨…."

사람들이 수근대고 있었다. 플레이어들이 저 정도로 단숨에 어떻게 되지는 않는다. 더군다나 여기는 마을 내이기도 하고. 불필요한 소란을 만들어서 좋을 건 없었다.

최대한 안정적으로 처리가 가능하다면, 누군가 나서겠지만 그 정도의 고레벨 유저는 이 자리에 없는 모양이었다.

애초에 저런 현상을 막으려면 반대 현상을 스킬로 구사할 수 있어야 할텐데, 그게 가능했다면 애초에 배우러 오지 않았을 것이다.

여기가 그 초상 스킬의 기초를 배우러 오는 장소였으니.

"제어가 안 되는 모양이로군."

교수가 나서려는 듯했다. 이 자리에서 안정적으로 초상 스킬을 쓸 수 있는 건 저 양반 뿐이었다. 얼음이나 물 따위를 허공에서 만들어내어 시 뿌린다면 일단 불이 식으리라.

"교수님, 저거 터집니다!"

앞 자리에 앉은 어느 플레이어가 재촉했다. 얇상하게 생긴 동양계 여자였다. 타는 듯이 붉은 머리를 뒤로 길게 늘어뜨려서 인상적인 모습이었다.

그런 말이 NPC의 행동을 유도할 수 있으리라 생각하고 던지는 말 같았다. 실제로 NPC들은 플레이어의 행동에 따라 완벽히 정해진 것 없는 경로로까지 갈 수도 있다.

정해진 인구수. 하나의 캐릭터는, 하나의 게임 내 생명을 갖는다. NPC는 게임 오버되어 끝나면 그대로 시나리오에서 탈락이었다. 플레이어들 역시 마찬가지였지만. 디지털 자료로 이루어진 그들의 마지막에 감수성이 예민한 아이들은 펑펑 울지도 모른다. 상상력이 과도한 어른들 중에서도 그런 이들이 있을지 몰랐고.

"음."

교수는, 그러니까 NPC는 뒤로 묶은 갈색 머리를 휘날리며 움직였다. 생각보다 훨씬 물리적인 제재가 가해졌다.

퍽!

교수가 순식간에 움직여서 교단의 옆에 선 블론드 헤어의 뚱뚱이에게 다가갔다. 한 순간이었다. 눈으로 모든 동작을 좇기도 힘들 정도의 속도였다. 제냐는 일순 경이로움을 느꼈다. 영화에서나 보듯한 초인적인 움직임이었다. 게임 내부에서 저런 플레이를 직접 보는 건 처음이다. 그러니까, 잘 만들어진 영화 세계 내부에 들어온 것 같은 감각이었다.

갈색 머리의 교수는 영화에서처럼-실제로는 별료 효과가 없다고 하지만-정신을 차리지 못하는 학생의 뒷목 급소 부분을 강하게 쳤다. 특별한 스킬이라도 걸려 있는 건지, 아니면 지나치게 강렬한 힘이었던 건지, 혹은 게임 내의 이질적인 작용인 건지. '억......' 교실 내에서 갑자기 파이어볼을 형성하려던 청년은 그대로 시야가 블랙 아웃되며 힘이 풀렸다. 술을 진탕 먹고나서 의식이 사라지는 것처럼. 혹은 급성 심근계 질환의 증상처럼, 그는 그대로 앞으로 넘어졌다.

의식을 잃으면 정신 에너지는 다루지 못한다. 그리고 비련의 시나리오 내부에서 저 놈의 정신 에너지라는 건, 강력한 힘을 갖고 있고 나름의 에너지처럼 성질도 띠고 있다. 한 번 집약되어 물리력을 가진 에너지는 쉽게 사그라들지 않는다. 그래도 다행히 완전히 터지기 직전에 멈추었던 건지,

쿵! 하고 그대로 앞으로 넘어진 남자의 오른 손은 여전히 시뻘겋게 달아올라 있었다. 손바닥의 장심을 중심으로 온열기처럼 뻘겋게 달아오른 둥근 적광은 교단의 나무 바닥을 짚었고,

치이익....... 하고 나무를 조용히 태워 먹었다.

사람들은 황당함에 말을 잃었다. 아니 문제 풀러 나갔다가 저게

뭔…. 하지만 제냐는 내심 이해할 수도 있었다. 가끔 소심한 인간들은 저럴 수 있다. 믿기지 않겠지만. 그럴 수도 있다. 엉뚱하고 기괴한 인간들이 가끔 있게 마련이었고… 스트레스에 약한 사람들도 있었다.

플레이어들은 사태가 의외로 금방 진정되자 안도의 한숨을 쉬었다. 저것이 터진다고 죽지야(게임 오버) 않겠지만… 고도로 발전된 시나리오 내부의 세계와 롤플레잉은 어떤 예측할 수 없는 상황으로 진전될 지 모른다. 폭발이 화재 사고로 번지고… 건물이 홀라당 타고… 지역 신문 따위에 기사가 실리고… 한동안 플레이어들이 이 루트를 통해서 기초 초상 스킬을 배우는 데 지장이 있을 수도 있다.

그리고 다른 의미로, 조금 더 실감 넘치는 공포감을 연기하는 NPC들은 더욱 크게 안도의 기색을 내비쳤다. 플레이어들은 기본적으로 아주 튼튼한 몸을 설정상 갖게 된다. 초기에 접속하면 갖는 몸은 어느 동양 무협지에서 말하는 무재武才가 뛰어난 신체였다. 유연성, 회복력, 체력, 근력, 모두 일반적인 수준에서 아주 건강하고 튼튼하다. 거기서 조금만 더 레벨 업을 하고 전투 경험을 쌓더라도 게임 바깥, 실재 세상에서 상상하는 다양한 사건 사고들에 내성을 갖게 된다.

개중에 조금 더 훈련을 쌓고, 나중에 이 스킬을 배우러 온

자들이라면 이미 일반인이라고 도저히 보기 힘들 수준의 신체적 능력을 갖고 있을 수도 있다. 그런 이들과 달리… NPC들은 일반적인 주민이었고 사람이었기에 마치 게임이 아닌 실제 세상의 이들이 사소한 사건에 놀라는 정도의 반응을 보이는 게 당연하다.

화재 사건이 났다면 별다른 특이 능력이 없는 이들은 크게 다치거나 죽음(게임 오버)을 맞이했을 지도 모르는 법이고, 교수는 그런 아찔함을 담아서 이마의 땀을 훔치는 시늉을 했다. 땀 따위는 전혀 나지 않은 것 같았지만. 어딘가 과장스러운 구석이 있는 AI(인공지능)의 NPC였다.

"큰일날 뻔 했군."

치이이익…. 교단에 엎어진 수강생은 그대로, 한 1분 정도 더 나무 바닥을 그을리고 태워먹고 있었다. 어찌해야 할 바를 모르던 이들 중 어느 플레이어가 나가 뚱뚱한 금발 청년을 들쳐 엎고 적당한 강의실 구석에 뉘여 놓기 전까지 그러고 있었다. 교수는 그들이 하는 양을 지켜보다가 어느새 지휘봉처럼 생긴 막대 하나를 들고 툭툭 교탁을 치며 말했다.

"그래도 문제 풀이는 하고 넘어가야겠지. 1번 문제의 답이네, 여러분. '불덩이'는 교재에 2레벨의 스킬이라고 나와 있다. 2레벨 정도 수준의 스텟 포인트… 정신력과 집중력 등의 개발이 이루어진 상태에서 30p 정도의 정신 에너지가 모이면 안정적으로 화구 형태가 형성되고, 지향성을 갖고 수 십 m를 날아가겠지.

1레벨이라면 정신력과 집중력이 턱 없이 모자라고… 전체 정신 에너지가 적다면, 에너지의 특성 상 응집력 역시 떨어지게 된다. 많은 양의 MP(Mental Point)를 보유한 초상 스킬 유저는 MP의 응용력에서도 앞서게 되지. 전체 MP량이 적고, 집중력이 부족하다면 동일한 스킬의 1회 사용에도 더 많은 MP가 사용되게 된다.

손실분의 MP만큼 10p는 온전하게 스킬의 위력으로 전환되지 못하고… 교재에 적힌 수치로 본다면 위력과 안정성은 3분의 1보다 더욱 아래일 것이며…"

교수는 그렇게 말하며 이번에는 제 손을 들어보였다. 길죽한 손가락을 펴며 허공에 마치 보이지 않는 공이라도 있는 것처럼 구형을 그려 보인다.

그러나 그러길 잠시, 곧 약간의 빛이 그의 손 주변에서 나타나기 시작했다. 교수가 말을 하면서 동시에 짧은 시간만에 집중해서, 정신 에너지를 움직인 것이다.

발광하는 백열 전구처럼 허공에 둥그런 빛의 구가 생겨난다. 약간의 붉은 기가 서서히 감돌았다.

아까 뚱뚱했던 학생이 보여준, 파이어볼이었다. 다만 훨씬 안정적이며 교수는 이성을 잃지도 않았다. 그의 의사에 따라서 파이어볼은 제자리에 유지될 수 있었고, 사라질 수도 있었다.

아주 작은 크기의 볼링공, 정도의 크기였다. 하얀 빛의 대부분이
적색으로 물들며 실제 존재하는 공처럼 그 윤곽이 뚜렷하게
보였다. 카메라를 바짝 들이대면 그 표면이 미세한 불길로
일렁이고 있는 모습이 보이리라. 집약된 불덩이. 교수는 그것을
조정했다. 불의 공은 서서히 크기가 작아졌고, 이내 야구공만한
크기가 되었다.

크기가 작아지면서 안정적이었던 형체도 일그러졌다. 실제
불꽃과 비슷하게, 그린듯이 뚜렷했던 윤곽선이 일렁이며 불꽃이
흔들렸다. 교수가 말했다.

"크기도 작고 형체도 불안하며, 실제 응집력 역시 한없이 낮을
거다. 이 상태로는 위력의 대부분을 추진력으로 전환해서
발사해봤자, 고작해야…"

그가 말을 하면서 자연스럽게 팔을 털어내듯이 옆으로 휙, 하고
휘둘렀다. 교단의 옆은 커다란 창문이 나 있었다. 바로 옆,
그러니까 강의실에 가장 앞쪽 창문은 열려서 평화로운 도시의
거리와 햇살이 비치고 있었다. 바람이 때마침 새어 들어온다.

털어낸 물기가 날아가듯 그의 손 위에 앉아 있던 불덩이는

별다른 접착력 없이 휙, 하고 떨어져 날아갔다. 그러나 그것은 교단에서 창까지, 고작해야 수 m 정도의 거리도 채 완주를 해내지 못하고 허공에서 사라져 버리고 말았다.

"이 정도가 되겠지. 애초에 파이어볼의 일반적인 유효 거리는 50m를 넘는 경우가 많은데… 이건 그 10분의 1도 채 되지 않지 않나? 그러니까, 초상 스킬에 필요한 적성과 능력이 부족하다면… 쓸데없이 MP를 소모하지 말고 다른 방식으로 사용하는 유연성이 필요하다.

차라리, 자네들이 어딘가의 현장에서 전투 상황이 벌어졌고, 어떤 괴수 따위와 맞딱뜨려 데미지damage를 주어야 한다면… 방금의 것을 만든 뒤 다가가서 직접 손바닥을 대는 것이 낫겠지. 그게 더 유효한 공격 수단이 될 테다."

교수의 말에 제냐도 고개를 끄덕거렸다. 비런의 시나리오는 잘 만들어진 게임 시스템을 갖고 있었다. 여차하면, 차라리 창의력을 발휘해서 무언가 사용하는게 낫다. 1의 요소를 반드시 일반적인 방법으로 사용할 필요는 없었다. 버그가 적은 게임이었고, 사용자가 상상하는 대부분의 조건에 따른 결과값은 시뮬레이터의 상정 범위 내에 들어가 안정적으로 구현된다.

"대충 실제 모습을 봤으니 근사치가 떠오르겠지? 유의하면서 한 번씩 더 풀어보도록. 그러면 다음 문제로 넘어가서…"

교수가 그렇게 마무리하고 환기를 시키며 다시 지루한 수업의 연속으로 말을 이어갔다. 플레이어들은 아까의 소란이 그다지 큰 일이 아니라는듯, 별 긴장감 없이 다시 수업에 집중했다. 아니 정확히는, 집중하는 척에 열심이었다. NPC들은 프로그래밍된 가상 인격에 따라 저마다의 행동들을 보이고 있었다. 열심히 수업에 참여하는 자도 있었고, 가만히 관찰하다 보면 제냐의 오른쪽 옆자리 구석에 앉은 사내는 집중하는 표정으로 교재에 혼자 낙서를 하고 있었다.

교수의 얼굴을 그린 듯한 초상화에 콧물을 그려 넣고 있는 NPC 남자를 보면서 제냐는 이 게임의 정밀성과 자유도에 대해 다시 한 번 속으로 감탄을 하고 있었다.

***

5. 이성적 파이어볼

"파이어볼."

이라고 입으로 발음하지 않아도, 스킬은 사용할 수 있었다. 비련의 시나리오 내부에서 초상 스킬은 사용자의 의지에 따라 반응한다.

그건 신기한 감각이었다. 정신 에너지를 가시화한다면, 자신의 의식에 반응해서 빠르게 움직이는 둥그런… 외곽선을 가진 찰흙 덩이와 비슷했다.

물론 질량감도 없었고, 그 정도의 단단함도 없다. 빛으로 이루어진 듯 생긴 자유자재의 물질이 신체의 내부에서 한 발자국 거리 정도까지를 움직이는 감각이다.

의식의 컨트롤이라는 건 생각보다 조금 집중하면 간단하다. 스탯stat의 보조를 받는다면 더욱 자유롭고 빨라지는 것으로 알고 있고, 그 외에도 사용자의 실제 집중력에 따라서도 약간의 성능 변화가 있다고 알고 있었다.

가장 비슷한 감각은 아마 시선의 변화일 것이다. 시선을 두는 곳에 따라 움직이는 허공을 떠다닐 수 있는 일정 분량의 물체.

그 '정신 에너지'라는 현실에는 존재하지 않는 시나리오 내부의 특수한 에너지는 게임 시스템이 보조하는 감각으로 플레이어가 선명하게 인지할 수 있게 된다. 정신력이나 집중력, 그리고 초월 방어력이라는 초상 스킬에 영향을 끼치는 스텟이 올라가면 더욱 그러하다.

MP에 대한 지배력은 여러가지 스텟과 요소가 복합적으로 영향을 미쳐서 형성되는 힘이었다.

원래는 없는 무언가가 밀접하게 자신과 연결되어 있다고 느껴지도록, 촉각과 시청각 등을 이용해서 플레이어가 인지하고 반응하게 만들어진 것이 정신 에너지였다.

제냐는 그런 MP를 다루어 이제는 사용할 수 있게 된 파이어볼 스킬을 발휘했다.

굳이 입으로 말한 건 여흥에 가까웠다. 한번쯤 해보고 싶지 않은가. 여태까지 만들 수 없었던 새로운 걸 만들 수 있고, 그것이 흔하게 미디어 매체에서 다루어졌던 초능력의 일종이라면.
남자라면 한번쯤 입 밖으로 소리를 내면서 필살기를 써보고 싶은 욕망이 있는 것이다.

제냐가 입으로 뱉은 순간 그의 의지력은 움직이고 있었다.
의지력, 은 MP를 컨트롤하는 정신파의 일종이고 게이머들이
가칭으로 붙인 이름이었다.

MP는 제냐가 느끼기에 흰 빛을 뿜으면서 그의 주변에 연기처럼
머무르다가, 그의 의사에 따라 손으로 가리키는 방향으로 모여든다.

허공에서 자유자재로 움직이는 찰흙같은 그것이 제냐가 뻗은
오른 손 앞으로 둥글게 모여들었다. 한참을 응집한 그것은 전체의
크기를 오히려 줄여 축구공만한 크기가 되었다. 대신, 처음에
제냐의 몸 근처를 떠돌던 것보다는(시전자인 제냐의 눈에만
보인다)훨씬 단단하고 견고해보인다.

밀도가 높아진 것이다. MP의 집합체는 허공에 그렇게 떠
있었다.

지금 제냐가 있는 곳은 마을 바깥의 필드였다. 평화의 숲 옆
도시. 그가 스타팅 포인트로 삼은 거대한 성벽 안의 대도시에서
벗어나, 토끼 따위가 가끔 보이고는 하는 숲 길 근처였다. 옆으로는
탁 트인 평야가 인상적이다.

제냐는 평야 쪽으로, 허공을 향해 손을 뻗었다. 공중에 떠 있던
흰 빛의 발광체가 그 손짓을 따라 움직인다. 그의 의지력이 더욱

집중도를 발휘한다. 제냐의 집중력과 정신력은 그리 높지는 않은 수준이었다.

일반적인 플레이 스타일로 오르는 정도였고, 그가 가상 점수를 중점적으로 투자한 곳은 지구력과 순발력이었다. 민첩성을 보유한 채로, 넓은 필드를 활보하면서 원거리 공격을 겸한 다양한 공격 옵션을 선택하는 것이 그가 정한 전투 형식이었다.

지금 배우고 익혀보고 있는 파이어볼 역시 그런 다양한 공격 옵션 중 한 가지였다.

어느새 레벨은 9였다. 부지런하게 일상적인 임무, 퀘스트들을 마치고 초보자 존Zone의 몬스터 캐릭터들을 사냥하다 보니 경험치가 올라 도달한 수치다.

파이어볼이 일반적으로 2레벨 정도만 되어도 안정적으로 사용 가능한 스킬이라는 점에서, 오버 스펙에 가까웠고 그의 지향점과 관계 없이 무리없이 사용할 수 있었다.

평야 쪽으로 뻗은 오른 손바닥 약 30cm 앞 부근에 희끄무레한 구체가 있었다. 그것은 점점 붉게 색깔이 바뀌어갔고, 몇 초 지나지 않아 온통 빨갛게 물들었다.

불길이라기 보다는 붉은 색으로 빛나는 구체였다. 웅웅대는 작은

소리가 조금 들리는 것도 같았고, 제냐가 유심히 관찰하자 원형의
MP집합체 근처에서 아지랑이가 일렁거렸다. 이런 사소한 현상까지
제어하는 시뮬레이터의 정밀성이 놀랍다.

파이어볼은 응용하기에 따라서 기본적이나 후반에서도 쓸만한
스킬이다. 모든 스킬이 사용자의 실력에 따라 그렇기는 하지만.

"흠."

제냐는 왜인지 긴장이 되는 듯해 숨을 뱉으며 손바닥을
움직였다. 천천히, 팔을 옮기자 마치 실에 연결이 되어 달려오듯
붉은 구체가 움직였다. 조금 더 빠르게, 그가 의지력을
컨트롤하면서 손을 같이 움직이자 붉은 구체가 역시 따라온다.

손의 움직임보다 한 템포 반응이 느렸으나 그 속력 자체는 팔의
움직임과 비견되게 빨랐다.
발사형의 스킬이지만 결국 한 뼘 거리 너머까지 공격 범위를
늘일 수 있는 불의 주먹이 형성된 것이나 마찬가지다.

제냐는 오른 팔을 붕붕 여기저기, 리듬체조의 리본을 다루듯이
흔들어대었고 불길이 아지랑이와 일렁임, 붉은 빛을 잔상처럼
남기며 따라붙는다. 어느 정도 속력이 되는지 잠시간 확인을
하다가, 손에 든 돌멩이를 집어 던지듯이 돌연 자세를 잡아 어깨를

틀었다.

"합!"

짧은 기합과 함께 야구 투수가 던지듯이 파이어 볼을 날렸다.
불의 구는 굳이 돌덩이를 던지듯 던지지 않아도, MP의 분배에
따라 추진력에 위력을 넣어 화살이나 총알처럼 날릴 수도 있었다.
그러나 이런 식의 응용을 한다면 추진력에 넣을 MP를 다소 아낄
수 있는 게 사실이다.

암기를 날리듯이, 붕 떨쳐진 팔에서 그 끝에 달라붙었던 불의
구가 궤적 바깥으로 날아갔다. 그대로 허공을 일직선으로 나는
불의 구가 한 스무 걸음 즈음 떨어진 자리에 있는 나무에
직격했다.

평범한 활엽수종으로, 이름은 모르지만 푸르른 상록수 하나의 한
가운데 직격한 파이어 볼이, 쾅! 하고 폭발음을 내며 불길을
터뜨렸다. 단순히 불이라기엔 MP가 모여 만들어진 일종의
'현상'이었고, 그것은 다양한 효과를 내포하고 있다. 파이어
볼이라는 스킬에 담긴 시스템에 따라 공격 효과가 작용했다.

나무에 착탄한 볼이 부수어지며 불길을 바깥으로 토해냈고
나무의 한 가운데가 검게 그슬렸다. 그와 동시에 연이어 폭발이

벌어지며 후끈한 바람을 그 근처로 밀어냈고, 나무에는 2차적으로 강한 충격이 전해지며 가운데가 깊게 패이기에 이른다.

축구공만 한 크기였던 파이어볼이 터졌고, 그만한 정도 크기의 구덩이가 생겼다.

나무는 수령이 크고 제법 튼실한 거목이었어서 그것만으로 쓰러지거나 하지는 않았다. 그러나 심각한 타격을 입은 것은 분명하다. 자연 훼손이었지만, 게임 내부이니 아무도 신경 쓰지는 않는다.

실제 세상에서도 이 정도로 인적도 없는 데다가 정해진 제도도 없는 무인도에서 벌인다면 아무도 신경 쓸 수도 없을 것이고.

"오호."

제냐는 신기한 기분이었다. 원래 존재하는 사지 외에 다른 수족이 추가된 것이나 비슷하다. 그 감각은 보조 기구를 몸에 부착한 것처럼 어딘가 이질적이기도 했지만, 적응 못할 정도도 아니었다.

운동 선수가 장구류를 제 몸처럼 다루어 가는 것처럼, 훈련에 따라서 그와 비슷하게 느낄 수도 있었다.

추가로 팔을 하나 더 달고 움직일 수 있다면, 만일 밸런스만 제대로 잡을 수 있다면 그건 전투 상황에서 굉장한 이점이 된다. 더군다나 이 팔은 의지력에 따라서 신체보다 점차 빨라질 수도 있었고.

지금 그가 익힌 스킬은 파이어볼이었지만, 여러 종류를 습득하고 응용법 역시 터득해 나간다면 공격에 있어서 정말로 다양한 형태의 선택지가 나올 것이다.

그가 움직이고 익히는 스킬과 전략이 그만의 것은 아니었고, 대부분의 스킬 유저가 습득해나가는 전투법의 과정이었으나 어쨌든 제냐는 처음이었으므로 오롯이 즐거웠다.

여기에서 이제 미세하게 어떤 빌드 업을 해나가느냐에 따라 시간이 지나 어마어마하게 플레이 스타일이 분화될 것이다.

제냐가 생각하는 것은 다양함, 이었다. 첫번째로 중요시하는 스타일의 컨셉은 말이다. 아예 궤가 다른 전략을 구사할 수는 없겠으나, 여러 스타일의 공통분모가 되는 기술들을 익힌 뒤에 상황과 조건에 따라 다변적인 전략을 쓴다.

상대의 눈을 속이고, 허를 찌른다.

솔로 플레이solo play에 유용하게 써먹을 수 있는 전법이었다. 혼자서 다양한 적들, 혹은 다수의 적들과 싸우기 좋은.

"쓸만한데."

제냐는 무심코 중얼거렸다. 평소에도 사람과 많이 있는 편은 아니었으나. 게임 내부에서는 그런 면이 더 도드라졌다.

혼잣말을 읊는 경우가 종종 있었다. 아마 현실이라면 그럴 일이 없었을 테지만. 비련의 시나리오에 접속한 때는 왠지 모르게 들뜬 기분이 되어버리고 마는 것이다. 여태껏 경험하지 못했던 고성능의 VR게임을 체험하고 있는 중이어서인지 모른다.

익숙치 않은 것을 겪다보니 생경함에 기분이 제어가 안 되는 것이다.

어딘지 먼 여행지에라도 혼자 여행을 떠났을 때와 비슷한 감각이었다. 고작 방 안에서 게임에 접속했을 뿐이었지만 말이다.

다른 매체의 경우라면, 방 안에서 혼자 여행을 떠난다는 감각은 다소 상상력이 필요한 때가 많았다. 그러나 '비련의 시나리오'에 주요한 광고 문구 중 하나는 이것이었다. 상상력이 가장 적게 필요한 새로운 세계의 체험.

고래로부터 있어 왔던 책, 활자에서 시작해 그림과 영상, 그리고 다각적인 감각을 충족시키는 VR시뮬레이터까지 매체는 시대를 지나며 계속해서 발전해왔다.

비련의 시나리오가 아닌 다른 게임들은 VR이라곤 해도, 그 정밀성에 있어서 어딘가 이질적인 부분들이 있어 다른 매체들처럼 플레이어의 상상력이 약간씩은 필요한 법이 있었다.

그러나 비련의 시나리오는 그와 같지 않다. 거의, 아니 아예 현실과 같다고 해도 좋을 정도의 디테일. 실제 눈으로 사물을 바라보고 세상을 인식하며, 다른 오감으로 느끼는 것과 다름이 없는 가상 세계를 구현해내고 있다.

아직도 그런 정밀성으로 방대한 대륙을 만들어내곤, 수 많은 유저들에게 동시에 프로그램을 서비스하는 서버까지 포함해 이해할 수 없는 기술력이었다. 단지 제냐의 감각으로만 그런 것은 아니었고, 여기저기 찾아본 바에 의하면 관련한 업계에 종사하는 현직 전문가들도 혀를 내두를 정도의 특이함이었고 특별함이다.

주식회사 태, 라는 곳은 조금 이질적인 곳이었으며 그들이 만들어 낸 비련의 시나리오도 현 세대에서 타의 추종을 불허하는 1위작이라고 할 수 있었다.

이게 거의 첫 VR게임인 제냐로서는 다른 것들과의 비교점을 상세하게 찾을 수는 없었지만.

어쨌든 늘 말하듯, 그리고 느끼듯 감각은 좋았다. 제냐는 붕붕 팔을 돌리며 가볍게 스트레칭을 했다.

파이어볼을 익힌 뒤에는 조정의 시간이 조금쯤은 필요했다. 이제 이 다음은 움직이는 몹mob(강도, 떼거리. 게임 등에서 몬스터 캐릭터들을 설명하는 단어로 쓰이곤 함)에 대고 스킬을 써 볼 때다.

"후후후⋯."

혼잣말처럼, 뜬금없이 웃는 것도 드문 일이었지만 새로운 기술을 익히고 시험해보는 건 즐겁고 나름대로 또 신나는 일이었다.

*

움직이는 것. 이라고 하면 종류가 다양하다. 특히 비련의 시나리오라는 광대한 게임 맵 내에서는 더욱 그러하다.

게임 내에서 상호작용은 거의 자유롭다. 안 되는 것들도 있었지만, 대부분은 현실 세계와 같은 활동 범위를 자랑한다.

가장 근현실적인, 가장 상상력이 적게 필요한 미디어 매체라는 문구는 그야말로 사실적이다.

막말로 허공에 날아가는 비둘기 하나를 겨냥해서 스킬을 사용하건, 원거리 공격을 해서 맞추면 그대로 떨어지는 것이다.

떨어진 비둘기는 다른 몹처럼 아이템을 남기고 사라지거나, 혹은 도축 스킬을 이용해 직접 가공할 수 있었다.

맥락에서는 벗어나지만, 거대하며 움직이지 않는ㅡ 도시를 이루고
있는 거대한 성벽조차 정량 이상의 데미지를 입힐 수 있다면
플레이어가 무너뜨리는 게 가능했다.
영주의 성이나 저택, 국왕성 역시 마찬가지였고.
물론 시나리오 내부에서 주요한 상징성을 부과 받은 건물 등의
대상은 말할 수 없는 수준의 내구력 수치를 부여받기는 한다.

그러나 결코 무한이 아니었으며, 유저가 그러고자 한다면
개발진이 세팅Setting 해 놓은 초기 맵 설정을 초토화 한 뒤에
새로운 배경에서 게임을 진행하는 것 또한 가능하다.
이론적으로 플레이어가 게임 내 세계에서 무한에 가까운
파괴력을 얻는다면 모든 세계의 건물과 캐릭터를 없애서 사실상
시나리오의 결말을 보아도 개발진은 막을 의지가 없었다.

물론, 그러한 일이 가능할 확률은 한없이 0에 가깝다.
단순한 파괴력을 갖는다고 해도, 눈에 보이지 않는 NPC들의
저력은 개발진이 자랑이라도 하고 싶을 정도로 풍부한 것이었으니.

세계 멸망은 커녕 당장은 최종 보스 캐릭터로 설정을 해 둔
몹mob이나 잡을 수 있다면 대단한 성과일 것이다.

그리고 아마 그것이 정상적인 예상 범위 내에서 개발진들이 상상한 시나리오의 종료 지점일 테이고.

제냐는,

최종 보스라고 하면 으레 상상되는 거대한 용은 아니나 노루나 토끼 정도를 잡아보기 위해서 평화의 숲 외곽지로 다시 들어섰다.

그가 레벨을 9까지 올리도록 부지런하게 들어가 사냥을 했던 위치 즈음이다.

이제는 익숙하기까지 한 자리에서 그는 침착하게 짐승들의 흔적을 좇았다.
이런 행위를 개발진이 요구하는 '일정 이상의 고생'을 통해 반복하면 스킬이 형성되는 경우가 대부분이다.
그러니까… 맥락에 맞는 수준의 고생.

어느 정도 집중도를 가지고 짐승의 발자국, 그것이 밟고 간 나뭇가지나 낙엽, 배설물 따위나 짐승의 길처럼 보이는 길목을 발견하려 애쓰는 것이다.
실제 현실에서 그러하듯, 시선을 아래로 두고 면밀히 살핀다.
그런 식으로 행위를 반복하다보면, 그리고 가끔 실제로 짐승의 뒤를 추적해 발견하기까지 한다면 스테이터스 창window에는 기록되지 않는 무형의 경험치가 축적된다.

개발진이 세팅해둔 경험치 값을 넘게 되면, 이제 게임 플레이를 통해 스킬을 얻는 것이다.

나름의 재능이라도 있던 건지 금세 그는 짐승 몹들의 뒤를 쫓았고 스킬을 얻은 후였다. 스킬은 캐릭터 행동에 보정을 더하고 행위의 능력을 높인다.
정말 사냥꾼이러도 된 것처럼 쉽게 짐승들이 남겨둔 발자취를 발견하게 되는 것이다.
그건 시각적으로 약간은 붉게, 해당하는 위치가 멀리서도 물들어보이며 쫓고자 하는 짐승의 체취나 배설물 따위를 발견하는 것 역시 능숙하게 한다.

캐릭터를 통해 시뮬레이터는 플레이어에게 감각을 제공한다.

제냐는 스킬 보정에 따라 숲 어귀를 더듬으며 지나가다 토끼의 흔적을 발견했다.
작은 짐승이었으나 그 체중을 실어 돌아다니는데, 일정한 궤적을 형성하는 나뭇잎이나 가지, 얕게 파헤쳐진 흙 따위가 있었다.
면밀하게 짐승의 움직임을 상상하며 따라가도 예민한 감각이 없으면 시도조차 할 수 없지만 스킬이 실제 몹이 지나간 자리를 도드라지게 보이게 만들어 도왔다.

제냐의 눈에는 한 마리의 토끼 몹이 지나간 길이 붉은 점선이 띄엄띄엄 이어진 것처럼 보였다.

완벽한 선은 아니었고 나름 주의를 기울여야 따라갈만큼 드문드문 이어진 점선이었다. 아직 추적, 수색 스킬의 레벨이 낮아서 그렇다.

비련의 시나리오에서 극악한 점 중 하나였는데, 스킬 레벨에 대한 경험치는 플레이어가 확인할 길이 없다는 것이다.

일반적인 플레이어의 레벨은 경험치 바Bar가 있어서 한 눈에 알기 쉽게 진척도를 확인할 수 있었지만. 성과의 진척을 확인할 수 없다는 건 그야말로 현실적인 일이었다.

아니, 현실보다 조금 더 과정이 나빴다.

현실에서 어떤 기술을 연마한다면 체감하는 수준 향상이 있었으나 스킬에 따른 성장 지점은 철저하게 계단식이라 그 변화점을 짐작하기가 더 어려웠다.

아예 속 편하게, 실제 세계에서 전문 기술을 익히는 과정이라고 생각비하고 도라도 닦는 것처럼 과정을 즐기는 게 가장 효율이 좋은 방법일지도 모르겠다.

제냐는 그런 류의 일에 차라리 적성이 있는 편이기는 했다. 갖은 공략 정보들을 그러모은 뒤에 게임 내부 시스템을 파악하고 동선을 짜는 일에는 서툴렀다.

애초에 게임 자체에 서투르다.

젊은이답잖은. 그런 인생 경험과 성향이 제냐를 대변하는 주요한 말 중 하나였다.

그런 그였기에 드물게 이렇게, 최신이라 할만한 것에 접하는 경험이 중요한지도 몰랐고.

"토깽이 새끼."

숲 속의 소리는 의외로 풍부하다. 바람이 불면 그것이 부딪히는 온갖 것들이 소스라치게 놀라는 인간처럼 반응을 한다. 나무 잎사귀, 풀, 버려지듯 떨어진 마른 가지, 돌과 흙더미. 그 위에 살아가는 벌레나 작은 동물들.

고요한듯 보여도 정신을 집중하면 오케스트라, 라고 해도 좋은 것이었다. 자연은 그러하다.

제냐는 토끼의 흔적을 더듬어 슬금슬금 전진했다. 바스락거리며 발에 밟히는 낙엽과 흙의 촉감이 기분 좋은 정도였다.

도시에서 오래 살다 보면 이런 경험이 부족할 때가 있었다. 물론 잘 만들어진 도심 속 수목 공원이나 산을 찾아도 되기는 하다만.

혼자 살아가는 대학생, 자취인은 그런 곳에 갈 계획을 떠올리는 것조차 하지 않는다.

연배가 있으신 어른과 산다던가, 교류라도 있다면 또 모른다. 마음 먹고 찾지 않는다면 본격적인 자연은 상당히 드문 편이다.

제냐는 과정을 즐기면서 걸었다. 이 VR게임은 제법 재미있었다. 집중할만도 했고.

시선을 낮추고, 고개를 내리깐 채 자세도 조금 낮다. 후각과 청각, 촉각마저 집중해서 사용하며 진짜 사냥꾼이 된 것처럼 걸어간다.

그렇게 하다보면 가늠은 되지 않아도 경험치마저 더 오를 수도 있었다. '시나리오'라는 이름대로, 롤플레잉에 더 깊이 몰입해서 개발진이 원하는 만큼의 모습을 보여준다면 말이다.

천천히 한 걸음씩. 터벅, 터벅. 바스락거리며 밟히는 여러 잔여물들에 집중을 빼앗기지 않도록 조심한다. 게임 내의 짐승들은 현실의 그것보다는 조금 더 둔하고 멍청한 감이 있다. 실제 짐승에 비해, 플레이어와 전투를 벌이는 일이 잦아야 하므로 초식 동물의 모습을 하고 있어도 사람에게 좀 더 사납게 덤벼드는 것이다.

잘 도망가지 않으며 겁이 적다. 그럼에도 불구하고, 불필요한 자극이나 어그로를 끌지 않기 위해 실제 사냥처럼 조심스레 구는 건 유효한 게임 상의 전략이었다.

지금은 토끼나 사슴이었지만 그것이 오거Ogre(서양 중세 설화에 나오는 식인 괴물)즈음 되면 보다 본격적인 과정이 된다.

오거 역시 현실에는 존재하지 않았지만, 재미를 위해 게임에 투입한 요소였으며 다른 생물처럼 그것의 습성과 생태를 개발진이 준비해두었다.

어마어마한 크기와 완력을 지닌, 신종의 거대 맹수를 사냥하는 것 같은 과정을 거치면서 플레이어들은 현실에서 겪기 힘든 스릴과 재미를 느끼게 되는 것이다.

마치 실제로, 그러한 거대 괴수를 사냥하는 어느 중세 시대의 괴물 사냥꾼이 된 듯한 느낌마저 준다. 비련의 시나리오는 그런 재미를 위해 만들어졌다.

게임 내 시간은 한낮이었고, 숲 어귀라 햇볕이 쏟아지듯 그 사이를 비춘다. 삼림의 중심부로 가면 지나치게 울창한 나무들 탓에 시야가 가리고, 인위적으로 빛이 적어 어두운 구간 또한 있다고 하지만 이곳에 해당되는 이야기는 아니다.

밤이 되면 '야행성'이라는 성질을 가진 부류의 몹들은 조금 더 흉폭해지며 전투력에 추가 보정을 받게 된다. 오거 따위의, 도깨비나 귀신 등 사악한 종류의 것들 역시 대부분 야행성을 지닌 몹들이었다.

플레이어들이 선택할 수 있는 캐릭터는 인류가 전부였고, 시나리오에 따라 특이한 성질의 종족으로 도중에 변신을 할 수는 있었다. 아예 종족이 달라지는 부류다.

제냐로서는 인터넷 정보로서만 아는 내용이었지만 그런 변신의 때엔 이전까지 플레이어가 쌓아온 스텟과 스킬 등 대부분의 것을 잃어버리고 거의 새로운 캐릭터를 키우는 셈이 된다고 한다. 그럼에도 불구하고 개발진이 만들어 둔 것을 보면, 상당한 유인이 있을 것으로 보인다.
특수 종족에 따라 이후 얻게 되는 희귀 스킬이 있다던가, 전투력 등에 보정을 받는다던가.

아무튼 지금 제냐로서는 신경 쓸 거리는 아니었고, 그는 한 오분 정도 그렇게 숲 어귀를 돌며 짐승의 흔적을 추적했다.

토끼의 속도는 빠른 편이었으나 매 순간 전력질주를 하지 않았고, 흔적을 찾은 뒤 금방 그 본체를 발견할 수 있었다.

수 미터 정도 떨어진 자리에 한 마리가 있었다. 푸른 귀 토끼.

질리도록 사냥을 한 몸이다. 평범한 토끼처럼 보이지만 염색이라도 한듯 시퍼런 귀가 특징이고, 정말 토끼답지 않게 사람에게 전력으로 몸통 박치기를 해대는 괴랄한 짐승이다.

제냐는 나무 둥치에 몸을 조금쯤 가리고 있었다. 반신 정도를 나무에 가리고 숨조차 작게 쉬며 기척을 죽인다.

물론, 이런 류의 기척 죽이기도 반복하다 보면 '은신' 스킬로 형성될 것이다. 반복적이고 사전에 단어가 나와 있는 대부분의 행동들은 아마 스킬로 구현이 가능했다.

시야의 사각을 지나 상체를 조금 기울여 토끼를 살폈다. 아직 제냐를 발견하지 못하고 있었다.

스킬의 시전은 은밀하게 이루어져야 할 것이다. 그는 오른쪽 손을 조심스레, 나무 기둥에 숨겨 뒤쪽으로 뻗었다. 위로 들어올린 손바닥에 서서히, 발광체가 형성된다.

적절한 MP가 모여들면 스킬의 발현은 그리 오래 걸리지 않는다. 초고급의 초상 스킬이라면 시전에도 한참이나 걸린다고 하지만. 기초 스킬에 그런 일이 있을 리는 없고.

1, 2초만에 안정적으로 흰 빛을 띄는 구가 형성된다. 축구공만한 크기이다. 제냐는 나무 기둥에 가까이 대어 빛이 새어나가는 것을 막았다. 의식적으로 형상을 조절하기도 했다. 조금 더 줄이고,

불필요한 발광을 없앤다.

같은 류로, 구형을 띄워놓고 온도를 낮춘 뒤 빛만 내뿜는다면
그게 '라이트 볼Light ball'이었다. 어둠에서 시야를 확보하기 위한
발광 마법.

파이어 볼을 배웠으니, 응용해서 사용할 수는 있었다. 스킬
보조가 없으니 MP도 더 많이 잡아먹고 시간도 오래 걸리고,
위력도 낮겠지만.

어쨌든 그렇게 현상을 정밀한 컨트롤러로 계수를 조정하듯 바꿀
수 있었다. 제냐는 의식적으로 파이어볼의 '빛'을 적게 했다.

그리고 서서히 하얀 빛이 이글거리는 불꽃과 같은 붉은 색으로
변한다.

축구공만했던 것이 그 반절의 크기로 줄어들었다. 대신 견고한
응집력은 더 강해 보인다. 제냐는 스킬이 완성되었음을 느꼈다.

토끼는 한가롭게 풀을 뜯고 있었다. 어지간히 둔한 녀석이었다.

초식 동물의 본능으로써 도망가는 것보다는 사람에게 달려들기
좋아하는 녀석. 토끼처럼 생겼지만 흉폭하다. 그 박치기에 급소라도
맞으면 꽤 아프고.

제냐는 착탄지를 머리 속으로 한 번 훑어 그려보고는, 서서히
상체를 뒤로 하고 팔을 옮겨 손바닥을 토끼가 있는 곳으로 향했다.

이글거리는 파이어 볼이 그 앞에 떠 있다. '하나, 둘, 셋. 발사.'

그가 속으로 셈을 하며 시전을 마무리했고, 파이어 볼이 보기 좋게 앞으로 날아갔다.

쉬익, 하는 바람을 가르는 소리가 났다. 제냐는 총을 겨누듯 손바닥을 겨누고 가만히 있다가 의지력으로 MP를 컨트롤했을 뿐이지만, 스킬의 보정은 그가 원하는 현상을 위한 계수들을 적절히 맞추어주었고 힘을 더해주었다.

정말로 총이 날아가듯, 아니 그보다는 느리지만 그래도 화살이 날아가는 속도처럼 재빠르게 쏘아진 파이어 볼이 정확한 구형이 찌그러져 보이도록 잽싸게 움직였다.

정확히 직선 거리, 아래 방향에 있는 토끼를 향했고

"끼익!"

토끼가 저런 비명을 질렀던가, 싶을 때는 이미 늦은 뒤였다. 푸른 귀 토끼가 시선을 돌리자 파이어 볼은 바로 그 짐승의 눈 앞에 있었다.

쾅!

하는 폭음이 들린다. 제냐가 있는 곳까지 약간의 열풍이 부는 것 같았다. 기름을 뿌리고 탈 것을 둔 뒤 그 위에 횃불이라도 집어 던진 듯이, 갑자기 온도가 오르며 후끈한 기운이 주변에 뻗었다.

순식간에 파이어볼에 명중한 것들이 타들어가면서 공기를 밀어내고 순식간에 탄화했다.

"끼이이…."

아주 어설프고, 미세한 울음 소리가 들렸다.

제냐는 자신의 귀가 좋다고 생각했다. 실제의 귀는 아니었지만. 어쨌건 게임 내부의 캐릭터는 청각이 밝다. 다양한 면에 있어서 일반적인 사람이 가질 수 있는 가장 건강한 정도로 설정을 해 둔 모양이다.

심지어, 토끼는 살아 있었다. 푸른 귀 토끼는 일반적인 토끼는 아니었다. 개체에 따라 다르지만 아주 큰 것은 팔뚝만한 크기로도 자라고, 공격성도 있다. 초식을 하는 동물이라고 믿기지 않는 설정값이었지만, 뭐 게임이니까.
그러나 그럼에도 불구하고 충격적인 생명력이었다. 소형 폭탄이 제 몸을 맞추고 터진 거나 마찬가지인데 살아남아 있다니.

토끼가 있던 바닥 부근에 자욱하게 피어났던 연기가 흩어졌다. 대신 토끼는 더 이상 움직이지는 못하고, 그 자리에 가만히 몸을 뉘이고 신음만 간신히 흘릴 뿐이다.

착탄 부위, 라고 생각되는 토끼의 몸뚱이 한 면이 전부 빛나고 있었다. 랜턴을 켠 것처럼 환하거나 지향성이 있지는 않았다. 그저 그 부위가 반딧불이처럼 빛으로 싸여있었고, 흰 빛이 마치 입자인 것처럼 부스러기를 그 주변으로 흩날린다.

토끼의 몸이 마치 서서히 사라지듯이 상처 부위에서 빛의 가루가 바람에 날렸다. 하긴 생각해보면, 도검류로도 빗맞추었을 때나 혹은 둔기류를 썼을 땐 일격을 버티는 녀석이었다. 야생동물의 터프함인가. 잠시 생각하며 제나는 토끼의 곁으로 다가가 섰다.

풀벌레 소리는 이제 잘 들리지 않는다. 강렬했던 폭음 때문에 귀가 큰 소리에 익숙해졌다. 이질적인 분위기를 느낀 미세한 벌레나 이 토끼나 비슷한 약소 동물 몹mob들은 거리를 벌렸을 지도 모른다.

땅바닥에 옆으로 누워 빛나는 부위가 점점 커져가는 토끼를 바라보면서, 제나는 옆구리에 찬 숏소드를 꺼내들어, 그대로 아래로 향했다. "흡." 그대로 수직 방향으로 찍어서, 몹에 마지막 참격을 주었다.

퐉! 하고 지면에까지 박히는 숏소드.

손이 약간 저릿하다. 흙 너머 바로 얕은 자리에 바위라도 있던
모양이다. 이런 현상들이 비련의 시나리오를 재미있게 하고, 또
어렵게 하는 지점들이었다. 그야말로 현실과 같다. 몹을 잡는다는
직관적인 목표를 이루기 위해 게임을 플레이 할 때 플레이어들이
고려해야 할 변수가 무궁무진하다.

막말로 온갖 무구와 장비로 준비를 마친 뒤 최고의 일격을 위해
달려가던 기사가 발 한 번 삐끗해서 자리에서 넘어질 수도 있었다.

현실의 신체 능력이 플레이에 반영이 되지는 않지만, 적어도
운동을 잘 하는 습관이나 신경 반응, 노하우 따위는 얼마든지
적용될 수 있는 세계였다.

토끼의 대가리를 넘어 지면에 박힌 숏소드를 서서히 당겨
빼내었다. 투둑, 하고 흙먼지와 자갈 따위가 떨어진다.

비련의 시나리오는 본격적인 가상현실 게임이지만 선정성을
지양하고 있었으므로 과도한 공격의 결과는 얼버무리려 한다.
토끼의 사체는 부서지기 전 빛으로 변해서 입자화했다. 몸뚱이가
사라져가던 것이 머리가 먼저 사라졌고, 곧이어 전체가 바람에
흩날리듯 자리에서 없어진다.

가만히 보고 있으면, 마치 년 단위의 세월이 지나 사라지는

동물의 사체 분해 과정을 보는 것도 같다. 물론 그런 다큐멘터리나 학술 자료처럼 잔인할 수 있는 실제 장면들은 없다.

칼이 토끼의 머리통에 닿고, 그 피부가 갈라지며 내용물들이 뒤집어지는 게 아니라, 마치 찰흙이나 장난감이 부수어지듯 데미지를 견디지 못한 부분들은 전부 하얀 빛에만 휩싸이고 단순하게 분리될 뿐이다.

일종의 모자이크였고, 그런 부분에서만 현실성을 쏙 빼놓았다.

지나친 자극에 노출되는 건 아무래도 좋지 않으니까. 제냐로서도 동의하는 부분이었다. 개발진의 제작 의도는 말이다.

도축 스킬도 없이, 계속해서 오버킬을 하면 순식간에 몹의 사체는 게임 내에서 사라지게 된다. 자리에는 전리품이라 할 수 있는 아이템만이 남는데, 이것 또한 그다지 현실적이진 않다.

게임의 작법들을 따라가는 부분들은 딱히 가리지 않고 따르고 있었고, 오히려 이것이 게임 내의 가상 세계라는 걸 알려주려 하는 듯한 모양이다.

토끼가 있던 자리는 폭발이 있었던 흔적, 흙이고 뭐고 탄 듯한 검은 자국과 패인 구덩이, 숯소드로 찍은 얇은 구멍이 있었다. 그리고 그 위에 아이템이다.

정사각형 모양의 박스였다. 푸른 색으로 표현되며 명백하게
이질적이다. 갑작스레 디지털 세상에 대한 대변이라도 하는 듯한
컨셉. 모니터 너머로 보는 3D 애니메이션에 있으면 어울릴 것 같은
형상이었다.

일반적으로 세상에는 저런 식의 완벽한 직선의 정사각형이
존재하는 일이 많지 않으니. 지독하게 인위적이라는 뜻이다. 숲이나
자연 경관에 덩그러니 있기에는.

음영도 보이지 않고 그것만 따로 떨어져 있는 듯 보이는 약간
어두운 톤의 푸른 상자. 그것은 주먹만한 크기였고, 두 개가 토끼가
있었던 자리 바닥 위에 덩그러니 놓여져 있다.

'아이템 박스'는 전리품이 귀속되기 이전의 형태이다. 이것은
몹의 퇴치를 돕고 전리품을 얻을 권한이 있는 자가 건드렸을 때
해당 플레이어의 인벤토리로 옮겨진다.

인벤토리에 들어갈만큼의 크기나 무게가 아니라면 플레이어의
곁에서 현물화化한다.

일반적으로는 몹의 사체가 있던 자리에 형성되어 바닥에
떨어지고, 만일 공중에서 몹이 죽는다면 바닥이 있는 곳까지
떨어지기도 한다. 간혹 바다나, 낭떠러지처럼 손실의 위험이 있는
필드에서는 공중에 떠서 플레이어의 근처에서 존재감을 발한다.

다만 아이템 박스가 저절로 움직이는 법은 없었으므로, 그것을 얻기 위해서는 다소의 노력이 필요했다. 원거리 공격으로 애매한 장소에 있는 몹을 죽이고, 아이템 박스가 다가가기 어려운 절벽의 한 가운데 끼어있거나 하다면.

그럴 때는 플레이어가 던지는 투사체나, 투사체의 역할을 하는 초상 기술 역시 '건드리는 것'으로 간주한다.

제냐는 어느새 오래도록 신어 눈에 익어버린 갈색 가죽 장화의 앞 코로 아이템 박스를 툭, 툭 건드렸다.

구태여 IV라고 발음하며 확인해보지는 않았다. 어차피 대단찮은 물건일 테다. 토끼를 잡아서 나오는 건 질리도록 보고 또 보았으니까 알고 있는 물건들이다.

"비루하구만."

'비루먹고 싶다.' ……. 농담이었다. 일본어로 맥주beer를 비루라고 발음한다. 술은 마시지도 않는다. 제냐는 속으로 헛소리를 이어갔다.

이 게임은 품이 많이 드는 종류다. 해야 할 것도 많고, 수 많은 사람들을 대상으로 하는 온라인 게임, 그것도 RPG의 경우에는 어쩔 수 없는 일이겠지만. 여간해서는 쉽게 진척을 낼 수 없었다.

어떤 식으로든 개발진들은 게임의 속도를 조절하게 마련이었고…… 그 완성도나 솜씨에 따라서 게임의 수준이 갈리게 된다.

현재 비련의 시나리오 내부에서 탑 랭커Top Ranker라고 할 수 있는 이들의 평가는, 이 게임은 최고라는 말이었다.

현실의 시간으로 쳐도 깨나 상당한 분량의 시간을 투자해서 하나의 취미를 즐기는 것이었지만, 그 시간이 아깝지 않은 만큼의 풍부한 컨텐츠 구성을 보장하고 있다고.

어떻게 만들어 두었는지는 알 수 없었지만. 아주 잘 짜여진 소설책을 기다리는 심정으로, 제냐는 그 시기를 바라고 기다리고 있었다.

아직 그의 레벨은 고작 9였지만. 그가 알기로 현재 플레이어 레벨이 가장 높은 이의 수준이 377이었다. 어쨌거나, 그의 속도로 천천히 걸어가다 보면 언젠가 이 오감을 사용해서 느끼는 '비련의 시나리오'라는 책이 종장을 보여줄 테였다.

그 과정을 찬찬히 즐기기로 마음 먹었다. 제냐는.

"꿍."

고작해야 작은 토끼를 하나 잡은 것 뿐이었지만. 조금 더 조정을 해야 할 것 같았다. 파이어 볼의 게임 내 효과 묘사는 인상적이었고, 그 사용법도 마음에 들었다.

의사에 따라서 더 다양하게 써먹어 볼 수 있을 듯하다.

제냐는 조금 더, 숲을 뒤져보기로 했다. 기왕이면 스킬을 익힌 김에, 여태껏 들어가보지 못했던 중심부 쪽으로 아주 약간 걸음을 더 옮기는 것도 나쁘지는 않을 것이다.

***

6. 오크Ork 사냥

*

서기西紀 2089년.

비련의 시나리오가 세상에 모습을 드러낸 해였다.

2000년대가 끝나간다. 2010년으로 숫자를 바꾸는 때가 아니라, 100년대로 모습을 바꾸기까지 정말 얼마 남지 않은 시간이었다.

십여 년은 충분히 긴 세월이었고, 옛말에 강산조차 변한다고는 하지만… 현대 사회가 발전에 발전을 거듭하며, 2000년이 지나 89년의 세월을 버텨 낸 글로벌 사회의 심정이라는 게 있어 대변할 수 있다면 아마 분명 얼마 남지 않았다고 느끼리라.

세기의 변화를 눈에 앞두고 있는 시점.

비련의 시나리오의 등장은 각계에서 반항을 불러 일으켰다. 이전까지와 다른 거의 완벽에 가까운 현실 구현. 불가능하다고 느껴지는- 전 세계 억 단위 유저에 대한 서버 공급.

동시에 상호 작용하는 캐릭터들의 모션 수를 가장 둔한 머리로 계산을 해보아도 천문학적인 숫자가 떠오르리라.

진짜 세계를 만든다는 것. 말로는 그럴싸하게 지껄이며, 새로운 공간을 창조하겠다는 반쯤 사업가 혹은 반쯤 사기꾼들의 말이 판을 친 지도 어느덧 IT기술이 발달하고 수십 년이 훌쩍 넘은 시기였다.

정말로 그럴싸한, VR 시뮬레이터 프로그램이 나와서 오감을 거의 다 다루는 게임들이 나온 것이 2050년대를 넘어서면서부터였다.

그런에도 어딘지 모를 한계점들이 있어왔는데… 비련의 시나리오라는 타이틀은 보기 좋게 그런 편견을 깨부수어 버렸다.

누구나 접속하면 바로 알 수 있었고, 그런 대체 불가능한 경쟁력은 곧 그대로 시나리오 온라인의 인기로 전환되었다.

채 1, 2년이 지나지 않아 세계 인구의 3분의 1정도가 가입자가 되었고, 게임에 접속한다.

그러나 비련의 시나리오라는 게임은 여태까지의 것들보다 조금 불친절했고, 더 어려웠다.

설명이 부족한 점 역시 그런 난이도 증가의 원인이었다.

정확히 말하자면 돈을 벌기 위한 사업 구조로서의 게임이라기보다는, 어떤 모종의 기술 개발 과정에서 태어난 물건이며 또 서비스 자체가 실험적이라는 게 소수자들의 의견이기도 했다.

의견이라는 점에서 메이저를 따르지 않고 굳이 마이너의 것을
거론하는 게 우스워보일 수 있으나, 그 감이라는 게 은근히 예리한
구석이 있었다.

어떤 게임 사社도 이런 식으로 게임을 운영하지는 않으리라.
비즈니스 모델이라기보다는 실험 모델이라는 게 적합해 보이는
방식이었다.

단 한 번의 게임 플레이 기회. 악의적인 PK행위 따위는
지양하도록 다양한 제재 조치를 취해 놓았지만, 수 많은 사람들이
있었고 또 수 많은 실수들이 있었다.

서비스 초기에는 게임의 컨셉을 이해하지 못한 플레이어들의
원망이 치솟았으나, 정작 모습을 감춘 태Tae迨 컴퍼니는 그들이
어디로 분노를 토해내야 할 지도 알려주지 않았다.

플레이어들은 깊은 화를 냈으나, 결국 그건 해결될 수 없는
감정이었다. 비련의 시나리오는 공공재도, 혹은 삶에서 필수적인
재화도 아니었으니까. 그저 취미에 불과했다. 그뿐이었고, 그것을
어떤 식으로 서비스 하든 개발진의 의사에 따른 일이었다.

비련의 시나리오 내부에서 게임 오버를 당한 이들은 철저하게

관객의 입장이 되는 수 뿐이었다.

만약 이 게임을 조금이라도 더 즐기고 싶다면 말이다.

게임 플레이는 불가능하지만, '실황'을 켜고 있는 플레이어의
활동은 간접 체험을 할 수 있었다.

고로 시간이 지나고, 게임의 전체적인 수준이 올라가고
시나리오를 만든 개발진의 의도에 따라 최종 장을 맞이하게 될 때,
남아있는 소수의 플레이어들은 세간의 어마어마한 관심을 받게
되리라.

RPG임과 동시에 일종의 서바이벌이기도 했다. 플레이 타임이
지독하게 긴.

아마 그렇게 되었을 때, 비련의 시나리오는 다음 챕터를 발표할
테였다. 그에 관한 암시나 이스터 에그Easter egg(게임 등에서
개발진이 의도를 알아차릴 수 없는 무관계한 요소를 내부에 두는
것. 이를 통해 속편이나 게임 설정 상의 비밀 따위를 암시하기도
한다)들을 발견해 정보를 모은 하드 유저들의 이야기였다.

제냐는 지극히 일상적으로 게임을 즐기며, 비련의 시나리오
전체의 이야기 흐름에는 별달리 끼어들 생각조차 하고 있지
않았지만.

아마 거의 모든 RPG게임이 그렇듯, 이것 역시 레벨이 높아질수록 필요한 경험치의 양은 많아졌고, 체감하는 난이도 역시 점점 올라간다.

제냐는 경쟁이라도 하듯 숫자를 올려가며 게임 컨텐츠의 마지막을 향해 달려가는 랭커들의 무리에 낄 생각은 없었다.

그만한 일에는 취미도 없고, 실력도 없다.

그는 그저 평범하게 파이어 볼이나 날려댈 수 있다면 좋은 일이다.

"파이어 볼."

말했듯, 스킬의 이름을 외친다고 해서 발현되는 구조는 아니었다. 물론, 그런 취향을 가진 유저들을 위한 개인 설정 시스템은 제공하고 있었다.

게임 내의 인터페이스는 다양하고 또 자유롭다. 자기가 원한다면 얼마든지 발성으로 스킬 발현 역시 가능하다.

굳이 시간과 움직임을 소모해서 스킬을 사용하는 취미를 가진 이들도 많지는 않으나 있었고.

제냐는 따로 설정을 변경하지는 않았지만 자신의 재미를 위해서 중얼거리는 중이었다. 그와는 별개로, 착실하게 게임에서 제공하는 'MP 감지'라는 감각을 사용해서 정신 에너지를 다룬다.

첫 번째 스킬을 배우면서 정신력 감지는 더욱 두드러지게 플레이어에게 다가온다. 이전까지 쓸 일이 없어서 처박아두었던 고물이라면, 그 다음부터는 선명한 감각으로 몸에 붙어있는 잘 맞는 옷처럼 말이다.

제냐는 '평화의 숲'의 북쪽 구역에서 조금 더 중심부로 다가가고 있는 중이었다.

장비는 여느 때와 마찬가지로 가죽 방어구를 입고 있었고, 다만 왼쪽 어깨에는 길다란 활 하나를 걸치고 있다. 장궁 종류였고, 활의 아랫단을 땅바닥에 대어도 가슴께 근처까지 올라올 정도의 높이였다.

수풀을 헤치면서 불편한 길을 걷다가, 적절한 몹mob이 나오면 다짜고짜 스킬을 때려박는 식이었다. 파이어 볼은 기초적인 것이고, 그의 레벨에서 삼십 번 정도는 사용할 수 있었다. 위력에 따라 달라지지만 안정적으로 발현 가능한 수준으로 하면 그렇다.
그것에서 더 힘을 넣어 커다랗고, 강력한 폭발력과 열기를 부가해서 던지면 훨씬 적어질 테였고.

그가 가장 강하게 만들어서 제어할 수 있는 파이어 볼로는 10번 정도가 한계였다. 그 이상을 사용하고 싶다면 푸른 물약을 마시면 된다. 정신력 에너지, MP를 채워주는 포션Potion이다.

포션 자체는 내용물이 되는 푸른 색의 액체를 뜻했고 사실 용기는 아무것에나 담아도 상관이 없었다. 그러나 무한정 아이템 보급이 가능한 기본 상점에서 제공하는 기본 용기를 쓰는 것이 가장 간편하기에, 포션이라고 하면 보통 일괄적인 모양새를 자랑한다.

유리처럼 보이는 둥그런 약병이다. 화학 실험에서 플라스크 따위로 쓰이는 모습이었고, 주먹 반 개 정도만한 크기의 둥그런 병에 입구가 목이 길게 달려 있다. 그 위에 돌려서 까는 뚜껑이 있었고, 그것을 까서 내용물을 마신다.

맛은 그냥 맹물 맛이었다. 체력 포션 역시 붉은 색에, 똑같은 맹물이다. 다만 마신 뒤 직후 약간의 열감과 함께 신체 작용이 느껴진다. 괜한 이펙트였고, 물약을 마셨음을 알게 해주는 느낌이었다.

체력 포션은 고급품일수록 심각한 내외상에서 HP(Health Point)의 손실을 빠르게 막아주었고, 저급품으로는 치명적인 상처로 인한 손실을 막을 수 없었다. 다만 아예 효과가 없지는 않았고,

많은 양을 마시면 손실이 확실히 느려지고 손실량이 감소하기도 한다.

이번이 아마 마지막 파이어볼일 것이다. MP가 바닥이 나는 느낌이 들었다. MP와 HP의 잔여량을 보여주는 시각 인터페이스를 띄워 놓거나, 음성 알림으로 확인하며 게임을 플레이하는 경우도 있었지만 제냐는 게임에서 제공하는 느낌으로 대강 아는 편이었다.

HP손실이야 보면 알고, 애매할 때만 창을 켜면 된다. MP는 게임에서 부여하는 정신 에너지 감지 기관이 의지대로 움직이는 정신 에너지의 양이 줄어드는 것을 느끼게 해준다.
자신의 뜻대로 몸 주변, 허공을 휘도는 하얀빛의 물질의 양이 감소하는 것이다. 그 무게감 같은 것이 느껴지며 전체 MP량에 따라 기세 따위도 정해져서 얼추 정확하게 알 수 있었다.
전투 중에 페이스를 조절하는 정도로는 정보가 충분했다.

제냐의 손바닥 위에 다시금 흰 빛이 모여든다. 그는 지금 최대치로 파이어 볼을 사용하고 있었다. 상대는 둔하고, 아마 최초의 일격은 피하지 못할 것이다. 지금까지 숲을 걸어오며 만났던 저 개체들은 모두 그러했다.

제냐의 앞에는 돼지의 얼굴을 하고, 이족 보행을 하고 있는 괴수가 서 있었다. 꿈에 나올까 무서운 형상이었지만. 굽은 등에

두꺼운 체격을 갖고 있다. 팔이 조금 긴 편이었고, '돼지'에
가까웠지만 정확히는 인간이 아닌 어떤 도깨비의 형상이다.

입이 툭 튀어나왔고, 그 사이로 굵은 어금니가 모습을 드러낸다.
바깥까지 나온 어금니가 턱에 닿는다.

귀는 머리 위로 나 있었고, 전체적으로 흙색이나 녹색을
섞어놓은 피부를 지녔다. 일반적인 생명체의 모습은 아니었고,
'괴물'을 형상화 한 모습이다. 비련의 시나리오에서 제공하는
적대적인 몬스터 캐릭터이다.

빈번하게 쓰이는 이미지의 시초는 톨킨, 이라는 어느 유명한 전
세기의 작가로부터 나왔다는 괴물이었다. 서양 중세풍 판타지
세상에 등장하고는 하는 요괴. 근원이야 어쨌든, 후대에 차용하는
많은 이들이 있었고 세세한 설정 정도는 달랐지만 대강 대동소이한
점들이 있었다.
　마치 말이 통하지 않는 야만인을 그려놓은 듯한 모습이고,
흉폭하며 잔인하다. 짐승이라고는 볼 수 없는 지능을 가지고
사람을 적대하여 덤벼든다는 점에서 끔찍하게 위협적인 종류였다.

다만 이곳 비련의 시나리오 내부는, 플레이어들에게도 충실하게
판타지로서의 설정들을 부과하고 있었으므로 보다 덜 위험을
느끼며 처치할 수는 있었다.

플레이어는 정해진 설정 상에서, 괴수들을 잡을 수 있을만큼 또 그 이상으로 강해질 수 있으며 다양한 초능력을 발휘할 수 있는 것이다.

그런 점에서 재미라는 게 탄생한다.

위치는 역시 제냐가 먼저 발견했다. 숲의 안쪽으로 걸어 들어가면서 '추적, 수색' 스킬 역시 레벨 업을 한 것 같았다. 스킬이던 뭐던 초기에는 레벨 업 하기가 쉽다.

수준이 높아지면 효과도 상승한다. 체감하는 능력의 변화다. 제냐는 어느 지점부터 모습을 드러내기 시작한 돼지 머리의 괴수, 오크Ork의 뒤를 훌륭하게 추적해서 계속해서 먼저 발견할 수 있었다.

거리는 스무 걸음 정도 떨어진 자리. "꿰이익." 하고, 그다지 아름답진 않은 거친 성대로 오크가 소리를 냈다. 평범한 돼지, 라고 하기에는 많은 무리가 있는 몸이다. 완력도 일반적인 인간의 평균에 비해 압도적인 수준이고. 흉포하고 집요하다. 무기를 들고 다룰 줄 알며, 눈 앞에 보이듯 갑옷을 입고 있기도 하다.

인류와 말은 통하지 않았고, 별개의 원리로 움직이는 괴물 무리였다. 판타지 세계를 그려내고 있으니, 그와 어울리는 '적'다운

이형의 캐릭터들이다.

오크의 겉 면을 두르고 있는 두터운 녹갈색의 가죽은 질기고
튼튼하다. 철검으로도 쉽게 썰어낼 수 없었고, 그 안쪽에 검날을
집어넣는 일은 상당한 신체 능력이 필요하다. 접근을 해서도 그
정도라면, 원거리에서 주어야 할 타격은 더 커야 한다. 본질적으로.

활을 쏘는 궁사라면 특별한 스킬과, 특별한 활, 특별한 화살이
필요하다. 제냐는 아직 궁사 계열의 스킬들을 많이 가지고 있지는
못했고, 싸워야 한다면 아마 근접 박투가 될 확률이 높았다. 피가
끓어오르고 신경이 달아오르는 스킬이었지만, 지금 그가 선택하는
건 간단한 방법이었다.

멀리서 화구火球를 맞추는 것으로 충분했다. 손바닥에 만들어진
흰 공은 어느새 붉게 물들어있었다. 그보다도 열기를 더해, 시뻘건
색이었다. 괜스레 용암처럼도 보였고, 일반적인 불길보다도
뜨거워보인다. 보다 고온의 불길은 아예 적색에서 벗어나 흰
빛이나 푸른 색을 띤다고도 하지만. 눈에 보이는 그럴싸함이라는
게 있는 법이었다.
비련의 시나리오는 그럴싸함을 상당히 중요시하는 면이 있었고,
이런 식의 스킬 이펙트나, 타격감 등 게임성을 자랑해야 하는
부분들에 있어서 말이다.

제냐가 위력적으로 MP를 모았다. 그가 한 번에 다룰 수 있는 MP의 양은 약 90에서 100이었다. 그의 전체 MP량이 1027이었고.

보통 전체 MP의 10분의 1정도가 한 번에 투입할 수 있는 MP량이라고도 한다. 특별하게 의지력을 강화시킨 경우, 특수 스킬을 갖고 있다거나 게임에 존재하는 여러 요소들을 그러모은 경우에는 그 이상도 될 수 있을 테다.

그렇게 모인 100여 포인트의 정신 에너지는 불의 온도, 빛의 세기, 형태, 추진력, 폭발력 등 다양한 요소의 설정값에 분배된다. 제냐는 기본 형태로 파이어볼을 형성하고 있었고, 공들여서 변화시키지는 않는다.

고도의 초상 기술을 익힌 술사들, 고레벨 유저들의 경우에는 파이어볼을 시전하고 제멋대로 설정값을 바꾸고 변형시켜서, 거대한 불꽃의 용이 날아가 상대를 덮치는 것처럼도 할 수 있다고 한다.

물론 그냥 고위 초상 기술을 사용하는 게 훨씬 보정이 많이 들어가 MP를 아낄 수는 있겠지만. 그만한 응용력과 MP 지배력이 있다는 게 중요한 것이다.

제냐의 손 위에서 타오르는 불의 구는 적염으로 이루어져 있었다. 이전과 마찬가지로, 상대의 시야 사각의 자리에서 형태를 빚는다. 이미 한 차례 압축을 했음에도 크기가 축구공만 했다.

이전에 토끼를 잡을 때보다 에너지가 많이 투입되서 그렇다.

"취룩."

오크는 성대를 가만두지 않고 끊임없이 긁어대며 소리를 토해냈다. 일반적인 움직임은 짐승과도 크게 다르지 않았다. 부산스럽게 움직이며 요란하다. 다만 숲에서 저것들을 해할 수 있는 천적이 한정적이다 보니 여태까지의 다른 짐승들보다 더 튀는 구석이 있었다.

숲은 나무가 많아서 투사체를 날리기 적합하지는 않다. 그럼에도 울창하게 형성된 숲에도 나름의 길이 있고 또 틈새는 있다. 제냐는 숲을 헤매이는 오크의 대가리를 노리며, 천천히 몸을 슬쩍 가리고 있던 나무에서 기울여 벗어나면서 파이어 볼을 형성한 손을 겨누었다.

팔이 포신이고, 그 앞에 매달리듯 고정되어 있는 붉은 구가 포탄이다. 일직선 거리로 방해되는 것이 없구나, 싶은 순간 그가 MP를 운용했다. 떨이지지 않을 것처럼 미동도 없이 붙어있던 물건이, 언제 그랬냐는 듯 순식간에 발사되어 튀어나갔다.

그 속도는 상당히 재빠르다. 화살에도 비견이 될 정도였다. 순식간에 날아간 화염구, 는 그 형상을 바람의 저항에 맞추어 일그러뜨리는 듯 얇게 변하더니 그대로 오크의 옆머리에 부딪혔다.

콰앙–!

하고, 거센 소리와 함께 열풍이 후욱 불었다. 꽤나 거리가 떨어져 있음에도 그렇다. 매케한 연기가 폭음과 함께 피어올랐다. 착탄시에 파이어 볼은 오크의 머리에 점성을 가지고 달라붙듯 그 형체를 변화시키며 착탄 부위를 감쌌고, 그리고 순식간에 붉은 빛이 광량을 더하다가 연이어 폭발을 일으켰다.

첫째로 강렬한 열로 피해를 입고 폭발력으로 보다 광범위한 타격을 받는 것이다. 실제로 동물의 몸뚱이에 이런 비슷한 짓을 벌였다가는 끔찍한 꼴이 나겠지만, 비런의 시나리오는 어디까지나 어린아이들도 즐길 수 있도록 만들어졌다.

몬스터들이 실감이 넘치고 무섭기는 하지만, 굳이 보고자 하지 않는다면 안전한 플레이어 필드에서만 놀 수도 있었다. 전투 상황이 되더라도, 피나 상처는 드러나지 않고 설정한 색깔의 빛의 입자로 대신 표현이 될 뿐이다.

그리고 상처를 표현하는 빛의 입자가, 오크의 두부頭部에서 넘치도록 쏟아졌다. 바람에 날리는 것처럼 떨어져 나온 것들이 허공으로 흩어진다.

오크는 완벽하게 죽지는 않았다. 심각한 타격을 받았지만 아직은 의식이 있는 눈빛이었다. 머리의 한 부분이 거의 흰 빛으로 물들어있다. 현실의 동물이나 몸뚱이가 아니라 디지털 세계의 데이터 값이라는 걸 알려주는 듯한 모습이었다.

"키이이이익!"

오크는 드물게 성대를 긁어대며 하이 톤의 소리를 냈다. 거의가 굵고 거친 목소리였던 것과는 대비된다. 오크의 눈이 붉게 물들었다. 흥분한 상태, 광화 상태이다. 야성을 가진 몬스터들은 위기의 순간에 자신의 목숨을 불태우면서까지 적을 없애기 위해 달려든다.

오크는 그런 상태였다. 그것이 괴로움에 머리를 흔들어대며 잠시 정신을 못차렸지만, 곧이어 혼란 속에서도 제냐를 발견했다. 그리 멀리 떨어져 있지도 않았다. 몹mob이 타격을 입은 방향을 본능적으로 찾아보는 것이다.

비련의 시나리오 내부의 AI들은 정밀하고, 뛰어나며, 견고한 구조를 갖고 있었다. 가끔 NPC들 중에서는 실제 사람보다 뛰어난 머리를 가진 종류도 있었다.

오크처럼 이족 보행을 하는 몬스터들은 상대하다보면 가끔 섬칫함을 느낄 정도의 집요한 잔머리를 갖고 있기도 했다.

대가리에 화구를 맞은 오크는 제냐가 있는 곳으로 달려들려고
했지만, 몸이 마음처럼 움직이지 않았다. 치명적인 기습을 당해서
신체 반응이 정상이 아니다. 천천히 걸음을 떼며 손에 든 녹이슨
쇠도끼를 덜렁거린다. 이미 머리의 반이 흰 빛으로 감싸여져
있었다.

제냐는 서서히 다가오는 오크를 바라보았다. 천천히 일직선으로
걸어오는 거대한 덩치는 맞추기 좋은 표적 그 이상의 것은
아니었다.

아까 그것이 마지막 파이어 볼이었다. "Ⅳ." 제냐가 입으로
중얼거렸다. 반투명한 네모난 창이 허공에 떠오른다. 인벤토리 창의
리스트가 시야를 잠깐 가린다. 그러나 익숙한 손동작으로 제냐는
원래 그래야 한다는 듯, 보지도 않고 손가락을 놀려서 어느 부분을
터치하고 곧바로 무언가를 꺼내들었다.

허공에 생겨난 푸른 빛의 반투명한 창으로부터, 손으로 집어
무언가를 꺼내는 모션을 취하자 마치 어딘가의 주머니에서 물건을
꺼내듯 무언가가 빠져나왔다. 화살이다. 어지간한 화살통보다,
익숙해진다면 인벤토리 창에서 바로 꺼내는 게 깨나 괜찮은
방법이었다.

새로 꺼낼 때마다 입으로 중얼거리는 건 불편한 일이었지만.
나중에 설정에서 열람 방식을 바꿀 수도 있었다.

제냐는 화살 서너 개를 집어서 꺼냈다. 그리고, 옆에 멀뚱히 서
있는 나무에 콱, 하고 박아넣었다. 그가 쓰는 화살은 단단한
종류였다. 평화의 숲에서 심부로 들어가, 맹수나 괴수, 혹은
오크같은 괴물들을 상대하기 위해서는 일반적인 화살보다 조금 더
강력한 게 필요하다.

화살의 대는 검은색으로 물들어 있었는데, 일반적인 목재보다
조금 단단하고 묵직해보이는 성질이었다. 그 끝의 화살촉 역시
날카롭고 크다. 일반적인 화살촉과 비슷한 모양이었지만 자세히
보면 여기저기 홈이 패여 있어서, 빼내기도 쉽지 않고 내부를
진탕으로 만드는 위력의 물건이었다.

이런 화살을 쏘기 위해서는 장력이 강한 큰 활이 필요하다.

제냐는 이번에는 석궁이 아니라, 등에 지고 있던 장궁을
순식간에 빼내어 쏠 준비를 했다. 나무에 박아넣은 화살 하나를
뽑아들어 금세 시위에 메겼다. 물 흐르듯 깔끔한 동작이었다.
오크가 그 느린 움직임으로 반 걸음을 걷기 전에 장전이 끝났고
화살촉이 오크의 가슴께를 노렸다.

먼저, 한 발.

"흡."

제냐가 가볍게 숨을 뱉고는 참았고, 반 호흡 정도의 시간동안
무호흡을 유지하다 화살을 메긴 손을 놓았다. 팽팽하게 당겨진
화살대가 구부러졌다가, 펼쳐지고 시위가 앞으로 퉁긴다. 그와
동시에 색이 검고 단단해서 철목鐵木이라고 불리는 재질로
만들어진 화살이 날아갔다.

현재 제냐의 전투력으로 철목 화살만을 사용해 오크를 잡는 건
무리였고, 파이어 볼로 치명타를 먼저 입힌 뒤 사후 처리에 가까운
방식이었다.

콱! 하고 철제 화살촉이 오크의 목줄기를 찢으며 내부를
파고들었다. 두꺼운 목이라지만 움찔거리며 걸어오는 대상에게
하기 쉽지 않은 조준이었다. 물론, 제냐가 현실에서 궁도의 달인인
것은 아니었고 게임 내에서 궁술 스킬로 조준 실력에 보정을 받는
덕분이었다.

오크는 그러고도 움직인다. 현실에 존재하지 않는 괴물을
만들면서 상당히 터프하게 설정을 해두었다. 게임 내부에 전투가
가능한 몹들은 설령 토끼나 사슴처럼, 흔하게 생겼다고 하더라도

현실에서 보는 녀석들보다는 질기고 강했다. 아마 현실에 존재하는 가장 강한 토끼나, 가장 강한 사슴을 모델로 하는 게 아닐까 싶었다.

제냐는 쉬지 않고 시위에 화살을 걸었다. 그리고 얼마 지나지 않아 금방 쏜다. 퉁, 하고 시위가 앞으로 날아가 붙는다. 걸렸던 철목시矢가 바람을 가르고 날아가 유연하게, 오크의 몸체에 박혀 들어갔다.

다시 한 번, 퉁. 처음에 인벤토리에서 뽑아서 나무에 박아두었던 철목시 4개 중 세 개를 쏘았을 때, 마지막 것이 오크의 남아 있는 머리에 명중하며 걸어오던 괴물이 움직임을 멈추었다.

붉게 타오르던 안광의 빛이 순식간에 사라졌고, 몸체에서 흘러 나오고 곧 허공으로 사라지는 빛의 입자의 양이 증가했다. 오크는 '끼이익……' 하고 바람 새는 소리를 신음처럼 흘리더니, 곧 힘이 다해 그 자리에 무릎을 꿇었다.

둔중한 무게감이 있는 육체가 흙바닥을 울리며 넘어졌고, 그대로 앞으로 넘어진 오크의 사체는 조금의 미동도 없었다.

가슴팍이나 전면에 박혔던 철목시가 걸리적거리면서, 그대로 땅에 박지 않고 조금쯤 빈 공간이 남아 있었다. 화살촉이 오크의 몸체를 뚫고 뒷면으로까지 뻗어나왔다.

불편한 자세로 기울어서 땅에 기댄 오크의 사체. 제냐는
터벅거리며 그것에 가까이 다가갔다. 보통 이런 식의, 이족
보행형의 몬스터들은 도축이 불가능하다. 어느 정도 외형이 사람과
유사하기 때문에, 그런 식의 행위가 지나친 선정성과 유해한
상상을 유발할 수 있기 때문이었다.
이족 보행이라고 하더라도, 아예 사람과는 거리가 멀게 생긴
몹들은 가능했다. 오크같은 일부 종들에 대한 제한이다.

제냐는 근처의 나무 둥치에 기대어 잠시 앉았다. 털썩, 하고
주저앉아 흙바닥의 먼지가 바지에 묻는 것도 신경쓰지 않았다.

게임 내에서 청결을 신경쓰는 사람들도 있기는 했다. 디지털
정보에 불과하지만, 먼지가 묻거나 옷에 물기가 생겨 축축한
감각까지 정밀하게 재현을 하니까. 제냐는 현실에서도 게임에서도
아무 상관 않고 앉고 싶은 자리에 앉는 편인 인간이었고.

"후우우."

제냐는 자리에 앉아 인벤토리 창을 켰다. IV라는 약어를
중얼거리면서. 다시 한 번 아까 보았던 푸른 창이 켜진다. 반투명한
창에 스크롤이 있고 위 아래로 조절하면서 전체 리스트를 훑을 수

있었다. 개중에서 파란 물약을 한번 터치해 부풀어오른 양각
무늬처럼 만들었고, 다시 한 번 건드리며 손가락으로 잡는 시늉을
하자 리스트에 그려져 있던 작은 그림이 곧 현실화되며 3D로
튀어나왔다.

둥그런 플라스크 병에 담겨 있는 푸른 액체이다. 제냐는
익숙하게 잠겨 있는 뚜껑을 돌려 깠다. 그대로 벌컥벌컥, 입구를
입에 박아 넣고 마신다. 별 맛은 없다. 무미. 맹물의 감각이다.

꿀꺽대며 마시는 중에, 곧바로 액체가 들어가자마자 MP가
차오르는 것이 느껴졌다. 기본 물약이었고, 이것으로 5개 쯤은
마셔야 완벽하게 전체 MP량이 회복된다.

제냐는 플라스크 병을 하나 마시고는, 옆 자리에 던져버렸다.
아이템 별로 설정되어 있는 값들이 있었는데, 내용물이 없는 '빈
기본 물약병'은 버려버리면 얼마 지나지 않아서 자연 소멸하게
되어 있었다.

거의 무한에 가까운 양을 구할 수 있는 것이다 보니, 이것으로
인해 지나친 문제가 발생하지 않도록 만든 설정 같았다.

그렇게 자리에 앉아서 내리 물약을 마셔대었다. 3개 쯤 까서
마시고 있을 때 오크의 사체가 사라졌다. 도축 불가 옵션이 걸린

오크의 사체였으나 약간의 현실감을 위해, 죽은 자리에 얼마간 남아있고는 했다.

오크의 사체가 빛의 먼지가 되어 바람에 날리듯 자리에서 사라지자, 주저 앉은 충격으로 조금 들어간 흙바닥에는 약간 커다란 박스가 하나 생겨났다.

오크의 사체에 박혀 있던 철목시들도 덩그러니, 바닥에 떨어져 있었고 박스의 크기는 토끼나 사슴을 잡아서 나오는 것보다 조금 더 컸다. 아이템의 종류에 따라 박스의 외형은 변하기도 한다. 보통은, 클수록 가치 있는 것들이 있을 확률이 높다.
아이템의 크기 자체도 소형부터 초대형까지 등급 분류가 있었는데, 크기에 따라서도 달라졌고.

제냐는 앉은 자리에서 움직이지 않았다. 한 손으로는 인벤토리 창에서 물약을 하나 더 꺼내들었고, 오른 손에는 금방 다 마신 물약병이 들려 있었다. 그는 잠시 보더니 휙, 어깨도 제대로 쓰지 않고 물약병을 던졌다.

날아간 플라스크 병이 포물선을 그리다 박스의 귀퉁이를 맞고 빗겨갔다. 건드리기만 하면 된다. 박스는 쉭, 하고 그 자리에 원래 없던 것처럼 사라졌다. 제냐는 인벤토리의 리스트를 아래로 내리며 새로 생겨난 이름이 무엇인가 찾아보았다.

[비스트 슬레이어beast slyer]

제법 그럴싸한 이름과 함께, 작은 사진이 리스트에 올라와
있었다. 평범하지 않은, 녹색빛을 표면에 띠고 있는 중간 크기의
검이었다. 이름과 함께 적힌 작은 설명을 띄워 보자, 상세한 정보가
있다. 검신의 길이가 75cm. 손잡이의 길이가 17cm. 무게가 4kg.
무슨 헬스 트레이닝용 덤벨같은 무게였다. 한 손으로 제대로
쥐고 휘두르기에는 벅찰 수 있는 무게감.

그러나 검신이 제법 두께감이 있고 조금 넓기도 하고, 특수한
기운이 내재되어 있어 '야성' 속성을 지닌 짐승형, 야수형, 괴수형
몹들에게 추가 데미지가 있다는 설명이 덧붙어 있었다.

"오호."

비련의 시나리오에서 아이템 등급은 1부터 19까지 있었다.
희귀도에 따른 분류였고, 보통 희귀도가 높은 것들이 성능적으로
강력한 경우가 많았다. 희귀도와 꼭 비례하지 않는 성능과 효과를
가진 것들도 있었는데- 이제 그런 것들을 따져 유저들이 만들어 둔
시나리오 내 아이템 일람또한 있었지만 제냐는 자세히 살펴보지
않았다.

그러나 제 나름의 이름과 개성을 가진 무구, 장비류는 희귀도도 높고 성능도 뛰어난 편의 아이템이었다. 오크를 백마리 정도 잡으면 한 개 정도 이런 게 나올까 말까하다.

제냐는 뜻밖의 수확을 보며 즐거워했다. RPG는 역시 이런 재미가 가끔 있어주어야 했다.

***

7. 물약 상점의 필리Philly 씨

*

"안녕하세요."

제나는 가볍게 인사를 던졌다.

화사하게 꾸며진 목조 건물의 실내였다. 야외 거리에서 들어오는 햇살이 그대로 내부로 비치도록 설계된 통창이 있었고, 건물의 양옆으로 진열대가 늘어서 있는데 그 위의 물건들이 햇빛에 비치며 상품성을 자랑한다.

실내 자체도 마법 등이 있었고, 하얗게 쬐는 백열등 아래로 걸어가며 던진 인사였다. 그다지 넓지 않은 실내, 몇 걸음 성인 남성의 다리로 걸으면 금방 카운터에 닿는다. 단순한 직사각형 형태의 트인 공간이었고, 그가 들린 곳의 이름은 '물약 상점'이었다.

"어서오세요."

반가운 인사로 제나를 맞이하는 이는 갈색 머리를 곱게 땋은 아가씨였다. 갈색 머리 중간중간에, 브릿지를 넣은 것처럼 연두색의 밝은 머리칼이 보인다. 서구적으로 생긴 미녀였고, 그 콧대가 날카롭고 체구가 날씬한데다 아담하다.

어딜 가나 인기가 있을 법한 미형의 여인이었지만, 안타깝게도 현실에 존재하는 사람은 아니었다.

비련의 시나리오 내부, 스타팅 포인트로 선택되는 여러 개의 주도主都들에는 기본적인 플레이를 위한 여러가지 편의 시설들이 설계되어 있었다.

기본 상점, 이라는 이름으로 대개 나열되고는 하는 그것들은 게임에서 반드시 필요하는 기초, 혹은 하급의 물품들을 취급하는 상점들이다.

이곳에서는 플레이어가 사냥을 비롯해 다양한 경제 활동, 혹은 레벨업 시 받는 포인트로 환전하는 돈으로 다양한 물건들을 살 수 있었다.

주요한 점은, 기본 상점의 물품들은 그 수량이 '무한'이라는 점이었다. 몇 명이 될 지 모르는 플레이어들의 수와, 그에 비롯해 거대하게 형성된 시나리오 온라인 내부의 세계에서 공급 부족은 게임의 원활한 플레이와 흐름을 방해하게 될 수 있었다.

가뜩이나 다양한 불편리로 인해 어려움의 극치를 달리고 있는, RPG이자 동시에 서바이벌 게임인 비련의 시나리오 온라인에서 개발자들이 배려하는 '게임다운' 구석 중 한 요소였다.

그런 기본 상점의 자리를 지키는 상인 캐릭터들은 모두 NPC들이었다. 설계 당시부터 고정되어 있고, 바뀌지도 않는다. 대부분의 물건이 파괴 가능하다는 점에서, 도시 내부에서 고 레벨의 초상술사가 도시 파괴라도 한다면 사라질 수도 있겠지만, 그러기 전에는 아마 게임이 끝나는 순간까지 자리를 지킬 가게와 NPC들이었다.

중요한 퀘스트 따위의 실마리가 되는 여러 히든 NPC들 못지 않게 플레이어들에게 활력을 주고 또 플레이 자체에 도움을 주는 이들이라고 할 수 있다.

카운터를 지키고 있는 이국적인 미모, 그러니까 동양인 계열의 외모를 베이스로 약간의 서구적인 미모를 섞은 듯한 20대 즈음의 여인의 이름은 '필Phile'이었다. 약간은 중성적이고 혹은 남성적인 어감에 많은 사람들은 별명처럼 필리 씨, 라고 부르기도 한다. 그 편이 조금은 외모에 어울리는 여성적인 어감이라는 이유에서였다.

비련의 시나리오는 고도의 자유성과 AI 캐릭터들을 제공하고 있었고, 그에 따라 사용자들의 행위를 기억하기도 한다. 필, 혹은 필리라 불리는 그녀는 수많은 플레이어들이 그녀를 필리라고 부르자 그것을 자신의 이름이나 별명으로 인식하고 있었다.

정말로 그러고자 한다면, 롤플레잉이라는 이름에 충실한 몰입으로 NPC들과 관계성을 맺어 나갈수도 있는 것이다. 단순히 말해 그녀는 기억력이 좋았고, 사람에 따라 저장된 스토리를 인지해 모두 다르게 대했다. 이 도시에서 어마어마하게 많은 이들을 만나면서도 그들과 교류가 가능하다.

어떤 괴짜들은, 이 게임 내에서 정말로 가상 세계에서 살아가듯 어느 NPC와 깊은 친구처럼 놀거나 혹은 연인과 그러하듯 달콤한 말을 주고 받으면서 현실에서의 스트레스에서 도피를 하기도 했다.

이래저래, 심각해지면 사용자들의 실제 삶이 망가질 수 있는 요소들이었지만 어느 정도는 비련의 시나리오 개발진들도 권장을 한다. 만들어진 세계라는 것을 인식하고, 그저 역할극에 집중하는 정도라면.

제냐는 그렇게 심취하는 편은 아니었지만, 너무나 자연스러워 도리어 인간이 아니라고 느끼는 것이 부자연스러울 필리에게 그저 가끔 보는 가게 주인장처럼은 대하고 있었다.

"오늘은 날씨가 좋네요."

필리가 먼저 말을 건넸다. 그녀는 사교성이 좋은 편이다. NPC라 그런지 체력도 좋은 편이었고. 말이 많다는 뜻이다. 제냐가 느끼기에는.

"예. 정말로요. 산책이라도 하면 좋을 날씨군요."

불쾌하다는 이야기는 아니었다. 제냐도 대화 자체는 좋아한다. 너무도 좋아해서, 혼자 있을 때는 글을 자주 읽을 정도였다. 책이라는 물건은 어느 정도 저자와의 대화가 되기도 한다. 오래 전에 쓰인 글에 대해 혼자 추론에 추론을 거듭하는 과정일 뿐이었지만.

그런 기분으로, 제냐는 슬쩍 웃어 보였다. 게임이라고는 하지만, 결국 단순화해서 생각해보면 정보의 집합체이다. 그렇다는 건 책이라는 것과 엄밀히 말해 같은 범주인 것이고, 고도의 AI시스템이 보조하며 다양하게 반응한다고는 하지만 그저 어떤 개발진의 사상이 담겨 방향성이 정해진 최첨단의 책이나 비슷하다.

개발진의 인격이나 세계관, 품성 따위가 담겨서 만들어진 캐릭터. 제냐는 비련의 시나리오라는 거대한 정보 덩어리를 여행하는 여행자였고, 필리 또한 그 중에 만난 한 자락이었다.
물론 게임은 책처럼 정해져 있고 또 마음대로 넘기기보다는, 직접 상호작용을 해서 스토리를 진행 시키고 다음 페이지로 넘겨야 한다는 귀찮음이 따른다.

원래라면 그다지 좋아하는 방식은 아니었지만, 스토리가
흥미롭다면 어느 정도 따라줄 용의가 있었다.
　개발진들이 만들어놓은 '적당한 불편함'을 추구하는 리얼리티
방식도 제냐의 성격과 조금은 맞았고.

무엇보다 플레이어들에게만 강요하는 일방적인 불편함이 아니라,
개발진들도 깨나 고생을 하고 인력과 자원을 투입했을 세세한
퀄리티를 구현하고 있기에 만족감으로 작용하는 것이었다.

"산책이라… 이런 날 낮에는 가게 문이라도 닫고 싶군요."

필리가 살풋 눈웃음을 지어보이며 그렇게 말했다. 제냐는 그저
'하하' 하고 마른 웃음을 건넨 뒤 상품의 진열대를 훑어볼 뿐이다.
NPC가 가게 문을 닫겠다는데 뭐 마땅히 해줄 말이 없었다.
　이런 기본 상점이 닫히면 당장 평화의 숲 옆 도시, 대강
'피스Peace'라고 불리는 이곳의 수 만 명이 넘는 플레이어들이
불만을 토로할 것이다. 거대한 대륙, 또 거대한 지방과 도시 내부에
여러 기본 상점들이 있었지만 이 한 점포가 상대하는 캐릭터들의
수가 또 그렇게 방대한 규모였다.

가끔 우연찮게 사람이 몰릴 때는 물건을 사는데 조금 시간이

걸릴 수도 있으므로, 보통 사람들은 한 번 들러서 몇 번의 사냥을 하고도 한참 남는 비축분까지 모조리 사들고 가기는 한다. 또 독자적인 수급처를 만든 베테랑 플레이어들도 기본 상점을 굳이 사용하지는 않고.

기본 물약을 대량 구매할만큼의 돈이 없는, 초보자 수준에 있는 플레이어들이 주기적으로 방문하는 곳이었다, 대부분은.

"뭐… 주인이니까 마음대로 하면 되지 않습니까."

눈높이에 있는 선반에서 다양한 약초 종류와, 그것을 물약으로 만든 물건들을 살폈다. 어차피 살 것은 정해져 있기는 하지만 어떤 종류의 아이템들이 있나 설명을 보는 건 나쁘지 않은 일이었다.

지금이 아니더라도 쓸 때가 언제 있을지 모른다. 레벨이 조금 더 오른다거나, 다양한 환경의 전장과 상황을 경험하게 된다거나.

[화산 도룡뇽의 비늘로 만든 내화耐火성 부여 물약]

가지런하게 재료로 들어간 붉은 비늘 하나가 액자에 정리되어 있었고 그 앞에 플라스크 병과 붉은 액체가 있었다.

대강 일반적인 화재 상황에서 넘실대는 화마 속에서 1분 정도 완벽한 면역을 보장해주는 효과였다. 그 이상부터는 점차적으로 효과가 줄어가며 화염에 피해를 입는다.

물론 포션은 현실성과 불편함을 강조하는 시나리오 온라인답게 사용자의 신체에만 제한되는 효능이며, 사용자의 장비와 무구는 별도의 처리가 없다면 화염에 타거나 온통 그을릴 테였다.

제냐는 그렇게 플라스크에 담긴 물약들을 살펴보면서 필리와 얕은 대화를 이어가고 있었다. 제냐의 약간은 성의 없는 대답에 필리가 말했다.

"그럴 수 있다면 얼마나 좋겠어요. 시도 때도 없이 손님들은 늘 몰려들고⋯. 주도의 1차 상점들을 관리하는 조합장은 발주를 도와주는 대신 영업도 반 강제적으로 지시하고는 하죠."
"오호⋯?

깊은 관심까지는 없었으나, 진행되는 이야기에 반문 정도는 할 수 있었다.

"조합장이 있었습니까. 그 말대로 안하면 뭔가 불이익이 있나요? 아니, 여기는 필리 씨 거 아니었어요 온전하게?"

아무래도, 게임 상에서 NPC가 맡아야 하는 역할에 대한 설정들이 적당히 묘사되는 모양이었다. 조합장, 이라고는 하지만 개발진의 의지가 반영된 것이겠지. 기본 상점이 제대로 안돌아가면 아무리 비련의 시나리오가 하드코어 서바이벌을 지향하는 리얼리티 게임이라고는 해도 초반 플레이조차 사람들이 끝내지 못할 테니까.

어느 정도는, 라이트한 유저들을 포용하면서 서바이벌 게임으로서의 묘미를 보고자 하는 하드코어 유저들도 끌어들인다는 게 개발진의 의도였다.

비련의 시나리오는 플레이어의 의지에 따라서 다양한 양상으로 게임을 즐길 수 있었다. 단순히 고성능 고지능의 NPC들과의 관계성을 맺는 시뮬레이션 게임이 될 수도 있었고, 초보자 존의 몬스터 캐릭터들을 잡으면서 유유자적한 생활을 보낼 수도 있었다.

그 외에 다양하게 실제 중세 풍의 생활을 구현하고, 또 초상적인 다양한 판타지 설정들을 버무려 놓은 게임 내부에서 여러 종류의 기술을 익히고 직업을 갖춰 살아갈 수 있었다.
대장장이, 목수, 사냥꾼, 농부, 시인, 음악가, 도공, 화공, 귀족, 병사, 군인, 상인.
이 게임 내부에 구현해 둔 다양한 직업군과 설정, 요소들은 거의 플레이어가 건드리고 스스로가 될 수 있는 소스들이었다.

게임 내부에 신분제가 존재하며 왕국이 있고, 왕이 있다면 플레이어 역시 얼마든지 국왕이 될 수도 있었다. 물론 그마만한 어려움이 따르는 난이도이겠지만. 게임 상에서 가능하냐, 를 묻는다면 모두 가능하다.

방대한 분량의 세계를 구현하며 세부적인 시나리오의 디테일
역시 자연계의 모습을 거의 따라가는 퀄리티다.

이런 데이터 량을 감당하는 개발진과 운영진들의 정체가 늘
궁금해지는 대목이다.

"물론 제 가게이기는 하지만… 주도主都로 분류되는
대도시들에는 다양한 조합Guild들이 있어요. 제 포션 상점도 상업
분야의 1차 상점, 그러니까 소규모 상인으로 소속되어 있고….
도시에서 영업을 하기 위해 받는 도움이 많기도 하죠. 조합장의
도움이 없다면 애초에 몰려드는 인파들에게 필요한 물건을 그만큼
주지도 못할 거에요."

"어헝."

상점 운영에 필수적인 부분에 도움을 받는 만큼, 영업 시간
따위의 행보에도 위력을 행사하고 있다는 말이었다. 조합장의
지시나 권고에 제대로 따르지 않는다면 나중에는 지금처럼 영업
자체가 불가능해질 수도 있으니까.

제나는 그렇게 이해하며 진열대를 바라보다가 필리를 슬쩍
바라봤다.

곱게 땋은 갈색 머리에 연두색 선이 군데군데 존재감을
나타낸다. 작은 체형에 전형적인 미인이다. 그녀는 큰 눈을

꿈벅거리며 이쪽을 쳐다본다. 솜씨 좋은 연기자의 마스크를 연구해서 구현이라도 하는듯, '순진무구함'이나 '청순함'을 데이터로 뽑아낸 것 같은 모습이다.

제냐는 흠, 하고 숨을 곱게 뱉고는 물었다.

"그래도 강제적이라면 그건 양아치 아닙니까. 하기 싫으면 사람이 좀 때려칠 수도 있지. 안 그래요?"

제냐의 물음에 필리는 슬쩍 웃어보였다. 입매가 휘며 미소 정도에, 희미한 미성으로 웃음 소리가 새어나온다.

"뭐 그렇긴 하죠."

그녀의 긍정에 제냐가 조금 더 당황했다. 조합장이고, 뭐 반강제적이라느니 하지만 결국은 개발진의 의도에 따른 설정일텐데. 생각보다 NPC들은 자신의 역할과 또 개성이라는 자유의지를 모두 강하게 가지고 있는 모양이었다.

이게 개발진이 정해둔 설정이라면, 결국 자유의지가 강해지면 NPC가 자리를 이탈하고, 원래의 계획대로 게임이 돌아가는 것을 저해하는 원인이 될텐데. 그런 부분에 있어서까지 개성을 강하게 구현시켜 두었다니.

'자유도가 극도로 높은' 게임을 만들겠다고 해도 어느 정도는 계획성 아래에 통제가 되어야 할텐데. 이런 방식은 개발진들도 극한의 자유도를 추구하면서 약간의 도박성 운영을 하고 있다고 생각이 스칠 정도였다.

더 풍부한 시나리오의 변주를 위해서 NPC들에게 강력한 자유와 개성, 의지를 부과하고 플레이어와의 상호 작용을 통해서 정해진 것 없는 결말을 향해 달려나간다… 는 모토일까.

그런 당황스러움을 감추며, 제나는 진열대를 조금 더 살피고 몇 개의 물건의 가격과 성능을 머리에 담아둔 뒤 필리가 서 있는 카운터로 향했다.

문으로 들어오면 그대로 직진하면 필리가 서 있는 카운터다. 목조로 이루어진 단단하고 따뜻한 톤의 색깔의 물건이었고, 그녀는 상반신만 그 위에 보이며 기대어있다. 가끔 갑자기 들어오면, 그녀 역시 '피곤함'을 느끼고 옆에 둔 의자에 앉아서 쉬고 있을 때도 종종 있다.

그녀가 있는 곳 뒤쪽으로 통로가 있었고, 그곳을 통해 창고로 들어가 필리가 구매자가 원하는 물품들을 가져오는 식이었다. 그리고 저 뒤에 있는 창고는, 바깥에서 바라보면 분명 그 규모가 정해져 있는 것이었지만 거의 무한에 가까운 물품들을 저장하고 언제나 내어준다.

그런 사소한 부분에 있어서는, 게임성이라는 걸 강조하는
모양이었다.

필리의 앞에 서서 제냐가 말했다.

"뭐 시간 나면 가끔 문이라도 닫고 삼십분이라도 산책을 즐기는
것도 좋을 것 같네요. HP 붉은 물약1로 100개, MP 푸른 물약1로
100개 주세요. 정신각성제 노란 물약 한 개랑 사냥용 자극제 붉은
물약도 한 개 주시고요."

붉은 물약, 은 체력 포인트Health Point의 손실을 막아주는
물건을 보통 총칭한다. 상점에서 살 때는 간편하게 뒤에 숫자를
붙여서 설명하는데, 숫자가 낮을수록 효력이 적고 또 값싼
물건이었다.
아직 HP나 MP(mental point)나 모두 1,000에서 2,000사이인
제냐는 1이면 충분하다.

HP는 근력과 지구력 등 물리 스텟stat에 의해 증가하는
능력치였다. 그리고 이것이 증가할수록, 눈에 보이고 또 체감
가능한 변화가 캐릭터에게 나타난다.

체력 수치가 높아질수록 그 피부가 단단해지고 질겨진다. 뼈도
강해지고, 전체적으로 동일한 충격을 받았을 때 내구성이 올라

그만큼 강하게 견딜 수 있는 것이다. 체력 포인트가 적다면, 같은 충격에도 치명상을 입을 수 있다.

그리고 치명상이라는 상태는 HP가 급격하게 빠져 나가는 상태와 곧 동일하다. 수치적으로는 그 정도의 충격이 아니고 1차적으로는 얼마 안되는 HP가 빠지더라도 대동맥 따위가 끊겨서 지나치게 피를 흘린다면 HP가 줄어드는 속도는 가속도를 얻는다.

그 외에도 뼈가 부러지고, 내장이 손상을 입고, 또 두부頭部의 충격은 단숨에 게임 오버로 이어질 수 있어서 조심해야 했다.

강력한 체력은 그런 손상에서 몸을 보호하고, 상처를 최소화한다. 그럼에도 불구하고 다양한 방어력 보정을 넘어서 상대의 급소를 단숨에 부술 수 있다면, 남아 있는 HP의 잔여량과 상관 없이 즉사한다,
라기보다는 그 즉시 남아 있는 HP가 사라진다고 보는 게 맞다.

만일 게임 내에서, 가상의 덤프 트럭이 있어 그것에 치이는 충격을 HP가 1,000이 통째로 날아갈 충격량이라고 할 때 제냐의 경우에는 거의 단번에 게임 오버를 맞이할 것이다.
여력이 약간 남아있다고 하더라도, 천운이 따라 특수한 스킬이나 게임 내 상황이 급변하지 않는다면 아마 죽을 테였다. 즉시 포션을 때려박고 조치를 취하고 의료 스킬로 돌봄을 받는다면 또

모르지만.

 아무튼 그러한데, 만일 HP가 10,000인 고레벨 유저가 덤프 트럭에 치인다면 똑같이 1,000의 충격량을 받는다.

 이 때 1,000은 특별하게 급소에 집중되어 그 부분이 부서지지 않는다면 전체 HP의 10분의 1이 줄어드는 것 뿐이고, 전체적인 캐릭터의 '건강 상태'도 최악이나 즉사 직전이 아니라 일반적인 부상이기에 줄어드는 속도가 그렇게 빠르지 않다.

 이 때도 제냐가 처방하는 것과 비슷한 붉은 물약이면 체력의 줄어듦을 빠르게 멈출 수 있었다.

 그러나 이제 10,000의 HP의 대부분을 날려먹을 수 천 단위의 충격이 가해진다면, 이 충격 이후로 줄어드는 HP의 손실 페이스를 막기 위해서 2, 3이상의 보다 상급 붉은 물약이 필요해진다.

 HP가 높아질수록 캐릭터는 튼튼해지고, 게임 내에서 물리적으로 받아들일 수 있는 충격량이 점차 커지는 것이다.
 그렇기에 종래에 압도적인 수치를 달성한 플레이어는 괴수처럼 보이는 거대한 맹수나, 용의 발길질에도 맞설 수 있게 된다.

 캐릭터가 받는 데미지는 1차적으로 받는 표면적 데미지가 있고,

2차적으로 연이어서 나타나는 점차적인 데미지가 있는데, 나타날 데미지는 '빚'과도 비슷하다. 1차 데미지는 이미 받은 것이고 빚으로 지워져 있어 곧 캐릭터 상태에 악영향을 미칠 연쇄적 데미지를 없애는 것이 포션의 역할이다.

상대의 공격을 허용하는 순간부터 채무자가 되고, 변제를 제때에 해내지 못한다면 파산에 이르게 되는 방식이다.

중환자나 즉사 직전의 상태에서도, 최상급의 붉은 물약으로 2차적 손실을 전부 막을 수 있다면 일단 움직이고 심지어 싸울 수도 있다. 그런 점에서 시나리오 온라인의 물약은 분명 비약이고 기적의 물질이다.

다른 게임에서 마시는 것으로 HP바가 끝까지 채워지고 완전한 원상복귀가 되지 않더라도 말이다.

그 불편함에 적응하며 게임의 감각을 익혀나가다 보면, 그래도 또 할만하고 영 불편하지만은 않다. 어떻게든 적응하면 플레이 할 수 있도록은 만들어두었다. 개발진은 이 게임을.

"잠시만 기다려주세요."

필리는 영업용의 미소인지 무엇인지 모를 밝은 표정을 지어보였고, 곧 카운터 뒤의 통로로 사라졌다. 천이 내려와 있어 그 내부가 잘 보이지는 않는다. 별로 불을 켜두지는 않는 편인지

어둑하기도 하다.

아마 창고와, 설정에 따르면 필리가 머무는 본인의 생활 공간이 있을 테였다.

나무판으로 만들어진 바닥을 밟으며 그녀가 사라졌다. 하얀 톤의 나풀거리는 원피스를 입고 있었고, 앞치마를 메고 있는 모습이다. 필리의 옷차림은. 여기저기 프릴 따위가 조금 달려 있었고, 너무 새하얗지 않고 약간의 베이지 색이 섞여 있는 옷이다.

원피스는 펑퍼짐하고 원단이 두꺼워서 생활감있는 평상복이었고, 발목보다 조금 위까지 내려온다.

어딘가 인터넷 공간에 있는 다양한 자료들에 따르면, 필리는 제법 뛰어난 수준의 격투 실력을 가지고 있다고도 한다. 그걸 진짜로 확인해 본 사람은 여태 없는 것 같지만. 개발진이 여리여리한 여성 캐릭터에게 남다른 개성을 부과하기 위해 그렇게 설정해 두었다고 해도 이상한 일은 아니었다.

말마따나 자유로운 플레이가 가능했고, NPC에게 외설스러운 농담을 던지고 지나치게 짓궂게 굴 악성 이용자들도 있을 수 있으니.

그러한– 성적이거나 악의적인 행동들은 직접적으로는 프로그램 상으로 막혀 있었으나, 시도는 가능했고 AI의 불쾌한 반응을 이끌어내는 것까지도 제약이 없었다.

그런 상황이 반복될 때 필리 스스로가 움직여서 상대를 제압하는
것도 제법 멋있는 그림이기는 하리라.

현실에서는 흔히 볼 수 없는 그림일 테지만.

카운터의 목제 판을 손가락으로 천천히 두드리며 콧노래를 부를
때 쯤이 되어서야, 필리가 돌아왔다. 쿵!

저벅거리며 돌아온 그녀는 그녀 본인의 상체만한 궤짝을
카운터에 내려놓는다. 두 개를 합쳐서 그렇다.

"HP MP물약 1종으로 백 개씩. 그리고 정신 각성제랑 사냥용
자극제도 하나씩입니다."

목재를 규격에 맞추어 잘 짠 다음 철로 테두리를 마무리하고
금빛 도료로 칠한 상자였다. 100개 이상씩 사면 이렇게 나온다. 그
아래 낱개는 그냥 플라스크 병으로 주던가, 혹은 가죽 자루에
남아서 주고.

물약이 들어 있는 플라스크 병은 유리처럼 생겼지만 무언가 다른
재질이었고, 쉽게 깨지지는 않는다. 완충제 없이 한 곳에 담아도
괜찮다는 말이었다.

제나는 의례적으로 궤짝의 곡선으로 불룩한 뚜껑을 열어 내부를

확인했다. 일일이 셀 필요까지는 없었다. 제대로 물약이 들어
있었고, 가장 위에는 한 개씩 산 각성제와 자극제도 있었다.

쓸만해 보이는 것들은 하나씩 정해서 조금씩 써보는 게 좋다.
시험으로 현장에서 사용해보고, 괜찮다면 다음에는 대량 구매를
하는 식이다.

정신각성제는 신경을 날카롭게 해주고, '순발력' 스텟의 일시적인
증가 효과를 준다. 순발력은 근육의 민첩성과, 정밀한 감각과
미세한 제어에 관여하는 능력치였다. 그는 원거리에서 마법을
날리거나 화살 등의 공격을 하는데, 사수로서 숨을 멈추고 타겟을
맞추기 위해 집중하는 순간에 가장 주가 되는 힘은 순발력이다.

사냥용 자극제는 근력에 주로 작용하는 것으로, 순간적으로 스텟
이상의 힘을 낼 수 있도록 한다. 어마어마한 도핑 효과가 있는 건
아니었고, 10에서 20퍼센트 정도의 증가율을 보인다. 하나를 먹고
나면 얼마 동안은 먹지 못한다고 한다. 먹어도 효과도 없고,
메스꺼움이나 도리어 부작용으로 근육의 힘이 줄어든다고.

"늘 감사합니다."
"사주시는 건 손님 쪽인걸요 뭘."

제나는 늘 던지는 인삿말을 건네며 인벤토리를 중얼거려 창을

띄웠고, 그의 시야에만 나타나는 반투명한 푸른 창에서 리스트를
내려 소지한 돈을 일부 꺼내들었다.

돈은 금속으로 만든 둥그런 것이 보통이고, 자동적으로 갈색의
작은 가죽 주머니에 담겨서 묶여 나타난다. 짤그랑거리는 소리가
나는 묶음을 건네자 필리가 받았고, 능숙하게 끈을 풀어 속을
살폈다. "하나, 둘, 셋⋯." 다소 원시적으로 셈을 하던 필리는 얼마
지나지 않아서 고개를 끄덕였다. 하나하나 보는 것 같아도 손 위의
무게감이나, 손가락으로 내용물을 움직이며 빠르게 개수를
파악한다. 상인으로서의 기술이었다.

"대륙 주화로 은전 30개, 맞네요."

대륙 주화는 비련의 시나리오에 통용되는 세 가지 통화 중 한
종류였다. 주로 제국화, 대륙화, 길드화가 있다. 제국화는 대륙 북부
지방에서 많이 쓰이고, 대륙화는 중부 지방에서 많이 쓰인다.
길드화는 세계관 내에 존재하는 상인 조합이 발행하는 화폐로,
초국가적인 위세를 자랑하는 국제적 기업이 주관하는 통화였다.

몇 개의 유력한 왕국과 여러 소국들이 손을 잡아서 만드는
것으로 대륙 전역을 범위로 셈 해보면 가장 흔하게 쓰인다.
NPC들에게 퀘스트를 받고 그 보상을 얻으면 주로 길드화를 받게
된다.

세 가지 통화에 별다른 차이는 없었고, 그냥 똑같은 금은동으로 만들어진 동그란 쇠전이었는데 무늬가 다를 뿐이다.

정세에 따라서 환율이 조금씩 달라지지만 그렇게 신경쓸 정도는 아니다.

제국화는 북부 대륙을 장악한 '킬릭시안'이라는 제국이 주관하여 만드는 화폐로 북부쪽에서 가장 많이 쓰인다. 제국 내에서 퀘스트를 수행하면 킬릭시안을 받는 일이 많다.

대륙화는 중부 지방, 지금 제냐가 있는 '피스'를 포함한 곳의 여러 곳에서 쓰이는 돈이었다. 어차피 함유되어 있는 귀금속의 양도 비슷하기에 여차하면 실물 가치로도 환전이 가능했다.

플레이어들끼리는 주로 대륙화를 많이 쓰는데, 그건 중부 지방의 여러 도시 국가를 비롯한 집단들이 초기에 플레이를 하기 좋았던 탓이다. 플레이어들이 자리를 잡고 성장을 하며 시나리오 온라인 내부에 침투하기까지 중부가 그 본부같은 거점이 되었었고, 그래서 그 영향인지 어지간하면 대륙화를 내며 플레이어간 거래를 하는 경향이 있었다.

돈의 단위는 '젠Jen'으로 나타나지만 가치와 환율을 따져서 플레이어의 현실 국가 화폐로 대체하여 정확히 어느 정도의 가격인지 볼 수 있었다. 초기에 언어 선택을 비롯해 고를 수 있었고, 제냐의 경우에는 당연히 원화를 골랐다.

은전 30개면 600만원 정도다. 현재 환율로 대륙화 은전 30개, 2,010젠이었고. 1젠은 약 3,000원 정도였다. 물약 200여 개를 구매하는 비용으로는 꽤 싼 편이라고 할 수 있었다. 게임 내 경제에서 초보 플레이어들이 필요로 하는 아이템들의 물가는 합리적이었다.

어쨌건 그 물약들을 모두 소모하며 사냥을 하고 경험치를 얻고, 전리품을 얻으면서 벌게 될 돈보다는 훨씬 싼 값이었으니 말이다.

"볼 때마다 느끼는 거지만, 필리 씨는 근력이 몇이나 되는 겁니까."

플레이어들이 말하는 '스탯'은 NPC들에게도 통용이 되는 지식이었다. 자신의 자세한 능력치 상태를 남에게 알리는 이는 별로 없었지만 말이다.

보통 스탯은 초기에 10으로 설정이 된다. 근력, 순발력, 초월방어력, 지구력, 정신력, 집중력. 별다른 특수한 경우가 아니라면 각 캐릭터는 6개의 능력치가 10이며 그것은 말했듯 아주 건강한 장정의 수준과 비슷하다.

전문적인 운동 선수까지는 아니더라도, 얼마든지 그렇게 훈련을 할 수 있는 건장한 일반인.

재능이 넘치는 일반인이라는 느낌으로 정신력이나 집중력, 초월방어력 등 현실에서 명확히 재단하기 어려운 수치들도 적당히 설정이 된다.

그리고 20이 되면 10의 두 배가 된다. 30이 되면 다시 두 배가 되고. 40이 되면 그의 다시 두 배다.

곧 능력치의 상승은 10이라는 기점을 지날 때마다 올리기 위한 노력의 필요량이 기하급수적으로 증가한다.

또한 자연수로 딱 떨어지는 것도 아니었는데, 훈련에 따른 능력치의 증가는 0.1이나 0.01따위의 미세한 증가도 반영이 된다. 그만큼 실제 캐릭터의 능력 역시 강해지기도 하고.

능력치의 최댓값은 정해진 바가 없었으나, 플레이어들 사이에서 보고 있는 적당한 마지노 선은 100에서 110정도였다. 아직 그 수치에 도달한 이가 없기도 했고, 그 이상 올리는 것이 먼저일지 아니면 시나리오 온라인의 결말이 나는 것이 먼저일지 알 수 없었기 때문이다.

그만큼, 고레벨 플레이어가 되면 능력치의 향상을 위해 들여야 하는 시간과 노력이 막대한 양이 되어버린다.

초보자에서 어느 정도 게임에 익숙해진 플레이어로 가는 기준이 20이었다. 각 세세한 육체와 정신의 능력들이 건장한 장정에서 2배 정도만 되어도, 거진 초인적인 움직임이 가능해지는 탓이다.

그 이후부터 비련의 시나리오는 게임이 제공하는 스릴과 속도감, 액션을 본격적으로 즐길 수 있게 된다.

그런 면에서, 제 몸통만한 나무 궤짝을 번쩍 들어 올려 옮기는 필리의 모습을 볼 때 적어도 10은 넘고, 그 중후반이 아닐까 싶었다. 보여지는 모습만으로 유추하는 것이니 그보다 훨씬 위일 가능성도 있었다.

개발자들이 이런 기본 상점의 여자 NPC에게 막대한 전투 능력을 부과하는 뜬금없는 설정을 정말 넣었다면 말이다.

현재 거듭된 근력 운동, 사냥, 고된 움직임으로 올려둔 제냐의 근력이 17정도였다. 건장한 장정의 1.7배 정도의 힘.

"호호."

제냐의 물음에 필리는 입을 가리면서, 호호라고 의성어를 써야 할만큼 작위적으로 웃었다. 달처럼 휘는 그녀의 눈웃음에는 괜한 걸 묻지 말라는 의도가 묻어난다. 제냐는 적당한 빈 웃음으로 마주 대하며 질문을 넘겼고, 카운터에 올라온 궤짝을 챙기기로 했다. 말없이.

실물 아이템을 인벤토리에 넣는 것은 간단한 조작을 통해서 가능하다. 소유권이 인정되는 아이템이 당사자 앞에 있다면, 그것을 터치하면 기묘한 알림이 감각적으로 전해진다. 왼쪽 눈의 시야 부근에 미세하게 붉은 표시로 점이 나타나는데, 그 지점을 동공으로 바라보면 반투명한 창이 뜬다.

[물약 상자A, B를 '제냐 킴'의 인벤토리에 수납하시겠습니까?]

물음과 함께 예 아니오의 버튼이 딸려온다. 제냐는 '예' 부근을 1초 이상 응시했고, 곧 실물 아이템이 네모난 박스 형태로 변했다. 푸른 색의 상자였고, 디지털의 질감을 형상화해둔 것 같은 어색한 모습이다. 빛에 따른 질감 변화가 없는 밋밋한 정육면체.
제냐는 나타난 두 개의 아이템 박스를 다시 건드렸고, 그러자 그것들이 사라졌다.

인벤토리 창에 들어간 것이다. 마지막으로 'IV'라고 중얼거리며 창을 띄워 제대로 들어갔는지 확인했다.

그러고 나서 제냐는 필리를 쳐다봤다. 그녀가 눈이 마주치자 살풋 웃었다. 게임에 빠지기 쉬운 외로운 인간이라면, 이런 미형의 NPC에게 감정적인 흔들림을 느낄 수도 있겠다 싶었다.

워낙 정교한 AI 반응이어야지.

제냐가 짧게 인사를 건넨다.

"또 올게요. 장사 잘 하시고. 산책도 가끔 하시고."
"감사합니다. 모험가 분들은 언제나 안전이 최고죠. 조심하시고 다음에 또 봬요."

작게 손마저 흔드는 모습이 참으로 영업을 잘 하는 상인다운 태였다.

제냐는 고개를 대충 끄덕거리며 바깥으로 나왔다.

여전히 하늘은 맑고 또 밝다.

게임 내의 하늘이라는 것이 믿겨지지 않을만큼 화창하며 기분을 들뜨게 한다.

제냐는 거리로 나서서, 여기저기 잘 깔린 도로와 건물들 사이의 길 위로 분주한 모습을 보이는 캐릭터들을 흘긋 보았다.

166

플레이어들도 가득하고, NPC들도 와글와글하다.

어쩌면 딱히 누굴 만날 일 없는 집구석에서, 이런 풍성한 인파를
느껴보기 위해 요즘 사람들은 게임에 접속하는 지도 모른다.
한 시대의 수많은 인파가 몰리는 곳이라는 게, 그저
그것만으로도 적적함을 달래볼 수 있는 선택이 될 지도 모르고.

제냐는 잠시 방향을 가늠하다가 미리 받아두었던 퀘스트를
위해서 성도 바깥쪽 길로 걸음을 정해 옮겼다.

*

8. 흰줄무늬 검은 고양이 코미어

어떤 사내가 분주하게 길을 달리고 있었다.

아니, 사실 사내는 아니었다. 그의 내면은 사내였으나, 그 겉모습은 지금 고양이였으니까.

말이 되지 않는 말이었지만 그 공간이 가상현실 게임의 내부라면 가능해진다. 프로그래머들이 설정해 둔 법칙에 따라 변하는 세계였고, 그 내부에 감각을 연동시켜 잠시 들어와 있을 뿐인 가상의 체험이었으니.

그러나 그렇다 하더라도, 재빠르게 달리며 사람보다 낮은 시야로 도로를 질주하는 네 발 짐승의 감각을 익히는 건 그다지 쉽게 경험할 수 있는 건 아니었다. 거의 자연적인 현실에 비견되는 비련의 시나리오의 게임 퀄리티는 마치 진짜 그렇게 된 듯한 느낌을 플레이어들에게 제공한다.

사내, 그러나 검은색에 흰 줄무늬가 그려진 대형견만한 고양이가 빠르게 내달리고 있는 길은 중부 지방 주도 중 하나인 평화의 숲 옆 도시, 그중에서도 남쪽 대성문 근처의 대로였다.

비련의 시나리오는 게임답게, 그리고 판타지 장르를 섞은 컨셉답게 다양한 기적적 효과와 현상들이 얼마든지 벌어질 수 있는 곳이었다. 그리고 리얼 타임으로 계속해서 벌어지고 있었고, '초상 스킬Supernatural Skill'이라고 불리는 계통의 기술들이었는데, 보통 여느 판타지 장르의 물건들에서 묘사하는 '마법'적인 것들이 전부 들어 있는 기술이었다.

자세하게 갈래를 공부하고 파보면 무수하게 나누어지고, 그 하위 계통에 따라 캐릭터의 개성과 플레이 스타일, 육성법이 모두 달라진다.
플레이어가 익힐 수 있는 스킬에는 시간과 노력 상 한계가 있었고, 익숙하고 연관된 행위는 보다 쉽게 스킬을 익힐 수 있게 만들어준다.

근접전을 주로 일삼는 도끼를 든 전사가 다양한 박투술과 부술斧術을 배우고 또 체력과 관련한 스킬들을 익히는 등 말이다. 주로 정신력과 집중력 스탯에 집중하는 초상 기술의 발현자들, 통칭 '술사Magia'들은 초상 스킬을 보다 빠르고 쉽고 강력하게 발현하기 위한 다양한 스킬들을 보조로 익힌다.

조금 더 들어가 술사들 중에서도 '화염술사'나 '빙결술사'같은 자들은 굳이 여러 개의 속성 스킬을 익히는 것보다 연관되고 상충되지 않는 것들을 익히는 편이 효율적이기에 그렇게 한다.

화염술사이면서 동시에 빙결술사일 수 있고, 아무런 제약도 없으나 그 길을 가는 데 반대로 아무런 추가적 이득 역시 없는 것이다.

그런 이유로 보통 플레이어들이 발견한 다양한 스킬 트리Skill Tree(기술 계통도圖)에 따라 육성법이나 개성이 어느 정도 유추가 되고 제한되는 면이 있었다.

굳이 그러지 않겠다는 괴짜는 얼마든지 있을 수는 있었으나, 또 많지 않은 것이 사실이니까.

그런 면에서 내달리는 흰줄무늬 검은 고양이 사내는 굳이 말해 '변신술사'라는 이름으로 불리는 쪽이었다. 변신술만을 익히는 건 아니었으나, 그와 호응하는 몇 개 하위 계통의 초상 스킬들로 스킬 리스트를 채우고 플레이를 하는 이들.
그뿐만이 아니라 필드에 존재하는 몬스터 캐릭터들을 굴복시키고 조련해 다루는 테이머들도 있었고… 변신술 이외에도 요란스런 스킬 따위를 구사하며 가도를 헤집는 이들은 빈번하게 모습을 보인다.

플레이어들은 능숙하게 거대 고양이의 질주를 바라보고 슬쩍 비키며 길을 내주었고, NPC들 역시 굳이 저런 눈에 띄는 괴생물이 있을 때는 길의 옆으로 걸으며 부딪히지 않는 요령들이 있었다.
번잡스러운 대도시의 주도主道는 온갖 인간 군상과 괴짜들이 범람하는 곳이라, 주변 이들에게도 익숙한 모습이었다.

그런 곳에서 작게 나 있는 듯한 열린 길의 궤적을 내달리는 고양이는 명민한 동체 시력으로 순식간에 파악해 빈틈들을 파고들었다. 속도를 거의 줄이지 않고 평야를 내달리는 듯한 속도로 부지런히 네 발을 번갈아 바닥에 딛었다가 지면을 박찬다.

탄력적인 고양이의 몸은 그 크기가 거대해지며 강력한 근육마저 가지고 있었고 유연함마저 잃지 않아 위압적이나 동시에 부드러운 질주를 해내고 있다.

한낮, 사람들이 바글거리는 곳이었으나 사내는 고양이로의 변신술이 아주 능숙한 모양이었다. 끊임없이 달리며 남부 대성문으로 빠져 나가려던 어느 변신술사의 달리기가 멈춘 건 뜻밖의 순간이었다.

'필의 물약 상점'이라는 기본 상점을 평화의 숲 옆 도시를 기점으로 삼는 플레이어들에게 유명하다. 단순하게 NPC가 미형의 아가씨라 그런 점이 크다. 감상하라고 만들어 둔 듯한 개발진의 배려에 혹한 남성 플레이어들이 많았던 탓이다.
NPC로서 그녀가 가지는 AI 역시 제법 매력적인 개성을 갖고 있기도 했고.

언제나 친절하며 또 유쾌한 그녀는 이 게임을 롤플레잉이나,
인간관계 시뮬레이션 게임으로 즐기는 이들에게 훌륭한 말동무가
되어주었다.

변신술사 역시 그런 이들 중 한 명이었다. 순식간에 거리를 채운
인파와 움직이는 흐름을 읽는 고양이의 눈이 재빠르게 빈 곳을
찾았다. 거리에서 가장 민첩하게 움직이는 몸이었고, 뛰어난 시력과
감각을 가지고 있었다. 계속해서 질주에 대한 '정답'을 빠르게
결론지어 달리던 그가 다음에 찾은 곳이 그 가게의 문 앞이었다.

대형견만한 고양이의 발로 몇 번을 구르면 금세 지나칠 수
있을만한 거리. 갑작스럽게 무언가 나타난다고 하더라도 대응할 수
있을 정도의 빠르기다.
　사내는 여태까지 계속해서 그래왔듯 마찬가지로 발을 디디고
찼다. 몸뚱이가 쏘아진 화살처럼 뜀박질마다 앞으로 나간다.

휘익, 하고 옆에 있으면 바람소리마저 들릴 지 모른다. 사내는
이런 질주의 감각이 아주 기꺼웠다.
　그는 현실에서는 달리기가 그다지 빠른 편은 아니었으나,
속도감만은 바라는 류의 성격이었다. 개인용 바이크 따위를 몰면
되는 문제이긴 했으나 그러기에는 또 겁이 많았다. 제 몸을
가지고는 안전한 승용차를 굴리며 규칙적인 주행을 하는 게 그의
드라이버로서의 시간의 전부였다.

게임 내에서는 물리적 한계를 뛰어넘고 심지어 이족 보행의
속력마저 뛰어넘는 빠르기로 달릴 수 있다는 게 재미있다. 그래서
어디에서든, 이동할 때는 변신술사로서의 역량을 유감없이
드러내며 이렇게 달려대는 것이다.

그런 기분 좋은 맞바람과 몸의 유연한 탄력을 느끼며 사내가
가게 바로 옆을 지나려 할 때, 갑자기 문이 열렸다.

가게의 문은 안쪽으로 열린다. 느닷없이 내부에서 손님이
튀어나온다고 해도 문에 거리에 있는 보행자가 부딪힐 일은 없다.
그리고 안쪽에서 나오는 사람들의 속도는 대개 정해져 있었고.
그러나 예상보다 훨씬 다르게, 튀어나오기라도 하는 듯 갑자기
인형人形이 다가섰다. '뭐야.' 그는 속으로 당황하면서 순식간에
방향을 틀었다.

길게 뛰었던 동작을 짧게 끊으며 황급하게 지면에 발을 댔고, 그
다음 그 운동 에너지를 최대한 보존하며 다른 방향으로 뛰었다.
급커브에 가까웠으나 초법 스킬로 구현해낸 고양이형 몬스터의
육체는 간신히 그것을 해낼 수 있었다.

"꺅!"

고음의 비명이 들렸다. 정신없이 지나가면서, 변신술사는 그것이 여느 때와 다름 없이 원피스에 앞치마를 두르고 있는 상점 주인이라는 사실을 깨달았다. '아니 왜?'라는 생각마저 금방 들었다. 지금은 평일 낮 시간이었고, 평일 늦은 밤이나 주말의 저녁 즈음이 되어서야 상점 주인은 영업을 접는다.

영업 중에 주인인 필이 상점을 벗어나는 일은 거의 없었다. 그야말로 대도시에서 거의 끊이지 않고 손님들이 방문을 하기에, 아주 오랜 기간동안 여주인 필은 이 시간에 바깥에 나서는 일이 없었다.

거의 갇히다시피 한 채로 연이어서 업무를 보는 건 어지간한 장정이라도 지칠만한 스케줄이었지만 필리는 아무렇지 않게 계속해서 해냈다. 적어도 변신술사가 이 도시에 기거하는 중에는.

'이상한 일이구만.'

하고 생각하며 고양이의 몸뚱이가 아슬아슬하게 나서는 필리의 앞을 지나쳤다. 간신히 틀어낸 각도가 적당했고, 그녀 역시 뛰어난 반사신경으로 순간 몸을 안쪽으로 넣은 덕분이었다.

갑작스레 나타났던 위험을 피해냈다는 사실에 안도감을 느낀 고양이의 몸이 조금 둔해졌다. 관성으로 인한 속력은 그대로였으나 정확히는 감각이 조금 무뎌졌다.

174

약간의 놀람과, 필리라는 익숙한 NPC에 대한 상념이 잠시 그의 질주를 방해한 일이다.

낯설지 않은 길을 달리는 사내는 별 생각을 않으면서도 사람들의 빈 공간을 찾으며 몇 걸음을 더 내달렸지만, 한 수십 미터 정도 지나간 다음에 뜬금없이 걸음을 멈추는 사내의 등을 피하지 못했다.

고양이는 필리에 대해서 계속 생각해보다가 그대로 행인의 등에 박아버렸다. "와각!" 요상한 소리를 내면서 행인이 앞으로 날아갔다.

가죽 갑옷을 입은 몸 그대로 길바닥에 나뒹군다. 뒤에서 들이받는 충격에 대비하지 못해 엉성한 자세로 바닥과 충돌했고, 스킬인지 몸에 익은 건지 그 다음에 정신을 조금 차리며 계속 굴러 반동을 이용해 일어났다.

길바닥을 구른 사내가 뜬금없는 사태에 당황과 황당함, 짜증을 품은 표정으로 뒤를 돌아봤다.

사내를 완벽하게 날려버리고 그 충격으로 자신은 그 부근에 멈추어 선 거대 고양이가 제 코를 문지르고 있었다. 갑자기 박은 건 고양이 역시 마찬가지였다. 콧잔등이 시큰하다. 대비하지 못한 충돌에 대책도 없이 안면이 갑옷을 때렸다.

낯짝으로 갑옷 위를 때리다니. 거대 고양이의 형태라고 하더라도 효율 좋은 공격법은 아니었다.

변신술은 그 수준에 따라서 효율이 결정된다. 고도의 복합적 스킬을 이용한 변신술, 그리고 각 스킬의 레벨이 높다면 '거대하고 강력한 것'으로 변한 뒤 실제 그 능력치마저 따라갈 수 있었다.

그러나 본인의 레벨이 낮고, 각 스킬의 레벨과 연계 수준또한 낮다면 외형은 무시무시한 것으로 변할지언정 그 내실은 따라가지 못하는 경우가 저레벨일 때의 보통이다.

더 고강한 것으로 변하고, 내면의 능력치를 채워 나가는 것이 변신술사의 성장 과정이었다.

고양이로 변한 사내는 변신술사로서, 그리고 플레이어로서 레벨이 그리 높은 편은 아니었다. 초보자라고 하기에는 익숙했으나, 베테랑이라고 할 정도 까지도 아니었다. 사내의 레벨은 17이었고, 주요한 스테이터스 역시 20초반에 머물렀다.

스킬들의 레벨은 보통 수준에 대한 형용사로 표현된다. 끔찍한Terrible, 나쁜Bad, 좋지 않은Not good, 쓸만한Usable, 흔한Common, 드문Uncommon, 좋은Good, 훌륭한Excellent, 전문가Veteran, 전문가(조금 더)Expert, 달인Master, 그 이상의 달인Grand master.

12단계로 표현되는 스킬이었고 앞글자를 따서 T, B, NG, US, C, UC, G, EX, V, EXP, M, GM로 표현하던가 아니면 단순하게 1부터 12의 숫자로 말을 하던가 했다.

그 이상의 단계가 게임 상에 있을 가능성이 없지 않았으나 플레이어들이 찾은 스킬은 아직은 그것 뿐이었다. 현존하는 최고의 스킬 레벨이 마스터 급이었고, 스킬의 설명란에 표시되는 '다음 레벨'로 그랜드 마스터의 경지를 알고 있었다.

보통 T로 표현되는 스킬이라 할지라도 그럭저럭 실전에서 쓸만은 하다. 애초에 실전에서 쓸 수 없는 수준이라면 경험치를 얻기가 너무 느릴 테니까, 그렇게 적당히 수준을 설정했을지 모른다.

어찌 되었든 스킬이라는 건 MP의 활용이었고, 이 멘탈 포인트는 사용자들이 조작할 수 있는 부분이었다. 숙련자 수준의 플레이어들은 각기 자주 활용하는 스킬 세팅에 대해서는 저마다 독자적인 조작법을 추가하고 있었고, 때로 이것들은 단순히 문자로 표시되는 스킬 수준보다 강력한 차별성을 가진다.

거기다가 스킬 자체의 강력함도 차이가 있었고 말이다. 굳이 비련의 시나리오 온라인에서 분류 체계를 따로 생성해두지는 않았으나, 플레이어들의 공략 정리 노트에는 일반, 희귀, 유일, 전설 따위의 단어로 스킬의 유용성과 강력함을 표시해 나열해 둔 도표도 있었다.

'외형 변신(환상)'은 일반에 속하는 스킬이었고, '외형 변신(물질)'은 희귀에 속하는 스킬이었다. '외형 대변신(물질)'은 유일에 속했고, '유사 변신(물질)'은 전설에 속했다.

고양이 사내는 '외형 변신(물질)'을 익히고 Bad급, 2단계의 스킬 레벨을 유지하고 있는 변신술사였다. 나쁨, 2단계라고는 하지만 성능 자체는 그다지 나쁘지 않았다. 한 번 변신을 할 때마다 쿨타임(대기 시간)이 있어 오래도록 모습을 고정시켜 두어야 하고, 변신 시간도 전투 중에는 어려울 정도로 길며 별다른 보정 없이 변화가 돼서 능력치나 다른 스킬의 보조, 그리고 자신의 감각적인 훈련이 없다면 변신을 하고서도 별다른 효용이 없었지만.

그 외에도 마스터 급의 스킬이 얻는 강점들에 비하면 무수한 하자들이 있었으나 그는 만족했다. 일단 변신 상태에서도 커뮤니케이션은 가능했다. 그런 부분에 있어서 제약을 둔다면 더 이상 게임으로서 즐기지 못할 불쾌감마저 느끼리라.

"악!"

그래서 고양이는 소리쳤다. 쿵, 하고 제대로 부딪힌 다음에 그 소란으로 인해 주변 인파가 조금 멀리 피했다. 멀찍이 대형종의 개같은 고양이와 길바닥에서 앞구르기 낙법을 취한 사내를 피해 멀쩡한 길을 둘러 간다.

고양이가 아찔거리는 눈 앞을 정리하고 보았을 땐 그에게 부딪힌 듯한 사내 역시 그를 처다보고 있었다. 고양이는 눈을 끔벅거리면서 입을 열었다. '야옹'말고는 별로 나올 소리가 없겠으나 원래라면, 비련의 시나리오는 그 정도의 이질감을 추구하지는 않는다. 발화 기관은 무엇으로 변신하든 어떤 식으로든 존재하여 평범하게 말할 수 있다.

"당신 뭐야!"

고양이는 고양이답게, 신경질적으로 소리쳤다. 흔히 고양이라고 하면 떠오르는 신경질적이고 제멋대로의 성격이다. 사람으로서 비유한다면 그다지 좋은 성정은 아니었다. 갑자기 길바닥에서 앞으로 날아가 멋지게 굴러 일어난 사내, 흑발에 약간은 길이 든 듯한 갈색 톤 가죽 장비를 입고 있는 보통 체격의 남자인 '제냐'가 느끼기에도 그러했다.

자신은 어디까지나 피해자였다.

"이런 개같은……."

고양이에게 할 말로서는 가장 적절하지 않았다. 제냐는 자기도 모르게 헛웃음을 흘렸다. 이게 뭔 상황인지.

갸르릉, 거리면서 고양이는 공격성을 드러냈다. 고도화된 도시 내부에서 PK를 비롯한 상해 행위는 엄격하게 금지되어 있었다. 하지 못하는 건 아니었지만, 아마 곧바로 주변의 인파가 말릴 수도 있었고, 조금만 지체하더라도 도시 내 경비 조직에서 추살대가 형성되어 용의자를 쫓을 것이다.

마을의 NPC에도 그러했고, 특히 이런 대도시 급의 경비 인원들은 강력한 무력을 배정받았다. 어지간한 고레벨 플레이어나 도주에 특화된 장기가 있지 않는 이상은 그들의 추격을 따돌리기가 영 쉽지 않다. 대도시의 경비대나 군대는 그야말로 군조직이었고, 그들을 정면에서 이길 수 있다면 비련의 시나리오 내부에서 아마 왕과 같은 권력을 가지는 것도 가능할 테였다.

정면에서 용을 사냥할 수 있는 최고 수준의 몬스터 사냥 파티의 일원이라고 해도 곧바로 따라붙는 수십, 수백, 그리고 수천 이상의 경비 조직을 상대하는 건 까다롭고 어려운 일이었다.
중과부적이라고.
시나리오 온라인에서 치안을 비롯한 질서 시스템은 수많은 수의 NPC를 배치하는 것으로 유지하고 있었다.

개인이 얼마든지 강력해질 수 있는 세상이었지만, 다른 이들도 어느 정도는 강력해질 수 있었고, 그 수가 무시무시하다면 결국 당해내기 힘든 것이다. 그런 고로 보통 권력 등을 얻는 길은, 정직하게 명예 점수를 올리고 퀘스트를 통과하고, 이미 존재하는 권위 있는 NPC로부터 인장 따위의 물건을 받고 서임을 받아 천천히 올라가는 길이다.

그것 또한 비련의 시나리오를 즐기는 틀림 없는 주류의 플레이 시나리오 중 하나였기에. 마냥 만만하게 만들어두지 않았다.

NPC들의 군대는 현실과 비교한다면 어마어마하게 강력한 신체 능력을 가진 개인이 모여 이루어져 있는 집단이었고, 그들은 용맹하며 협상에 굴하지 않고 비겁함에 물러나지 않는다. '사기'라는 군대의 힘을 수치로 측정할 수 있다면 최고조로 설정해 놓은 것이다.

아무튼 그런 기본 상식으로, 도시 내에서 정말로 특수한 상황이 아니라면 PK에 대한 걱정이나 위험은 낮은 편이었다. 제냐 역시 단순히 인상을 찡그리며 대화를 이어갈 뿐이었다. 저런 공격성은 그저 불쾌감이나 당황을 나타내는 제스쳐에 불과할 것이다.

"거… 잘은 모르겠지만 당신이 갑자기 와서 처박은 거 아닙니까? 사과를 받았으면 받았지 화를 낼 군번은 아니신 것 같은데."

　시나리오 시스템은 온갖 구어체의 다양한 표현들을 정확한 언어로 번역해 이국간의 플레이어들이 대화를 할 수 있도록 만들어준다. 고양이 사내 역시 어느 나라인 지는 몰랐으나 바로 알아듣고 답했다.

　"어… 그렇긴 하죠. 미안합니다."

　고양이의 기세가 누그러지며 사과를 했다. 제냐 역시 크게 화를 낼 생각은 없었다. 어차피 게임 내부의 일이다. 온갖 요란스러운 소동이 일어나도 이상하지 않은 판타지에, 초상 스킬이라는 기적적인 현상이 존재하는 세계.
　이 정도의 봉변은 해프닝 거리도 사실 되지는 못했다. 조금 위험하다면 마을 바깥에서 전투 중일 때 HP가 크게 깎이는 정도이리라.
　RPG면서 동시에 서바이벌 게임인 이 지독한 게임은 한 번이라도 게임 오버를 당하면 다시는 플레이어로서 접속할 수 없었다.

　"내 참……. 마을 내부였으니 망정이지. 아니 마을 안이니까 복잡해서 처박은 건가…. 어쨌든 조심 하십쇼. 플레이 잘 하시고."

제냐는 필의 물약 상점에서 나서서 얼마 걸어가지 않은 시점이었다. 다시금 평범한 RPG 게임처럼, 반복 사냥으로 레벨을 올리고 스킬을 연마할 생각이었다.

일반적인 RPG 게임에서 반복되는 컨텐츠들의 재미는 중요하다. 지루하지만 플레이어 캐릭터의 수준이 올라가는 성취감을 재미로 즐기는 이들도 있었고, 사냥 자체의 속도감이나 액션을 중요시하는 이들도 있었다.

완벽한 오감 체현이라는 비련의 시나리오 내부에서는 단순한 사냥도 제법, 아니 상당히 재미있다. 토끼나 사슴을 노리는 것조차도 바깥에서 즐기는 하드한 레저 스포츠나 비슷한 질감이 나는 것이다.

제냐의 레벨은 아직 14였고, 스테이터스들도 20에 다다른 건 한 가지 밖에 없었다. 그래도 레벨에 비해서는 제법 높은 편이었다. 레벨 10 정도에서는 스테이터스가 10 중반 정도인 것이 평균이었으니.

그가 레벨업을 하기 위해 경험치를 얻는 행위를 하는 것보다, 사부작거리며 다른 일들을 많이 했다는 증거이기도 하다.

자유도가 높은 대부분의 게임에서 그런 행위들은 강함과 직결되지 않지만 비련의 시나리오에서는 자기 주도적인 훈련이 스테이터스 증가의 근원이기에 때로 레벨업보다 더 중요한 과제가 될 수 있었다.

뭐, 스테이터스가 20이나 30을 넘어서 그 이상을 바라보게 되면,
정말 어지간해서는 레벨업 포인트를 스테이터스 성장률로 환원하지
않고서는 잘 오르지 않긴 하지만 말이다. 대부분의 고레벨
유저들이 레벨업을 하는 이유도 그것이었다. 계속해서 성장치를
때려 박지 않으면, 게임 내에서라지만 어마어마한 고강도
훈련으로도 꿈쩍하지 않는 것이 캐릭터의 능력치들이었다.

"예 뭐…. 알겠습니다. 내가 원래 이런 적이 없는데… 갑자기
대낮에 필리 양이 외출을 하길래 그걸 놀라서 구경하다가 그만…."
"아 그래요."

제나는 몸을 돌려 갈 길을 가려다가 고양이가 하는 말에
집중해서 반문했다. NPC의 자유 행동에 대한 이야기는 그 역시
관심이 가는 주제였다. 필리는 그와 대화할 때 여가 시간을 필요로
하는 것 같아 보였고, 그 의지는 NPC로서 부과된 의무에 견줄만큼
강해 보였다.
언제고 그럴 지 모르겠다 생각했지만 그가 나오고 나서 곧바로
산책이라도 할 셈으로 물약 상점을 벗어났던 모양이다.

그의 탓이라고 하기는 조금 그렇지만. 플레이어들에게 영향을
받아 NPC들이 자유롭게 초기의 장소를 이탈하고 달라진 행동들을

해나간다면, 개발진이 과연 이 시나리오의 향방을 조금이라도 예측할 수 있는 건가.

그럼에도 불구하고 절대 달라지지 않는 설정값들이 또 있기야 하겠지만.

제냐가 느끼기에 조금 더 시나리오 온라인이라는 세계가 더 잘 구현된 현실화 게임이라고 생각되기 시작했다.

이 정도의 NPCnon-player charactor 인공지능이라면 정말로 현격한 차이였다. 여태까지 다른 게임사나 시뮬레이션 프로그램 제작사들, AI프로그램 개발진들의 기술력에 비해서 말이다.

단순히 하나하나의 개성도 아니었고, 억 단위의 NPC들이 모두 이렇게 움직인다면?

현 시점에서 '창조'라는, 가장 모방에 가까운 단어를 어두에 달 수 있는 창작자들은 이 게임의 개발진들이었다.

뭐 물론 이런 기술력이 필요하지 않은 여타 분야들이 있었지만. 적어도 이런 종류의 업계 내부에서는 말이다.

제냐는 이 게임에 접속하기를 잘했다고 생각했다. 시대의 첨단을 넘나드는 기술자들의 행보를 지켜보는 건 어쨌건 영감을 주는 일이기도 하다.

"대단한 자유도인 것 같네요. 역시 이 게임은 재미있기는
합니다."

약간의 주책처럼 게임에 대한 감상이 흘러나왔다. 게임의 목적이
시나리오의 메인 스토리 흐름을 가장 앞서 깨나가는 것이
아니라면, 어차피 제나에게 있는 것은 여유와 즐거움의 추구
뿐이었다.
지나가다가 모르는 이와 담소를 나누는 것도 나쁘지 않은
일이었다. 현실이었다면 도리어 조금 꺼려졌을 지도 모른다.

어마어마한 대도시들이 세계 각지에 생겨나고, 낙후되었던
세계에도 발전과 도시화, 인구증가가 일어나며 현대 사회는 더욱
복잡해졌다.
그 시끄러움 속에서 지나가며 만나는 인연이라는 게 제대로
성립이 되기란 힘들다.
다들 멀쩡한 얼굴들을 하고 살아가지만, 그 사이에 숨어있는
어떤 사기꾼이나 강도가 있을지도 모른다.

나무를 숨기기 위해서는 숲으로 가라는 말들처럼, 어딜가나
번잡한 시내를 피하기가 힘든 세상에서 사람에게서 오는 위해는
더욱 다각도로 발전했다. 게임 속에서 만나는 이들은 게임 내부의
일들로만 대한다. 그 정도의 거리감은 오히려 더 많은 대화를
이끌어내게 했다.

"오, 그렇지?"

어느새 다른 주제로 넘어가자 자연스럽게 말을 까놓고 대답하는 상대였지만, 제냐는 굳이 불만을 덧붙이지는 않았다. 사과는 했으니 그건 넘어간다. 처박아놓고 공격적으로 계속 나왔다면 상종을 않았겠지만, 마무리는 되었고 다른 주제는 다른 주제였다.

"…나도 이 게임을 좋아하네."

고양이의 모습이 갸르릉거리며 대답했다. 신경질을 내면 꼬리가 섰다가, 기운이 없고 처지면 꼬리 역시 아래로 축 늘어진다. 꽤나 디테일한 연출이었다. 훌륭한 변신술사는 약간의 연기마저 필요로 한다. 기껏 어떤 모습으로 변해놓고, 그럴싸한 움직임을 복사해내지 못한다면 가장 중요한 효과를 발휘할 수 없었다.

고도로 레벨업을 하고 스킬 효과를 쌓아서 실제에 근접한 강력함을 손에 넣는 것도 중요했지만, 일차적으로 캐릭터들에게 눈속임으로 시선을 빼앗는 것 역시 대단위 전투에서 변신술사가 하는 일이다.

전황이 불리한 전장에서 갑자기 아군의 뒤에 거대한 비룡이 나타난다면 어쩔 수 없이, 군사들은 눈을 빼앗기고 반대편에 선

자들은 위축이 될 수 밖에 없는 것이다.

　정밀한 효과를 연출하는 온라인은 그런 위축과 동작의 축소 역시 전투 시에 영향으로 나타난다.

　물리적인 움직임에 있어서는 거의 세세한 컨트롤이 전투의 향방을 가르고 있었고, 운동선수가 아니라고 하더라도 뛰어난 감각과 신경이 캐릭터를 플레이할 때 보조하지만 눈으로 볼 수 없는 미세하고 즉각적인 운동성을 제어하는 건 역시 플레이어다.

　현실에서 몸치라고 하더라도 게임에 익숙해져서 뛰어난 검술가가 될 수는 있지만 한 순간 플레이에 집중도를 잃고 한 눈을 팔게 되면 그 시간 공격에 대한 대처가 늦는 건 어쩔 수 없다.

　반대로, 현실에서 뛰어난 운동 선수인 경우에는 조금 더 게임 내부에서 받는 혜택 따위가 있었다. 아무래도 다양한 운동 감각을 이미 갖고 있는 이들은 고도로 구현하는 온라인 내부의 스킬들을 더 자유롭게 쓰고는 한다.

　현실적인 물리 법칙을 충실하게 구현해내서 비현실적인 스킬의 위력들을 감당하고 있는 곳이었으므로.
　어느 정도 관성과 운동성을 체감적으로 이해하는 이들은 더 빠르게 전장에 스며들고는 한다.

　그 긴박한 액션과 스릴에 영 적응하지 못하는 이들은 게임에

접속하더라도 애초에 전투 행위와 거리가 멀게 플레이를 즐길 수도
있었고.

"적당한 비행물의 모습으로 변신을 한다거나, 속력이 빠른
동물을 따라하면 아무 곳에서나 레이싱 게임같은 재미를 느낄 수도
있지."
"오호."

고양이가 말을 풀었다. 제냐는 변신술같은 스킬을 익히지는
않았고, 당분간 익힐 계획 또한 없었다. 그는 게릴라 전법에 능하고
각종 상황에 대응할 수 있는 원거리 사격수 정도가 될 생각이었다.
그것을 위해 필요한 것은 다종의 공격기나 유틸리티Utility 형의
스킬들이다. 상대의 다변적인 공격을 막아낼 수 있는 방어
스킬이나, 자가 회복 스킬, 그리고 험난한 지형을 돌파할 수 있는
기술 등.

변신술을 기반으로 게임을 풀어 나가는 인종을 보자 제법 재미가
있어 보이기는 했다. 제냐가 물었다.

"아이디가 어떻게 되십니까?"

문득 묻는 질문에 고양이 모습을 한 유저는 별다른 반문 없이
자신의 것을 알려주었다.

"세렝게티 코미어라네."

"그것 참……."

제냐가 고개를 끄덕거렸다. 고양이도 제 고개를 위 아래로
흔들었다.

"세렝게티 초원을 마음껏 뛰노는 동물 다큐멘터리를 보고
지었지."

일관된 컨셉을 가진 인간이었다.

흰털 줄무늬 검은 고양이, 코미어가 제 앞발을 핥았다. 굳이 할
필요 없는 동작이었으나, 고양이의 모습으로 오래도록 있다 보면
이런 연출이나 연기를 해보고 싶은 마음이 들기도 한다. 약간의
직업 의식과도 비슷했다. 게임에 투자하는 시간이나, 집중력의
깊이가 현실의 그것처럼 진중하고 무겁지는 않겠으나.

어쨌건 시나리오 온라인의 훌륭한 그래픽과 다양한 감각
시스템들은 접속하며 플레이하는 그 시간에 집중할 수 있도록 잘
도와주는 편이다.

무조건적인 몰입감이 인간에게 늘 유익을 가져다주는가, 에 대한
문제는 고민해 볼 필요가 있겠지만.

적어도 아직까지 비련의 시나리오 온라인과 게임 개발사
태Tae가 비윤리적인 컨텐츠를 만들거나 허점을 보인 적은 별로
없었다.

지나친 짓거리들을 하려고 하는 유저들은 대개 게임 시스템
내부에서 관리에 들어가고 강제로 퇴출되거나 한다. 시스템 적으로
막혀있는데도, 굳이 시도를 하려고 하는 무리들이었다.

"그렇군요… 그, 재미 있습니까? 고양이로 내달리면."

제냐가 문득 고양이의 형태를 물끄러미 바라보며 물었다.
고양이의 시선은 사람보다 훨씬 낮다. 대형종의 개만한, 그러니까
조금 몸집이 작은 늑대 정도 되는 크기의 짐승이다. 그렇다곤
하더라도 일반적인 사람의 시야보다는 한참이나 낮다. 쭈그려
앉으면 그 정도 될까? 달리고 있을 때 지면 가까이 몸을 붙인다면
더하리라.

그렇게 시야가 제한된 상태에서 사람보다 몇 배는 빠를 속력으로
질주를 한다면 개인이 느끼게 되는 속도감은 어마어마할 것이다.
빠르게 다가오는 장애물들의 방해 역시 훨씬 크게 다가오고,
그것을 안전하게 제쳤을 때의 쾌감 역시 비례할 테다.

오호 고양이의 입에서 플레이어의 웃음 소리가 나왔다.

"궁금한가?"

"어… 예 뭐. 변신술을 따로 익힐 생각은 아직 없는지라."

변신술이 없어도 각종 이동 기술과 수단들은 얻고 또 익힐 수 있었다. 막말로 레벨이 높아지면 창공을 가르는 비룡을 포획해서 자신의 이동수獸로 사용을 해도 괜찮았다. 그 이전에도 다양한, 환상 속에나 있을 법한 판타지 생물들이 구현되어 있는 게임 내부이다. 극한의 속도감을 유사하게 체험할 수 있는 종류도 여럿 있었다.

다만 그런 탈 것들을 얻고 또 기술을 배우는 데는 시간이 소모된다. 제냐는 아직까지 초보였고, RPG에서 가장 긴 시간이 걸리는 구간 역시 시작 단계의 부분이다.

코미어는 초보자에게 게임의 재미를 알려주기 위해 제안했다.

"원한다면 태워주도록 하지. 타보겠나? 부딪힌 걸 사과도 할 겸."

그가 고갯짓으로, 자신의 등허리 부근을 가리켰다. 낮은 자세의 고양이가 까딱거린다. 제냐는 '호오오….' 하고 흥미가 있어 보이는 소리를 입으로 내더니 곧 고개를 끄덕거리며 그에게 다가섰다.

9. 붉은 날개

코미어는 초보 티는 벗은 변신술사였고, 초상 스킬 유저였다. 그의 스킬은 '외형 변신(물질)'이라는 이름답게 시각 정보만이 아닌 질량과 질감을 그대로 구현해내는 기술이었다. 그럴듯한 변신술사의 시작이 희귀 스킬이다보니 아무래도 변신술사는 초보자들은 경험하기 어려운 직업이기도 했다.

일반 스킬인 외형 변신(환상)을 익히고 나서 여러 개의 연계 퀘스트들을 감당해야 얻을 수 있는 길이다. 그 과정에서 보통 레벨이 2, 30에 다다르거나 넘게 된다.

코미어의 레벨은 34였고, 그에 어울리게 대부분의 스텟이 20이거나 넘고 있었다. 특히 속도감을 중요시하는 그는 순발력 부분에서 26과 근력에서 27을 기록한다. 백키로가 넘는 무게를 들고 스쿼트를 할 수 있는 장정의 체력에서 몇 배를 더한 셈이니, 운동 신경이 뛰어나다면 순간적으로 발휘할 수 있는 동작의 한계는 더욱 멀리까지 닿는다.

20이 일반인의 두 배, 30이 네 배인 것을 생각하면 세 배를 확실하게 넘는 힘이었다. 고양이의 모습으로 요령을 발휘한다면 사내 하나를 태우고 질주하는 것도 가능은 했다. 거기다가…

[헤이스트Haste 상태1]

순간적으로 순발력의 5%를 끌어올리는 스킬을 사용한다. 스킬은
종류별로 시동 커맨드를 정해서 편리한대로 발동할 수 있었지만,
많은 유저들이 스킬의 이름을 입으로 읊는 것을 주로 사용한다.

스킬의 종류가 다양하기도 하고, 세세한 빌드를 짜는 것이
도리어 더 고생스러운 일이었기에 그렇다.

물론 주력으로 사용하는 몇 가지 발동 스킬들은 간단한 동작으로
전투 중에 자연스럽게 사용할 수 있도록 넣기야 하지만, 모든 초상
스킬을 비롯해 수십 수백 가지를 다 그렇게 정리하기란 어려운
법이었다.

코미어 역시 꼭 필요한 것 한 두가지가 아니고서는 입으로
발음해 사용하고 있었고.

[헤이스트 상태2, 파워업 상태1]

순발력 향상이나 근력 향상 같은 스킬들은 보조 스킬, 지원
스킬로 구분되며 초상 스킬의 일종이었다. 거리가 떨어진 동료나
혹은 자신에게 능력치 증가의 효과를 가져다준다. 이런 류의
스킬들만 익혀서 지원을 하는 플레이의 계통 역시 있었다.

갈고 닦고 이처럼 중복하며 효과를 극대화한다면 일시적으로
말도 못할 전력 증강을 가져오기도 한다.

194

헤이스트 상태2는 순발력을 7% 다시 올려주었다. 상태 뒤에 붙는 숫자에 따라서 스킬의 위력이 달라지고 있었고, 개개의 스킬의 레벨을 많이 사용하는 등의 행위로 올린다면 다시 효과가 증대했다. 현재는 둘 다 2급이었으므로 초기 성능에서 폭발적인 효력 증가는 보지 못하고 있었다.

파워업은 근력을 전체적으로 5% 증가시킨다.

지원 류의 상태 변화 스킬들에는 '중첩 효과'라는 효과가 있었는데, 5% 증가 후에 7% 증가시 12% 증가가 아닌 이전 증가 후 총량을 계수로 삼아 다시 곱셈을 하는 방식의 능력이었다. 일반적으로는 쓰기 어려웠고, '상태 지원 중첩'이라는 유니크 스킬을 익힌 뒤 조금 더 많은 양의 MP를 소모해서 가능한 방식이었다.

고레벨, 숙련자 수준에서 노는 지원가들은 필수적으로 익히는 스킬과 방식이다. 아직 고양이 코미어는 물론 익히지 못했다.

대신 다른 유니크 스킬 하나는 운이 좋게도 익혀둔 것이 있었다.

[붉은 날개]

고양이의 입으로 그렇게 중얼거리자 붉은 기운 따위가 그의 몸 주위에 갑자기 나타나 감돌기 시작했다. 색깔이 짙은 연기같은 물질은 고양이의 몸체 주위를 떠나지 않으며 밧줄처럼 길게 늘어져 그 주변을 빙빙 돌기 시작한다. 그러다가 어느 순간 한 점에 모여드는데, 고양이가 네 발을 딛은 자세에서 등쪽으로 집중되더니 넓고 길게 모양을 형성했다.

고양이의 팔 길이만한 붉은 연기의 날개였다. 그 외에도 일렁이는 아지랑이 따위가 고양이 주변을 감싸고 있다. 투명한 에너지가 머무르고 있는 것이다. 게임 내에서 이런 작용을 보이는 것은 MP로 분류된다.

그의 플레이 타임이 그리 오래되지 않았음에도 코미어는 운 좋게 어느 NPC로부터 히든 퀘스트를 받아 특이한 스킬 하나를 익혔다. 유니크Unique, 라고 플레이어들이 구분해 두었지만 정말로 게임 내에 단 하나뿐인 스킬은 아니었다.
대충 그 정도의 체감이다, 라는 의미였으므로. 어쨌든 거대하고 또 그 안에 수많은 캐릭터들이 활동하는 게임 내부에서 어지간해서는 동종의 스킬 취득자를 만나기 어려운 게 사실이다.

스킬의 효과는 여러가지가 있었지만 체감하는 효능은 직관적이고 단순했다. 붉은 날개는 막대한 양의 MP를 잡아먹고, 스킬 자체에 강력한 보조 시스템이 달려 있어서 물약으로 채워만 주면 조금

수준이 낮은 정신력과 집중력 등 MP지배력을 보유한 이도 능력에
비해 강력한 사건을 일으킬 수 있었다.

그렇게 MP를 잡아먹고 발생시키는 현상은 일종의 부유감이었고,
이동 방향과 운동 방향에 가속도를 붙이는 것이다. 가속도는 점차
증가하며, 달리면서도 마치 날고 있는 듯한 느낌을 받을 수 있었다.

동량의 근력과 순발력, MP를 가진 캐릭터지만 스킬을 가진 쪽이
훨씬 빠른 속도로 많은 무게를 옮길 수 있었다. 유니크 스킬인
만큼 스킬 레벨을 올리면 나타나는 추가 효과도 멋들어진
편이었는데, 7, 8이상의 고단계에 이르면 정말 날개가 생긴듯
비행을 할 수 있다고도 한다.

아직 그 정도는 아니었으나, 코미어에게는 꼭 맞는 기술이었다.
그는 속도감을 사랑하는 인간이었으므로. 게임에 접속한 지 얼마
되어 보이지 않는 뉴비를 데리고 한 번 질주를 할 때 써먹기도
좋은 스킬이었다.

"타."

어느새 반말이었다. 그러나 왠지 그 말투가 밉지는 않았고,
제냐는 기세등등한 대형 고양이의 등께에 걸터 앉았다. 주변의
인파들 중에서 지나치는 이들도 많았으나, 어떤 NPC나 유저들은
고양이의 모습을 구경하는 이들도 있었다.

변신술사 자체도 보통보다는 약간 희귀했고 그가 쓰고 있는
유니크 스킬도 쉽게 구경하기 힘든 것이었다.

"어억."

꿈틀거리는 사족 보행 짐승의 등에 아무런 안장 따위 장치도
없이 앉아 있기가 불편했다. 자세를 잡는 데도 시간이 걸릴 법한데,
고양이, 코미어는 짧게 '잘 잡으시게.' 라고 말하더니 곧바로
다리를 움직였다.

팍! 하고 잘 정비된 도로의 지면을 박차는 동시 마치 비현실적인
힘이 잡아 끌듯이 그 신형이 후욱 하고 이동했다.

첫 번째 달음박질에 이미 상식과는 거리가 먼 거리를 이동했다.
사람들은 곧 저 변신술사가 사람을 태우고 달려나갈 것이라는
예상에 멀찌감치 거리를 둔 상태였다.

'으얏.'

제냐는 갑작스러운 운동성과 맞바람에 자세를 고쳐 잡아야 했다.
최대한 날래게 움직이는 고양이의 등에 몸을 끌어당겨 붙이며
사지를 써서 자신을 고정했다.

혀를 씹지 않은 것이 다행이다. 고양이는 두 번째 도약에서 지면을 밟지 않았다. 제냐는 그것을 느꼈다. 등 위에 딱 달라붙어 그의 시선이 곧 도로 바닥을 바라보고 있었으니까. 땅에 디디지도 않고 고양이의 발이 무언가를 박차고 날았다.

'거의 날듯이'라는 말은 사실이었다. 붉은 날개라는 유니크 스킬은 이동 계통에 존재하는 상위 스킬이다. 개발자들은 스킬에 상하 관계를 굳이 나누지는 않았지만, 이미 실증적으로 그 효과에서 막대한 차이가 나는 게 사실이다.

"간드아!"

고양이, 코미어가 새된 소리로 외쳤다. 뭐 어디를 간다는 건지. 제냐는 짐작하지 못했지만 등의 털 뭉치에 자신의 뺨을 더욱 깊게 묻으며 몸뚱이를 잡은 팔에 힘을 꽉 주었다. 그러고도 사실 조금 불안했으나, 뭐… 떨어진다고 죽지는 않겠지 싶었다.

여태 실증적으로 느낀 것이었는데, 괴물 같은 형상에 일반인보다는 확실히 강력한 괴력을 지닌 오크와 맞상대를 하고도 잘 죽지 않았다. 이미 레벨이 10을 넘고 능력치가 쌓여가면서 그 역시 초인적인 영역에 다가가고 있는 것이다.

아마 낙마하는 정도로 즉사하는 확률은 거의 없을 것이다.

그리고 그 시간이면 확실히 포션을 꺼내어 마시거나 바를 정도의
틈이나 정신은 될 것이고.

"…한 줄기 바람의 보살핌."

맞바람이 강하게 불어대고 정신이 없는 와중에 제냐는 일단 눌린
목소리로 중얼거렸다. 그가 가지고 있는 희귀 스킬이었다. 레벨에
비해 순발력 증가에 전념해서 높은 성취를 보이고, 화살로 백
마리가 넘는 '야성' 속성의 몬스터를 잡고서 얻은 스킬이다. 아무나
얻는 것은 아니었고, 레벨 15 이전에 그러한 일을 한다면 얻게
된다.

일반적으로 플레이를 하면 달성하기 어려운 조건이었고,
레벨업보다 능력치 증가에 훨씬 시간 투자를 많이 하고 사냥에
노련함을 얻은 뒤, 레벨보다 더 강한 전투 능력을 얻어야 일단
도전할 수 있다.
그리고 그런 대기만성형 플레이를 하는 이들 중에서도 순발력을
위주로 전투 스타일을 짜나가는 이들이 보통 얻게 된다.
원거리에서 화살이나, 화승총, 혹은 마법으로 전투를 풀어나가는
류의 플레이어들.

제냐의 중얼거림과 함께 흰 빛, 혹은 하늘색을 닮은 푸르스름한
빛의 연기가 마치 굵은 펜으로 휘갈기듯 그은 것처럼 날렵한 선과

질감을 만들어내며 그 주변에 머물렀다. 빠르게 이동하는 중이었는데, 그 연기들은 제냐의 몸 근처에서 생성되는 것처럼 보였고 또 바람에 흩어지지 않았다.

'바람'을 형상화 하는 것 같은 연출과 함께 제냐의 몸 주변에는 투명한 보호막 설정이 펼쳐졌다. 한 번 정도는 원거리 공격을 막거나 혹은 어딘가에 떨어진다고 해도 막아줄 수 있을만한 보호막이었다.

쿨타임은 세 시간 정도였고, 제냐의 MP로도 어느 정도 사용은 가능했다. 한 번 발동에 총 200을 잡아먹으니, 푸른 물약으로 보충한다면 충분히 실용성이 넘치는 물건이었다.

제냐가 그렇게 낙상을 대비하고 있을 때, 거세게 외쳤던 코미어는 몸을 웅크렸다. '아, 이거 뭔가 온다'라고 제냐가 느낄만큼 말이다. 여전히 코미어는 지면으로부터 약 30cm 정도는 떨어져 있었다. 대놓고 공중에 발을 디딘다. 완벽하게 허공을 날 수는 없었고, 일시적인 것이었다. 그러나 저급의 수준을 가진 붉은 날개라 할 지라도 능숙하게 사용한다면 상공에서 떨어져도 추락사를 막을 수 있을만한 효과인 건 사실이었다.

몇 차례에 나누어서 일시적으로 디딤발을 형성해 위치 에너지를 분산시키면 될 일이니까. 초인적인 운동신경- 그러니까 게임 내 컨트롤 감각이 있어야겠지만.

아무튼 코미어의 두 앞발에서 따라 올라가면 있는 부분, 어깻죽지에서 뻗어 나오는 것처럼 형성된 길다란 붉은 깃털 형상의 연기가 그의 움직임과 호흡에 따라 약동했다. 조금 수축했나, 싶었다. 날개가 확연하게 줄어들었다.

그리고 다음 순간 코미어가 디디고 있는 허공을 강하게 박차며 뛰어 올랐다.

일반적으로 고양이 과의 짐승들이 점프력이 좋은 건 사실이다. 높은 곳에서 떨어지는 것도 마치 무게감이 없다 싶을 정도로 잘 해내는 편이었고, 그럼에도 분명 비현실적인 일이었다. 코미어가 뛰어서 1m 정도 날아올랐을 때, 순식간에 그의 몸뚱이에 추진력이 형성되며 바람을 갈랐다.

정말 로켓처럼 그가 뛰어올랐다. 등 뒤에 메달려 있는 제냐는 죽을 맛이었다. "으어어어어어어어어어어어어."

수직으로 뻗다시피 하는 로켓 추진체에 메달려 있다고 하면 대충 비슷한 설명이었다. 낮은 각도가 아니라, 가파른 궤적을 그리며 그가 공중으로 뻗어 올랐고 제냐는 고양이가 아프던 말던 그 털을 사정없이 움켜쥐고 지닌 바 모든 근력을 몸체에 달라붙는 일에만 사용했다.

그 점프가 10m를 훌쩍 넘었을 때 제냐가 문득 생각했다. 현실이 아니기에 이런 와중에 생각을 할 여유가 있을 지도 모르겠다. 그게 아니라면 그가 현실에서도 제법 위기에 강한 사고 능력을 가지고 있을 수도 있었겠고.

'이거 죽겠는데.'

이런 기세로 올라간다면 낙마같은 일이 아니었다. 낙… 기린. 최소한 기린의 모가지 가장 높은 자리에 메달려 있다가 기분이 안좋아진 기린이 헤드 뱅잉을 할 때 어딘가로 날아가 처박히는 거랑 비슷할 것 같았다. 그리고 잠잠코 보건데, 그보다도 높이 올라갈 모양이다.

"이야… 붉은 날개 개쩌네."

아래에서, 도시의 길목에 서서 그 모습을 구경하던 어떤 행인이 중얼거렸다. 유저였고, 통통한 배를 자랑하는 백인 남성이었다. 블론드 헤어에 푸른 색과 흰 색이 배합된 천 옷을 입고, 그 위에 가죽 갑옷을 부위별로 찼다.

그는 모습이 점점 작아지는 거대 고양이와 웬 일반 유저 하나를 따라 시선을 옮겼다. 햇빛이 내리쬐는 백주 대낮이라, 오후의 햇살을 손으로 가리면서.

"…신나겠는데?"

그는 초상 스킬이라고는 얼마 전에 배운 파이어 볼이 다인 사내였다. 초보자라고 하기에는 조금 레벨이 있었으나, 물리 계열의 일반 스킬들이나 다른 종류들을 익혀와서 저런 기이한 현상에는 별로 인연이 없었다.

기왕 비련의 시나리오같은 판타지 게임에 접속했으니 다양한 경험을 해보는 것이 재미 있겠으니, 약간의 부러움을 담은 눈으로 구경하고 있는 것이었다.

그런 지면의 사정과는 전혀 달리 제냐는 이제 조금 불안감이 엄습하고 차차 커져 두려움이 되어가고 있었다.

'아… 아직 얼마 플레이 못했는데.'

이렇게 게임 오버를 당하면 다시는 플레이를 못한다. 부당한 행위에 당한 것도 아니고, 게임 내의 자체적인 버그에 당한 것도 아니고 완벽하게 자기 잘못이니 운영진에 항의를 해서 복구를 받아볼 여지도 없었다.

그리고 보면 이 망할 고양이가 왜 등에 처박아서…

까지 생각을 했을 때 코미어가 고함을 쳤다. 고양이의 하관에서

나오는 것은 듣기 좋은 남성의 목소리였고, 바람결에도 음량이
커서 내용이 전달은 되었다.

"남쪽 성문으로 나갈 거였지-?! 이대로 나간다!"

의외로 다양한 초상 현상들이 난무하는 게임 내에서 도시의
안팎은 그리 큰 구분을 두지 않았다. 물론 인력으로 지었다고 믿기
힘들 정도, 20m가 넘는 성벽이 길게 대도시를 둘러싸고 여러
성문들을 통해서만 지나다니고 있었지만. 비행 능력이 있는 유저가
딱히 그 관문을 통하지 않고 오가도 큰 제재는 없었다.

간혹 PK를 비롯해 게임 내에서 극악한 행위를 한 범죄자
캐릭터가 그렇게 탈출을 하려고 하면 곧장 비룡 수비대가 날아들어
격추를 시키기는 한다.
어지간한 일에는 모습을 나타내지 않는 고레벨의 NPC들이었다.

게임의 설정 상으로는, 도시 전체를 궤멸시킬만한 재앙이
닥쳐온다면 성벽에 걸려 있는 강력한 초상 스킬을 발동시킬 수
있다고는 한다.
게임의 설정집을 읽은 이들을 통해 전해지는 이야기로는
메테오Meteor같은 우주적인 공격도 막을 수 있다나…. 했지만
지금의 알 바 까지는 아니었고.

"으어어, 어어?!"

제냐는 고개를 더욱 코미어의 등에 처박으면서 비명을 질렀지만 대충 대답이 된 모양이었다. 붉은 날개를 가동시키는 고양이는 그대로 승천을 할 듯한 기세로 날아올라 성벽보다 높은 고도에 위치한다. 고양이의 몸에 들러붙은 모양새지만 거의 수직상승하듯 날아왔기에 자연스레 그 아래의 광경들이 고개 아래로 보였다.

성벽 근처의 거리부터 시작해서, 주도로 이어지는 길목. 큰 길목들이 각 대성문으로 이어지며 중앙에서 거대한 광장과 만난다. 광장의 주변으로 도시의 주요 시설들이 모여 있다. 하늘을 찌를듯 성벽보다 높게 솟아 있는 첨탑과, 마치 현대의 빌딩을 오마주한 것 같은 네모난 고층 건물도 있었다.
뭐니뭐니해도 이 성도의 성주를 맡은 자들이 머무는 궁전이 또한 압권이었다. 현실에서 저만한 건축물을 지으려면 돈이 많이 든다. 짓고자 한다면 못할 것 없겠으나, 굳이 재래식의 성을 이 시대에 다시 지을 일은 별로 없다. 여러가지 효율성을 고려한다면.

그렇다면 저런 모습들을 이처럼 완벽하게 아름답게 꾸며낼 수 있는 건 역설적으로 가상현실의 내부가 된다. 이곳에서는 데이터 값을 처리할 인력과 기술력, 약간의 비용만 있다면 얼마든지 구현해낼 수 있는 건물이다.

'장미궁'이라 불리는 성도 피스의 중앙 시가지 근처의
궁전이었다. 매혹적인 곡선으로 그 첨단을 장식하고 아래는 마치
식물이 뿌리를 내리듯 여러 별채들이 퍼져 있었다. 형이하학적
아름다움을 추구한 성의 모양을 감싸안는 아름다운 정원이 또한
구경해볼만한 곳이라, 이 근처에서 플레이를 하는 유저들은
이따금씩 들르곤 한다.

아름다운 광경을 관광하는 재미 또한 있는 곳이었다. 비련의
시나리오는.

그러나 이렇게 관광하고 싶지는 않았다. 본인에게는 어떤 비행
수단도 없는 채로, 아직 저레벨이라 체력도 보호 스킬도 그를
온전히 도와줄 수 없는 상태로 고공에 날아올라서 말이다.

그런 제냐의 불안감과는 상관 없다는 듯 코미어는 신나게 허공을
질주한다.

'가즈아아아.'

괴성처럼 질러대는 소리가 바람결에 아련하다. 제냐의 체감이
롤러코스터를 떠올렸다. 상승 기류를 타고 날아오르는 새처럼
폭발적으로 올랐던 코미어의 동선이 갑자기 아래로 향하기
시작했다. 그 짧은 방향 전환의 과정에 속도가 줄어든 것 말고는,

도리어 더 빠른 속력으로 날아가기 시작한다.

이쯤 되면 거의 비행에 가깝다. 방향 전환이 그다지 자유롭지 못하다는 것만 뺀다면.

사실은 약간의 부력과, 허공에서 생성하는 디딤발을 이용해서 3차원 기동을 하는 것이었다. 어쨌거나 온전한 날개나 추진력은 없이 그 몸의 체력으로 운동성을 제어하는 것이었으니.

그러나 그런 점이 코미어의 취향에 더욱 알맞다. 접속을 하고서는 로그아웃 하기까지 꼭 한 번은 스킬을 사용해서 멋대로 뛰놀고 종료하곤 한다.

오늘의 스킬 사용은 손님이 하나 더 늘었을 뿐이다. 고양이가 붉은 연기의 날개를 꼬리처럼 궤적으로 남기며 내려간다.

하늘을 달린다는 표현이 어울렸다. 제냐는 시선을 허공으로 향했다. 거대한 창공이 그를 안아주는 것 같았다.

곧 온 몸이 찌그러지는 것 같은 감각과 함께, 이번에는 대지가 그를 안아주려는 듯 다가왔다. 코미어는 대지를 향해 대각선으로 그대로, 꼬라박으려는 기세로 뛴다.

안 그래도 멀쩡하게 작용하는 중력의 위력을 더욱 돋우며 코미어가 한 번, 두 번 그 발로 허공을 박찰 때마다 속력이 늘어났다. 붉은 날개는 어떤 식으로든 사용자의 운동 에너지가 손실되지 않고 그것들이 속도로 바뀔 수 있도록 보조한다. 공기 저항이나 잘못된 운동성으로 인해 상쇄되는 것들을 보호하고, 수정하면서 최종적으로는 쏜 살처럼 움직일 수 있도록 만드는 것이다.

또한 지속적으로 MP를 소모하며, 추진력처럼 운동 방향에 일치하는 초상 에너지적 폭발을 주기적으로 더해준다.

'날개'는 그것이 가진 이동성, 비행 능력을 의미하고 '붉은'이라는 색깔의 접두사는 기본적으로 광폭할 정도의 속도를 추구할 수 있는 스킬이라는 말이었다. 완벽하게 제어해서 정반대로 쓴다면 얼마든지 지루한 이동이나 비행이 가능하겠지만 보통 이 스킬을 갖고 그렇게 사용하는 이는 없었다.

머리카락이 미친듯이 나부끼다 못해 납작하게 눌렸다. 제냐는 극한의 속도감을 느끼며 다가오는 지면을 바라본다. 순식간에 성벽의 경계를 넘어서 도시 남쪽 필드에 다다른다.

17이라는 근력과 손 끝의 감각과 약간의 말단 근력을 보조하는 21의 순발력이 슬슬 한계였다. 안전장치 없이 이딴 데 올라탄 것이 실수였다.

제냐는 그 마지막을 제대로 상상할 수 없어서 기어코 눈을 감고야 말았다. 묘사하자면 길지만 제냐의 감각으로는 몇 초

되지도 않고 또 순간이라고 할 만한 시간만에 땅이 코 앞으로 다가왔다.

이런 운동 에너지를 단박에 멈출 수 있는 기능이 있나? 물론 그런 것이 대비가 되어 있어야 붉은 날개라는 스킬이 성립하기는 할 것이다. 그러나 만약 없다면? 그는 게임에 대한 각종 지식이 부족한 편이었다. 확신할 수 있는 건 별로 없다.

다행스럽게도, 그대로 낙하 에너지를 받아 지면과 누가 더 단단한지 대결을 해보는 일은 없었다.

콰아앙!

폭약을 설치해 터뜨리면 날 것 같은 소리가 날 뿐이었다.

제냐는 굉음에 귀가 먹먹하게 되고 삐- 소리가 일어나는 것을 느끼면서도 감각 계통의 현실적 묘사에 감탄했다. 그리고, 온 몸에 별다른 충격이 없다는 사실을 뒤늦게 인지하며 감사함을 느꼈다.
고작 게임 내부의 일이었지만, 이 망할 게임은 가끔 너무 현실감이 넘친다. 통증 등 자극적인 현상의 구현은 둔한 감각으로만 이루어지지만 그걸 알고 있다고 하더라도, 눈 앞에 칼날이 날아오고 높은 곳에서 떨어지는 데 본능적인 공포감을 일으키기 마련이었다. 사람이라는 게.

붉은 날개의 착지 지점에 별다른 피해는 없었다. 스킬이
제공하는 '허공의 디딤발'은 운동 에너지를 완벽하게 상쇄시켰다.
그것이 아니었다면 대규모 파괴 스킬이 되었으리라. 다만
공격적으로 사용할 수도 있기는 했다. 보이지 않는 디딤발은
건축물이나 지면같은 고정된 오브젝트를 인식해서 그것에 닿지
않게끔 하고 중간에 충격을 소멸시킨다.

그러나 움직이는 개체, 고속 이동 중에 새 따위나 여타의 NPC,
플레이어 캐릭터와 마주친다면 충격 상쇄가 조금 늦는 경향이
있었다. 이 때 미묘한 컨트롤을 구사해 상대가 충격량을 고스란히
받게 할 수도 있었다. 그것에는 약간의 요령과 감각, 훈련이 필요한
일이었는데… 충격이 사라지기 전에 상대에게 전가하면서 공격
스킬의 일부로 써먹는 식이었다.

보이지 않는 네모난 막이 있고, 그 막을 투과해서 약 10cm정도
지점까지 쌓였던 운동 에너지가 방사되다가 소멸된다. 디딤발은
스킬 사용자의 모션에 따라서 허공에 생성되는 지점이 달라지고
약간씩 움직일 수 있었다.

보통 지면에나 어떤 대상에 부딪힌다면 자동으로 생성이 되어
충격 상쇄가 이루어지는데, 지형으로 인식되는 오브젝트가
아니라면 사용자가 움직임에 따라 네모난 디딤발이 조금 더 이동할

수 있었다.

몸을 뒤틀고 자세를 조금 달리해서 디딤발을 약간만 상대 쪽으로 깊숙히 이동시키면, 채 다 해소되지 못한 운동 에너지가 상대에게 전이된다.

이미 훌륭한 공격이었고, 극한의 몸통 박치기나 다름이 없었다. 반대 급부로 얻는 충격은 디딤발이 해소해준다는 면에서 어떤 물리적 몸통 박치기보다 뛰어나다.

타이밍만 잘 맞춘다면, 사용자보다 높은 수준의 몬스터 캐릭터조차 잡을 수 있었다. 아직 코미어가 해본 적은 없었지만. 그는 겁이 많았다.

현재는 스킬에 세팅되어 있는 정상적인 착지였다. 비행 중에는 과하게 중력을 받기는 하지만, 그 정도로 데미지를 받을만한 플레이어 캐릭터는 없었다.

"흠. 전보다 조금 늘었군."

근엄한 척하는 목소리로 고양이가 말을 뱉었다. "……."

제냐는 그 위에서 멍하니 고개를 흔들었다. 이런 스킬에 대해서 따로 찾아본 적은 없었다. 대부분의 게임 내 정보에 대해서 그는

212

밝지 않다. 모른다고 해도 좋았다. 잠시 비련의 시나리오를 타의에 의해 접게 되는 건가 고민했던 그는 그 마음을 담아 눈 앞에 보이는 고양이의 뒤통수를 때렸다. 퍽! 야옹!

발화 기관은 완벽하게 사람의 것이었으나 코미어는 굳이 고양이의 울음 소리로 아픔을 표현했다. 제정신이 아닌 인간인 것 같았다. 제냐가 말했다.

"그…… 에. 빠르긴 하네요."

걷는 것보다 빨랐다. 스릴은 조금 더 심각한 수준이었다. 차근차근 다양한 스킬이나 이동 수단을 경험하다가 겪었다면 그다지 문제 없었을 지도 모른다. 그의 몸을 휘감고 있는 바람의 보호막 역시 아직 그대로 유지되고 있었다. 특별한 충격을 받지 않는다면 반영구적으로 지속되는 스킬이었다.

"후우우우…."

제냐는 한숨을 내쉬면서 고양이의 등에서 내렸다. 코미어는 자세를 약간 낮추어 그가 편히 지면을 밟을 수 있게 도와주었다.
감격스러운 땅의 감촉이었다. 제 발로 몸의 움직임을 컨트롤할 수 있다는 사실은 생각보다 감동적인 일이다. 등에 메달려 있었는데, 거인의 손에 의해서 조작되는 마리오네트가 된 것 같은 기분이었다.

"으억."

약간은 비틀거리면서 제냐가 적응하지 못하고 무릎을 굽히다 간신히 선다. 게임은 반고리관 같은 기관마저 재현한다. 체력이 올라가면 해결이 되는 문제였는데, 스테이터스가 20에서 30정도 까지는 이런 류의 움직임 때문에 간혹 스턴이 걸릴 때가 있었다. 심각한 정도는 아니고, 능력치가 거기까지 성장하지 않더라도 반복되면 저절로 익숙해진다.

게임 내의 캐릭터는 반복 숙달로 손에 익는 느낌까지도 정밀하게 재현한다. 대장장이나, 무언가를 만드는 창작 계열의 직업을 가지는 플레이어들이 입을 모아 말하는 점이었다. 그뿐만이 아니라 다양한 스킬의 레벨을 올리려 반복 노동을 하는 가운데 수많은 플레이어들이 느끼는 점이었고.

제냐는 어질거리는 정신을 다잡기 위해 무릎팍을 짚고 잠깐 고개를 처박고 있었다. 그 뒤로, 삐용, 하는 소리가 들린다. 이상한 효과음이었다.

고전 중에서도 고전 RPG게임, 유물처럼 전해지는 시스템에 들어갈 법한 새되고 튀는 음색이었다.

제냐가 고개를 들었을 때, 그 뒤에는 더 이상 고양이가 없었다. 갈색 머리에 연두색 브릿지를 넣어 길다랗게 머리를 땋은 사내 하나가 있을 뿐이다. 사내는 천옷을 입고 있었다. 방어력 따위는 전혀 염두에 두지 않는 다는 듯, 통기성과 활동성만을 강조하는 듯 보이는 패션이다.

동양의 무복을 따라한 것 같은데, 뭐 나름 질긴 재질로 만들었고 특수한 효과가 부과되어 있다면 실제 성능은 또 모른다. 오렌지 색깔의 톤에 기하학적인 무늬가 대충 새겨져 있었다.

"흐허. 비행은 처음인가 보네. 그래도 재미는 있었지?"

목소리를 듣자니, 그리고 대강 추론을 하자니 당연스럽게도 코미어라는 결론이 났다. 제냐가 고개를 흔들면서 대답했다.

"아니… 뭐 이딴 무식한 짓거리를…. 그거 떨어질 리는 없는 거였수?"

약간의 거리감과 예의로 차리던 존댓말이 정신과 함께 날아가버렸다. 코미어는 아예 신경쓰지도 않는 듯했다. 제냐의 모습을 보고도 그 자연스러운 태도에, 아마 제냐는 코미어가 깨나 나이가 많은 연상이라고 생각했다.

캐릭터의 모습은 현실의 모습의 변형이다. 자유자재로 바꿀 수 있다는 말도 되지만, 원판의 흔적이 어쩔 수 없게 남게는 된다.
가령- 노인은 중년이 될 수 있었다. 중년이 청년도 될 수는 있었다.
그러나 노인이 아이로 변한다거나, 아이가 청년이 될 수는 없었다.
　게임 내의 어느정도 실명성을 보장하는 것이 적절한 현실적
매너를 지키는 방안이라는 시행령에 따른 조치였다.

　절대적인 건 아니었지만, 여러 게임들이 그렇게 정책을 따르는
경우가 있었고 비련의 시나리오 역시 개중 하나였다.
　많이 바꾸는 사람도 있지만, 거의 바꾸지 않는 이도 있다.
코미어의 모습은 약간 나이가 들어 보이는 청년이었다. 그의
행동거지나 말투에서 제냐는 그가 그 모습 그대로의 나이 즈음일
것이라고 생각이 들었다. 30대 중반 정도.

　코미어라는 성을 들어 보건데, 뭐 아마 서양인 계열의 인종에
미국이나 유럽 즈음에 살고 있겠지. 어쨌든 단박에 거리감이
사라질 정도로 무식한 짓거리를 해주셨으니 제냐 역시 스스럼없이
말을 놓는다.

　갈색 눈동자를 빛내며 웃는 낯의 사내가 말했다. 키는 제냐와
비슷한 정도였다. 170중반 정도. 체격도 그리 크지 않았고, 무기나
장구류는 보이지도 않고 동양풍의 천옷에 가죽 신발을 신은 것
뿐이다.

216

턱이 얇고 콧망울이 크며 눈이 컸다. 잘 웃는 모습이 어딘지
가벼워 보이기도 하는 남자였다. 코미어는. 머리칼을 전부 뒤로
넘겨 묶어 앞 이마가 훤하다.

코미어가 말했다.

"어… 아니. 사실대로 말하면 자네가 조금만 힘을 뺐으면 그대로
추락했을 걸."
"이런 미친."

제냐는 허허허, 웃으면서 말했다. 이런 미친 양반같으니. 진짜로
게임 오버 당할 뻔했네. 이 게임 때문에 수십 만원을 들여서
기기까지 구매했는데 말야.

코미어가 따라서 웃는 듯 너털웃음을 지으며 고개를 절레절레,
저었다.

"그래도 뭐, 내가 있었으니 떨어지지는 않았겠지. 공중에서 아마
내가 낚아 챘을 거라네."

붉은 날개는 확실히 유연한 기동성과 광폭한 속도감을 겸비한
유니크 스킬이었다. 비슷한 수준의 다른 성향을 가진 이동 스킬이
있기는 했지만, 그리고 그것에 비하면 조금 덜했으나 공중에서

방향 전환도 뭐 나쁘지 않게 가능했다.

떨어지는 사람 하나를 근처에서 낚아채는 것 정도는 얼마든지 가능하다. 코미어는 스킬에 상당히 익숙해져 있는 상태였고.

유니크 스킬은 사용 시 MP가 많이 든다는 점에서 반복이 조금 더 어렵고, 고로 스킬 레벨을 올리기가 오래 걸린다.

그럼에도 불구하고 어느덧 3레벨이었다. 그가 보유한 붉은 날개의 스킬 수준은. Not Good이면 실상은 제법 익숙해진 스킬 사용자의 수준이다. 게임에서 묘사하는 단어는 조금 평가가 박한 편이었지만.

"거 기가 막히게 감사하군요."

대충 경고도 없이 롤러코스터를 탄 것과 비슷한 감상이었다. 제냐는 아직도 어질거리는 머리를 조금 흔들다가 가만히 있었다. 3초 정도 말도 않고 미동도 않고 있는데 움직이는 것 같은 느낌이 들었다.

그렇게 있다 보니 서서히 어지럼이 잦아든다.

"그쪽 이름은?"

"…제냐 킴입니다."

"등록해두지. 좋은 하루 되시고. 즐겁게 플레이하시게."

"아무렴요."

얼마 지나지 않아 신청창이 떴고, 제냐가 수락을 누르자 곧 코미어는 제 할 일을 하러 사라졌다. 고양이로 변하지도 않고, 붉은 날개를 쓰지도 않았으나 두 다리로 훌쩍 뛰어가는 모습이 신나 보였다. 게다가 빠르기까지 하다.

붉은 날개 이외에도 아마 두 다리로 움직일 때 쓰는 이동기가 있는 모양이었다. 순발력과 근력을 극한으로 짜내며 펄쩍펄쩍, 한 걸음에 수 미터씩 뛰어대며 멀어진다.

어쨌든, 제냐는 한 십 몇 분 정도를 단축해서 성문 바깥 필드에 도착했다. 오늘도 질리지도 않는 사냥을 할 차례였다. 꾸준한 반복 훈련만이 진정한 실력으로 가는 첩경이다. 어느 과외 전단지에 써 있는 말귀였는데… 이걸 게임 내에 적용하고 있는 것이 참 그렇기는 하다.

아마, 뭐라도 집중해서 하다보면 어디에라도 쓰일 것이다. 하다 못해 그 집중력이라도 말이다.

그리고 당장은 그다지 바쁠 것도 없었다. 시험도 기간이 조금 남아 있었고, 여가 시간을 하나에 좀 쏟아볼만큼은 되었다.

비련의 시나리오라는 게임의 재미가.

*

10. 황야 지룡

철목시鐵木矢가 시위에 걸렸다. 검은 광택이 흐르며 마치
철처럼 나무 중에서 단단하다 하여 붙여진 이름이다. 그런 재질을
다듬어 만든 검은 화살이 장궁에 걸린다.

끼릭, 하고 활대가 구부러지는 소음이 난다. 활몸에 걸리는
부하와 자극은 장비에게 부담이 가는 정도는 아니었다. 원래 이런
류의 묵직한 화살들을 마구 쏘아내라고 만들어진
특수목적궁릭이다.

장궁은 흔한 나무의 색깔처럼 갈색빛이 돌게 겉을 칠해두었는데,
원목으로만 만든 것은 아니고 다양한 재료를 섞어 만들었다.
안쪽이 쉽게 구부러지고, 바깥쪽에 단단한 강성이 부여되어
걸려있던 탄성을 발사하는 힘으로 바꿀 때의 강력함이 남다르다.

'비스트 슬레이어'와 같이 제냐가 주로 사용하고 있는
무장이었다. 제냐는 들인 시간에 비해서는 레벨이 낮은 편이다.
그가 그 모든 시간을 경험치로 환산되는 몬스터 캐릭터의
사냥이나, 퀘스트 해결이 아니라 독자적인 훈련 따위에 시간을
할애해서 그렇다.

깨나 긴 시간동안 게임에 투자하며 익숙해져 왔다. 그의
레벨보다는 조금 더 베테랑인 것이다.

활대를 잡는 손아귀에는 단단하게 힘이 들어가 있었다. 장궁의
이름은 그저 '하위 복합궁3'이었다. 어느 상점에서 취급하는
분류로, 하급 재료로 만들어낸 복합궁을 세 번 정도 추가로 손질한
물건이다. 지금 레벨에서 쓰기에는 아주 적합하고도 남았고, 제냐
역시 아무런 불만이 없는 손맛을 느끼고 있었다. 사냥 때마다.
그리고 각종 스킬을 위한 반복 동작 때마다 말이다.

순발력은 육체의 민첩성과 함께 손끝의 감각을 관장한다. 손의
정밀성 역시 늘려주게 되는데, '근력'이 전체적으로 강한 힘을 내는
것에 능력을 더한다면 순발력은 순간적으로 근육이 반응하는 힘을
관할한다.

일시적인 힘의 폭발력이라면 근력 만큼이나 순발력 역시
주요하게 작용하는 스텟이었고, 제냐는 그것이 높았다. 또한 손끝의
감각이 정밀하기 위해서는 결국 말단의 근육이 강하게 잡혀 있어야
하는 법이다. 순발력을 높이는 것만으로도 상당한 악력을 얻을 수
있었다.

제냐는 순발력이 높았고, 그로 인한 힘의 증가분은 활을 잡아
당기고 쏘아내는 정도의 동작에 훌륭하게 분배되어 사용되었다.

철목시의 무게가 약 150g정도 된다. 제대로 된 화살이라기엔 무리가 있는 무게였지만, 일반적인 장정의 배수가 되는 힘을 가지고, 몇 가지 스킬의 보조를 받아 기이한 활을 당긴다면 그것은 게임 내에서 실용적인 화살이 된다.

복합궁은 하위 재료라고는 하지만 시나리오 온라인 내에 존재하는 판타지적 생물의 뼈에 금속과 특수한 목재, 그리고 힘줄을 엮어 만들어졌다. 화학이라고는 제대로 존재할 수 없는 기이한 생태계 속에서 그가 사용하는 복합궁은 100kg을 가뿐하게 넘는 장력을 요구한다.

제정신이나 일반적인 몸뚱이로는 당길 수 없는 수치였지만 제냐는 간단하게 당겼다. 정자세로. '사냥꾼의 감각'이라는 스킬이 있다. 궁사로서 전투를 수행하다 보면 얻는 기초 스킬인데, 활을 장비하고 시위를 당기는 동작에 한해서 근력을 증가시켜주는 스킬이었다.

걸린 철목시가 있는 곳은 어느 바위의 틈이었다.

거대한 바위가 언덕처럼 있고, 그 주변에 자잘- 하다고 하기에는 사람보다 몸집이 큰 바윗더미가 흩어져 있다. 제냐는 바위 언덕 위에서, 다른 돌무더기에 모습을 가린 채 은밀하게 화살을 걸어 무언가를 노리고 있는 것이다.

 평화의 숲으로 들어가지 않고, 평야 쪽으로 주욱 걸어가다 보면
초원 지대와 암석 지대가 나타난다. 황야처럼 펼쳐진 공간에는 그
분위기에 맞는 몬스터 캐릭터들이 거닐고 있었고, 그것들을
사냥하는 것 역시 플레이어가 즐길 놀잇거리였다.

 비련의 시나리오 온라인은 '인간형'의 몬스터를 만들어두지
않았다. 이족 보행을 하는 오크니- 하는 온갖 것들이 있었지만
명백하게 인간과는 다른 차이를 모두 만들어 둔다. 사람을 향한
무차별적인 공격이 놀이가 되었을 때의 심리를 걱정하는
차원에서이다.
 그저 게임인데- 라고 치부하기에 이것은 지나치게 현실감이
높았고 또 몰입하다 보면 은근히 사람이라는 건 주변에 받아들이는
이미지에 영향을 받기 마련이다.

 물론 몬스터가 아닌 NPC나 플레이어와 전투를 벌일 가능성은
여전하다. 시나리오의 개발진들이 염두에 둔 것은 게임의 방향성
자체를 악의적인 사냥에 두는 행위를 배제하고자 하는
차원에서였다.
 범죄와 닮은 행위를 게임에서 하도록 유도하고 그와 같은
이미지를 플레이어들에게 공급할 이유가 없었다. 아무래도 시대가
고도화되면서 복잡 다단해지는 다양한 분야의 윤리 위원회들의

태클을 받을 수도 있었고.

　게임 내부에서 전쟁이 일어날 수도 있고, NPC들과 반목하는
선택지를 가게 된 플레이어가 국가 집단과 다투게 될 수도
있었으나. 어디까지나 특수한 경우이고 일반적인 경우의 플레이
컨텐츠는 외형적으로 구분점을 둔 짐승과 괴수의 사냥이다.

　"황야 지룡地龍……."

　제냐가 중얼거렸다. 비련의 시나리오에서 몬스터를 이루는
것들은 다양한 생물들이다. 그것들은 기본적으로 현대에 존재하는
각종 짐승들의 조합이나 크게 다름이 없다. 물론, 현대에는 없는
종류도 많이 있다.
　그러한 것들은 현대에까지 끊어지지 않고 다양하게 존재하는
각종 신화와 전설 따위에서 모티브를 가져오는 모습들이다.
'오크'역시 그러하다.

　기본적으로 그 근간을 따라가다 보면 '악마'나 같은 부류에서
파생되는 종류들이었다.

　족히 십 미터는 넘는 바위 언덕 위에서 바라보는 지룡의 모습은
까마득하다. 바로 아래에 있는 것도 아니고 꽤나 거리가 떨어진
자리에 있어 제대로 초점을 맞추지 않으면 조준조차 어렵다.

본신의 크기는 제법 거대한 편이었다. 몸통은 사자보다 조금 더 큰 정도.

황야의 색깔을 닮은 황토빛 비늘에 늘씬한 유선형 몸체를 가지고 있었고, 머리의 위로부터 시작해 등줄기까지 솟아난 털인지, 일어난 비늘인지 모를 것이 그 생물의 동선을 장식한다.

가까이 다가서 보면 길다랗게 악어의 주둥이를 닮은 입을 가지고 눈은 고양잇과의 맹수의 것이었다. 이빨은 아가리를 벌리면 작은 단검으로 써도 되겠다 싶은 비대한 형상이었다. 그것이 무수하게 입 주변으로 튀어나와 있다.

길다란 꼬리까지 치면 사자보다도 훨씬 크다고 해야 할 테다. 1m는 족히 넘는 길다란 것이 그 움직임에 맞추어서 출렁댄다. 강력한 근육으로 이루어지고 비늘에 둘러쌓인 꼬리는 이미 훌륭한 무기의 한 종류였다.

머리에는 사슴의 뿔을 양쪽으로 달고 있었는데, 철과 같은 강도를 자랑하며 근접전에서 상대의 몸통을 찍는 용도로 사용한다.

오크보다는 확실히 강력한 종류였다. 제냐가 이렇게 노리는 것도, 가까이서 전투를 시작하면 후반에는 영 좋지 못한 꼴을 당할 것이 상상돼서였다.

몬스터는 정해진 레벨이 표기되는 식은 아니었다. 실제로도 개체마다 차이가 큰 편이었고. 그러나 평균적인 괴수의 성체가 가지는 강함의 정도는 균일하고 도표로 상대적 강함을 평가해볼 수 있을 정도였다.

비련의 시나리오에 빠진 매니아들이 만들어낸 몬스터 도표 역시 인터넷에서 흔하게 구할 수 있었다. 어느 정도의 레벨에, 스킬들을 보유하고 있을 때 무엇을 사냥하는 것이 가장 효율 좋은 경험치 획득법인지에 대한 고찰들이었다.

인터넷에서 다른 유저들이 권장하는 사냥 레벨은 10대 후반에서 20을 넘기는 시점이다. 제냐로서는 다소 부족했지만, 그가 가진 능력치의 수준이 평균보다 높다는 점에서 해볼만한 일이었다.

거리는 대강 6, 70미터 정도 된다. 사자같은 몸통은 노리기에 적합한 크기다. 더군다나 캐릭터의 시력은 좋은 편이기도 했고, 다양한 사수용 스킬들 중에는 정확도에 보정을 걸어주고 사격시 시력을 높여주는 것도 있다.

제냐는 둘 모두 갖고 있었다. 훌륭하게 '궁사'로서의 육성로를 걷고 있다고 해도 좋았다. 그가 바라는 건 결국 다양한 상황에서 대처 가능한 솔로 플레이어였지만.

지룡의 다리는 악어같은 주둥이와는 다르게 제법 길었고 또 지면에서 민첩한 달리기를 보여준다. 최고 속력은 어지간한 지상의 맹수류와 같다. 둔중한 몸체를 가졌음에도 그렇다. 다만 수십 미터의 거리를 좁혀올 때까지 제냐는 확실하게 철목시를 연발로 맞출 자신이 있었다. 그렇기에 벌인 일이었고.

무엇보다 발 디딜 곳도 별로 없는 암벽의 언덕을 등산하려면 깨나 고생을 해야 하리라. 지근 거리에 다가왔을 때는 MP를 회복시키면서 무식하게 때려박아 만든 대형 파이어볼로 지져주어야 한다.

첫 지룡 사냥이었고, 저것에 대한 세세한 데이터를 찾아본 것도 아니었다. 만일 그러고도 생명력이 남아서 제냐의 목덜미를 노려 온다면 그때는 비스트 슬레이어를 꺼내 외날검으로 근접전을 벌여야 한다. 그것 역시 그가 바라는 전투의 지향성 중 하나였다. 한 종류의 무구를 다루는 데 있어 스페셜리스트가 되는 것보다는, 다양한 종류를 다루는 제너럴리스트가 되는 것.

결국 그게 다른 한 종류의 달인이 되는 길이기도 하다.

명확한 계획과 그것들을 하나로 꿸 수 있는 직관, 영감이 있다면 사람이 저지른 노력들은 어디론가 흩어지지 않는다. 다음을 위한 발걸음이 될 뿐이고, 성장하기까지 아무런 변화가 없어 보여 모든 이들이 도중에 포기할 뿐이지.

제냐는 삶에서도 그런 태도를 고수하는 인간이었고, 게임
내부에서 여가 생활을 즐길 때의 성향마저 그러했다.

조금 더 품이 많이 드는 류의 육성법을 찾아 걸어가는 것이다.
마냥 쉬운 건 도무지 재미가 없었으니까.
그래서 이 시대에 이렇게 불편함을 강요하는 게임이 도리어
인기를 끌었을 지도 모르고.

"…후웁."

숨을 멈추고 완벽하게 동작을 정지한다. 생명체에게 절대적인
정지는 심장이 뛰고 내장 기관이 약동하는 한 불가능했지만, 그와
비슷한 느낌을 내볼 수는 있었다. 적당한 긴장과 탈력감이 절묘한
길항 상태를 만들어낼 때. 머리부터 손끝까지 각지의 근육들이
기묘한 일치감을 나타낼 때.

그 때를 노리던 제냐가 오른손으로 시위에 걸어 잡았던 화살의
말단을 놓았다.

복합궁이 강력한 기세로 시위를 되돌리며 온 몸의 탄력을 사용해
철목시를 날린다. 팽팽하게 당겨져 있던 장력은 온전히 화살
하나에 집중이 되어 발사된다. 마치 물 안을 헤엄치는 물고기가
그러하듯이, 눈에 보이지 않는 각종 대기류의 흐름을 헤집으며

화살이 꿈틀거린다. 유연하게 직선 방향으로 날아가는 화살이 수십 미터 거리의 지룡의 옆구리를 찍을 때까지 그리 오랜 시간이 걸리지 않았다.

한 번, 숨을 토해내고 기다릴 때 화살의 머리가 지룡의 비늘 안으로 디밀어 들어간다. "끼에에엑-!" 지룡의 울음 소리를 딱히 상상해본 적은 없었다. 그러나 대강 저럴 것 같다고 납득이 될만한 비명이었다. 무게감이 있는 울림이나 높은 고성이 허공을 찌른다. 탄탄하고 거대한 육신이 울림통으로 쓰이고 다른 소형 동물들을 압도할 것 같은 소음이다.

철목시의 끝은 제련된 강철이었고, 특수하게 벼려져 저레벨의 사냥터에서 못 뚫을 만한 몬스터의 가죽이 없었다. 3, 40을 넘어가면 조금 힘들겠지만 적어도 지룡은 아니었다.
이후부터는 이름부터 현실에서 찾을 수 없는 판타지 세상의 레어 메탈Rare metal을 사용하던가, 아니면 초상 스킬을 익히던가, 혹은 그런 에너지를 담은 강화 무기를 구해야 했다.

지룡의 몸뚱이 속으로 파고든 화살촉이 내부를 꿰뚫었다. 강력强力이 담긴 화살은 거의 화살대의 절반까지 깊숙이 박혔다.

지룡은 그 눈동자를 고양잇과의 맹수가 그러하듯 검은 자위를 좁게 모으며 주변을 탐색했다. 화살이 날아온 방향 부근으로 고개를 돌려 시각을 사용해 수색하는 건 AI가 멍청하지 않다는 반증이기도 했다. 도리어 시나리오 온라인 내의 몬스터들은 교활하다는 수식어가 어울릴 정도일 때가 가끔 있다.

학습된 공략법을 가져오는 플레이어들에게 비견할 수는 없겠지만.

공격성의 증가와 함께, 그것을 표시하기라도 하듯 붉게 달아오른 눈동자가 지룡의 시야를 역시 빨갛게 만든다. 지룡은 암석으로 만들어진 언덕 위쪽에 움직이는 인형을 발견했다. 지룡의 눈은 색깔을 보기도 하고, 필요에 따라 열을 감지하는 기관으로도 쓰인다. 햇빛에 달구어진 한낮의 암석 위라 사람을 분간하는 게 어렵기에 지금은 색깔을 인식하는 것으로 사용했다.

용의 둔중한 발모가지가 그 넓은 발을 지탱한다. 단검이 아닌가 싶은 회색빛 발톱이 여럿 박혀 있는 앞발과 뒷발이 황무지의 바닥을 디디고, 박차며 나가기 시작했다. 달려 나가는 지룡의 기세가 대단하다. 코뿔소 류의 돌진을 연상케 한다.

온갖 종류의 강력한 짐승들을 배합해 놓은 것 같은 모습이었다. 현실에서 저런 괴물과 마주친다면, 총이 있어도 조금 자신이 없을 수 있었다. 어지간한 거리에서 좋은 사격 실력으로 저격을 할 수 있다면 모를까.

지금의 제냐 역시 비슷한 심정이었다. 그래서 재빨리 2차 사격을 준비한다. 꺼내어 바위 옆에 기대둔 화살통에 철목시가 가득하다. 오늘은 질릴 정도로 사냥을 할 생각이었기에 여러모로 준비를 해온 상태이다. 포션도 일전에 사둔 것이 별로 닳지 않았다.

정신각성제는 이미 사용했다. 노란 물약은 MP지배력을 높여주고 감각 계통의 스킬과 호응하며 정밀 행동에 보정을 더한다. 초상 스킬을 사용할 때나, 미세한 조작이 필요한 물리 계열 스킬을 쓸 때 좋다.

근접전의 경우에도, 속도를 중요시하는 쾌검사 따위의 스타일이라면 큰 폭의 능력 향상을 기대할 수 있는 물건이었다.

고조된 정신과 감각을 침착하게 이용해서 철목시를 뽑아들어, 다시 장궁에 걸었다. 복합궁이 다시 그 몸을 굽히며 장력을 장전한다. 장력과 함께 시위에 걸린 화살이 달려드는 괴수를 노린다.

화살촉은 광택을 지운 검은 톤이었다. 자세히 보면 검은 색은 아니었고 잿빛이나 회색빛이었으나, 멀리서 보면 분간이 어렵다. 은밀 행동에 나서는 사냥꾼에게 좋은 외관이었다. 사냥보다도, 은신과 암살 활동에 좋을 것 같지만. 강력한 괴력을 보유한 몬스터 캐릭터들을 사냥하는 입장이라면 암살 역시 취해야 할 방법이다.

끼릭거리며 활대가 부하를 견디지 못하고 소음을 낼 때, 그리고 다시 집중도가 최고조를 맞아 정확한 조준과 사격이 가능하다고 생각이 되었을 때. 제냐는 달려드는 괴물의 동선에 맞추어 조금 앞을 겨냥하며 화살을 놓아주었다.

탄탄한 힘이 그 뒷꽁무니에 실려 있던 철목시가 날았다. 그리고 역시, 순식간에 허공을 지나 괴물에 앞에 다다른다.

제냐에게 현실적으로 그런 달인의 궁술은 없었다. 다만 게임 내에서는 어떤 이들도 평등하게, 반복 행동에 따라 스킬 경험치를 얻고 '스킬Skill'을 익히게 된다. 다양한 보정이 걸리며, 조금의 감각만 익힌다면 마치 달인이 된 듯한 기술들을 사용해볼 수 있다.

현대에서 검술을 익힌 검술가가 게임 내에서 감각을 익히고 연습을 해보는 것도 꽤나 효용성이 있는 트레이닝 법이었다. 적어도 몸을 움직이지 않는 휴식 시간에, 고도의 시뮬레이터와 함께 하는 마인드 트레이닝 정도는 되었다.
만약 그런 이가 진지하게 게임에 몰두한다면, 누구보다 빠르게 검술 계통의 스킬을 가진 최강의 플레이어가 될 수 있을 것이다.

시뮬레이션 프로그램은 다양한 분야에서 교육 기술로도 활용이 되고 있었다. 그 모든 것을 버무리고 방대한 데이터를 감당하며 이런 류의 게임을 만드는 자들도 있었지만. 이런 게임조차도 다음

대의 기술의 밑거름이 될 것이고, 실생활에서 유익을 주는
무언가의 원천이 될 수 있을 테다.

'현실에선 활쏘기나 배워 볼까.'

제냐는 그렇게 생각하면서 기계적으로 옆에 놓여 있는
화살통으로 손을 옮겼다. 잔심, 이라는 말이 있었다. 궁도나
검도에서 쓰이고 다른 곳에서도 의례적으로 쓰이는 단어였는데,
대강 마음을 남겨두라는 뜻이다.
　시위에 놓인 화살을 보내고, 그 화살이 과녁을 꿰뚫고, 결과가
나오고서도 한 두 호흡을 더 기다렸다가 천천히 긴장감을 푸는
형태의 마무리를 말한다.

달리기로 비유를 하자면 선수들이 100미터 결승점이 아니라
110, 120m 지점을 도착지로 보고 전력을 조금 더 쥐어 짜내는
것이라고 할 수 있겠다.
　급변할 수 있는 상황에서 당장 주어진 일을 했다고 끝이 아니라,
조금 더 정성을 더하라는 말도 된다.

어찌 되었든 궁도에서 사소한 방심이 마지막의 자세를 엇나가게
해 과녁을 맞추지 못하게 할 수도 있으니, 편한 것으로 가려 하는
사람의 정신 상 조금 더 긴장감을 유지하고 뒤까지 자세를
정갈하게 가다듬는 것이 좋다.

그러나 지금 상황에서 그따위 뒷마무리는 신경을 쓸 수도 없었고, 다행히 스킬이 보조하는 제냐의 궁술은 확실하게 선수 이상이었다.

한 발이 날아간 뒤에 다시 집어든 철목시를 부랴부랴 시위에 건다. 자세를 고치며 다시 당기기 전에, 앞서 날린 화살이 질주하는 지룡의 눈을 꿰뚫었다. 치명적인 일격이었다. 스킬이 정확도를 위해 세부 조준을 대신한다고 하더라도 쉽지 않은 일이었다.

게임 상에서도 자주 벌어지는 일은 아니다. 스킬을 마스터하는 단계에 이르면 의도적으로 얼마든지 해낼 수 있었지만.

제냐의 스킬은 '활쏘기1'이었고 이제 3단계였다. 좋지 않은 수준Not good치고는 훌륭한 사격이다. 게임 내의 스킬 묘사가 실상에 비해 박한 편인 걸 감안해도 그렇다.

"크에-!"

지룡의 분노는 더욱 효과적으로 돋운 모양이다. 그것은 성난 기세를 죽이지 않으며 질주에 박차를 더했다. 눈이 꿰뚫렸으나 그 깊숙한 안으로는 채 들어가지 못했다. 방향이 조금 좋지 못했고, 빗맞은 감이 있었다. 뇌가 아닌 하관쪽을 향해서 일부 들어갔다.

그러나 그것만으로도 끔찍한 고통- 은 아니라 단순히 데이터 상의 AI 반응이었지만, 끔찍한 고통을 시뮬레이션하고 있는 것이리라.

지룡의 HP가 어느 정도 양인지는 알 수 없었다. 한 가지 확실한 건 상당히 터프한 놈이고, 적어도 몸집이 작고 피도 살의 질량도 훨씬 소량인 제냐보다는 클 것이다.

그는 다시 시위에 화살을 건다. 집중하고, 얼마 기다리지 못하고 발사한다. 콱! 하고 박혀 들어간 것은 이번에는 등허리 위 쪽이었다. 제냐는 지룡의 기세가 줄어들지 않는 것에 약간의 초조함을 느꼈다. 얼마 지나지 않아 바위 언덕의 바로 아래 즈음에 다다른다. 그 사이에 한 번의 화살을 더 쏘았고, 다음 화살을 준비하는 찰나였다.

철목시가 변함없는 기세로 날아 지룡의 등에 털이 아니라 새로운 장식을 만들었다. 검은 쐐기가 그 위에 처박혀서 움직임과 함께 흔들리는 꼴은 그 상처에 공감한다면 끔찍한 모습일 것이다. 괴수를 사냥하는 입장에서는 상대의 줄지 않는 기세에도 그나마 위안을 삼을 수 있는 증표였다.

지룡이 암벽의 언덕에 가파른 절벽으로 머리를 처박았다. 쿵! 멍청해 보이는 움직임이지만 아마 제정신을 차리지 못하고 있는 걸

상상하면 그럴싸한 행동 방식이다. 자신에게 공격을 해대는 적을 찾아 이곳까지 달려왔으나 아마 그 기세를 제대로 줄이지 못할 정도로 상처나 고통이 있는 것이리라.

제냐로서는 호재였다.

그가 다시 한 발을 쏜다. 쉬익, 하고 묵직한 화살이 날카로운 소리로 바람을 가른다. 역시나 절묘하게 명중하는 철목시다. 이 정도면 확실히 안정적인 사냥이 가능한 수준이다. 이제 저레벨 구간에서는 불가능이라 여겨지는 정도의 몬스터는 없을 것이다. 지금 저 지룡을 별다른 피해 없이 잡아 낸다면.

화살이 다시 하나 지룡의 등을 고슴도치와 같은 꼴로 변장시켰다. 그리고 그것이 마지막 화살이었다. 침착하게 시위를 걸고 조준을 하기에는 다소 가깝다. 더 강한 공격력이 필요했고, 마침 화살보다는 가까운 거리에서 강력한 타격을 보여줄 수 있는 기술이 있었다.

"파이어 볼."

MP가 주욱 다는 것이 느껴진다. 멘탈 포인트를 다루는 유저들은 촉감과 연계되어 그것의 흐름을 느끼게 된다. 실제하는 감각에 연계를 시켜야 MP를 다루는 술사들이 그 실력을 갈고 닦을 수 있게 되고, 게임에 보다 현실적으로 몰입이 가능하다.

가상의 에너지였으나 일정한 현실감이 필요한 것이다.

멘탈 포인트가 급속도로 빠져 나가는 건, 몸에서 무언가가 사라지는 느낌과도 비슷했다. 굳이 말하자면 빈혈기나 크게 다르지 않다. MP가 바닥이 나도 캐릭터가 쓰러지는 일은 없지만, 그 사라지는 속도에 따라 일시적으로 탈력감이나 어지럼을 느낄 수는 있었다.

이 또한 물론 고레벨에 다다르고 다양한 보조 기술을 익히고, 또 MP량 자체가 늘어나면 개선되는 악조건이다.

제냐는 후들거리는 정신머리를 붙잡으면서 파이어볼을 계속해서 시전했다. 감각적으로 3분의 1 이상이 한 번의 스킬 시전으로 사라질 때 조금 어지러운 것 같았다. 그 이상을 넘어가면 정확도에 지대한 영향을 미친다.

현재의 MP지배력으로 사용할 수 있는 최대치를 때려 박아서, 빛나는 불의 공을 허공에 만들어낸다.

"크오아아아!"

지룡의 성대에서는 오금이 저릴만한 비명인지 괴성인지 모를 것이 울려 나왔다. 이 근방 수십 미터, 는 물론이고 수백 미터까지도 제 영역을 자처할 수 있을 정도의 울음이었다.

강력한 괴수, 그리고 집채만한 크기를 뛰어넘는 미수들은 울음 소리만으로도 일종의 초상 스킬과 같은 능력을 발휘한다고 한다.

비견되는 능력치나 합당한 수준의 스킬을 익히지 못한다면 울음 소리에 섞인 위압감에 '공포'같은 상태 이상에 걸려 버리고 마는 것이다.

정신적인 나약함은 다양한 육체 활동에도 능력 저하를 만들어낸다. 스킬에 걸린 정확도 보정 따위가 다 사라지고 마는 것이다.

지금 두려워해야 할 건 다만 제냐가 아닌 지룡 쪽이었다. 그 날카로운 발톱으로 암석의 표면을 깨뜨리듯이 찍는다. 거의 수직에 가까우나 울퉁불퉁한 표면은 잘 기어 오르면 오를 수 있을 것처럼 생기기는 했다.

일류 등반가라면 아마 별다른 장비가 없어도 금세 오를 것이다. 날렵한 사람보다는 훨씬 둔중한 육체를 가졌고, 그 신체 구조 역시 수직벽을 오르기에는 전혀 적합하지 않은 지룡은 시간이 조금 더 걸린다.

그 사이에 파이어 볼의 캐스팅Casting(빛을 발하다, 던지다, 주조하다 등의 뜻)이 끝났다.

형형하게 타오르는 광구光球이자 동시에 화염구였다. 강렬한 빛으로 눈이 조금 아플 정도였다. 세세한 설정을 다루지 못하고 그저 위력을 최대치로 한 채 만들어낸 물건이다. 그리 멀리까지,

빠르게 갈 필요도 없었다. 정확한 방향으로 내리 꽂아 폭발만 하면
된다.

제냐가 기어 올라오는 괴물의 대가리를 노려보면서, 아래를 향해
뻗은 오른 손 앞에 형성된 화염구다. 마치 작은 태양을 묘사한
모형처럼 생겼고, 실제 태양이 그러하듯 주변으로 일렁이는
불길들이 끊임없이 외관을 장식한다. 그 안에 들어 있는 강력한
에너지를 짐작케 한다.

제냐가 움찔거리며 손바닥을 펴 벌려 아래로 향한 오른팔의
근육에 힘을 주었다. 필요 없는 동작이었으나 동시에 MP를 다룬다.
손 앞에 만들어진 화염구가 자신의 의지에 따라 움직인다는 것을
인지하고, 그 구를 중심으로 의식을 움직이면 그에 맞추어서
반응을 보인다.

발사, 라고 요란스럽게 따로 외칠 필요는 없었고, 준비가 되고
쏘아내려 정신을 집중하자 그에 반응해서 화염구가 손 앞의 자리를
떠난다. 제법 빠른 속도로 슈욱, 하고 날아가는 붉은 화염구.

에너지가 중첩되어 마치 밀도가 높은 물질처럼 짙은 외곽선과
단단한 형체를 보유한 공이 약간 휠 정도의 속도로 공기를 가르고
날았다. 철목시와는 또 다른 강력한 비행의 기세였다.

주변으로 아지랑이가 생기고 공기가 타들어간다. 제냐에게 데미지가 올만한 피해는 없지만, 화염구를 생성하면서 주변이 약간 더워진 것을 느낀다. 초상 스킬은 사용자에게 피해를 가하지는 않지만 2차적인 현상들에 데미지를 받는 경우는 간혹 있었다.

저 스스로 파괴적인 스킬을 사용해 건물을 무너뜨리고, 그 건물 내부에서 추락하는 건축 자재에 박으면 그대로 게임 오버를 당할 수도 있다.

그래서 함정사, 라는 이름으로 분류되는 플레이어들은 각별한 주의를 기울이며 게임을 플레이한다. 다양한 종류의 스킬과 노력으로 정해진 위치에 함정을 만들고 몬스터를 유인해 와 사냥을 하는 부류였는데, 잘못 꾀를 부리면 자신이 그것에 피해를 입게 되는 경우도 나오는 것이다.

특히 교활한 지능 지수의 괴물이나 혹은 인간 끼리의 전쟁에 참여할 때 그렇다.

멀리서 터져 나가는 화염구의 폭발이나, 그 폭발력에 밀려 나오는 주변 잔해들로 인한 피해는 걱정할 필요 없었다. 충분히 거리가 떨어져 있고 중력의 방향대로 암석의 파편들은 아래로 떨어지리라.

날으는 화염구가 기세 좋게 지룡의 주둥이 부근에 도달했다. 원형의 외곽선 지점이 지룡의 몸과 접촉하는 순간, 화염구는 그 내면에 잠재워 두었던 현상을 발현시켰다. 콰아앙! 폭탄 그 자체와

다름이 없었다. 무식한 폭음과 함께 화염이 크게 일어나며 지룡의
대가리 전부를 감싸안는다.

지독한 고열이 이차적인 피해로 지룡의 몸을 구웠다.

황야에 사는 지룡의 비늘은 그렇게 생긴 것처럼, 내열성이
뛰어나다. 경도와 강도 역시 만만치 않아서 어설픈 기세로
휘둘러진 창칼은 뚫는 일조차 난이도가 있다. 약간의 보조 스킬과
아슬아슬하게 올린 스테이터스를 한껏 발휘해 쏘아낸 철목시는
다행히 가볍게 뚫기는 했지만.

그리고 폭발의 여력들이 그 철목시가 박혀 생겨난 틈새로
파고들었다.

"키에에에에엑-!"

악어를 닮은 지룡이 길게 울음을 토했다. 제냐는 저것이 약간의
슬픔을 흉내내고 있다고 생각했다. 철목시는 나무이지만 철의
성질을 약간 가졌다. 철처럼 단단하며, 조금의 전열성마저 지닌다.

불길이 꽂힌 화살을 타고 내부로 들어간다. 지룡의 HP가
확실하게 상당 부분 줄고 있었다. 이제야 바로 앞까지 닿기 전에
끝낼 수 있으리라는 확신이 들기 시작한 제냐는 다음 캐스팅을
서둘렀다.

허리춤에 차서 뒤로 돌려 놓은 작은 가죽 가방에서 푸른 물약을

꺼내서 이빨로 뚜껑을 물어 빼낸다. 벌컥벌컥 마셔대고 빈 병을
대충 던진다. MP가 차오르는 게 느껴진다. 감각적으로, 대략적인
잔여량을 알 수 있었다.

"파이어 볼."

두 번째의 시전이다. 그가 왼 손으로 오른 손의 손목을 잡고서
아래로 지향을 겨누었다. 그것을 향해 벌려진 손바닥의 앞에 다시
MP가 모여들었다. 보이지 않는 정신 에너지, 초상 에너지는 다시금
일정량 이상이 되자 형체를 만들었다.

회오리 바람이 회전하며 모여드는 것 같은 형상으로, MP가
모이더니 점차 구심점을 잡고 응축한다.
곧 단단한 외형을 지닌 구체가 나타났고, 백열에서 작열하는
붉은 화염구로 모습을 바꾼다. 조형 이후에도 계속해서 투입되는
MP는 화염구의 크기를 키운다. 크기에 비례해서, 폭발력과 내재된
열량이 늘어나는 것은 당연하다.

농구공만한 크기에 다다른 화염구가 계속 불어나다가, 한 번
심장이 맥박에 따라 뛰듯 울컥 커지곤 반동처럼 줄어들었다.
최종적인 크기는 농구공 정도였다. 대신 이후로도 커지던 기세가
헛되지는 않았는지 시전 초기보다 더욱 견고해진 느낌이다.

화염구의 표면이 계속해서 일렁이는 불길과 함께 조금씩
변화하지 않는다면 그 보여지는 질량감은 쇠 공이라고 해도
납득할만큼 단단한 모양새였다.

"웃차."

별다른 말은 필요 없으나 긴박한 상황 가운데서 숨을 뱉었다.
그와 함께 편해지는 호흡과 동시에 파이어 볼이 그의 손을 떠난다.
포신도 화약도 없으나 발사되는 포탄처럼 화염구가 빠르게
직진했다. 화살의 비행처럼 슬로우 모션 효과를 걸어 지켜봤을
때도 출렁이는 식은 아니었다. 그저 공기를 가르고 직진한다. 그
열기와 화염구의 잔상이 남아 대낮의 허공에 짧은 궤적을 그린다.

비명을 지르면서도 지룡은 계속해서 암벽을 등반하고 있었다.
제냐를 물어 죽이겠다는 집념이 느껴지는 모습이다. 담력이 세지
않는다면 현실감 넘치는 괴물의 묘사에 오금이 저릴 수도 있었다.
이런 몬스터들의 외형 때문에 사냥이 어려운 경우에는, 아동들은
'몬스터 데포르메Deformer'버전을 사용할 수 있었다. 지나친
디테일을 줄이고 2D 만화의 캐릭터들처럼 귀염성을 더한 외견으로
시야에 잡히는 게임 모드Mod였고, 꼭 아동이 아니라고 하더라도
취향에 따라 사용 가능하다.

제냐는 실감 넘치는 비늘의 질감과 흉흉한 눈빛을 가진 괴수를

잡아 죽이는 사냥이 즐거워서 비련의 시나리오를 하고 있는
것이었으므로, 굳이 적용하지는 않는다. 느리지만 착실한
발걸음으로 암벽을 더듬는 지룡의 오른쪽 어깨 부근에 파이어 볼
제2구가 착탄했다.

콰아아아앙! 조금 더 가까워져 폭음이 귓전을 강력하게 때렸다.
제냐는 그 폭발로 연기가 피어오르기도 전에 다시 물약을 꺼내
병의 주둥이를 입에 넣고 쏟아내고 있었다.

MP가 차오르는 것을 느끼면서 마지막 파이어 볼을 시전한다.
푸른 물약을 계속해서 마신다고 하더라도 실전에서 MP가 소모되는
속도를 따라가기는 힘들었다.

아예 후방에 자리잡고 고급 푸른 물약을 물처럼 마셔대는 것도
아니었고, 거대한 에너지를 다룰만큼 MP지배력이 아직 그리
강력한 수준도 아니다.

MP소모로 인한 탈력감과 어지러움을 방지할 정도로만 마셔주고,
파이어 볼을 세 번째 만들어낸다. 비슷한 과정으로 광구가
나타나자 지체없이 쏘았다.

지룡의 오른쪽 어깨가 너덜거린다. 낯짝을 비롯해 몸체
여기저기에서 빛의 입자가 마구 흘러내린다. '피'나 상처를
대신해서 묘사하는 모습이었다. 빛의 가루가 그 주변에 많이
나타나고 빛에 몸이 휩싸일수록 중상을 입었다는 표시였다.

지룡의 마지막이 얼마 남지 않았다.

파이어 볼은 다시 오른쪽 어깨 부근에 부닥친다.

폭음과 함께 지룡의 오른 다리가 크게 패여 덜렁거린다. 그 내부는 생물 사전에서 볼 수 있는 묘사는 없었고, 그저 다채롭게 변화하는 빛깔이 전부다. 모자이크 처리처럼 극히 밝은 톤으로 몇 가지 색깔의 입자가 일렁거리면서 빈 자리를 채운다.

앞을 지탱하는 두 다리 중 하나가 날아갔으니 절벽을 기어 오르는 게 더 힘들어졌다. 시간이 지나면 불가능하지는 않겠으나, 그렇게 되면 사냥꾼에게 너무 많은 시간을 빼앗기리라.
그 정도 시간이면 지룡의 목숨이 달아나고도 남는 여유였다.

제냐는 그 모습에 다시 어깨에 걸쳤던 장궁을 빼냈다. 그리고 여전히 많이 남아 있는 철목시 하나를 집어 걸고, 쏜다.
그렇게 몇 개를 쏘아 맞추었음에도 지룡의 움직임이 멈추지 않았다. 아마 방어력과 생명력 위주로 능력치를 높여 놓은 몬스터인 모양이었다. 어지간해서는 죽을 법했는데. 그리고 또 몬스터들도 수준에 맞추어서 능력치의 총량은 대개 정해져 있고 그것을 어떻게 분배하느냐의 문제였으니 아마 다른 부분이 조금 낮을 것이다.

저 경우에는 물리적인 능력치들이 높은 대신 MP를 사용하는 부분들이 극단적으로 낮을 수도 있었다.

지루한 반복으로 사냥을 끝마칠 수도 있겠으나, 영 마무리되는 기색이 보이지 않자 제냐는 장궁을 바위에 기대 두었다. 그리고, 등에 꽂혀 있던 것을 뽑아들었다.

'비스트 슬레이어'라는 이름의 외날검이었다. 둔탁한 모양새에 강도와 경도가 아주 높은 물건이었다.

7등급의 물건이었는데, 상당히 쓸만한 녀석이었다. 저레벨이 아니라 3, 40을 넘는 사냥꾼 플레이어들도 간간히 쓰고는 하는 아이템이다. 그만큼 내구성이 뛰어나고 잘 닳지 않으며, 야성 속성의 몬스터들에게 강력한 피해를 줄 수 있는 무기이다.

묵직한 무게감은 마치 도끼와도 같은 손맛을 제공한다. 적을 때려 분쇄하기도 하고, 저지력도 훌륭하며, 베고자 한다면 얼마든지 검으로서도 기능하는 투박한 도.

제냐는 낮은 '기초 외날검술' 스킬을 갖고 있었지만 그것이면 충분했다. 적어도 어느 곳으로 움직임이 가야 하는지는 자연스럽게 캐릭터의 움직임에 맞추어 일러준다.

지룡이 거의 죽어가는 것을 보고, 도저히 자신에게 피해를 입힐 수 있을 것 같지도 않고, 마무리는 호쾌한 손맛으로 보기 위해서 제냐가 검을 들며 절벽 쪽으로 발을 디뎠다.

수직에 가까운 절벽이지만 몇 군데 발을 디딜만한 바위의 튀어나온 구석이 보인다. 능숙하게, 혹은 절벽지에 사는 산양처럼 굴면서 제냐가 훌쩍 훌쩍 뛰어내렸다. 몇 미터 남지 않은 시점에서는 그냥 곧바로 크게 뛰었다.
　그 낙하하는 에너지를 담아서, 투박한 외날검을 타이밍에 맞추어 상단에서 내려 찍는다.

공중에서 도끼질을 하는 것이나 비슷한 일이었다. 중력으로 몸이 끌어당겨지고, 허공에서 그런 타이밍 좋은 자세 변환을 해내는 건 지독하게 단련된 선수가 아니고서야 힘들며, 그럴지라도 어려울 수 있었으나 이곳은 게임의 내부였다.

제냐는 올림픽에 출전하는 체조 선수들이 그렇게 하는 것보다 더 깔끔하고 묘기같은 타이밍으로 외날검을 휘둘렀고, 체중과 중력의 보조를 받으면서 도끼같은 도기의 날이 죽어가는 지룡의 두개골을 때렸다.

쾅! 하고 무언가 터지는 소리가 났다. 나름대로 단단한 지룡의 머리였다. 두 뿔 사이, 정확하게 빈 공간을 때려 맞추는 묘기를 보인 제냐는 지금의 공격이 크리티컬 히트 판정이라고 생각했다.

강력한 일격을 상대의 약점 부위에 맞추었을 때 치명적인 타격이 발생한다. 일반적으로 공격이 가지고 있는 수치보다 조금 더 큰 수치가 상대에게 들어가게 되고, 상대의 방어력을 일정 부분 무시하는 효과가 있었다.

그대로 짐승의 머리가 주저앉으며, 곧 상처와 함께 짐승의 두부가 빛으로 물들었다.

다이빙을 하듯이 뛰어내려 갖다 박은 제냐는 칼날로 그 머리를 치고, 한 발은 짐승의 주둥이에 두고 한 발은 조금 튀어나온 바위의 구석에 두었다. 쿵! 하고 찍고 내려올 때 발에도 분명 충격이 갔다.

찌르르하고 둔한 감각이 발을 거쳐 허리나 전신으로 퍼져오는 걸 보면 낙하 시의 충격이 데미지가 된 모양이었다.

지룡을 사냥하는 전투에서 유일하게 HP가 단 건 공격을 위한 스스로의 낙하 충격 뿐이었다.

지룡은 더 이상 시끄러운 비명을 지르지 못했다. 그 긴 주둥이에서 혀를 빼어 내물며, 일격과 함께 허물어졌다. 신음을 토해내며 거구가 붙어 있던 절벽에서 떨어진다. 제냐는 그 자세에서 용케 발을 차며 뒤로 뛰었다. 절벽에 딱 달라붙는다. 칼을

놓치지도 않고 순간적인 반응으로 해내는 것을 보면 역시 게임의
캐릭터는 극상의 운동선수나, 혹은 그 이상의 초인적인 신체를
갖고 있는 것이 체감된다.

쿵! 하고 떨어지는 소리와 함께 뿌연 모래 먼지가 황야의 바닥에
피어올랐다.

연기가 사라지면서 빛에 감싸인 지룡의 사체가 서서히 같이
모습을 감춘다.

슬슬, 짐승 도축 스킬을 익혀야 할 것 같았다.

점점 더 수준 높은 괴물을 사냥하고 괴물들의 몸뚱이가 보물이
될 가능성이 높아질텐데… 그럴 때는 도축 스킬의 유무에 따라
얻는 소득이 단위가 달라지게 된다.
귀한 소재는 그만큼 확률이 낮으니, 도축 스킬로 획득률을 높여
보다 많이 얻게 된다면 플레이 시 젠Jen 수급 상황이 적자에서
흑자로 바뀔 수도 있었다.
지금은 제나에겐 게임의 초반이고 저레벨 구간이라 적자니,
흑자니 따질 만한 규모는 아니긴 하지만.

"아따 마."

디다, 뎌. 제냐는 어디 것인지도 모를 사투리를 중얼거리면서
한숨을 뱉었다. 게임 내부에서도 체력과 스테미너는 구현이 된다.
급격한 집중과 긴장감은 근육의 경직성을 높이고 유연성을
무너뜨린다.

과호흡을 일으키기도 하고.

아무튼 전투에 익숙하지 않은 초보가 격렬한 상황을 이어가다
보면 탈진과 비슷한 걸 겪기도 한다. 지금은 그 정도는 아니었으나,
굳은 몸을 풀어줄 정도는 되었다.

탈력감과 근육의 피로나, 고통 따위를 강하게 느끼도록 프로그램
되어 있지는 않았지만 둔한 움직임 자체는 캐릭터의 신체가 왜
이렇게 되는지 명확하게 알 수 있도록 해준다. 또한 현재 자기
캐릭터의 스테미나 한계도.

"후아아."

크게 숨을 들이마쉬고 강하게 내뱉었다. 몇 번을 반복하면서
조금 괜찮아지는 것 같아, 서서히 움직인다. 그는 바위 절벽의 중간
즈음, 폭발로 부서지고 일부가 돌출된 암석의 위에 아슬아슬하게
서 있었다.

드넓게 펼쳐져서, 인적이라고는 거의 보이지도 않는 광야의 한
가운데. 이런 곳에 올 때는 늘 비상 식량을 인벤토리에 넉넉하게

쟁여 놓고 움직여야 했다. 하루에 세 번까지는 로그아웃으로
비상탈출이 가능했다.

　로그아웃 자체를 그 이후에 못한다는 이야기가 아니라, 마지막
세이브 포인트가 되는 지점으로 위치를 옮겨서 재접속이
가능하다는 뜻이었다, 세 번까지.

　본격적인 규모의 도시들에는 보통 '세이브 포인트'같은 장소가
여러 군데 있었는데, 이곳에서 플레이어들은 자신들의 안전을 위해
위치를 저장해둔다.

　깜박 잊고 한참을 진행하다가, 거대한 대륙의 다른 극지방에
갔을 때 로그아웃을 해야 할 처지가 온다면 지루한 고생을 다시
해야 할 수도 있었다.

　어쨌든 미지의 맵에서 조난당했을 때 시스템적으로 구조를 받을
수 있는 건 하루에 세 번까지였고, 보통의 플레이어들은 굳이 그
기회를 낭비하려 하지 않는다.

　제냐 역시 마찬가지로, 부지런하게 짐을 싸고 움직이는 편이다.
이 황무지 맵에는 벌써 전날 게임 접속 때 도착해서 하루가 넘게
있었다.

　로그아웃을 한 상태에서 캐릭터에 이상이 생기지는 않지만,
접속시에는 시간의 경과에 따라서 굶지 않고 밥을 챙겨먹어야

했다.

전투 등을 위한 컨텐츠가 게임의 전부라면 전혀 넣을 필요 없는 연출적인 낭비에 가까웠지만 비련의 시나리오는 굳이 그렇게 한다.

게임의 템포를 조절하는 것도 있었고, 이런 다양한 불편함이 개발진들이 삶에서 의미하고 싶은 것일 지도 모른다. 인생에 쉬운 게 없어… 라는.

어떤 이들에게는 사족이 되고, 또 어떤 이들에게는 불평거리가 되지만 이 정도는 제냐에게 딱 적절한 연출이었다. 어쨌거나 게임을 흔하게 하지 않는 그로서는, 롤플레잉에 몰입할 수 있게 도와주는 장치 정도로만 기능한다. 그래픽을 비롯해서 내부 세계의 구현 역시 최상급이고.

그런 의미에서 제냐는 허리춤의 벨트에 고정시켜 둔 홀더를 여닫았다. 수통을 끼워 넣는 장소다. 합금으로 만들어져 제법 단단하고, 경량형인 물통을 열어 마시자 물이 쏟아져 나왔다.
해갈은 중요하다. 격한 움직임을 하고 난 뒤에는. 그리고 이렇게 더운 황야 맵Map(지도, 를 뜻하지만 게임에서 어떤 장소를 나타내는 말로 대용된다)에 있을 때는.

제법 괜찮은 단열 기능으로 땡볕에 오래 있었는데도 물이 그다지 달궈지지 않았다. 정수에서 약간은 시원한 감이 남아 있는 정도다.

제냐는 다시금 활력을 얻고 아래로 훌쩍 날았다. 그다지
요란스런 기합도 필요 없이, 그대로 점프해서 황야 지대의 지면에
착지한다. 쿵! 하고 내려 발을 딛는 동시에 앞으로 몇 바퀴를
굴렀다.

수 미터 높이에서 하는 낙법이 그다지 효용이 있을까 싶지만,
비범한 신체 능력과 스킬의 보조가 있다면 간신히 할만한
수준이다. 데미지도 그리 크게 입지는 않는다. 그 정도는 이런
필드에서도 조금 쉬며 휴식을 취하면 자연회복 되는 폭이고.

그는 몇 가지 장비를 바위 언덕 위에 두고 내려왔지만, 일단
전리품을 먼저 챙기기로 했다. 사방에 드넓은 공간, 황무지의
바위와 황갈색의 토양, 내리쬐는 햇빛과 말라 비틀어진 나무들의
잔해, 그리고 웅웅대는 울음을 멀리서 내며 돌아다니는 몬스터들
뿐이다.
이 게임이 사람이 부족한 게임은 아니었으나, 드넓은 필드
내에서 동시에 마주치는 일이 그리 많지만은 않다.
제냐가 다른 이들에 비해 늦게 게임을 시작한 것도 있었고,
서바이벌 게임이라는 특성 상 사람들의 행동이 완벽하게
자유롭지는 않다.

고레벨 플레이어들은 공략에 따라 자신들이 해결할 수 있는
구간을 정해두고 그 궤적을 따라 움직이고, 다른 레벨의

플레이어들도 마찬가지다.

많은 사람들이 또 새롭게 쏟아져 들어오는 시즌이 누가 정해둔 것처럼 이따금씩 있었지만 지금은 아니었고. 초보자 존 근처의 황무지는 그다지 사람이 많은 곳은 아니다.

제냐가 인적이 별로 없는 깊은 곳까지 들어와 헤매고 있기도 했고.

"이번엔."

뭐가 나왔을란가. 제냐가 툭툭 혼잣말을 뱉으며 걸었다. 정신적인 스트레스를 해소하는 요법인지도 모르겠다. 바깥에서나, 게임에서나. 혼자 있는 기간이 길어지다 보면 사내라도 괴로움을 느끼는 때도 있다.

사람은 어디까지나 사회적 생물인지 모른다. 혼자서는 살아가기 어렵게 구조적으로 만들어졌을 지도.

제냐가 발치에 걸리는 작은 돌멩이를 차면서 움직였다. 결국 바위 언덕에 붙어있다 떨어진 것이라 바로 금방이다. 지룡의 시신이 있다가 사라진 자리는 말이다.

지룡의 시체는 사라지기 전까지는 물리적인 질량으로 게임 내 세계에 작용을 했다. 떨어진 자리는 강렬한 충격으로 약간 패여 있다. 얼핏 보기에도 거대했던 그 육체는, 내부는 더욱 옹골차게

들어 있었는지 톤을 넘을 지도 몰랐다. 그만큼 낙하한 자리의
균열이 상당했다.

남아 있는 아이템 박스는 푸르스름한 색깔의 디지털 컨셉의
정육면체다. 크기가 제법 크다. 제냐는 발치에 걸리는 돌멩이
하나를 툭, 찼다. 안정적으로 굴러가 돌멩이가 그 상자에 닿았다.
플레이어가 의도적으로 쏘아내거나 뿌린 암기, 투사체, 다양한
것들이 아이템 박스의 획득 조건이 되어준다. 일부러 몸을 굽힐
필요 까지는 없었다.

아이템 박스가 놓여있다가 허공으로 누군가 감추어버린 듯
사라졌다. "IV." 제냐는 곧바로 인벤토리를 열어 확인했다.

리스트업된 물자 목록이 펼쳐지고, 아래로 내리자 가장 최근에
획득한 전리품이 모습을 드러냈다. '지룡의 뿔 조각', '지룡의
비늘', '지룡의 3번 갈비뼈', '지룡의 발톱 대거'.

쓸만한 건 대거Dagger뿐이었다. 다른 재료들은 멋모르고 들으면
굉장해 보이지만, 지룡은 그다지 높은 레벨이 사냥에 필요한
몬스터가 아니었고, 또한 재료를 토해내는 양도 굉장히 많았다.
상점가에 가져다 팔면 물약값은 조금 나오겠으나, 유의미하게
체크해야 할 아이템들은 아니다.

[지룡의 발톱 대거 - 황야 지룡의 발톱을 연마해 만들어낸 단검. 철과 같은 단단함을 가졌던 지룡의 신체로 만든 무기로, 황야 지역에 서식하는 소형 생물들에게 위압감과 공격 시 추가적인 손상Damage를 입힌다.]

10급 아이템이었다. 19단계로 이루어지는 아이템 분별표에서 중간이지만 그렇게 귀한 정도는 아니었다. 특히 무기치고는, 일반적으로 도시의 기본 상점에서 파는 보급용의 것과 큰 차이가 없는 수준이다.

그럼에도 돈이나 품을 들이지 않고 쓸만한 발톱을 얻었다는 건 사실이다. 제냐는 만족스럽게 한쪽을 가리는 견갑 사이로 외투의 품에 그것을 넣어두었다. 재킷의 품에는 다양한 물품들을 끼워 넣을 수 있는 가죽 홀더, 가 있었고 요령 좋게 끼워넣었다.

여차 하면 꺼내들어 무엇이든 향해서 휘두르던가 던질 수도 있다. 직선적으로 제련되어 회색빛을 띄는 단검은 말하지 않으면 짐승의 발톱이었던 것이 알기 어려울 정도로 인위적인 모양이었다.

전리품에 만족한 제냐는 일단 뒤로 걸어가 바위 언덕의 아래, 폭발로 무너져 형성된 돌무더기 위에 잠깐 걸터 앉았다.
하늘에 떠다니는 구름이라도 보면서 잠시 쉬었다가, 플레이를 계속할 참이다.

11. 도서관 제육

"야."

하고 누가 불렀다.

제냐, 킴이 아닌 김서원은 일 이초가 늦게 반응을 하며 고개를
들었다. 그는 독서실에서 고개를 처박고 책을 바라보고 있다가
누군가의 부름에 움찔한 참이었다. 딱히 그를 가리킬 만한 사람은
없을 텐데.

학교도 아니고 그저 시내 공립 도서관 하나에 자리를 잡고
공부를 하던 때였으니. 드넓은 메트로폴리스 내부는 혼잡하기 그지
없었고, 카메라로 잠시 찍어둔다면 그 앵글 사이를 지나가는
사람의 수를 차마 셀 수도 없을 정도로 어마어마한 인파가
유동하는 곳이었다.
약속도 없이 누구를 만나기란 어려운 일,

이었는데 아는 얼굴이 그를 부르는 걸 깨달았다.

김서원은 친구가 많은 편은 아니었다. 고된 일상 탓이라고 변명하기는 그렇지만. 주로 여가 시간은 혼자 보내는 때가 많다. 학교에서 마주치는 이들과도 일부러 관계를 맺으려고 애쓰는 쪽은 아니었으니.

그런 그의 성격에도 어딘지 매력을 느꼈는가 알 수는 없지만 들러 붙는 인연들이 없잖아 있었다.

그런 이들 중 하나였다. 그를 불러낸 남자 목소리의 주인은.

"요."

서원은 대수롭지 않게 대답했다.

환하게 웃으면서 상대가 다가온다. 언제 보아도 참 밝은 놈이다. 사실은 미친 놈이라고 보는 게 좋다. 무슨 일도 없으면서 아무 때나 이렇게 웃는 놈은. 머리 한구석에서 남을 골려줄 생각이나 굴리며 다가오는 악우일지도 모르고.

박민수는 그의 곁에까지 다가와 어깨를 툭, 쳤다. 손에는 오렌지 쥬스 하나가 들려 있었다. 청바지를 입고 추레한 반팔 셔츠 하나를 위에 걸쳤다. 안쪽으로는 흰 티셔츠.

대학가의 시험 기간에 도서관 근처에 가보면 볼 수 있는 흔한 찌들은 공대생같은 복장이다.

시대가 많이 변했어도 변하지 않는 양상들은 있었다.

시대가 아무리 좋아져도, 공부를 하기 위해서는 제 몸이 괴로울 정도의 고생을 겪어야 하는 것이다.

싫다며 온갖 표정을 다 짓고 또 욕을 해대고 입만 열면 때려칠 거라고 하지만. 그래도 제 발로 학문이라는 길을 가겠다며 선택한 인간들이다.

열의가 없는 자도 있고, 타성적으로 길을 고른 자도 있고, 도중에 그만 두는 인간마저 있지만. 어쨌건 순수한 학문의 길이라는 건 그렇다. 무언가를 알아가는 즐거움. 물질적인 것 이상의 희락을 위해 그 길을 선택하고 또 시간을 들여 골방에서 썩어가는 것.

궁상맞은 짓거리처럼 보이지만 또 그리 나쁘지만은 않은 삶의 모습이었다.

찌들은 대학생의 모습에서 제냐는, 아니 김서원은 그런 생각을 문득 했다.

세상이라는 건 돈이 전부가 아니다. 그걸 아는 자들은 제 발로 험로를 찾고 또 비루한 환경에 들어가기도 한다. 그 안에서 진짜 가치있는 걸 발견하는 과정. 그것이 보다 삶의 본질에 가깝다.

어떤 길로 걸어가든, 제대로 대가를 치르지 않는다면 그다지 쓸만한 보물은 얻어내지 못하는 여행길이었다. 삶이라는 여정은.

그런 부분에서 그에게 다가오는 이 사내는 과연 보물을 발견할만한 노력과 삶을 바치고 있는 여행가인가. 박민수는 오만상을 다 지으며 그에게 하소연을 건넸다.

"야, 뭐하냐. 공부하냐. 미친 놈. 시험 아직 많이 남았는데 뭘 그러냐. 나는 대학원으로 갈 거라 그런지 교수님들이 왠지 빡세게 대하는 거 같다. 요새 죽겠어. 툭하면 발표 시키고."

얼마 지나지도 않았는데 우수수 말을 쏟아낸다. 서원은 헛웃음을 먼저 흘렸다. 그리고 그가 들고 있던 오렌지 쥬스캔을 자연스럽게 뺏어들었다. 책읽고 있는데 갑자기 말을 걸어 자기 할 말만 하고 있으니 그도 쥬스 정도는 얻어먹어도 괜찮다.

꿀꺽 하고 삼키기까지 그다지 제지하지도 않는다. 화학적으로 만들어낸 감미료와 설탕의 단맛이 퍼진다. 어쨌거나 당분이었고, 책을 보느라 지쳤던 머리에 영양소가 들어가는 것 같았다.

서원이 보고 있던 건 딱히 공부와 관련이 있는 책은 아니었다. 전공과는 그다지 친하질 못했다. 친해지려고 나름대로 수를 쓰고 시간을 보내봤지만, 영 좋아하지 않는 것 같았다. 서원도 그랬지만 전공 학문도 서원을 별로 반기질 않는가보다.

그는 게임 산업의 현재와 미래, 라는 책을 빌려서 읽고 있었다. 과제를 하기 위한 시간은 필요했으나 오늘 치는 이미 끝났다.

졸업을 위한 학점 정도만 받으면 된다.

열정이 없으면 그마저도 축축 늘어지고 가기 힘든 여정이었으나.

박민수, 는 보통 체격의 평범한 대학생이었다. 특별히 어디 잘난 구석도 없고, 아주 못난 곳도 없는 외모에 안경을 끼고 어딘지 피곤해보이는 눈 밑을 가진 사내.

농구는 조금 잘하는 것 같았다. 서원보다는 못했지만.

"야— 참. 개같은 노릇이다. 우리가 죽자고 공부해서 대학 들어왔는데 여기서 더 죽자고 학문을 파야 한다니. 이상하지 않아?"

이상한 건 네 놈의 머리다, 라고 서원은 생각했다.

"대학교… 가 일단 그런 데 아니냐. 고등학교 졸업하고 더 공부하겠다고 들어온 거잖아."

그들이 있는 공립 도서관의 분위기는 비교적 자유로운 편이었다. 햇살이 바깥으로 들이닥치는 높은 창문이 있다. 아래로부터 길게 뻗어서, 인력으로는 절대 손이 닿지 않는 곳까지가 창문의 머리 부분이다. 천장 조금 아래까지.

그런 길다란 창이 줄지어서 늘어서 있어서, 그대로 햇빛이 내리 쬔다. 도서관 내부의 서책들은 오래된 것들도 있으나 대부분은 근대에 만들어진 물건들이었다.

어느 기간 이후에 만들어진 책들은 변형에 강하다. 열이나 빛, 햇빛을 비롯해 습도나 여러 환경에 노출되어도 잘 변질되지 않는다. 한 권을 사두고 그러고자 한다면 한평생 가지고 있어도 크게 손상이 없으리라.

많은 시간이 흘렀으나 여전한 것들이 있는 한반도의 위에, 만들어진 이래 변함 없이 내리쬐는 햇살이 비추면 사람들은 예나 지금이나 늘 움직이고 일을 시작한다.
도서실을 찾아 공부를 파고 책에 머리를 들이미는 예비 학자들도 마찬가지다.

청명한 하늘이 잘 보이는 공립 도서관이었다. 넓이도 깨나 넓어서, 서원이 앉아 있던 길다란 책상의 앞 뒤로 까마득한 정도로 비슷한 가구가 늘어서 있다.
수만 권의 장서를 자랑하고 있었고 지하까지 건물이 있다. 위로는 4층까지의 실내와 옥상이 있었는데, 서원이 있는 구간의 천장은 그대로 건물 최고 높이의 층고까지 뚫려 있었다.

2, 3, 4층은 길다란 창문이 햇빛을 받는 벽면의 반대 쪽에서 시작해 건물의 절반 까지를 차지한다. 아래에서 보면 마치 발코니처럼 그 위가 보이고, 위에서도 아래를 구경할 수 있는

구조였다.

건물 내부는 환풍 시스템이 구비되어 있어 가만히 앉아 있어도
실내에서 선선한 공기 이동이 느껴진다. 온도도 적절하고, 이토록
잘 만들어진 실내 건물은 역시 시대가 발전하면서 누릴 수 있는
가장 큰 편의 중 하나다. 공부하기 좋은 곳.

전체적으로 짙은 빛깔의 나무색을 주된 분위기로 삼는 실내였다.
길고 높게 줄지어 선 책장들이나, 창문의 옆으로 보이는 벽면의
굵은 선이나, 기둥이나 바닥 그리고 천장의 색깔 말이다.
약간은 어두운 톤이나 또 그것이 침침해 보이지 않았고, 조용히
학문 정진에 집중할 수 있도록 도와주는 안정적인 분위기의
배색이다.

채광이 잘 되고 실내의 광량이 언제나 밝게 유지되고 있기에
그러하다. 또한 마냥 칙칙하지 않게 밝은 톤의 비슷한 색깔로
나머지를 채우고 있다.
따뜻한 감각과 목질의 재현이 대체적인 컨셉인 듯하다.

사람들은 서원과 박민수 말고도 당연스레 바글바글할 정도로
있었고, 앉아있는 긴 책상에 빈 자리가 그리 많지 않았다. 여러
사람들이 또 가벼운 차림으로 책장 구석구석을 누비며 자신들이
읽을 책을 뽑아다 읽는다.

선 자리에서, 혹은 책장이 있는 복도 구석에 앉은 채로도.

구비되어 있는 소파를 이용하는 방문객들도 있었고… 서원처럼
제대로 배치한 책상에 앉아 본격적인 독서나 공부를 하는 이들도
아주 많다.

민수가 이 많은 인파 중에 대체 어떻게 그를 발견했는지도
궁금스러운 지경이다. 이 놈은 생각보다 눈이 좋은 듯 싶었다.
관찰력이 뛰어나고. 그게 아니라면 생각보다 서원을 더 깊이
친구로 생각했는지도 모른다. 조금 징그럽긴 하지만.

대한민국은 사계절 중 여름을 지나고 있는 시기였다. 다들
가벼운 차림새다. 실내는 아주 선선했고, 도시의 일부 시내 지역들—
세금이 많이 들어가고 고도화된 구역들은 실외에서도 어느 정도
대류를 조작해 기온을 낮추는 시스템이 가동되어 있었다.
　　대도시 서울의 모든 장소가 그렇지는 않았고, 어디까지나
최첨단이라 할만한 기술이 있는 일부였다.

시청이 있는 곳이나, 가장 번화한 관광지가 되는 시내 거리나, 뭐
그런 곳들 조금. 혹은 세금을 아주 많이 내는 부자 동네의 공공
시설 근처가 그렇다.

서원이 거주하고, 지나다니는 길목에는 그런 곳이 없었다. 그는

학교로 금방 통학할 수 있는 자리에 빌라를 빌려서 자취를 하고 있었다. 시간이 많을 때는 걸어가도 좋고, 대중 교통을 이용하거나 자전거 따위를 이용해서 가도 좋았다.

가장 급박할 때는 택시를 탄다. 에어 바이크나 에어 카로 이용되는 택시 서비스는 도심 내에서 가장 빠른 이동 수단 중 하나였다. 찻길이 막혀도 공중로는 그다지 과밀할 때가 없었다.

어느 정도 제공制空을 위해 시에서 규제하는 교통량이 있었다. 그러나 그 정도로도 사람들이 이용하는 건 개인이 주에 한 번, 혹은 한 달에 두 세 번 정도 급속한 이동을 필요로 하는 만큼은 채워주었다.

지나치게 과밀한 대도시는 오히려 더 느려지는 면이 있었다. 모든 이용자들이 제한 없이 동시에 날아오른다면 순식간에 도시의 하늘이 어두워지고 삶의 질이 지나치게 저하될 테니까.

서울 같은 대도시들 중에서도 대도시가 아니라, 다소 인구가 적고 비교적 낙후된 곳에서는 별다른 제한이 없었다.

서울에서의 빠른 이동에 대한 수요를 채우기 위해 구비되어 있는 다양한 대중교통이 있기는 했다. 지하철 중에서도 특정 포인트로 빠르게 이동하는 특급차가 있었고, 가느다란 모세 혈관처럼 서울 내 요충지들을 이어놓은 지상 열차들이 또 있었다. 지상 열차들은 작고 빠르게 움직인다. 정해진 선로 위에서 별다른 속도 제한 없이 달리는 것으로 공중을 가는 에어Air 종류의 차량들에 비해 그다지 느리지 않다. 일정한 구역으로 이동하는 건 적어도 더 빠르면 빨랐지.

건물 높이를 넘지 않는 선에서 그리 길지 않은 비행을 하는 건 규제로도 딱히 막고 있지는 않았다. 그런 면에서 쓰이는 개인용의 에어 카나 바이크들도 많이 있었고, 대체로 부자들은 자신들이 다니는 길목이나 건물마다 그런 차를 준비해두고 계속해서 갈아타며 이동한다.

이 시대의 도심을 지나는 차량들은 대개 AI장치가 있는 것이 대부분이었으므로, 그런 식으로 저공, 순간 비행을 하는 차량들 또한 도시 정보 시스템에 들어 있는 정해진 교통 수칙을 지키며 순차적으로 움직인다.

도심에서 수동 조작으로 지상차이든 공중차이든 운전하는 것이 가능은 했지만, 굳이 모든 시간 그렇게 하는 이들은 많지 않았다. 진정한 의미의 '자동차'가 나온 지도 한 두 세대가 지난 시점이었고 그 안정성은 이미 검증이 된 지 오래였다.
가끔 답답함을 이기지 못하고 직접 운전을 하는 순간들이 있기야 했지만, 수동으로 핸들을 조작하고 기어를 바꾸는 순간과 또 AI의 자동 운전으로 바뀌는 그 찰나의 연결마저 흠을 찾기 어려운 고도화의 시대였다.

시대가 아무리 변하고 고도화 되어도 잘 고도화 되지 않는 것들도 물론 있기야 하다.

눈앞에서 투덜대는 박민수의 머리는 영 쓸만한 구석이 적었다.

그는 검은 머리칼을 헝클며 서원의 손에서 다시 오렌지 쥬스를 뺏어들었다. 그는 입에 대지도 않고 남은 걸 몽땅 마시곤 말했다.

"아아-니. 그러니까 내 말은."
"시험 공부 하기 싫다는 거잖아. 너네 과는 벌써 보냐."
"어떻게 알았지. 이 자식."

서원과 민수는 과가 달랐다. 고등학교 때 만난 인연도 아니었지만, 어쩌다 보니 알게 됐다. 대학 내 농구 동아리에 같이 든 것도 있었고, 각자가 노는 친구들이 겹치는 부분이 있어 만나게 되었다.
투덜거리며 불만을 토해내는 입이지만 그래도 성격이나 행동거지가 순하고 수더분한 면이 있어서 서원은 나쁘게 생각하고 있지 않았다.

"꼭 내가 들어간 수업만 보면 교수님들이 빡세단 말야… 세상이 날 힘들게 하려고 작정한 게 틀림없어."

그건 아마 네가 수강신청을 망쳐서 빡센 수업만 골라 듣고 있는 것 같은데… 라고 생각했지만 이것 역시 뱉지는 않았다. 서원은 고개를 끄덕거리며 몇 번 말을 들어주었다.

공립 도서관의 내부는 환기가 되는 바람 소리나, 아주 미약한 음량으로 흘러나오는 바흐의 선율, 그리고 대부분은 웅성거리는 사람들의 소리로 채워져 있었다.

공부하기 적당히 좋은 곳이었다. 서원의 관점에서 보자면. 지나치게 강박증적으로 조용함을 강요하는 공간은 오히려 그에게 맞지 않는다. 적당히 사람 사는 소음과 분위기가 있고, 자극이 있어야 도리어 빠르게 책과 활자에 빠져든다.

주변에 감도는 묘한 긴장감과 누구 하나 걸려봐라, 하는 그 분위기가 도리어 더 부담이어서 온전히 책에 집중하지 못하는 면이 있었다.

또 이런 환경에서 공부를 해버릇 해야 집중력이라는 게 좀 느는 면도 있었고. 서원은 현실에서나 게임에서나, 자기만의 훈련법이나 버릇을 늘 중얼거리며 익히는 류의 인간이었다.

그런 식으로 사고하고 사는 게 또 나름의 재미이기도 하다.

심심찮게 시간을 보낼 수 있지 않은가. 무엇에라도 사람이 집중하고 사고하는 편이.

민수는 서원의 어깨에 양 손을 얹고 흔들어댄다. 칭얼거리는 꼴이었지만 대부분은 들어주었다.

"아무튼 밥은 안 먹냐. 옆 골목에 맛있는 백반 집 있다. 가자."
"이거 좀 보고."
"얼마나 보는데."
"글쎄, 한 30분?"
"음……."

민수는 오른 팔을 들어 손목을 왼손가락으로 두드렸다. 투명한 비닐같은 것이 자세히 보면 그의 손목에 감겨 있었고, 정해진 지문을 가진 이가 터치를 하면 광학 패널이 반응하며 정보를 표시하는 물건이었다.

손목 시계였고, 동시에 휴대폰과 연동되는 소형 컴퓨터이다. 나름대로 가볍고 또 쓰지 않을 때는 투명한 플라스틱이나 비닐처럼 만들어 찬 줄도 모르게 대기 모드를 걸어놓을 수 있었다.

지금 시간이 정오를 넘어 PM 12:30이었다.

"어… 있다 올게. 옆에 있는다."
"어잉."

민수는 반갑다는 투로 제 할말을 쏟아내고 나자 다시 옆자리로

사라졌다. 책장 쪽을 들러 책을 좀 보더니 서원이 있는 책상이
아닌 다른 자리에 가서 앉았다.

서원은 별로 눈길도 주지 않은 채 마저 활자에 집중했다.

그가 읽고 있는 책은 나온 지 얼마 되지 않은 신간이었다. 한 달
정도 된 것 같다. 공립 도서관이라지만 장서 갈이가 빠른 편이었다.
오래 되고 또 찾지 않는 책들은 지하 서고로 옮겨지거나, 거기서
더욱 찾지 않는 물건들은 나라에서 운영하는 지방의 창고 따위로
옮겨져 보관된다. 아니면 폐기되거나.

새롭게 발간되는 책들 중에서 특별히 유해한 내용이 없고 상식
기준에 부합한다면, 그리고 양질의 퀄리티를 갖고 있다면 부지런히
개방적으로 도서관에 들여놓고 있었다.

서원이 도서관을 자주 이용하는 이유도 그것이었다. 공부를 하기
위함도 있었지만, 굳이 서점에 가서 책을 사지 않더라도 몇 주만
기다리면 도서관에 대개는 들어와 있다. 그가 원하는 책들은.

최근에 나온 책이며 게임 산업을 다루고 있다는 건, 곧 저자가
비련의 시나리오를 내용에 싣지 않고는 책을 쓸 수 없었다는
말과도 같았다. 적어도 그 게임이 오픈 베타를 거쳤던 89년도
이후에 집필을 시작했다면.

그 정도의 유행이었다. 비련의 시나리오 온라인은. 게임이면서

270

온갖 분야의 신문, 뉴스에서 소재로 다루어질 정도였으니.

이전까지의 경쟁자들을 압도하는 퀄리티의 감각적인 기술력도 그랬고, 그 안에 들어간 AI 시스템의 수준이나 또한 방대한 양의 데이터를 처리하는 서버와 자본 역시 화제였다.

시가 총액으로 각 나라에서 순위에 드는 기업들이 섞인 기업 연합이 금력을 지원하고 있는 회사였으니, 그 단순하고 압도적인 기술력이 앞으로 각 분야에 어떻게 쓰일 지를 예측하다보니 그렇게 된 것이리라.

지금은 단순히 게임에 쓰이고 있었지만 이전 시대에 몇 번의 격변이 있고 그 전조로 변화의 흐름이 천천히 밀려왔던 것처럼 비련의 시나리오 역시 뚜렷한 예시 현상일 지 모른다.

각 분야의 전문가들은 게임을 분석했고, 정확하게 알기 어려운 수준이라는 답만 내놓았다. 사업 비밀이니 당연히 그렇기야 할 테지만. 연구를 하다가 어느 골방같은 연구소의 직원들이 정말 위업과도 같은 대발견이라도 해낸 것인지.

다른 이들은 골머리를 썩히고 있었다.

단순히 게임으로서 그것을 대하는 플레이어들은 그저 즐거움에 환호성을 뱉었지만.

서원 역시 단순한 게이머 쪽에 가까웠다. 이런저런 사회

자료들을 찾아보는 건 그저 취미에 불과했고. 사실 시나리오
온라인을 즐기는 일 자체도 취미의 테두리지만.

그다지 머리 싸매며 할 일까지는 모두 아니라는 뜻이다. 열정이
없다는 뜻은 아니다.

[이전까지의 VR시뮬레이터들은, 그리고 프로그램들은 어딘가
결함이 있는 물건들이었음이 분명하다. '오감'으로 표현되는 데이터
상의 다양한 감각 계수들은 자연계의 것과 비교를 한다면 장애를
가진 것들이었고, 둔하고 저급이다.
　다만 그것들 역시 이전 시대에 비해 분명한 진보를 거둔
기술력의 총화임은 분명했다. 어디까지나 '현실'과 또 그것에 견줄
수 있을만한 감각 체현 기술을 만들어낸 '비련의 시나리오
온라인'에 비해서 그렇다는 말이다.
　비련의 시나리오는 거의 현실에 흡사한, 완벽하다고 감히 평할
수 있을만한 오감을 구현한다.
　이는 분명 악의적으로 시스템이 사용된다면, 사람의 신체에
손상을 입히지 않고 고문을 가할 수 있다는 말까지도 된다.
　강력한 기술은 그만큼 강한 과학 윤리를 가져야만 한다.
　감각 체현 기술이 발달한 이래 이것을 악의적으로 사용하는 일은
가장 엄격한 금기로 치부되어 왔으나, 일면에서 그것이 기술력의
한계로 불가피하게 지켜져왔던 것도 사실이다.
　여태까지 비련의 시나리오 내부에서 게임성은 정확하게 지켜지고

있고, 또 운영진들 역시 어떤 실수를 보이지 않으며 관련해 어떤
사고도 기록된 바가 없었다.

거대한 양의 데이터 자료를 다루고 동시에 지구 인구의 일정 수
이상을 감당하게 될 듯한 초 대규모 거작 게임의 운영이 앞으로도
어떤 사고 없이 이루어지기를 필자는 간절히 바라는 바이다.]

어느 지독한 온라인 게임 매니아이자, 동시에 게임 산업 분야와
관련된 과학계 종사자의 글이었다.

나름대로 매끄러운 구성으로 책이 이어져 있어 서원이 보기에도
술술 읽히고 쓸만했다. 이런 쪽에 관심이 있다면 읽어볼 만한
재미나 내용이다. 조만간 어느 서점의 베스트 셀러 란에 올라올
지도 모르겠다.

확실히 비련의 시나리오는 거작巨作이다. 실체가 없는 데이터로
이루어진 정보 집합이 이만한 볼륨감을 사람들에게 실제로 주는
것도 참 쉬운 일이 아니었다.

적당한 비교 대상이 없는 수준의 볼륨과 퀄리티라는 것이 그렇게
하는지도 모른다. 비련의 시나리오와 같은 게임 기술이 점차
발전하면, 공간의 제약이라는 건 없다시피 할 지도 몰랐다.

물론 완벽한 해소는 물질 세계에서 불가능하지만, 어느 정도 그
단면을 볼 수 있다는 것만 하더라도 충분히 대단한 일이었다.

정보 통신 기술이 발전을 거듭한 이래 통신 등, 여러 부분에서

공간의 제약이 사라졌지만 이 정도의 감각 구현과 소통이 이루어진 적은 없었다.

가상 현실이었지만, 단순하 정보 교류의 차원이라면 실시간 노 딜레이로 못할 것이 없었다.

보이는 것보다 보이지 않는 것이 늘 중요한 이 세계, 또 고도화되며 손에 잡히지 않는 정보의 가격이 높은 위치를 달리는 현대 사회에서 그건 중요한 점이었다.

결국 통신 기계, 라고 하더라도 기계를 구성하는 물질 부품들은 필요하다. 그리고 그 부품들의 원료는 물질 세계에서 비롯되고.

대규모 인원과 데이터를 다루는 시나리오 온라인의 서버가 자본과 공간, 기계 등을 필요로 하는 것처럼. 눈에 보이지 않는다고 해도 물론 어느 장소에서의 감당은 필요한 법이었다.

그건 본질적으로 기술 혁명이 몇 번을 더 일어난다거나, 자원을 획기적으로 절약할 수 있게 된다거나⋯ 하지 않으면 불가능한 일이었지만.

혹은 인류가 지구가 아닌 다른 자원 행성을 개척한다던가.

화성을 간다느니 어디를 간다느니 별에 별 난리를 쳐댔던 세기 초부터의 일들이 있었지만 현대까지 아직 인류는 다른 별을 제대로 정복하지 못했다.

달에 월면 기지를 어느 정도 세운 것 외에는.

기계와 기술 발달로 관측 장비는 효율적이며 또 화려해져서, 먼 우주를 바라볼 수 있고 또 태양계 내의 다른 행성들로 무인 장비를 보낼 수야 있었지만 험악한 우주의 자연 환경을 제대로 극복할 수 있는 기술력은 갖추지 못했다.

그마만큼 한계를 보이고 있는 시점에서 비련의 시나리오는 또 이 시대 사람들에게 새로운 가능성을 보여주는 암시일 지도 몰랐다.

서원은 제 볼을 손가락으로 툭툭 두드리며 잠시 생각에 잠겼다. 별 것 아닌 사고와 제 인생에 대해서 좀 골몰히 고민을 하다가, 자리서 일어났다. 밥이나 먹어야겠다.

공립 도서관은 의자를 좀 끌든, 어느 정도 일상적인 목소리로 대화를 좀 하든 크게 신경쓰지 않는 규칙과 사람들이었다.

서원이 앉아 있는 책상들의 나열 옆으로, 벽면 쪽으로 주욱 시선을 돌리면 창문이 나 있는 벽면 아래에 출입구가 있고, 그 근처에 긴 안내 데스크가 있어 직원들이 업무를 본다.

공공 시설들은 제법 규모가 큰 편이었다. 서울 또한 넓은 도시다. 세대를 거듭하면서 계속 증축을 하고 그 범위를 넓혀 왔다. 어느 시점부터는 이전의 건물들을 모조리 철거하고 계획 도시로 한 번 정리를 한 적도 있었다.

조선 시대, 한양 즈음에서 시작해 지금의 서울을 보자면 거진 한반도 내의 일개 국가라고 보아도 이상하지 않을만한 크기였다. 인구 삼천 만 명의 도시.

이전에 '경기도'라 불리던 인근 위성 도시들을 모두 잡아 삼킨 형세였다. 이전 위성 도시의 역할을 하던 곳들은 통일이 되며 생겨난 위쪽의 공간으로 조금 밀려나 자리를 잡았다.

20세기 초중반 까지도 이루어지지 않았지만, 중반부터 일어났던 간척 사업으로 한반도의 외곽선도 약간 변했다. 인천 쪽의 복잡한 해안선이 조금 정리가 되어버렸다. 인공으로 섬을 만드는 계획은 그다지 성공적이진 못했으나, 늘어난 서부 토지 쪽으로 인천도 그 중심지가 이동했으며 보다 커졌다.

고양, 성남, 부천, 의정부, 남양주 등의 부지가 지금은 전부 서울시로 편입이 된 상태였고, 서원이 살고 있는 곳 또한 예전의 성남시 부근이었다.

통일 이전에도 자본과 개발이 계속해서 쌓여가던 '남한' 지방은 북쪽 보다는 빨리 거대 도시화가 계속해서 이루어졌고, 서울과 각 지방을 잇는 메갈로폴리스를 형성하고 있었다.
교통 역시 편리하게 이어져 있다.

북쪽은 그러한 거대 도시의 나열과 비교하자면 조금 규모가 작기는 했지만, 그래도 선진국이라는 위명에 걸맞는 정도의 도시화는 균일하게 이루어진 상태였다.

남한에 비해 조금 도시간 연결이 빈약하고 보다 작은 도시들이 점점이 이어져 있다.

땅값도 싸고, 살기 좋은 곳이라고 한다. 특별히 아랫 지방에서 살아야 할 이유가 있지 않은 이상에는 괜찮은 선택이라고.
서원도 졸업을 하고 난 뒤에는 지방으로 내려가보는 것도 생각해볼 일이었다.

자택 근무가 가능한 프리랜서나, 그런 종류라면 못할 것도 없었다. 먹고 살기에 편리한 시설들이야 한국 내 어디에든 갖춰져 있었고.

어쨌든 그렇게 부지를 확장한 서울 내의 공공시설은 장엄한 정도의 규모를 갖추고 있다. 서원은 높은 천장을 잠시 바라보고 스트레칭을 했다.
조금 시선을 둘러 찾자 앞 쪽 책상에 앉은 민수의 뒤통수가 보였다. 그는 아까 민수가 그랬던 것처럼, 별 말 없이 걸어가 등께를 툭 쳤다.

"억."

이상한 소리를 다 낸다. 서원이 말했다.

"밥 먹자. 어디야?"

민수가 읽고 있던 책을 덮는다. '유체역학'. 보기만 해도 눈살이 찌푸려지는 서적이었다. 서원과는 거리가 멀었다.

두터운 전공 서적을 내려 놓은 민수는 책장으로 쫄레쫄레 걸어 가 넣어 두고는 다시 돌아왔다.

"나가서 금방이야. 거기 제육이 개맛있지."

제육이라. 언제든 괜찮은 메뉴였다. 서원은 친구와 함께 쫄레쫄레 걸어 가 식사를 한다.

***

12. 세슈칸Seshukan 가는 길

제육볶음은 맛있었다.

공립 도서관은 집에서 그리 멀지 않은 곳에 위치했다. 그가 살고 있는 빌라에서 나와 공용 바이크를 빌려 도로 따라서 3분. 그리고 조금 걷다 보면 나온다.

공용 바이크 등의 원동기는 모두 정해진 도로로만 달려야 했기에 이동이 제한적이었지만 그만큼 그 안에서는 속도가 빨랐고, 또 잘 길을 찾고 목적지를 정한다면 그렇게 불편하지도 않았다.

공립 도서관 건물에서 나와 넓게 펼쳐진 앞마당을 지나서, 시내로 걸어 들어가 골목에 금방 있는 백반 집이었다. 오래된 곳 같았는데 자취 생활에 다양한 레토르트에 질려가던 입맛을 만족시켜줄 정도로 맛있었다.

도서관 건물의 앞마당은 마치 광장처럼 탁 트여 있었고, 별다른 높은 건물이 주변에 없어 창공이 그대로 보이는 광경이었다. 멀찌감치 떨어져 낮게 드문드문 서 있는 별채들이 조금 있고,

독채로 선 그 건물들을 제외하면 중앙 분수대 외에는 구조물이
별로 없다.

콘크리트인지, 건축 자재에 대해 잘 알지는 못하지만 깔끔하게
정비된 바닥도 체크 무늬로 줄눈이 거대하게 그어져 있고
반질반질한 회색빛으로 사람들의 걸음을 견뎠다.
앞마당의 오가는 주도 외에 빈 공간에는 앉아서 쉴 수 있는
벤치와, 인조 잔디로 만들어진 공간이 조금 있다. 가끔 공부를
하거나 독서를 하다가 스트레스에 찌든 인간들이 나와 배드민턴
따위를 치기도 한다.

주욱 걸어가 별다른 울타리도 없는 도서관 구역을 넘어가면
인도와 차도가 붙어 나오고, 건널목을 지나 조금 오래되어 보이는
건물들의 골목으로 들어가서 직진을 하다가 왼 쪽으로 꺾으면 작은
구멍가게 같은 식당이 하나 나온다.

스러져 가는 듯 보이는 낡은 간판에 '힘찬백반'이라고 적힌 집은
유리문을 열고 들어가 보면 한 20명 정도를 수용할까 싶은
테이블과 실내였다.
안쪽으로 깊이 들어가는 직사각형 형태의 내부였고, 가장
안쪽에는 계산대와 주방에서 일을 하시는 주인 할머니의 모습이
보인다.

2000년대의 태반 이상을 살아내셨을 할머니가 능숙한 손놀림으로 차려 내어 놓는 다양한 백반 종류들은 맛도 정갈하고, 무엇보다 재료가 풍성했다. 많이 올라버려 한 차례 개혁이 되었다가 다시 예전 단위로 돌아온 돈으로 7,000원이었다.

그 가격에 배가 부를 정도로 신선한 재료로 밥을 잔뜩 먹을 수 있다는 건 분명 흔한 일은 아니었다.

가끔 배가 고프고 갓 지은 밥이 그리우면 나가서 먹어야겠다고 생각했다. 박민수도 쓸만한 구석이 참 있는 놈이었다.

그리고 제냐는 지금

우물우물.

하고 말린 떡을 씹고 있었다.

입 안이 쓰다.

비련의 시나리오 온라인 내부는 다양한 맛을 구현하고 있다. 맛이 아니라 전투 중 필요에 의해서 마셔야 하는 물약의 경우에는 맹물 맛으로 대체를 해두었지만, 그 외의 식사류 아이템들은 모두 정밀한 미각으로 다채로운 맛이 느껴진다.

지금 그가 느끼고 있는 맛은 씁쓰레한 맛이었다.

상온에서 오래도록 보관이 가능한 말린 떡에 수통에 담은 물 조금. 그리고 텁텁한 입을 도울 숨이 죽은 나물채 몇 줌.

곱게 포장지에 싸여 있는 음식들을 먹으며 걷는다. 게임 내에서 식사는 필요 불가결한 일이다. 제 때 플레이 타임 중에 캐릭터의 끼니를 챙기지 않으면 스테미나가 달고, 이 수치의 저하는 정보창에 뜨지는 않지만 확연한 체감으로 움직임을 둔하게 만든다.

체력과 민감한 관련이 있는 스테미나는 캐릭터의 현재 상태를 더 면밀하게 드러내며, 다양한 동작을 수행하는데 사용된다. 격렬한 전투를 벌이는 외중에 고난이도의 동작을 연속 수행할 때도 소모되며 근력과 지구력, 순발력 수치에 모두 영향을 받는다.

저하 상태가 오래 지속이 되면 가만히 있는 것만으로도 HP가 닳게 된다. 오래 굶고 아무것도 마시지 않으면 그것만으로도 '상태 이상abnormality'이 걸리는 것이다.
캐릭터는 공복감, 부상, 질병 따위를 신경 써서 나름의 세심함으로 챙겨 줘야 하는 귀찮은 대상이었다.
물론 현실에 존재하는 사람의 육체와 비교를 해본다면 이루 말할 수 없이 편리했지만.

게임 치곤 번거로운 것도 사실이다.

초상 스킬 중 존재하는 '저주' 따위의 공격적인 계통에
피격당하면 해주를 위해 성물속성 스킬을 익힌 유저나 NPC의
도움을 받아야 했다.
본인이 다양한 대응 스킬을 가져 이겨낼 수도 있고 아이템을
사용해도 좋았으며, 특정한 장소에 있는 오브젝트를 이용하는
경우도 있었다.

저주와 질병은 애매한 관계를 갖고 있었는데, 저주 계열 공격
스킬 중 질병으로 옮는 것조차 있었다. 이러한 경우에는 공격에
쓰인 초상 에너지를 소멸시킨다고 해도 캐릭터의 신체에 남은
질병이 남아서 약물이나 물리 계열의 치료 스킬을 시전해야 했다.

스킬의 종류는 비련의 시나리오가 다양한 갈래로 그 각자의
이야기를 꾸며나갈 수 있도록 참으로 다양했고, 아직도
플레이어들은 그 모든 종류를 파악하지 못하고 있었다.
스킬 하나하나가 개발진이 숨겨 둔 히든 피스라고 해도 좋았다.
고레벨의 플레이어들, 공략집을 만들고 게임의 비밀스런 어둠을
풀어나가는 오프너들은 대강 밸런스를 근거로 추측할 뿐이었다.

어떤 종류의 괴랄한 스킬이 있을 수도 있으나, 대가 없이 정도
이상의 편리함이나 힘을 손에 넣는 스킬은 없을 것이다, 라는

논리로.

강력한 스킬은 그만큼 고된 고생을 게임 내에서 감수해야 했다. 위업으로 남을만한 퀘스트의 해결을 해낸다던가, 혹은 여러 어려운 선행 조건들을 모두 맞춘 뒤 까다로운 조건을 더듬어 찾아내 만족시킨다던가.

다양하고 또 괴이한 스킬들 중에서 플레이 상의 불편함을 어느 정도 해결할 수 있는 종류들도 있었다. '배고픔' 상태를 극한으로 견딜 수 있는 스킬들이었는데, 주로 '줄지 않은 포만감'이나 '극한의 연비' 따위의 레어 이상의 것들이었다.

그 외에도 물리 계열, 전사 계통의 스킬들 중에는 신체를 초인 그 이상으로 갈고 닦게 만드는 것들도 있어서 그런 종류를 익힌다면 어지간한 부상이나 배고픔으로는 체력이 잘 닳지 않는 몸이 되기도 한다.

이런 효과는 깡으로 체력 포인트를 높였을 때도 어느 정도 동반되는 것으로, 체력에 관련된 스테이터스가 모두 50을 넘길 즈음부터 쓸만하게 나타난다고 한다.

그러나 어떤 스킬이나 시스템 내의 효과도 이런 불편으로부터 완벽한 해결책은 되지 못한다. 아무리 소량을 드물게 먹더라도 에너지원이 될 열량 따위는 섭취를 해야 했고, 다치면 상처를 입고 또 쉬는 시간이 필요했다.

그런 상황을 드물게 겪게 되는 것 뿐이다.

그런 점에서 제냐는 걸으면서 부지런히 탄수화물을 씹어 삼켜야
했다. 그렇지 않으면 캐릭터가 결국은 못 버틴다.

게임 플레이는 로그아웃 시간은 치지 않고 로그인 했을 때를
기준으로 생체 시계가 꾸준히 돌아간다. 도시에 들러서 정비를
하고, 이동하기까지 꽤 많은 시간을 소비했는지 배고픔이 느껴졌다.
주로 복부에 허전한 감이 들고 몸에 기운이 조금 없는 식으로
나타난다. 물론 며칠이야 견딜 수는 있으나 전투 시 체력이
평소보다 빨리 깎이고 조금 더 쉽게 큰 부상으로 이어진다.

고런 같은 플레이를 하는 이들도 있으나 그것도 특수한 경우이며
고도의 집중력을 필요로 한다. 특수한 스킬이나 퀘스트가 연계되어
있지 않은 이상 굳이 도전하지 않는 스타일의 플레이다.

걷고 있는 길은 '평화의 숲 옆 도시'에서 서문으로 나와 쭈욱
직진하고 있는 가도였다. 넓게 정비된 도로는 게임 내의
세계관에서 인류의 기술력이 그리 나쁘지 않다는 걸 말해주는 것도
같았다.
마차가 두, 세 대 정도는 지나갈 수 있을 만한 길의 한구석으로
비켜 서서 제냐는 그저 걷는다.

이동용의 짐승을 구비해 타고 다닐 수도 있었고, 스킬이든 뭐든 조금 더 빨리 갈 수 있었지만 제냐는 굳이 걷기를 선택했다.

게임 내에서까지 급하게 갈 필요도 없었고, 시간 제한이 걸린 퀘스트를 수행하고 있는 것도 없었다.

이동용 스킬은 보통 레어 급인 경우가 많았고, 아직 익힐 만한 것을 찾진 못했다. 짐승을 사거나 빌리거나, 혹은 얻어타는 게 일반적이었지만 돈이 들었다. 모처럼 현실같이 만들어 둔 극현실주의의 경치를 구경하며 걷는 일이 좋았다.

그야말로 현대 사회에서는 볼 일이 없는, 끝도 없이 펼쳐져 탁 트인 평야와 구릉, 산림과 황야, 뭐 그런 곳들이었다.

일부러 어디 땅덩이가 넓은 나라로 해외 여행을 가서 오지 탐험을 하지 않는 이상에야 보기 힘들다. 가난한 대학생에겐 그럴 여력이 없었다.

천천히 발을 걸어 옆으로 기울은 흙바닥을 밟는다. 빗물이 쏟아지면 가운데에 고이지 않고 흘러가도록 경사를 지게 만들어 두었다. 길의 옆은 지금은 평야 지대였다. 드넓은 목초지가 펼쳐져 있는데, 다진 흙에 무언가를 섞어서 풀이 자라지 않도록 만들어 하늘에서 내려다 보면 길다란 선이 푸른 도화지에 이어져 있는 모양새다.

멀리로는 낮은 산들이 모여 있어 산맥을 이룬다. 평화의 숲 옆 도시 서쪽으로 나와 보이는 오브젝트이니 아마 '데슈간Deshukant 산맥'일 것이다. 유명한 이유는, 평화의 숲이라고 불릴 정도로 저레벨 플레이어들이 사냥하기 좋은 사냥터인 숲 근처에 갑자기 요구 수준이 확 올라가는 몬스터들의 서식지이기 때문이었다.

2, 30정도 선에서 대충 정리가 되는 일명 도시 '피스' 근처와 달리 5, 60을 넘는 중급자 이상의 유저들도 레벨 업을 위해 들르는 곳이었다. 악명 높은 산맥 심처의 보스 몬스터는 7, 80정도 선의 유저들이 파티 플레이를 해서 간신히 잡는다고 한다.

지금 제냐의 수준으로 저 곳에 들어갔다가는 영 좋지 못한 꼴을 볼 것이다. 게임 내의 목숨이 하나밖에 없는 서바이벌 프로그램인 이 망할 비련의 시나리오는 여러모로 다닐 때 조심을 해야만 했다.

그래, 이렇게 길을 걷고 있을 때도 잘 보이지는 않지만 어느 PK 플레이어가 갑자기 달려 들어 그를 친다면 그것으로 수십 만원을 준 시뮬레이터는 순식간에 매몰 비용이 되어버리고 만다.

비련의 시나리오 말고는 딱히 할만한 게임도 없었고, 취미도 없었다.

"휘이이."

제냐는 마른 떡을 꾸역꾸역 다 씹어 삼켰다. 물을 몇 모금 마신 뒤에는 주머니에 손을 찔러 넣고 휘파람을 불었다. 초보자 존은 그리 사람이 많지 않았다. 그런 탓에 그가 이동을 하고 있는 것이기도 하고.

황야 지룡을 몇번 더 사냥을 하고 나서, 피스 근처의 가장 레벨이 높은 사냥터였던 황야 지대를 돌아다니며 온갖 것들을 잡았다.

비스트 슬레이어가 그야말로 길이 들 대로 들 정도로 호쾌한 사냥의 일과였다. 현재 제냐의 레벨은 24였고, 스테이터스는 높은 것이 20후반, 그 외에도 20초반 정도를 유지하고 있었다. 초월 방어력은 여전히 10대를 머무르고 있었지만.

보통 20후반이나 30에 다다르는 게 레벨 30을 넘어서의 일이라는 걸 생각하면 상당히 가파른 성장세였다. 그건 제냐가 게임을 어렵게 플레이하기 때문이기도 했다.
레벨업을 하기보다는, 고생스러운 동작을 추가해서 반복하는 일을 계속 해댔다.

사람이 없는 곳에서 무작정 스킬을 반복 수행하며 스테미나가 몇 번이 닳을 정도로 훈련을 한 뒤 그것을 다시 한다.

그러다가 우연히 오크나 숲 노루를 발견해 철목시로 겨냥하고
쏘아댔고, 다가오는 것들을 완벽히 처리하지 않은 채 달고 다니며
달리기를 했다.

그러다 감당하기 어려울 정도로 규모가 커지자 숲의 나무 위를
원숭이처럼 뛰어 다니며 갖은 스킬을 발휘해 게릴라 전으로
잡아냈다.

어디까지 어그로를 끌어낼 수 있나 궁금해져서 오크 몇 마리를
달고 숲 필드에서 한참을 달려 황야 필드까지 달리기를 해본 적도
있었다.

몬스터 간의 상호 관계는 어떻게 되나 싶어 오크를 끌고 황야
지룡과 맞붙여 보기도 했었고.

영역이 다르고 상이한 외형과 성질을 가진 몬스터들은 서로를
적대시한다. 은근한 견제와 함께 당장 싸우지는 않았지만
으르렁거림이 있었고, 그를 향한 어그로Aggro(골칫덩이, 문제, 분쟁.
게임에서 몬스터 캐릭터의 주의를 끄는 행동이나 몬스터의 공격
선호도를 뜻한다)가 일부 해소되는 걸 확인했다.

약간의 다툼과 서열 정리가 완벽하게 종류가 다른 몬스터들
사이에서는 프로그래밍 된 동작처럼 보였고, 이미 서열 정리가
끝난 비슷한 계통의 것들끼리는 큰 효과가 없었다. 혹은 같은

지역에서 생성되고 서식하는 몬스터들끼리도.

　그럴 때는 그냥 제냐를 향한 공격도만 쌓이며 피리 부는 소년처럼 무수한 몬스터 떼거리들을 몰고 다니게 될 뿐이다.

　몬스터들의 집단 공격은 정말로 기세가 무서웠다. 한 명의 플레이어가 이 정도를 할 수 있을까 싶을 정도의 일이었다. 삼차원적으로 요동치는 거대한 파도를 맞닥뜨리는 기분이었고 그 파도가 흉흉한 울음 소리를 토해내며 지나가는 자리를 모두 구덩이로 만들어 버린다면 웃을 만한 기분이 잘 들지 않는다.

　가상현실 게임이라지만 참 실감이 나게 만들어 뒀다. 지나친 스릴이었다.

　제냐는 코 앞에서 자신에게 아가리를 들이 밀던 지룡의 구강 내부를 본 것을 떠올렸다. 내장 기관이 부서지고 상처를 입는 건 누구나 자동적으로 보지 않아도 되게끔 모자이크 처리를 그래픽 적으로 해두었지만 멀쩡한 상태의 육체는 실감 넘치게 구현을 해둔 게 그대로 보였다.

　물론 그마저도 조금 데포르메 변화를 거치도록 설정을 바꿀 수 있었다. 제냐가 굳이 해두지 않은 것 뿐이다. 그냥 동물 다큐멘터리를 보는 기분이라고 하면 크게 어려울 것 없었기에.

지룡의 아가리에서 나는 그 뜨거운 입김과 그르렁거리는 소리, 선명하게 느껴지진 않지만(역하기에)둔하게라도 뿜어 나오는 그 짐승의 입냄새 따위나 대거같이 날카로운 이빨의 단면을 보자면 순간 게임 속이라는 걸 잊을 정도의 현실감이 들고 만다.

다행히 그대로 씹히는 일은 없어, 아직까지 게임을 플레이하고 있는 생존자 중 하나였지만.

그 외에도 민첩 계열 능력을 주로 익힌 원거리 사수이면서 대거만 들고 황야 지룡에게 덤빈다던가, 비스트 슬레이어만 가지고 어디까지 상대할 수 있는가 황야의 몹들을 상대로 도장 깨기를 벌인다던가.

한참 레벨이 오른 후에 할만한 짓거리들을 반복하면서 제나는 게임 내의 감각을 충실하게 익혀갔다.

그런 난전과 제약 속에서 어떤 도구에 대한 사용감은 날카롭게 손에 익어가기 마련이었다. 게임 내에서 다루는 '캐릭터'라는 전신 도구에 대한 요령 말이다. 어느 정도를 의지적으로 움직였을 때 얼마만큼 전진하고 후퇴하는지. 자신의 캐릭터 스펙이 어느 정도의 힘과 파괴력을 낼 수 있고 감당 가능한지.

MP역시 전투 가운데 자유 자재로 사용하려면 반복 노동만이

답이었다. 근접전의 난전 속에서 시동어를 읊고, 굳이 손바닥이 아닌 자신의 신체 주위 허공에 떠오르게 만든 파이어 볼을 유지하면서 검을 휘두른다. 그러다가 타이밍에 맞추어 상대의 사각에 찔러 넣어 폭발을 일으키고, 그 후폭풍으로부터 대비하며 다음 스텝을 이어나가야 했다.

초상 스킬과 물리 계열 스킬을 동시에 다루며 전투를 수행하는 속칭 '술전사'는 그다지 인기 있는 스타일은 아니었다. 위력이 크게 떨어진다거나 하는 것은 아니었으나 컨트롤이 워낙 까다로웠다.
의지에 따라 조작하는 손 하나를 더 던져준 것과 비슷한 일이라, MP를 다루며 초상 스킬을 구현하는 데는 분명한 집중력이 소모된다.

게임 내에서 표현하는 정신 에너지의 지배력이 아니라, 실제 플레이어가 소모하는 자신의 뇌의 가용치 중 일부를 떼어다 써야만 했다.
사람이 한 번에 두 가지 일을 동시에 할 수 없는 것처럼 다른 원리로 움직이는 한 팔을 의식하면서 전투를 이어나가야 하는데, 어지간한 실재의 훈련이 동반되지 않는 이상 힘들다.
보통 게임에 그 정도의 노력을 하는 이들은 소수일 수 밖에 없고, 게임에 자신의 인생 중 많은 시간을 할애하는 헤비 유저들 중 재능이 있는 자들이 선택하는 길이었다.

그도 아니라면 아무래도 어중간할 수 밖에 없다. 자연스럽게 연계되지 못한 채 초상 스킬이 발동되는 가운데 몸이 멈춰 있고, 검을 휘두르는 중에는 초상 스킬을 발현할 수 없다면 한 가지 능력에 집중한 뒤 다른 유저와 파티를 맺는 게 훨씬 효율적이다.

제냐는 우연인진 몰라도 자신이 골랐던 다양한 공격 수단들 중 여러가지를 엮어서 사용할 수 있었다. '술전사'의 루트route를 탈 수 있는 최소한의 조건을 달성하고 있었다. 게임 내에서 주어지는 어색한 추가 팔 하나를 이전의 사지와 동시에 버무려 다룰 수 있는 인지 능력과 활용력.
이건 게임 외적인 부분이라 게임 내에서 쉽게 풀 수 있는 문제는 아니었다.

'내가 인지 능력이 좋았던가……'

하고 제냐가 생각했지만 알 수는 없다. 평범하거나 오히려 그 이하였던 것 같은데. 길치에다가 기계를 잘 조작하지도 못한다. 생활 속에서 단순하게 드러나는 것 외의 능력일지 모르겠다.

레벨업 시 얻는 포인트로 더하는 성장치의 가중은 후반에 가서는 어마어마하게 쌓이지만 초반부에는 그래도 비교적 할만하다. 그것이 부족하다고 하더라도.
술전사로서 고된 전투를 이어나갔던 그는 자연적으로 MP가

바닥까지 동이 나도록 써대는 것을 계속해서 반복했고, 그
과정에서 따라오는 어지럼증 따위도 계속해서 겪었다.

결국 술사들은 초상 스킬을 한계까지 써대는 것 밖에는 수가
없었다. 정신 계열 스텟들을 올리고 MP지배력을 도모하고, 또
스킬의 활용력을 스스로 높이기 위해서.
제냐는 한 가지 전투에서 다각적인 공격 옵션들을 활용하면서
분투를 했고, 자신의 것보다 더 높은 수준의 적들을 상대로 연전을
이어나갔다.

게임 내의 캐릭터가 아주 건강한 상태가 아니었다면 견뎌내지
못했을 정도의 혹사다. 필요한 최소한의 쉼만을 이어가면서 그는
극한의 집중력 상태 속에 몰입을 했고, 오히려 격상의 적을 상대로
더 빨리 이겨낼 수 있는 결과를 만들어냈다.

비련의 시나리오는 컨트롤 게임이다. 몹 캐릭터들은 고도의 AI가
있지만 정해진 패턴이 또한 있었다. 그 신체 구조 상 나올 수 있는
공격법이 어느 정도 정해져 있는 것이다. 그것들은 개체별로도
차이가 있으나 분명히 존재했고, AI가 읽어내고 만들어내는 그
움직임의 흐름을 빠르게 캐치하고 몸으로 받아내게끔 수행이
가능하다면 남들보다 수월하게 전투하는 것이 가능했다.

그 정도의 동작의 유사성과 한계점은 비단 게임 뿐만이 아니라

현실의 생물과 자연계에도 존재하는 것이었으므로, 도리어
자연계를 모방하는 AI는 더욱 충실하게 구현해낸다.

물론 이레귤러처럼 구는 생물들도 있으나 그 정도는 또한 다양한
스킬 연계와 임기응변으로 어떻게든 이겨내야 했다.

그런 격전 속에서 얻어냈던 스킬들도 많이 있었다. 레어도
있었고, 유니크도 하나 있다.

궁술 자세를 보정하는 '사냥꾼의 자세'와 인기척을 숨기는
'그림자 속 발걸음'. 원거리 저격 공격력을 증가시키는 '매의 눈'과
비스트 슬레이어를 미친 듯이 들고 휘둘러서 얻어낸 '하류 검술'.
'육박전의 달인'이라는 타이틀은 아주 쓸만했다. 근거리에서
자신보다 체급이 높은 적을 상대로 공격을 맞받아칠 때 물리
저항력을 높여서, 기절 상태 따위에 잘 걸리지 않게 된다.

강한 충격에도 움직임의 흔들림이 적어지고 연계 동작 사이의
연결이 조금 더 부드러워지는 느낌이었다. 큰 차이는 아니었으나
근접 전투에서의 공격력도 약간은 보정이 걸리는 듯했다.
각종 '무술' 계열 스킬들과 시너지를 일으키는 좋은 칭호였다.

황야 지룡과 단검 하나를 들고 드잡이질을 하다가 마지막에
단검조차 놓치고 건틀렛으로 급소를 노려 끝을 냈을 때 얻은

칭호였다.

각종 칭호나 스킬들의 까다로운 조건이 그러하듯, 보다 저레벨일 때 난적을 상대로 낮은 확률의 승리를 도모하면 얻을 수 있는 것 같았다.

유니크 스킬로는 하류 검술의 연계 동작인 '일격필살'이 있었다. 획득 당시에는 알 수 없었고, 나중에 인터넷으로 정보를 찾아보니 알게 되었다. 끔찍한Terrible 수준의 검술 스킬을 갖거나, 혹은 검술 스킬이 없는 상태로 거체巨體를 지닌 드래곤 류나, 그런 몬스터를 잡아내면 얻는 기술이었다.

95%이상의 데미지를 한 개의 검으로 주어야 했고 전투 시간이 길수록 얻을 확률이 높아졌다. 적정 상대 레벨보다 높은 몬스터를 어렵게 잡아낼 수록 또 쉽게 얻을 수 있었고.

제냐는 기초 외날검술과 하류 검술을 최하위 레벨로 갖고 있었고 지룡의 발톱 대거로 용을 토벌했다.

'육박전의 달인'이 비슷한 조건에서 검격이 아닌 장갑류 타격으로 치명타를 입히고 마지막 일격을 가해야 나오는 칭호인 걸 생각하면, 한 가지 전투에서 두 종류의 조건을 만족시켰으니 운이 아주 좋은 셈이었다.

조건을 대략적으로 만족시켰다고 꼭 나오는 것도 아니고,

확률적인 일이었으므로 그것이 겹치는 것 또한 더욱 드문
일이었고.

그 외에 자잘한 일반 스킬들을 여태까지 획득한 걸 나열하면
힘들 정도로 많았다. 달리기, 속보, 끈기1, 정신력1, 유연성1,
턱걸이Pull up, 팔굽혀펴기Push up, 돌팔매질(투석에 제한되는
보정), 투척(온갖 암기류를 비롯한 투척에 보정), 전투 회피,
보법(뒤에 몬스터를 메달고 마라톤을 하면 얻는다)……

  캐릭터가 할 수 있는 대부분의 행동들에 스킬이 걸려 있었다. 그
행위를 지속적으로 반복하면 스킬 레벨이 올라가고, 혹은 상위
스킬 획득의 단서가 된다.
  지속적이고 강력한 행동 보정 따위가 걸려서 게임 종반에
무지막지한 능력치를 가지게 된 플레이어가 정상적으로, 그 힘에
걸맞은 전투 수행 능력을 갖도록 도와준다.

  그렇기에 게이머 스스로가 탁월한 컨트롤 플레이어가 아니라면,
필연적으로 후반부에 게임 플레이는 스킬 위주가 되게 된다.
초반에서 중반부에 캐릭터가 걸어왔던 길이 곧 게임 스타일이
되고, 공격법이 되는 것이다.

  턱걸이 스킬은 화살을 계속해서 당겨내다 보니, 당기는 쪽으로
근력을 반복 사용하면 얻는 스킬인 걸 확인했다. 팔굽혀펴기는

뻗는 쪽으로 힘을 자주 사용하면 얻게 된다. 근접 전투, 타격이나 검격을 내지르는 종류의 직업에 필수 불가결한 기본 스킬이었다.

게임 플레이는 결국 시스템에 대한 여행이나 다름 없다. 방대하게 미리 설치를 해둔 다각도의 정보들을 모으는 행위이고, 결국 개발진들이 뿌려 둔 단서의 조각 모음이다.
 그 읽는 방식이 단선적이 아니라는 것 뿐이지 결국 책을 읽는 것이나 크게 다르지 않을지 모른다. 익숙하지 않고 귀찮은 사람이라면 단지 포기할 확률이 높았지만.

제냐 역시 그런 부류의 인간이었으나 이건 재미있었다. 다른 방식의 정보 매체였지만 퀄리티가 굉장히 높았으니. 말도 못하게.

오래도록 이렇게 꾸준히 걷는 것 역시 의미가 있을 지 모른다. 퀄리티가 높다는 건 세세한 행동마다 반응하는 상호작용 컨텐츠들이 많다는 의미였다.
 속보의 스킬 레벨이 오를 지도 모르고.

속보는 일반적으로 걷는 것보다 자세를 바르게 하고, 스테미나 소모를 줄여주면서 더 빠르게 오래 걸을 수 있도록 돕는 스킬이었다.
 많은 이동을 두 발로 해내는 플레이어들이 거의 필연적으로 얻게 되는 스킬이다.

레벨 10대를 지나면 거의 모든 이들이 가지고 있다.

그가 익힌 '보법'이라는 스킬은 레어 스킬이었는데, 그 획득
조건은 안 찾아보아서 정확히 모르지만 아마 뒤에 어그로를 유지한
채 몬스터 떼를 줄줄이 달고 다니면 얻는 모양이었다. 제냐의
생각에는.

어지간한 시간으로는 안되고, 거의 수 시간을 쉬지 않고 달려서
필드와 필드 사이를 오갈 정도 뛴 채 피격당하지 않으면 되는 것
같았다. 제냐가 한 행동이 그것이었으니까.

극한의 긴장감과 어그로 속에서 몬스터 캐릭터들과 함께 한 그
달리기 속에는 살아남기 위한 필사의 노력이 배이게 되어 있었고,
자연적으로 어떤 플로우flow를 만들어 내었다.
효율적으로 움직이기 위해 궁리하고 삐걱거리는 사지가 유연함을
구사하며 춤을 추듯 걸었고, 웃기지도 않는 몸치의 절박함에
개발진들이 담아둔 예정된 데이터 값이 구원을 선사했다.

전투 회피가 한 자리에 국한되는 회피 동작 보정이라면, 보법은
긴 거리의 이동기로도 겸하여 쓸 수 있는 물건이었다.
이동기라기엔 아직 레벨이 낮고 활용도가 적어서 뛰는 것과 그리
큰 차이는 없었다. 오래 살아남을 수 있도록 도와주는
스킬이었으니.

만일 스킬 레벨이 더 올라간다면 '붉은 날개' 엇비슷하게 화려한 이펙트라도 토해내면서 질주를 할 수 있을지 모를 일이다.

혹은 보법을 익힌 뒤 얻는 그 상위의 스킬들을 가지게 된다면 말이다.

제냐는 아예 주머니에 손을 찔러넣고 편히 걷는데 딱히 어떤 위험은 없었다. 이리 평탄해도 되는가 싶을 정도의 풍경이다.

멀리 보이는 산맥과 하늘을 가리는 구름, 그 사이로 드문드문 날아다니는 조류 몹들이 보인다. 창공을 날으는 저것들을 공격할 수단이 있다면 훌륭한 단백질 공급원이 되기도 한다. 야생의 짐승들은 대개 몬스터와 비슷한 취급이었으므로, 선공을 하지 않는 종류도 사냥감이 된다면 전리품을 내뱉고 경험치를 준다.

웃기는 점은 '명물'이나 '명소'로 불리는 무정물 오브젝트들 또한 사실은 경험치를 주는 사냥감이라는 사실이었다.
확인한 이들은 많지 않았지만 제냐는 알고 있었다.
황야 지방에 우뚝 서 있었던 바위 기둥을, 몬스터 웨이브를 만들어 놀다가 꼴아 박은 뒤 무너뜨리고 나자 이후 알림 창과 함께 경험치가 들어왔기 때문이다.

무너뜨리기 어렵고, 변화시키기 어려운 거대한 건축물들 따위도

아마 경험치를 줄 것이었다. 과연 그런 설정에 어떤 의도가
있는지는 짐작하기 어려웠지만.

PK나 세계관 내의 환경을 해치는 것에 강력한 제재를
설정해두고(경비대와 같은 치안 무력), 동시에 부채질 하듯 경험치
획득을 걸어두다니.

초반에는 플레이어들이 정해진 세팅 위에서 놀기를 바라지만,
게임의 후반부로 가면 이들 스스로가 전략을 구사하고 세계관 내의
지도를 바꾸면서 마무리 하기를 바라는가 싶기도 하다.

실제로 현재 최선두를 달리고 있는 유저들 사이에서는 그런
짐작이 떠돌기도 하고 말이다.

게임 내에서 몬스터들을 통솔하는 '마왕魔王'의 직책이 있는데,
그게 어찌 보면 인류 국가의 왕이 될 수 있는 것처럼 플레이어가
그 자리에 앉을 수 있는 것도 같다는 이야기였다.

물론 그렇게 인류와의 대척점으로 서서 세계를 양분하는
시나리오가 아니라, 단순하게 각 국가의 수장이 된 뒤 대륙 통일을
위해서 일시에 일어날 수도 있는 법이었다.

어찌 되었든. 수동적으로 즐기라고 만들어둔 세계는 아니었다.
누구보다 수동적이 될 수 밖에 없게끔 서바이벌 시스템을 도입한

주제에 말이다.

초보자로서 겪는 무수한 위험을 이겨내고, 서바이벌로서의
긴장감과 부담감을 견딘 뒤, 게임 세상에서 쪼잔하게 놀지 말고
어떤 식으로든 배포 크게 한 번 놀아보라는 의미일까.

개발을 주도한 연구원들, 프로그래머들의 성격이 대충 그려진다.

제냐가 휘파람을 불며, 이런저런 생각들을 하며 걷고 있는 길이
다다르는 곳은 '세슈칸Seshukan'이라는 도시이자 지역이었다.

평화의 숲 옆 도시, 일명 피스처럼 거대한 성채로 둘러쌓인
대도시였고, 비교적 초보자 티는 벗어낸 이들이 모이고 있는
지역이었다.
그 도시를 중심으로 하는 일대가 '세슈칸'이었으며, 거대한
대륙의 역시 중부 지방에 속했다.

평화의 숲처럼 저레벨 몬스터나 현실에서 온순한 취급을 받는
야생 동물들이 아니라, 본격적인 맹수류와 괴수류 사이의 것들이
즐비하며 스킬 연마를 위해서 많은 이들이 오래도록 시간을 보내는
훈련 스팟 중 하나였다.

비교적 신규 유입 게이머들이 적은 온라인 내에서 다양한

사람들을 더 마주칠 수 있는 기회였다. 피스 내부는 대도시답게 사람들이 아주 많았지만, 그들은 피스를 거점으로 다양한 원거리에 원정을 다니는 유저들이었지 정작 초보는 그리 많지 않았다.

정말 초보들은 피스 옆 성벽 근처의 평야나 숲 초입에서 토끼나 노루를 잡는다. 얼마 지나지 않아서 그들도 또한 저레벨 구간에서 졸업을 하고 먼 곳으로 떠난다. 이런 초보자 존이 대륙 내 여러 곳에 형성되어 있는 걸 생각하면 요즈음에 필드에서 사람이 그리 많지 않았던 것도 이해할 수 있었다.

기본적으로는 솔로 플레이 지향이었지만, 다양한 전투와 경험을 게임 내에서 얻고 즐기기 위해서 연계 전투도 역시 해보고는 싶었다. 제냐 역시 경험치를 위해 초보자 존에서 얻을 수 있는 것들은 다 얻기도 했고.

황야에서 가장 강한 것은 지룡이었고, 그 외에는 보다 작은 몸집에 사냥에는 훨씬 적은 시간이 드는 몬스터들이 필드를 채우고 있었다. 처음부터 지룡을 사냥했던 제냐로서는 조금 심심한 감마저도 있었다.

***

13. 마라톤Marathon

발바닥에 닿는 지면의 감촉이 정갈하고 일정하다. 길바닥에 대고
하기에는 우스운 표현이었지만, 제냐는 그렇게 느낀다.

현대화가 전혀 이루어지지 않은 시대를 배경으로 하는, 중세 풍경의 세계에서 이토록 긴 야외 도로를 거대한 규모로 정비할 수 있다는 게 신기했다.

사실은 전혀 신기할 게 없고 그저 데이터 덩어리일 뿐이지만. 그것을 마치 현실의 것처럼 보여주는 사실성 높은 구현은 마치 잘 만들어진 마술이나 사기에 속는 사람의 심정처럼 생경한 기분이 든다.

약간의 이질감이라고 하는 게 더 정확할 것이다.

시대 배경과 어울리지 않는 건축물들의 존재가. 지구의 역사 가운데는 그런 일들이 없었고, 그것이 상식이었으니까.

대부분 그런 이상함에 대한 설명은 '초상력Supernatural Power'이라는 것으로 통친다. 정신 에너지와도 혼용되는 그것은 다양한 초상 기술의 근원이 되며, 이 게임 내 세계의 자연계에 어디에나 존재하는 신비한 미지의 에너지였다.

그것을 다루는 건 이 세상에서 나고 자란 NPC들, 그리고 게이머들의 캐릭터가 가진 정신력이다. 소수의 특출난 재능을 가진 자들이 그 에너지에 반응하여 움직일 수 있었고, 더 많은 양의 밀집된 정신 에너지와 교감하면서 능력을 키우게 된다.

NPC들과 달리 플레이어 캐릭터들은 처음 게임을 시작하는 레벨 1부터 정신력 계열의 스텟들을 가지고 시작한다. 일괄적으로 '10'에서 시작하며, 레벨 20에 다다르는 동안 능력치 10대를 벗어나기 위한 여정을 가는 게 초보자들의 일이었다.

능력치 증가는 서술했듯 훈련과 반복 행위를 통해 일어나는
일이었는데, 현실감을 추구한 나머지 훈련을 게을리 하면 능력치
증가의 속도 역시 느려진다. 또한 캐릭터를 생성하고 처음 증가를
하기 위해 훈련이 '습관'이 되어야 할 필요가 있었는데, 이 때문에
초반 성장에 다들 애를 먹고 게임에 적응하기 위해 고생을 하게
된다.

달리 말하면 꾸준하고, 잦은 텀으로 한 행위를 반복할 수록
능력치는 증가하고 아마 같은 시스템으로 운용이 될 스킬 역시
레벨이 오를 것이다.
이는 캐릭터가 행위를 할 시간을 말하며, 어떤 플레이어가
비련의 시나리오 내부에서 보낼 수 있는 플레이 타임은 총량이
적어도 한정이 되어 있다.
아무리 미치광이같은 게임 골수 분자라고 하더라도 현실이
24시간이니, 최저 생존을 위한 시간을 빼고 나머지 시간보다 더
오래도록 게임 캐릭터를 조종할 수는 없었다.

그러면 그 제한된 자원인 시간을 어떻게 분배해서 쓰느냐, 가
결국 게임 내 캐릭터들의 수준과 빌드(Build:롤플레잉 게임
따위에서 캐릭터 육성법의 여러 갈래와 종류를 뜻한다)를 결정하는
말이 된다.

초반부와 중반부의 행위가 종반부의 스킬을 정하고 전투법을 제한하듯 능력치 역시 한 명의 플레이어가 게임 내에서 올릴 수 있는 총량이 어느 정도 정해져 있었고, 무엇을 중점적으로 올릴 것인가가 전략적으로 계획되어야 했다.

하드한 술사 플레이어들의 경우에는 항상 발동 가능한 초상 스킬 몇 개 세트set를 만들어 두고 플레이 타임 중 내내 그것들을 사용해 MP를 소모하고 에너지를 조작하는 감을 익힌다.

순발력을 높여야 하는 흔히 말하는 부류로, 민첩직(궁사, 총사銃士, 그 외 다양한 도구를 다루는 전문직이나 장인 계통 직군들)의 경우에는 끊임없이 손아귀에 도구를 쥐고 시종일관 돌리거나 다루며 손 끝의 감각을 날카롭게 하기도 한다.

평범한 게임에 불과했고 취미 이상이 될 수 없는 물건이었지만 내부의 육성법들을 자세히 들여다보면 인생을 닮은 구석들이 있었다.

현실의 삶 역시 평생의 시간이라는 총량이 정해져 있었고, 결국 어느 정도 재능이라는 곱하기 계수가 있다 하더라도 어떤 분야에서 투자하는 시간은 굉장히 정직한 입력 값이다.

'재능'이라는 일견에 분석하기 어려운 변수는 만능이 아니었고, 누군가가 재능을 가지고 있으면 그와 경쟁하는 동종 업계의 타인들 역시 그만큼의 재능을 가지고 있을 확률이 높았다.

또한, 어떤 지점이 되면 노력이 계단식으로 성장하며 재능으로 일정 부분 대체되는 구간마저 생긴다. 유소년 기의 끊임없는 훈련과 교육이 10대 때의 그릇이 되고, 10대 때의 경험이 20대 때의 자산이 되는 것처럼.

물론 그런 류의 육성법과는 그다지 가깝잖은, 거리가 먼 양반들도 있었다. 최고의 VRMMO(가상현실 대규모 동시 접속자 온라인)게임은 개발진이 준비한 컨텐츠의 끝을 향해 아둥바둥 달려가지 않아도, 그 중간 과정을 즐기는 것만으로도 충분히 행운이라고 느낄만큼 누릴 요소들이 많았다.

지금의 제냐가 오래도록 제 발로 흙먼지를 마시며 벌판을 구경하고 여행길에 올라 있는 것처럼 말이다.

띠링,

하고 적적하고 또 여유로운 걸음걸이를 채우는 소리가 있었다.

[여, 뭐하십니까. 슬슬 초보자 존은 탈출하셨습니까. 마침 접속해 계시니까 보내봅니다. 아직도 피스나 그 인근이면 만나서 파티플 어떻습니까.]

시야를 채우는 반투명한 푸른 창이 갑자기 뜬다. 이런 식으로 메세지가 뜨는 것도, 몬스터 캐릭터가 근처에 있고 어그로가 끌려 있는 상황에서는 자동적으로 제어되는 인터페이스였다.

평소에도 물론 보기 싫다면 꺼둘 수 있는 기능이다.

반투명한 푸른 창은 그다지 큰 것은 아니었고, 시야 전면을 100이라고 했을때 그 중간에서 조금 상단에 가로로 길쭉한 네모 창이 뜨는 정도였다. 크기는 약 10에서 20정도. 텍스트 창 너머의 풍경도 금방 확인은 할 수 있었다.

또 시야를 텍스트 너머로 주시하고 초점을 멀리 맞추면 텍스트 창은 자동으로 투명도가 높아지며 흐려지게 되어 있다. 다시 텍스트가 떠 있는 거리로 초점을 맞추면 뚜렷해진다.

눈 앞 약 6, 70cm 정도 지점 허공에 뜨는 박스에 정갈한 글씨체로 텍스트가 적혀 있다. 대부분의 인터페이스는 푸른 색이었다. 어째서 그런지는 몰랐지만, 변경도 불가능했다. 이상한 대목에서 고집을 부리는 설정이었으나 플레이어들이 딱히 불만을 토하지는 않았다.

어딘지 인위적인 푸른 색은 약간은 옅었고, 또 그것을 채우는 인터페이스 창들, 박스들은 지극히 디지털적인 직선으로 구성되어 있어 게임 도중에 한 눈에 알아채기 쉬운 모습이었다.

그런 인터페이스들이 뜨고 작용을 할 때마다 게이머들은 이곳이 게임 속 가상현실이라는 것을 주기적으로 자각한다. 어지간히 잘 만들어 놓아야지, 이런 류의 게임성을 추구해두지 않으면 정말 최면에라도 빠지듯 현실의 삶을 도피하고 이 내부에서만 살아가려는 정신 상태의 유형이 들끓을 지도 몰랐다.

사람의 정신이라는 건 연약하고 잘 다루어야 하는 것이어서, 감기에 걸리듯 데미지를 입고 쇠약해진 상황에서는 다른 이의 말에 쉽게 끌려 가기도 하고 상황에 크게 영향을 받기도 한다.
뚜렷한 주관과 확신으로 바로 서 있을 때는 아니겠으나, 현대 사회를 살아가는 수많은 인파들이 제각기의 정신병을 조금씩은 앓고 있는 상황에서 그 정도의 배려는 컨텐츠 제작자로서 필요한 수준이었다.

물론 반대로 지극히 강해질 수도 있었다. 육신처럼 물리적 한계를 가지고 있는 면이 적어 정신은 사람의 믿음에 따라 세상에서 가장 강력한 게 될 수도 있었고, 어떤 시련이나 고비가 와도 버티어내는 힘을 가진 이들 또한 세상엔 여럿 있었다.

보통 그런 류를 위인이라는 이름으로 부르면서 본받기를 원한다. 세상에서는.

아무튼 제나는 눈 앞에 나타난 텍스트 박스에 반응해야 했다. 최첨단 그 이상의 기술력으로 만들어내는 판타지 세계였으나, 묘한 곳에서 재래식의 향기가 풍겼다.

　군이 파발로 편지를 전하는 것처럼, 원거리 대화를 텍스트 형태로 제한을 하고 그 양마저 그다지 많다고는 못할 것으로 만들어 두다니.

　한 번에 다량을 전달하지도 못하고 꼭 상대가 반응을 해야 다음 이야기를 건넬 수 있는 것마저 편지와 비슷했다.

　종이에 펜으로 글씨를 눌러 적고, 또 그것을 고이 싸서 배달원에게 전달을 하고, 한참 후에 답장을 받은 뒤 다시 그 답을 적고.

　사실 재래식을 향한 향수나 그 풍취는 사람들이 모두들 바라고 있는 것일 지도 모르겠다. 그 나름의 매력이나 합리성이 없었더라면, 분명히 거세게 반발을 다들 했을 텐데. 플레이어들이 모조리 모여서라도 말이다.

　그런다고 게임사가 꿈쩍이나 했을 지는 모르겠지만. 콧대 높고 또 비밀스러운 조직이었다. 시나리오 온라인을 만들고 서비스 하는 조직들은.

　아무튼 그런 향수로 인해서 만들어진 세계관이기도 했다. 많고 많은 시절들 중에서 하필 중세 즈음이 모티브인 점은. 완벽하게 발전하지도 못하고 지지부진한 제자리 걸음만을 반복하던 역사의 중간 지점이 그토록 많은 창작물들의 배경과 소재로 다루어지는 데는 이유가 있는 법이었다.

아무리 시간이 지나고 나이를 먹어도 늘 학창 시절을 다루는 이야기, 청춘을 다루는 컨텐츠가 각광을 받는 것처럼.

그 시절을 살아냈던 사람들은 모두 실패의 흔적들이 있었다. 그리고 그건 다른 좋은 말로 하면 열정이었다.
삶의 질감이 민낯에 선연하게 와닿았던 시기들. 뼈아픈 실패도 있고, 그로 인해 인생이 달라지기도 하고, 아무리 오랜 시간이 지나도 잊지 못할 기억들이 있는 시절들.

그런 시절을 대변하는 것이 컨텐츠로 양산되고는 하는 시대상들이었다.

그 시절들은 대부분 비극을 품고 있다. 무지로 인해, 그리고 저열한 비겁함이나 악인들의 득세, 온갖 분열과 혼란 속에서 죽어갔던 선조들의 이야기 말이다. 이미 지나가버렸지만 역사라는 것은 토대처럼 남아서 상관이 없을것 같은 현대의 사람들에게도 은연중에 의식 속 이야기로 남아버리고 만다.

동양 문명권의 이들은 왜인지 사극 분위기의 애달픈 가락만 나오면 괜히 뭉클한 게 있는 것처럼. 그 시대에 제대로 비호받지 못하고 쓸려나갔던 비극적인 인생들이 있음을 무의식중에 알기에 떠오르는 감정이며 공감이다.

결국 인생의 본질이 슬픔에 더 가깝다는 누군가의 말처럼. 그런 부족함과 비극과 실패의 흔적들은 아무 문제도 부족함도 없이 살아가는 듯 보이는 현대 사회의 인종들에게 근원적인 향수를 불러 일으킨다.

"흠."

제냐는 머리를 긁적이면서 텍스트 박스를 클릭했다. 걷고 있는 걸음은 멈추지 않는다. 인터페이스 창은 사용자의 움직임에 즉각적으로 반응한다. 약간 볼록하게 텍스트 창이 튀어나오며 풍선이나 어떤 물질이 그러듯 변할 것같은 외형이 되었고, 제냐가 한번 더 건드리자 이전의 문장이 지워지고 빈 창이 떴다.

텍스트 박스 내부에서 깜박거리는 커서는 컴퓨터 따위에서 문장을 입력할 때 나타나는 기호다. 이곳에 문장을 입력하시길 기다리고 있습니다, 란 뜻이다.

제냐가 입을 연다.

"지금 세슈칸 쪽으로 가고 있습니다. 초보자 존은 졸업할만큼 레벨이나 스텟도 됩니다. 안 그래도 솔플에 지겨웠던 참인데 잘 됐습니다. 2인 파티로 사냥이나 좀 해보죠. 어디에요 지금?"

한 번에 용건을 전해야 하다보니 두서없이 여러 질문과 대답들이 이어졌다. 제냐의 말과 동시에 텍스트 박스에 글씨가 적혔다. 텍스트 박스의 거리에 초점을 맞추며 제냐가 눈을 두 번 깜박거렸다.

텍스트가 전송되었고, 인터페이스 창이 시야에서 창문이 닫히듯 좁아지며 사라졌다.

휘이이이, 하고 멀리서부터 불어오는 바람이 모래 먼지를 실어다가 제냐의 근처에까지 와서 두고는 지나갔다. 사람들이 있을 만도 한데. 참 적적한 여행길이다.

그렇게 한 오분 여, 를 지나갔을까. 제냐는 뒤에서 소리를 감지했다.

다그닥, 다그닥. 하고 말이 뛰는 소리였다. 말발굽이 정비된 가도를 내달린다. 굳이 뒤를 쳐다보지는 않았다. 덜컹거리는 듯한 마차가 뒤에 매달려 있을 듯하다. 말발굽 소리의 박자를 들어보면 그렇게 느껴진다.

PK를 선호하는 범죄자 플레이어나 악한 성향을 지닌 NPC가 필드에서 습격을 한다고 하면, 굳이 마차를 끌고 다니지는 않을 것이다. 이렇게 다 들리도록 기척을 내면서 뒤로부터 천천히 접근을 하지도 않을 것이고. 미친듯한 속력을 내면서 멀리서부터 포위망을 좁혀 오는 마적떼의 모습으로 다가오겠지.

평야는 넓게 트인 공간이었고 플레이어는 그 공간에서 다양한 수단으로 상대방을 농락할 수 있는 반 초인이었다. 레벨과 스테이터스가 높아지면 온전한 초인이 된다.

제냐는 만에 하나의 경우를 대비해서 감각을 조금 곤두세우고 '보법' 스킬을 준비했으나 대부분의 경우의 수가 평이한 전개로 이어지리라고 예측했다.

다행히 높은 확률이 안정적으로 작용을 했고 얼마 지나지 않아 이두 마차가 그의 곁을 지나간다. 앞을 바라보고 걷던 제냐가 흘끗 옆을 보았다.

두다다다, 하고 달려가는 듯한 소음을 내면서 그리 고급스럽지는 않은 마차가 덜컹거리며 지나갔다. 다양한 기술들이 발전한 게임 내에서 저처럼 안정감이 없는 목제 마차라면 어지간히 자린고비 스타일로 플레이를 하는 유저거나, 혹은 일반 양민층을 형성하는 NPC의 지나감일 테다.

투레질을 하면서 그리 빠르지 않은 박자로 달려가는 두 마리의 흑마는 갈색 갈기를 휘날리며 근육을 자랑했다. 마차는 한 네 명 정도가 내부에 타면 금세 자리가 찰 것 같은 작은 크기였는데, 창문이 하나 나 있었다.

그 작은 창 하나로 빼꼼히 고개를 든 인형이 하나 있었다. 자연스레 그쪽까지 흘긋 눈길이 가서 바라보자 제냐의 눈에는 그야말로 인형처럼 생긴 소녀가 하나 잡혔다.

고불고불한 블론드 헤어를 길게 늘어뜨리고 땡그란 눈동자를 불을 켠 듯 반짝이며 제냐를 바라보았다. 순간 파악하기로, 입고있는 행색의 옷의 재질이 그다지 고급스럽지 않은 걸 보아하니 외견과는 달리 신분은 별로 높지 않은 모양이었다. 재력도 없는 듯했고.

별 것 아닌 이벤트였다. 가도를 사용하는 것은 플레이어 뿐만이 아니다. 오늘 세슈칸으로 향하는 길목, 그리고 제냐가 걷는 지점들은 왜인지 한적했지만. 이렇게 스쳐 지나가는 인적이 아무 때고 있는 게 훨씬 자연스럽다.

마부석에는 신체 건장한 청년 하나가 고삐를 쥐고 말들을 몰고 있었다. "이랴." 이미 앞으로 지나가버려 얼굴은 제대로 보지도 못한 남자가 목소리를 냈고, 그와 함께 말들이 속도를 더 내며 빠르게 지나친다.

마차 내부에 사람이 몇 더 있었던 것 같았다. 고개를 내놓은 채 시선을 마주치는 꼬맹이 탓에 파악은 못했다. 제냐는 금세 지나가는 인물들에 신경을 끄고 본인의 걸음에 집중했다.

띠링.

하고 다시 알람이 오며 텍스트 창이 그의 시야에 나타난다.

[잘 됐네요. 오면 파티나 맺죠. 아직까지 솔플만 하십니까? 중형 몬스터 이상부터는 혼자 딜이 안 나올텐데. 그 동안 새로 익힌 스킬들도 보여드리고. 저보다 못하다면 쩔도 좀 해드리겠습니다.]

텍스트 창의 메세지였다.
제냐는 그것을 읽으면서도 걸음을 멈추지는 않았다. 황무지의 햇볕이 따사롭다 못해 따가웁다. 먼지 섞인 바람과 주황빛의 시계는 변함이 없다.
그런 제냐 킴의 옆으로 마차는 좀 더 빠르게 다 지나가고 있었다. 마차의 후면이 그를 스쳤고 또 멀어진다. 마차의 바퀴그 덜컹거리며 말들이 발을 구르자 일어나는 자욱한 흙먼지에 고개를 돌리며 제냐가 아까와 같은 방법으로 중얼거렸다.

텍스트 창이 전환되며 그의 음성대로 문자가 적혀나갔다.

["ㅋ(키읔이라고 읽어서 적는다). 알겠습니다. 제가 좀 더 세면 쩔도 해드리죠. 클래스는 여전히 도끼 근접 전사이신겁니까? 황야 지룡까지는 무슨 형인지 몰라도 혼자 잡을 순 있던데요."]

마차가 덜그덕거리면서 그 엉덩이를 제냐에게 보이며 점차 작아졌다. 그의 걸음에 비한다면 아주 빨랐다. 어쨌거나 말이 모는 물건이었으니 말이다. 두 마리의 흑마는 이제 그 희미한 옆모습이나 다리의 움직임만 보일 뿐이다.

먼지도 차차 가라앉는다. 고요한 황야의 가도를 터벅이는데 다시 텍스트의 회신이 왔다.

[크캬카칵(메시지 창을 띄우고 웃으면 의성어가 적힌다). 쩌는데요. 자신감 보게. 황야 지룡이요? 그걸 혼자 잡았다고? 뭘 하고 돌아다니시는 겁니까. 한 마리랑 술래잡기 하면서 하루종일 걸릴텐데? 아니 뭐… 알겠습니다. 와서 얼굴 보시죠. 세슈칸 27번가 '푸른 단발 소녀'라는 목조 여관집에 있겠습니다. 연락주세요.]

세슈칸은 대도시였다. 평화의 숲 옆 도시Peace보다도 조금 크다. 피스 역시 어지간한 대도시였으나, 세슈칸은 이곳 저곳으로 뻗어나가는 다양한 지방의 길목에 위치하기도 했다. 여러 지방이란 게임 플레이어들의 입장에서 보면 다양한 구간의 레벨링(레벨을 높이는 일, 시나리오 온라인에서 주로 괴물 사냥)이 가능한

318

사냥터로의 길목이었다.

중급자라고 불리는, 3-40의 레벨을 지나간 플레이어들부터 그 이상의 고레벨 플레이어들까지 혼재해 있었다.

곧 피스에서는 비련의 시나리오의 진가를 보지 못했다고 할 수도 있었다. 대규모 온라인 게임의 즐거움이라는 건 결국 수 많은 인파와 함께 즐기는 게임 플레이의 묘미와 분위기였는데, 피스보다는 세슈칸이 그런 것들을 느끼기에 적당하다.

서로 상관하지 않고 기초 레벨 올리기에 급급한 뉴비들과 돌아서 그곳에 정착한 고레벨 플레이어들 사이에는 이렇다 할 접점 따위가 전혀 없었고, 그곳에서 제냐처럼 홀로 돌아다니는 이라면 정말 말 몇 마디 섞을 새도 없는 것이다.

조금 더 다양하고 일반적으로 터져 나오는 NPC들의 퀘스트와 각종 이벤트들, 파티 플레이를 요구하는 중형급 이상의 몬스터들의 토벌.

중레벨 이상의 플레이어들이 일구어 놓은 각자의 컨텐츠들이 모여 있는 장소였다.

슬슬 정말 비련의 시나리오 온라인의 플레이를 맛보는 지점이라고 해도 좋았다. NPC들의 입장에서 보면 다를 수 있겠으나, 유저들의 시점으로는 충분히 보다 번화지인 곳이었다.

비련의 시나리오는 극한의 자율성과 자유도를 추구하는 게임이었고, 플레이어 캐릭터들의 행동은 그대로 게임 개발사가 설정해 놓은 게임 내부, NPC들의 역사에 편재되어간다.

플레이어 캐릭터들이 메인 스트림이라 할 수 있는 거대한 시나리오의 물줄기에 전혀 관여하지 않았을 때 흘러가는 자연스럽고 또 정해진 이야기가 있었고, 그것이 플레이어들의 행동으로 인해 조금씩 개편되어가는 과정인 것이다.

비련의 시나리오 온라인이라는 게임의 컨텐츠는 말이다.

플레이어의 행동은 추가적인 컨텐츠를 만들어낼 수도 있었고, 원래 있던 오브젝트를 파괴하고 없앨 수도 있었다. 그로 인해 수많은 퀘스트들이 동시에 사라지기도 하고 변형되기도 한다.

그런 수많은 난수에 의한 작태를 끊임없이 계산하고 버그가 없이, 개발진들이 미리 정해둔 거대한 주제를 염두에 두며 이끌어나가는 것이 비련의 시나리오를 운영하는 초인공지능의 역할이었다.

비련의 시나리오라는 거대한 게임, 데이터들의 난변수를 종합하고 유지보수하는 일은 사람의 손으로 이루어지고 있지

않았다. 개발진들의 손과 머리는 어디까지나 전체 방향을 설정하고
주요한 지점들을 확정짓는 일이었다.

세부적인 일손은 인공지능이 알아서 돌리게 된다.

비련의 시나리오를 개발한 태Tae라는 회사의 천재들은 결국
그것을 만들어낸 인간들이었다.

이전 어느 기술자들과 과학자들도 개발해내지 못한 성능의
초인공지능 머신을 말이다.

그 능력과 기계의 가능성을 인정받아 세계 유수의 거대 기업들의
지원을 받으며 실행시킨 성능 실험 프로젝트가, 비련의 시나리오
온라인이라는 물건이었고.

물론 세간에 알려져 있는 정보는 아니었다. 태는 물론이고
그들이 만든 기술과 그 운용 역시 철저히 베일에 가려져 있었다.

플레이어들은 그저, 어느 괴물같은 천재 집단이 이딴 말도
안되는 성능의 프로그램을 완성시켰구나 여기며 감탄하고 즐길
뿐이었다.

이미 약소하지만, 제냐 킴이라는 캐릭터가 시나리오 온라인에
생성되어 플레이 했던 몇 가지 행동과 선택들에 의해서 전체에
어떤 영향이 갔을지도 모르는 일이다.

몇 개의 퀘스트가 사라졌거나, 변형되었거나, 생성되었을 지도.

단순히 그가 있었던 피스 시에서의 일 말고 그 주변까지 영향을 미쳤을 지도 모른다.

견고하게 짜여진 퍼즐형 구조는 작은 돌 하나만 밀어 옮겨도 밀려난 부속이 다른 것들의 위치를 바꿀 테니까.

어쨌든 그런 점에서 세슈칸은 다양한 변형이 이루어지고 있는 커다란 퍼즐판이었다.

퀘스트 도중에 퀘스트를 이루고 있는 부속품이 밀려나 도중에 변형될 수도 있었고 말이다. NPC와 다양한 오브젝트를 사이에 둔 유저 간의 상호 작용은 시나리오 내에서 가장 재미있는 부분이기도 했다.

치열하고 치밀한 롤 플레잉 게임. 역할극의 본래 의미가 그런 것이었으니 말이다. 한 가지 설정과 사건을 두고 한 쪽의 플레이어는 예컨데 '공격'을 맡을 수 있고, 다른 쪽은 '수비'를 맡아서 거대한 시나리오 온라인 내에 소규모 게임이 벌어질 수도 있었다.

단순하게 어떤 요인의 호위 임무를 맡은 플레이어와 요인의 암살과 습격 임무를 맡은 이들끼리 마주치는 경우라거나, 말이다.

"재미있겠구만."

322

제냐는 이런저런 생각을 하며 걸었다. 등에는 비스트 슬레이어가 비스듬하게 걸려 있었다. 허리 춤에는 크로스 보우가 움직임을 방해하지 않게 뒤쪽으로 잘 매어져 있다.

차림새는 먼 길을 떠나는 여행자가 으레 그러하듯, 펑퍼짐한 황토색 로브 따위를 대충 걸쳤다. 무구들은 로브의 바깥에 벨트나 노끈을 이용해 고정해두었다.

한동안 마차가 지나가고 나서는 플레이어도, NPC도 지나지 않았다. 많은 이들이 플레이하고 있는 게임 내의 대륙이었으나 지나치게 방대한 원 맵One-map은 이렇게 한적한 구간들이 종종 있었다.

제냐는 떠가는 구름이나, 날아가는 새나, 황야였다 평야였다, 바뀌는 경치를 구경하며 부지런히 걸었다.
걷기도 하고 보법이나 뛰기 스킬을 연마하기도 하면서.
체력이 점차 붙어가는 초인적인 캐릭터는 그리 오랜 시간이 지나지 않아 세슈칸에 도착할 수 있었다.

리얼 타임으로 따지면 이틀 정도가 걸렸고, 접속해서 실제 걸은 시간을 따진다면 반나절은 걸린 듯했다.

마지막에는 거진 마라토너처럼 뛰기만 했고, 그러고 나니 지구력, 근력, 순발력이 골고루 조금씩 올라 있었다. 뛰기의 변형인 '마라톤-장거리 달리기' 스킬이 생겨나기도 했다.

***

발바닥에 딛는 감촉은 선명하다.

제냐는 뛰는 걸 좋아했다.

운동은 좋아하는 편이었다. 농구도 괜찮고. 축구는 별로 못했지만. 아무래도 하체 부실같은 느낌이 조금 있었다.
뭐, 변명인지도 몰랐지만.

어쨌든 뛰는 것 자체는 나쁘지 않다. 적당한 리듬감으로 흔들리는 상체의 운동이나 팔다리의 조화, 그리고 내뻗으며 나아가는 몸의 감각같은 것 말이다.
바람이 도와준다면, 조금 더 좋은 경치나 촉감을 누리면서 갈 수 있었다.

하체를 움직이며 오래도록 뛰고 있다보면 잡다한 생각들이 사라지게 된다. 턱끝까지, 숨이 벅차서 아무 생각도 하지 못하게 될 때 즈음 거기서 더 뛰어야 했다.

호흡은 안정되고, 감정마저 토해져 나오는 것 같다.

땀과 함께 머릿속에 있었던 복잡하고 쓸 데 없는 생각들이
말이다.

다만 초인적이라는 말에 가까워지고 있는 캐릭터의 기능은
쉽사리 떨어지지 않았다. 제냐 킴이 아니라 김서원의 것이었다면
이미 옛저녁에 지쳐서 나가떨어졌겠지만.

김서원의 경험으로는 어느 정도 가쁜 숨이 올라오고 호흡기나
들썩이는 어깨 부근이 제어가 안 될만큼 이미 뛰었건만. 그럼에도
제냐 킴의 호흡은 그렇게 불안해지지 않았다.

적당한 리듬감은 견고하다는 느낌마저 받는다.

스킬로써 있는 '보법'의 영향일 지도 몰랐다.

뛰기, 나 이후에 생겼던 장거리 달리기, 마라톤 스킬의 보조일
지도 몰랐고.

어쨌거나 제냐 킴은 절대적이라고 느껴지는 리듬감의 지배
속에서 계속해서 달렸다. 플레이어는 자신이 걷는 거리를 알 수
있었다. 비련의 시나리오는 적당한 게임 인터페이스와 불친절한
게임성으로 인한 현실감의 밸런스를 잘 맞추는 프로그램이다.

대륙 전도 따위를 실시간으로 알 수는 없었지만, 적어도 목표로

설정한 지역의 방향과 내가 출발한 곳의 위치는 알 수 있었다.

그리고 사용자가 의도한다면 최초에 시작지에서 얼만큼 이동했는지를 알 수 있다.

이 시작지는 따로 정해진 것은 아니었고, '맵' 기능으로 목표지를 설정할 때 보통 초기화된다. 초기화하지 않고 주욱 이어가며 계속 재는 자들도 있었다.

재설정도 그다지 어렵지 않고 이어가는 일도 별로 어려운 기능은 아니었다. 다른 인터페이스가 그렇듯, 캐릭터의 신체 어딘가를 가볍게 두드리거나 움직이는 것만으로도 조작이 가능하다.

대략적인 수치로 확인도 가능했고, CM나 MM의 단위로도 볼 수 있었다.

캐릭터는 다른 신체 능력이 그러하듯 정확한 감각 기관들을 갖고 있었지만 전투 시에 이 거리계를 이용해서 공방에서의 거리감을 잡는 플레이어들도 있었다.

어깨선이 위 아래로 오르락내리락, 흔들리며 뛰고 있는 제냐의 부지런한 몸이 있었다.

그는 황야의 가도를 달린다.

보법, 뛰기, 마라톤 스킬이 복합적으로 작용되고 있었다.

보법이라는 건 복싱에서의 풋워크와도 비슷한 것이었다. 먼 거리까지 뛰어가는 이동에도 적용이 되지만 사실 주로 사용하는 건 전투 시의 거리 재기와 방향 잡기이다. 상대의 공격에 재빠르게 대응하고 몸을 움직여 회피하고, 상대의 빈틈으로 파고들어 공격할 수 있도록.
장거리를 뛰는 지구력보다는 순발력 위주의 기술이다.

다만 그런 순발력도 종류는 다르나 결국 근육의 작용이고, 큰 테두리 안에서 본다면 체력의 일부이니 여하간 영향을 미치는 것은 확실했다.
적어도 뛸 때의 올바른 자세 교정 정도에는 도움을 주고 있다.

'뛰기' 스킬은 다른 기본 스킬들과 마찬가지의 물건이었고, 캐릭터가 조금 더 재능이 넘치는 인간이 될 수 있도록 돕는다. 단순한 동작에 걸리는 보정과 스킬이었으나 이런 류를 갈고 닦아 레벨을 높여 놓으면, 그건 결국 일류 이상의 운동선수가 고련으로 얻는 완벽한 자세와 감각을 보정으로 받게 된다.
이런 사소한 게임 내의 보정을 여러 개 중첩으로 가지게 된다면, 그는 결국 운동선수 그 이상의 초인적인 힘을 보이는 캐릭터의 몸을 완벽한 운동신경으로 제어할 수 있게끔 발전하는 것이다.

비련의 시나리오는 운동 선수들에게 유리한 면이 조금 있었다.
현실에서 뛰어난 운동 신경을 보유한 자라면, 게임 내에서도
유사하게 움직이는 그 물리법칙 내의 운동성을 더 빠르게 파악하곤
한다.

그런 이들은 더 쉽게 많은 스킬을 익히게 되고, 초반부에서는 더
많은 경험치를 획득하며 기초 스킬의 레벨 업도 역시 더 빠르게 할
수 있었다.

중반부 이상을 넘어가면 게임의 난이도를 위해서인지,
어지간해서는 쉽게 올릴 수 없게 설정되어 있다.

스킬과 관련없이 플레이어가 현실에서 갖고 있는 감각이
둔화되는 건 아니었지만, 스킬 레벨이 그것을 따라잡기 위해서는
다소의 시간이 걸리게 된다.

정직하리만치 부과되어 있는 '노동량'을 맞추어야만 경험치가 다
차는 것이다.

거기다 스킬 레벨의 종반부로 가면, 기본적인 스킬이라 할
지라도 현실에서의 운동 선수 그 이상의 움직임을 표현하는 쪽으로
발전한다.

기본적으로 초인의 움직임을 상정한 동작과 자세 보정들이기에
현실에서 아무리 운동 신경이 좋다고 하더라도, '게임적'인 적용에
어느 정도 한계와 차이 정도는 있는 것이다.

관성을 이해하고 빠르게 달리다 멈추는 동작을 잘 하는 운동 선수가 있다고 할 때, 아무리 그래도 그가 음속으로 날았다가 순식간에 멈출 때의 인간의 몸이 어떤 자세를 취해야 하는 지는 잘 연구하지 않을 테니까 말이다.

제대로 힘을 받게 하기 위해서, 불가능하지만 그게 더 자연스럽지 않나, 싶은 과장성을 게임의 스킬들은 보정으로 표현한다.

검을 아무리 과장스러운 자세로 크게 휘둘러도 인간의 검술로 광범위한 거리를 일참에 베어내는 게 불가능하지만, 적어도 그 결과값에 맞는 최소한의 개연성을 위해 부자연스러울 정도로 큰 궤도로 검을 휘두른다던가, 하는 뭐 그런 보정들이다.

그 스킬들을 짜서 내어 놓는 건 결국 하나의 AI이기에, 마치 한 명의 감독이 여러 재료를 써서 조화로운 그림을 만들어내는 것처럼 여러 보정들이 합쳐지면 하나의 완성된 초인의 전투가 나타난다.

실제로는 별다른 운동 재능이 없는 이라도 충분히 게임을 깊이감 있게 즐길 수 있게끔 만들어진 것이다.

"후, 후."

웃는 것은 아니었다.

제냐 킴은 일정한 리듬감으로 숨을 뱉어냈다.

콧김과 입에서 이산화탄소가 같이 뱉어져 나왔다.

의도적으로 어느 정도 숨을 쉬고 있었다.

황야의 가도 위에서의 질주다. 말도, 자동차도 없이 그저 두 발로
달음박질 하는 꼴이었지만 초라한 느낌은 없었다. 도리어 바람을
더 잘 느낄 수 있기에 선명한 경험으로 와닿는다.
황야였다가, 목초지가 펼쳐진 평야였다가, 다시 황야 지대로
들어온 그의 세슈칸 가는 길 마라톤이다.
사위는 약간 어둑한 톤으로 배경이 칠해져 있었는데, 시간이
깨나 지난 탓이다.

어느새 오후의 낮이었던 하늘에 해가 저물고 밤이 찾아오는
중이다.

어둑하게 또 짙게 내려앉은 늦저녁의 황혼이 주변을 장식했다.

제냐는 그 경험이 선연한 것이라고 생각했다.

정신없이, 또는 열정없이 살아가다 보면 간혹 현실에서도 이런
분명한 감각을 느끼지 못할 때가 대부분이었다.

그저 흘러가는 듯 살고,

제대로 힘을 주어 인생의 방점을 찍지 않아 그럴싸한 쉼표조차
없이 물에 물탄듯 흘러가는 생활이 반복되다 보면 그렇다.
육신의 짐인지 마음의 짐인지 모를 것들을 등에 이고 굼벵이처럼
살아가던 삶.

게임에서 이런 선연한 감각과 현실성을 체감한다는 게 우스운
아이러니였지만.

게임을 플레이 하는 이 시간에도 '제냐 킴'은 그 너머의
김서원으로서 실존하고 있다.

김서원이 있기에 게임을 플레이하는 제냐 킴도 있고, 그의
사고가 또한 뚜렷하게 게임 그래픽과 오감 체현 프로그램 너머의
현실을 인지하고 있었다.

그렇다면 잠시 눈을 가려 게임 속을 헤매고 있다고 하더라도
그는 현실을 살며 현실의 김서원이 플레이 하는 한 순간인 것이다.

그렇다면, 그가 느끼는 현실성과 약간의 씁쓰레한 서글픔도 모두
지독하게 현실의 것이고 또 진짜였다.

게임을 하고,

놀이를 하고 있다고 하더라도 정말로 현실에서 누군가 로그아웃 하는 건 아니었으니까 말이다.

놀이를 한다고 모두 가벼운 삶을 사는 건 아니었다.

때로는 정상적으로는 도저히 잊을 수가 없는 현실의 짐에 대한 반대 작용으로 억지로 게임을 하면서, 혹은 웃긴 코미디 따위를 보면서 인위적으로라도 웃고 또 가벼운 마음을 가져보려는 게 으레 있는 일이다.

요란한 삶을 살았던 이는 조용한 음악을 찾을 것이고, 지나치게 조용하고 평이한 삶만을 타의로 살아온 이는 요란한 음악을 찾을 테다.

웃을 일이 자연스럽게는 많이 없었던 인생을 사는 자는 코미디나, 가벼운 게임 따위를 찾을 것이고.

어떤 행동과 그 기저에 깔린 정서의 본질은 정반대일 때가 많았다.

사람은 누구나 균형을 맞추기 원한다.

늘 그렇다는 건 아니지만, 편향된 경험을 하는 이들은 반대의 것을 얻기 위해 애를 쓰기도 하는 것이다.

사람은 누구나 안정감을 원하니까.

그런 면에서 제냐가 게임을 하는 것도, 비슷한 논리에서 설명되는 이야기일 수 있다.

무료하고 단조로운 일상에 변화를 추구하기 위해서 이런 취미를 가지는 것이다.
제냐의 정신이나 감각은 시뮬레이터의 작용으로 게임 내를 활보하고 있지만 김서원의 몸은 여전히 원룸 방 안 침구형 기계 내부에 있었다.
그런 점에서 보자면 얼척없는 취미일 지 몰랐지만.

감각이나 정신도 역시 삶에 있어서 아주 큰 작용을 하는 건 분명하다.

"헉, 헉."

숨이 조금 차올랐다.

제냐는 끊임없이 달렸다. 갈 길은 아직도 충분히 남아 있었다. 더 달릴 길이 있었다. 비록 게임 내에서였지만 운동하는 감각은 소름

돌을 정도로 똑같았다.

초인적인 신체도 계속해서 과부하를 걸어대니 조금쯤 반응이
오고 있었다. 10을 장정의 체력이라고 했을 때, 20은 그 두 배였다.
말로 하는 것이 두 배이지, 세세하게 살펴본다면 그 이상의
잠력을 품는 수치이다. 신체 각 부위에 있는 다양한 근육들 중에는
파워를 크게 끌어올릴 수 있는 곳도 있고, 아무리 운동을 해도
힘의 증가치가 적은 부위도 있을 테다.
그런 부분들까지 모조리 두 배가 되고 또 스킬 시스템의 보조로
운동 신경까지 일류의 것을 모방한다면 실제 수행 기능은 두 배
이상이 될 수도 있었다.

제냐의 물리계 스탯들은 20을 넘었다.

이렇게 운동을 하는 와중에 스탯이 증가한다고 하더라도 곧바로
그것이 적용이 되지는 않지만(증가 스탯이 실제 캐릭터에
적용되려면 충분한 휴식이 필요하다. 전투 외의)중간중간 스탯 창을
열어보았는데 약간씩 숫자가 오르는 것을 확인했다.

스탯이 오를 정도의 강도라면 캐릭터가 상당히 고되다고 느낄
수준이라는 말이었다.
각종 통감에 대해서는 둔한 시나리오 온라인 내의 캐릭터
신체이지만 그렇게 한계점에 대해서 파악하는 법이 또 있었다.

노을과 함께 타들어가듯 적색으로 물들어버린 황야는 조금 더 시간이 지나면서 어두워졌다.

노을 다음의 어둔 그림자가 장막처럼 평야를 덮어간다. 세세한 감각이 실제 황무지를 뛰어 다니는 것처럼 텁텁한 공기나 그에 섞인 모래 먼지의 질감들을 표현하지만 잘 느껴지지 않게 된 지가 오래였다.
한 가지에 집중하다 보면 사소한 감각들은 잊어버리곤 하는 것이 운동의 원리였다. 집중력의 원리였고.

시나리오 온라인은 실제 사람의 감각과 정신에 연동하는 것이기에 그런 작용들마저 구현을 해낸다.

육체적인 트레이닝 역시 정신에 따른 근육반사로 약간의 효과는 이룰 수 있었고, 정신력을 끌어올리기 위한 수단으로 시나리오 온라인은 아주 쓸만한 녀석이었다.

공부를 하는 학생들도 가끔 해볼만은 했다. 자신이 컨트롤할 수 있는 범위 내에서, 시간을 지킬 수 있다면 말이다.

그리고 또 어떤 면에서 비련의 시나리오는 중독성이 조금 적은 게임이기도 했다. 가만히 느껴보면 무서울 정도의 현실성은 싫든

좋든 몸과 함께 두고 온 현실을 떠올리게 만들었다.

너무나도 선연한 감각과 갖가지 게임성들, 드라마틱한 판타지 세상의 연출들은 오히려 묘한 이질감을 형성하면서 사람의 정신을 깨우는 것이다.

여기는 네 본향이 아니다, 라고 말이다.

코에 들어오는 바람. 내뱉어지는 숨과 입가의 마른 땀과 소금기. 흘러내리는 이마 부근의 땀이나 맞바람의 세기에 따른 차가움.

노면 상태를 그대로 느낄 수 있는 가죽신의 밑창 촉감.

해가 지면서 주위의 기온이 내려가고, 기후에 따라서 하늘의 모양이 바뀌는 것. 때때로 비가 오기도 하고, 해가 쨍쨍하기도 한 것.

그런 묘한 이질감이 든다. 그것은 지독하게 현실적이었으나 비현실적이었다. 김서원이 여기서, 이렇게 마라톤을 할 수 있을리가 있지 않은가.

무려 반나절에 가까운 시간 동안 쉬지 않고 뛰어댄다는 건. 그것도 천천한 속도나 페이스로 이어지는 뜀이 아니었다.

김서원이었다면 분명 질주에 가까운 속력이었다.

등에 멘 비스트 슬레이어나, 가죽 옷과 그 위에 걸친 갑옷의

거슬림. 온 몸에서 둔중하게 느껴지는 여러가지 모험용 장구류들의
무게감과 그것들이 부딪히면서 나는 소음들.

그는 중세 시대의 초인적인 모험가가 아니었고 현대를 살아가는
평범한 대학생이었다.
운동은 좋아했지만 선수 급의 플레이를 해본 적은 조금도
없었고. 그의 현실은 그저 대학교 과제를 일일이 맞추어 제출하고,
도서관에서 공부를 하고, 적당히 끼니를 때우고 또 다시 등교를
하는 것이었다.

그 안에서 친구를 만나기도 하고. 또 먼 곳에 사는 지인이나
친구, 가족과 가끔 연락을 하기도 하면서 말이다.

아무리 시간이 흘러도 세상에 갑작스럽게 괴물이 등장하지도
않을 것이고 말이다.
과거에 사멸했던 공룡이 갑자기 나타날 일도 없었다. 쥬라직
파크의 내용처럼.
정확히 말하면 현대의 과학 기술력은 가능성이 있다고 하는데
생명 윤리적인 이유로 시도를 하지 않는다고 했다.
어떤 부작용이 있을 지도 몰랐고.

말도 없이 그리 오래 뛰었다.

사위가 별과 달빛 말고는 깜깜해진 뒤에도 한참이나. 다행히 캐릭터는 밤 눈 역시 밝았다.

현실에 비유하자면 오지에서의 극한 상황 이상도 이하도 아닌 여정을 계속해서 반복해야 하는 캐릭터의 사정 상, 그런 기능들이 모자라서는 안될 테였다.

일부러 하드 모드를 즐기기 위한 유저들이 아니라면, 평균적으로는 평범 이상의 건강함이 플레이어 캐릭터의 최소한의 요구 조건일 것이다.

그리고 또 그렇게 계속해서 있다 보면, '밤 눈'같은 스킬 또한 생긴다.

제냐는 계속해서 마라톤을 하다가, 한 시간 여 뒤에 주변이 조금 더 밝아지는 것을 경험했다.

굳이 스킬 창을 켜서 확인해보지는 않았으나 어두운 가운데 시력을 집중하며 길을 따라 달리면서 야간 시야를 위한 스킬이 생겨난 모양이었다.

정확히 기억은 나지 않지만 아마 '부엉이의 눈'인가 뭐 그딴 이름이었던 게 희미하게 남아 있었다. 틀릴 수도 있었다.

별다른 특이 조건이 없다면 가장 빠르고 또 쉽게 얻는 야시경 스킬이었고 마스터 이상이 된다면 정말 부엉이처럼 선명한 야간 시야를 얻는다고 들었다.

"우아아아아!"

제냐는 밤의, 인적도 없는 평야를 달리다가 문득 소리를 질렀다.
그냥 그러고 싶었다.
때때로 이상한 일을 하고 싶은 충동은 현대인이라면 누구나
가지고 있다.
그럴 수 없거나, 혹은 그럴 수 없다는 생각에 사로잡혀서 굳이
하지 않을 뿐이다.

거세된 열정은 다양한 행동을 막게 마련이었고. 너무 오래
놔두어서 다 식어버린 열정의 쇠는 마음에 응어리처럼 남아서
젊은이를 괴롭게 한다.

김서원이라고 다르지는 않았다.
마땅히 소리 지를 곳을 찾기도 뭐했기에, 그냥 제냐 킴으로서
지른 것이었다.
메아리도 없는 평야에서 소리를 지르고, 숨을 내쉬고, 바람을
맞으며 그렇게 한참 달렸다.

*

14. 멧돼지

오크Ork에는 종류가 많았다.

서양, 유럽권의 설화에 나타나는 악마의 일종이 모티브가 된
가상의 생물의 이름이었다. 20세기에 쓰여진, 이후로 정립된 수많은
판타지 세계관의 토대가 된 톨킨의 판타지 소설에 등장한다.
J.R.R.톨킨이 만들었고, 그의 작품 내에서는 악의 축으로
등장하는 거대한 악마적 보스의 휘하에서 일하는 병사들로
나타났다.

그런 문화적 자양분이 뿌려진 이후에 자라나 판타지스런
장르물들을 만들어낸 이들에 의해서 무수하게 많이 되씹히며
사용되고 또 변형된 무언가이기도 하다.

가상의 종족으로 설정된 저 생물은 때론 이성이 없는 몬스터로
나오기도 하고, 때론 커뮤니케이션이 가능한 인류의 다른 면으로
나오기도 하며 어쨌든 판타지 창작물의 소재로서 많이 다루어졌다.

비련의 시나리오에서 차용되어 설정된 '오크Ork'는 이성이 없는
괴물로서의 오크였다. 그 근원이 인간이 아닌 초월적인 악마적

존재라는 점을 상기한다면 적절한 비유이긴 하다.

시나리오 온라인에서 적대적 존재들은 대부분 괴물이었으며,
그것들은 세계관 내에서 영혼을 가지지 못한다.
이지가 없는 자연물이며, 본능적 정신과 감각 정도만을 가지고
있었다.

물론 고도의 지능을 가진 짐승들은 똑똑하게 굴며 테이밍 역시
가능은 하지만. 인류로서의 격을 그들에게 부여하지는 않았다.

간혹 다른 형태의 인류로서 등장하는 다양한 종족들이 있었다.
황인종이나, 흑인종과 같이 인류 중 차이점을 가졌다는 논리였다.
물론 현실의 자연계에서는 설명될 수 없는 기이한 변화와
특징들이 많았지만, '판타지 세상'을 그려내고 있으며
본질적으로 현실이 아닌 어떤 비유의 세상이라는 점에서
용인된다.

엘프, 블러디 레드 포레스티안. 하이 오크. 씨 피플, 윙 헤버,
드워프, 인간.
그 외에도 '역할극'이라 할 수 있는 롤플레잉 내에서 다양한
시나리오의 배우를 체험할 수 있도록 조성된 여러
플레이어블playable 종족들이 있었다.

게임 외적으로 커뮤니티에서 유저들이 파악한 정보들을 보면 알 수 있는 종족의 가짓수만 열 세 가지였다.

공개적으로 드러난 공략 자료 외의 플레이어블 종족이 몇 개가 더 있을 지는 알 수 없었다.

어느 날 갑작스럽게 마주할 지도 몰랐다. 본질적으로 비련의 시나리오에 드러나는 다양한 이종족들은 인간의 변형이었고, 그 이상은 아니었다.

뭐 어쨌든, '하이 오크'라고 따로 분류되어 있는 플레이어블 종족이 아닌 일반적인 오크들은 모두 몬스터의 일종이었다.

인류의 이야기라고 할 수 있는 비련의 시나리오 내부에서 플레이어블이 아닌 NPC들은 주체적으로 퀘스트를 주지는 않았다. 일반적으로는.

퀘스트의 조건이나 상황으로서 기능할 수는 있었지만 말이다.

예컨데 '오크 열 마리를 성공적으로 사냥하시오'의 조건으로서 말이다.

그 객체로서의 오크들은 피부색이나 크기 따위로 갈리는 다양한 종류가 있었다.

보통 오크의 형상을 '돼지'의 머리에 인간과 비슷한 이족보행의

몸뚱이를 가진 존재로 묘사하니만큼, 돼지의 종류에 따라
갈라지기도 했다.

회색빛에 아주 질긴 가죽을 가진 그레이 오크가 평화의 숲
따위에서 쉽게 발견할 수 있는 흔한 종류였다.

대체로 성인 남성의 크기에서 크게 벗어나지 않는 놈들이었고,
이족보행 식으로 생긴 몬스터들이 그러하듯 아주 교활했다.

어디로부터 온 지 모를 헤진 갑옷 따위를 입고 창검을 들고
도구로 썼다.

무리를 짓기도 했고, 나름의 기초적인 전략을 구사하기도 한다.

그 외에 '브라운 오크', 갈색 오크로 불리는 것들은 멧돼지나
비슷한 형상이었다. 짙은 갈색 가죽을 가지고 있었고, 터럭도
군데군데 붙어있는 꼴이다.

회색 오크들보다 몸집이 한 배 반은 더 컸고, 그 체구에서
나오는 강력한 근력은 초보자들이 감당할 수 없는 위협이기도
했다.

키만 하더라도 가장 작은 것이 2m에서 2m 50cm정도가 되었고
총체적인 부피를 생각하면 수치보다 훨씬 막강한 위압감을 가진
거구였다.

그 다음, 필드에서 만날 수 있는 흔한 종류 중 가장 강력한 것들이 '레드 오크', 붉은 오크였다. 갈색에서 친다면 훨씬 더 밝아진 톤이었으나 탁한 불길처럼 짙은 빨간색의 가죽을 가진 오크들이었다.

그 키는 가장 작은 개체도 2.5m를 넘었고, 큰 것들은 3m이상의 거체를 드러내며 숲 속 따위를 활보한다.

혹은 사막에도 부락을 만들어 지내고 다양한 짐승이나 몬스터, 인류를 잡아먹으며 살아가는 족속들이었다.

위로만 커지는 것이 아니라 전체적인 중량감이 풍부하게 커지는 변화였고, 그 어금니는 마치 송곳처럼 튀어나와 턱 아래까지 날카로움을 자랑했다. 그 짙은 가죽의 색깔과 같은 동공을 오크들은 가지고 있었고, 붉은 오크는 마치 미친 사람이나 짐승의 그것처럼 빨간 눈동자를 가졌다.

깊이 패인 짐승의 주름과 어지간한 날로는 상처도 잘 나지 않는 붉은 외피.

그 위에 노략질을 해서 얻은 듯 짝이 맞지 않는 갑옷 따위를 걸치고 쇠나 나무, 혹은 바위 몽둥이 따위를 휘둘렀다.

그만한 거체에 어울리는 무기가 많지 않았기에, 조금 더 무기나 방어구의 질은 조악하고 떨어지는 편이었다.

대개 집단 생활을 하곤 하는 오크들은 교활한 편이었고, 초보

플레이어가 잘못 사냥을 한다면 도리어 그 무리에 둘러 싸여 저항도 하지 못한 채 게임 오버를 당하는 봉변이 있을 수 있었다.

어지간한 공포 영화보다 더한 스릴일 것이었다. 게임에 몰입하고 그 공포감을 느껴보려 한다면 말이다.

지나친 스릴을 자제하기 위해서 시스템 적으로 탈출 제도가 있기는 했다. 혐오스런 그래픽을 데포르메 시킨다거나, 혹은 게임 오버를 당하기 전에 스스로 로그 아웃을 하는 시스템 말이다.

전자의 것은 연령대가 어린 플레이어들이 자주 사용하는 모드mod였고, 후자는 스스로 게임 오버를 선택하는 것으로 전투 중에 사용한다면 게임 오버로 간주되어 다시는 게임에 접속할 수 없었다.

제냐는 후자의 선택지를 제 손으로 실행할 생각은 전혀 없기는 했다. 공포스러워봐야, 조금 둔한 통각을 비롯해 게임임을 인식하고 난다면 그저 입체감 있는 스릴러 영화일 뿐이었다.

본질적으로 수용하는 영상물 따위의 정보들이 사람에게 어떤 해를 끼칠 수는 없었다.

영향을 주기는 하지만, 절대적인 일은 아니었다. 사람의 선택은 그 자신의 것이었으니 말이다. 그런 태도로 늘 영화나, 대중 매체에서의 작품들을 보아왔던 그이다.

비련의 시나리오가 오감을 구현하는 대단한 게임이라고 해도 달라질 건 없었다. 이건 게임이었고, 그는 제냐 킴으로 플레이하지만 그건 김서원의 이명異名일 뿐이다. 그 이상의 의미를 부여할 생각은 그에겐 없었다. 이 게임 내의 세계 역시.

세계가 거짓이라면 그로부터 파생되는 공포감感 혹은 공포 역시 거짓말이다. 간단한 논리였다. 공포 영화를 볼 때 저것이 얼마나 조잡한 트릭으로 이루어지고 만들어진 영상물인가를 파악하는 시점을 들이댄다면 그것이 표현하는 공포의 연출 역시 어느 정도 해체될 수 밖에 없다.

아무튼 붉은 오크는 필드 내에 서식지가 플레이어들, 그리고 대륙에서 살아가듯 움직이는 NPC들에게 잘 알려진 몬스터였다. 회색 오크나 갈색 오크 역시 마찬가지였고. 만약 그러고자 한다면 언제든지 찾아가 사냥을 시도할 수 있었다. 개체수 역시 붉은 오크가 상대적으로 가장 적기는 하지만 플레이어 여럿이 동시에 퀘스트를 진행하는 상황에도 별로 부족함을 느끼지 않도록 충분한 수가 있었고 리젠(Regeneration, n부활. 게임 내에서 몬스터 따위가 죽으면, 일정 시간 후 게임 내 개체수 유지를 위해 새로운 개체로 추가되는 것)역시 활발하게 이루어졌다.

한 개의 부락을 전멸시키고 수십이 넘는 붉은 오크를 쳐죽인다고 하더라도 게임 시간으로 하룻밤을 지난다면 아마 다시 생겨날 것이다.

이것이 비련의 시나리오의 '게임성' 부분이었는데, 가끔 특별한 퀘스트나 스토리가 엮여 있을 땐 그 시나리오의 연출과 현실성을 위해 리젠이 늦어질 수도 있었다.

어떤 NPC인류의 부탁으로 오크 무리를 해치워야 그들의 사연이 해결이 되는 경우라면, 해당하는 몬스터들은 사라진 뒤 다시 그 자리에 나타나지 않거나 혹은 아주 오랜 시간이 리젠을 위해 필요할 수 있었다.

제냐는 지금 그런 퀘스트를 위해서 걸어 움직이고 있는 중이었다.

배경은, 자주 그렇듯 숲 속이다.

비련의 시나리오의 배경이 되는 대륙에는 온갖 지형과 기후가 있었다. 열사의 사막, 광야, 그리고 바다처럼 거대한 크기의 구덩이에 담수가 담긴 호수나, 혹은 지중해. 대륙의 변두리로 나간다면 끝도 없이 펼쳐진 대해의 물결 역시 마주할 수 있었고 북쪽 끝으로 간다면 혹한의 땅 역시 존재한다.

험준한 산맥과 지구의 그랜드 캐니언을 본따 만든 듯한 복잡한 대협곡 역시 있었고, 천국을 묘사하는 듯 아름답게 꾸며진 초원과 동산도 있었다.

그런 다양한 기후와 지형 중에서 제냐가 겪은 건 아직 많지 않다. '숲'은 아직 개발이 덜 이루어진 대륙 '콘란드Konland'에서 가장 흔하게 플레이어들이 겪을 수 있는 필드의 유형이었다. 숲이나, 산 말이다.

또한 짐승과 함께 그런 숲의 심처에 숨은 몬스터들이야말로 초 중반 플레이 구간의 유저들이 가장 활발하게 사냥하는 놈들의 종류였고.

피스 시市 근처의 숲은 아니었다. 평화의 숲 옆 도시, 라고 이름이 붙을만큼 유명한 평화의 숲은 게임을 금방 시작하는 유저들의 경험치를 위한 아주 중요한 맵이었으나 더 이상 제냐가 잡을만한 놈은 없었다.

20대 중반의 레벨이었지만 스텟만 따진다면 후반, 혹은 30대 정도의 스텟을 가지고 있었다. 스킬도 가짓수가 제법 되었고 중요한 건 그 스킬들이 연계가 훌륭한 종류라는 말이다.
비련의 시나리오는 경험을 값진 것으로 취급한다. 어느 정도의 노동과 경험을 스스로 찾아서 겪는다면, 게임의 시스템은 그 행위 하나하나에 보상을 걸어 스킬이나 경험치로 되돌려준다.

즉,

굳이 일부러 이상하고 어려운 방식을 써서 혼자만의 플레이를
고수하는 이들은 유니크 스킬을 얻을 확률이 높다는 말이었다.

일반적인 방식을 벗어나 사서 고생을 하는 이들에게 있는
혜택이다.

물론 그런 길은 리스크를 동반한다. 언제나 하이 리스크, 하이
리턴인 것이 법칙이니까. 더 많은 시간과 고된 방식으로 플레이를
하는 것은 약간의 특별함을 요구했다. 혼자서 적은 데미지 수치로
체력이 높은 몹을 잡는다거나, 하는 그런 방식은 바위에 물방울로
구멍을 내듯한 지루한 시간을 견딜만큼의 인내심이 있어야 했다.

또한 그런 지루한 방식이 작동을 하기 위해 최소한의 센스가
필요했고, 어려운 동작과 위업을 해내면 그 이후에 스킬이 따라
붙게끔 되어 있지만 최초의 한 번은 스스로 완수하는 과정이
필요했다.

그 과정이 다소 둔탁한 동선으로 이루어져 있고 지저분한
성공이라 할 지라도, 한 번은 해내야 한다.

장인의 길을 유도하는 지도 몰랐다. 비련의 시나리오 온라인은
플레이어들에게. 혹은 그런 길을 갈 수 있도록 연습을 시켜주는
것일지도 몰랐고.

김서원은 마침 그런 성격을 가진 인간이었다. 혼자만의 경험을

해보는 것을 즐기는 편이었고, 남들이 가지 않는 길을 굳이 골라서 사서 고생을 해보는 일도 좋아했다. 그것이 무슨 해악으로 자신의 삶에 다가오는 종류가 아니라면 말이다.

시간 낭비나 헤매임은 오히려 삶에서 기쁜 것일지도 모른다. 끝까지 중심을 잃지 않고 목적지에 다다를 수만 있다면 말이다.

어쨌건, 제냐는 게임에서 사서 고생을 했고, 또 기꺼이 해냈다. 플레이의 초반에 해냈던 그런 방식은 사실 이 비련의 시나리오 내부에서 '고수'라고 불리는 인종들이 해대던 방식이기도 하다.

공략법이라는 게 아직 정립이 되지 않고 커뮤니티에 별다른 정보가 퍼지지 않았을 때 공략법을 만들어냈던 이들은 별에 별 루트로 자신의 캐릭터를 육성했다.

그 맵을 뚫어나가는 것이나 마찬가지인 정성은 시나리오 온라인 내부에서 그대로 무언가의 보상으로 환산되었다.

남들과 다른 그 특이성과 자신조차도 확신할 수 없었던 우연의 결과들에 대해, 고수라 불리는 플레이어들은 딱히 내놓을 필요성을 느끼지 못한다. 그들이 내놓는 정보들은 그런 행위로 인해 얻은 부과적인 결과물들이고 자신에게 있어서도 중요한 정보들은 굳이 공유하지 않았다.

그럼에도 특이한 인간들은 있었지만, 개중에서도 고된 경험을

하는 지루한 구간을 이겨낼만한 재주가 있거나 인내력이 있는
자들은 소수였다.

그런 자들은 레벨에 비해 강력한 전투력을 얻곤 하는데, 제냐는
그런 쪽이었고

같이 숲 길을 걷고 있는 개멋진나 최는 그냥 공략법 대로의
육성법을 거쳐서 적절한 전투력을 얻은 편이었다.

그가 말했다.

"제냐 킴 님."
"왜 그러시죠."

숲 길을 사이 좋게 걸어가고 있는 두 사내의 발걸음이 제법
빠르다. 지겹도록 숲 안에서 사냥을 하고 숙식을 해야 하는 초보자
존을 통과한 이들은 대개 '숲 걸음'이라는 스킬을 얻게 된다.
복잡한 지형 구조에서 입체적인 맵을 이해하고 조금 더 빠르고
가볍게 이동하는 스킬이었다.

굳이 숲이 아니라고 하더라도, 온갖 파편이 떨어져서 폐허가
되어버린 유적지같은 데에서도 유용하다. 숲을 연상시킬만한
난해함이 있는 지형에서 대개 작동한다.

같은 운동을 하더라도 스킬이 있으면 조금 더 능숙하고 또

수월하게 할 수 있었다. 캐릭터는 게임 내에서 열량과 스테미나를 소모하게 되는데, 숲 걸음이 있다면 나무 뿌리를 피하고 나뭇가지에 고개를 숙여 가며 번거롭게 걷는 와중에도 체력 소모가 조금 덜하게 된다.

둘이 걷고 있는 시간은 오후였다. 게임 내에서의 시간은 변동적이다. 그것이 딱히 변하지는 않지만, 거대한 대륙을 모티브로 하는 세계관은 자신이 있는 위치에 따라서 시간이 변하게 되어 있었다.

중부 지역에 속하는 세슈칸 근처가 그들이 있는 곳이었고, 그곳은 아직 시작지였던 피스와 시차가 있지는 않았다.

리얼 타임과의 차이는 꽤 난다. 5시간 정도가 빨랐고, 지금은 게임 시간으로 점심이 지난 한낮이다. 여기서 중부 지역과 비교 대상이 되는 '리얼 타임Real-Time'은 김서원이 있는 한국의 시간이었다.

개멋진나 최 역시 한국인이었고, 한국에 거주하고 있었다.

현실의 시간으로 따지면 둘은 저녁을 먹고 하루의 마무리를 준비할 즈음에 만난 셈이었다. 숲 위에서 빛나고 있는 햇빛은 아주 쨍쨍했지만.

"뭔 짓거리를 하셨길래 그렇게 강하신 겁니까."

개멋진나 최, 현실의 이름으로 최태현이 물었다. 그는 회색빛의 머리칼을 길게 늘어뜨린 사내였다. 마치 영화에 등장하는 미남자들이 그러하듯이, 곱게 기른 장발이 등허리까지 늘어진다. 보통 그런 튀는 스타일을 하고 어울리는 일이 어려웠는데, 최 씨는 나름 이목구비가 반듯하고 뚜렷한 편이라서 위화감이 적은 편이었다.

오랜만에 본 그는 여전히 다양한 경갑옷 위주로 몸을 감싸고 있었다. 그 아래에도 움직임에 크게 방해가 없는 가벼운 천 재질의 옷들이었고, 팔목이나 발목 등 소매는 끈 같은 것으로 매듭을 지어 묶어 자락이 휘날리지 않게 고정해 두었다.

소매를 묶은 검은 끈은 몇 바퀴나 손발목을 돌려 감은 것으로 아주 튼튼한 재질에 잘 끊어지지도 않는다. 여차할 때는 나름의 방호용으로도 써먹을 수 있었고, 잘 끊어지지 않는 끈이라는 건 또 다용도로 쓰기 좋은 도구였다.

최 씨의 클래스(Class, RPG게임 등에서 직업군을 뜻하기도 함)는 굳이 따진다면 레인저라고 할 수 있었다.

시나리오 온라인에서 정해진 클래스 명 따위는 없었으나 플레이어들이 플레이를 하면서 어느 정도 공식화된 이름들은 있다.

게임사 등에서 정해준 이름은 아니지만, 중세를 배경으로 다양한 것들이 혼합되어 있는 세계관에서 NPC들이 하는 말이나,

플레이어들이 가진 지식을 바탕으로 붙여진 것들이다.

레인저는 흔히 국경같은 일정한 경계 지역을 돌아 다니면서 독립적으로 임무도 수행할 수 있는 수비대, 수색대원들을 뜻했다.
그런 이들의 직업적인 고유 능력과 비슷한 스킬과 전투 양상을 보이는 직업군이 레인저였다.

넓은 지역과 범위를 날랜 기동성으로 오가며, 근거리와 원거리를 가리지 않고 다양한 방식으로 타격전을 벌이고 적을 제압하는 신출귀몰한 클래스.
게릴라 전에 특화된 자들로 순발력과 근력이 골고루 필요하고 다양한 무기와 도구들을 다룬다.
결국 제냐가 추구하는 게임 내의 전투 방식과도 많이 닮은 클래스였다. 제냐도 레인저의 일종이라고 할 수는 있었다. 그보다 조금 더 잡다한 옵션들이 있었지만.

일단 최태현, 개멋진나 최는 순수한 초상 스킬을 주 공격 수단으로 삼지는 않았다. 순수한 초상 스킬은, '마법'이라고 불릴만한 것들이었고, 곧 제냐가 사용하는 파이어 볼과 같은 스킬들을 말했다.
물리 계열의 스탯을 찍고 스킬을 사용하는 이들도 정신력 스탯을 사용해 초상 스킬을 발휘하기는 했다. 그러나 그것들은 자신들이 사용하는 물리적 도구의 공격력을 증가시켜주는 방식의 스킬이었다.

최태현은 레인저로서 활을 가장 많이 사용한다. 그 외에 다양한
투척류 암기들을 써먹기도 했고. 거리가 멀다면 화살을 쏘아
갈겼고, 중근거리에선 암기를 던졌다. 첫만남에 제냐 킴의 팔뚝에
도끼를 날려 박히게 만든 것처럼 말이다.

그리고 근거리에서는 폭이 좁은 소검小劍을 사용해 상대의
공격을 흘리며 틈을 보았다. 도끼 역시 던지지 않고 휘두르는
용도로도 충분히 능숙하게 다루기는 했다.

그 물건을 던져서 원하는 위치에 맞출 정도의 손재주와
익숙함이라면 당연히 가까이서 휘두르는 것 역시 꽤 한다는
의미였다.

궁술, 박투술, 단검술, 부斧술(도끼술), 투척술 등을 다양하게
익혀서 물리 계열의 스킬과 근력으로 상대를 부수는 게 그의 전투
방식이었다.

레인저를 자처하는 이들 중에는 단발식, 혹은 잘해야 두 세 번의
연발식 총을 쓰는 자들도 있기는 했지만 최태현은 궁술까지만
배웠다.

중세 정도의 시대를 모티브로 하는 게임 내에서 총은 지나친
오버 파워였으므로, 다양한 초상력 근거의 공학이 발달한 세계지만
기관총은 나오지 않고 있었다. 다만 두 세 번의 총탄을 연사하는
것까지는 가능했는데, 아주 값이 비싸고 구하기가 어려웠다.

적어도 초보자들이 구할 수 있는 물건들은 아니었다.

거기다 기본적으로 다양한 스킬들이 붙어야 중간 레벨 이후의
플레이에서 체력이 높은 몬스터들을 상대로 공격력을 발휘할 수
있었기에, 진입 장벽이 높은 클래스라고 할 수 있었다.

총을 다루는 레인저, 총사銃士는 말이다.

단가가 높고 소모품이 많이 드는 도구를 주로 쓰는 클래스를
하려면 결국 돈이 많이 들게 마련이었고, 그러기 위해선 또
고레벨일 필요가 있었다.

최 씨는 현재까지는 궁술만 부지런히 익히고 있다.

그런 최 씨였으나 스텟은 제나에 비해 뒤쳐졌다. 가장 높은
순발력이 27이었고, 나머지가 20초, 중반 정도. 정신 계열의
스텟들은 전부 10대 초중반을 기록한다. 그 또한 나름대로
순발력을 20대 후반까지 끌어올린 것이 시간을 투자해서 만들어 낸
성과였는데, 제나는 물리 계열의 스텟들이 모두 20대 후반이니
비교의 대상이 될 수 없었다.
만나기 전에 나눴던 대화에 대해서라면 그의 패배이다.

게임 내부에서 전투라는 건 다양한 환경적 요인들이 작용하는

것으로 단순 스텟이 결과를 좌우하지는 않지만, 그래도 10번 싸워서 7번 정도의 결과를 가져갈 정도는 된다. 제냐가 정말 어지간히 전투에 재능이 없지 않고서는.

그 외에 스킬과 아이템 등 변수가 많기는 하지만, 최 씨가 하는 것들을 제냐라고 못할 일은 없었다. 대개가 동등한 노하우를 갖고 있다면 결국 눈에 보이는 수치가 높은 쪽이 이기기 쉽다. 그건 사실이었다.

클래스 적인 상성이 있기도 했지만, 공교롭게도 제냐와 최 군은 비슷한 전투 스타일을 가졌다. 단순하게 수준이 높은 쪽이 이긴다는 말이었다.

"어…. 글쎄요. 몰라요. 별 거 안했는데?"

"그럴 리가 있습니까. 그런데 왜 그 따위 스텟이에요. 20대 후반은 보통 30렙Lev(el)넘어서 도달하는 거 압니까? 저도 순발력 하나 찍느라고 일부러 훈련을 겁나 돌았는데?"

"음… 뻘짓 많이 하긴 했죠."

"뻘짓이라… 무서울 정도로 했나 보군요."

"단검 하나 들고 황야 지룡 마라톤 사냥같은 거 하고 나면 물리 스텟이 골고루 계속 오르긴 하덥니다."

"뭔……."

숲 어귀를 걸으면서 두 사람이 말을 주거니 받거니 했다. 화창한 날씨에 적절한 바람이 섞여 있었다. 잎사귀를 지나치고 나뭇결을 간질이는 바람이 그들의 살갗 역시 긁고 갔다. 중부 지역, 그들이 있는 곳은 한낮이었고 또 선선한 날씨였다. 온갖 다양한 현실적 법칙을 구현하고 있는 만큼 계절의 변화도 뚜렷하다. 체감하는 기후는 봄 정도였다.

"황야 지룡을 잡았다는 게 진짜였습니까. 그것도 이상한데 거기다 단검으로 잡았다고요?"

"예. 가능한만큼 했죠. 단검만으로도 잡아보고. 활만으로도 해보고. 근거리에서 도刀 하나 꼬나들고 맞상대도 해보고. 파이어볼만으로 잡는 게 가장 빡셌습니다. 아무래도 초상 스킬들은 시전 시간이 오래 걸리니까. 거리 잡는 게."

"호오오."

개멋진나 최가 입으로 바람을 불었다. 흥미롭다는 표정은 덤이었다. 바깥으로 튀어나와 마치 발목이 걸리라고 만들어진 덫처럼 생긴 나무 뿌리 하나를 올라 밟으면서 그가 말했다.

"그래서 오래 걸렸군요. 저번에 텍스트Text 보냈을 때도 한참 있다가 세슈칸에 오더니. 그 때도 혹시 뭐 했습니까?"

둘이 만난 것은 얼마 지나지 않은 일이었다. 두 번째 만남 말이다. 첫 번째는 다소 공교로운 착각과 실수가 우연히 겹쳐져 일어난 일이었고, 두 번째는 상식적이고 양식적이었다. 도시 광장에서 시간을 정해 만났다.

그간의 일들에 대해 서로 대조를 한다거나 회포를 푸는 것을 오래 하지는 않았다. 둘 다 게임 내에서 머무를 수 있는 시간들은 한정되어 있었으니, 빠르게 플레이를 하는 것이 일단은 목표였다.

파티 플레이를 위해 개멋진나 최가 미리 잡아 놓고 기다리던 퀘스트를 같이 가서 발동시키고 수주받았다. NPC의 입장에서 어떤 상업적인 계약을 맺는 것은 아니었으나 플레이어들의 시선에서는 마치 그런 것과 비슷했다.

NPC는 유동적인 인간처럼 굴지만, 결국 어떤 조건 하에서 같은 결과값을 내놓는 건 피할 수 없다.

그들이 인간을 모방한 자유의사를 난수에 의해서 표현한다고 해도 일정한 양식은 있었다.

다른 플레이어가 끼어들거나, 혹은 그 작은 행동이 나비의 날갯짓이 되어서 폭풍으로 영향을 미치지 않는 이상은 정해진 보상을 플레이어에게 줄 것이다.

명문화된 퀘스트 창을 시스템 인터페이스로 보고 결과를 읽는 유저들의 입장에서는 계약이나 크게 다름이 없었다.

어차피 실제 계약이라는 것도 불가피한 재난 따위가 일어나면 망가질 수도 있는 것이었으니. 그런 적은 확률의 일이 아니라면 이루어지는 것을 전제로 맺는 것이었으니 말이다.

일정한 발생 조건을 미리 파악했다면 유저들은 거의 거래의 개념으로 퀘스트는 받아들이고, 하청업자가 되어서 그 일들을 해주었다. 과정과 보상에 동의한다면.

그들은 세슈칸에서 흔하게 받을 수 있는 난이도의 퀘스트를 받았다.

퀘스트는 일반Ordinary, 희귀Rare, 고유Unique가 있었다. 세 단어는 퀘스트의 희귀도를 나타내고, 당신이 진행하고 있는 퀘스트가 게임AI의 연산에 따라 얼마나 개성적인 지를 판단하는 척도였다.

고도의 AI를 지닌 게임 내 NPC와 각종 오브젝트들은 유저의 행동에 따라 다른 반응들을 보이게 된다. AI는 동시 다발적으로 일어나고, 또 일어났던 퀘스트의 행로와 또 예측 연산으로 가졌던 데이터에 비해 얼마나 달라지는가를 측정해 각 퀘스트를 구별했고 일반에서 고유 급으로 갈수록 보상 역시 희귀해지는 시스템이었다.

희귀한 것이 반드시 가치가 높다고는 할 수 없었지만, 그럴 확률은 좀 더 높았다. 흔하고 가치가 있는 것보단 희귀하며 동시에 가치가 있는 것이 훨씬 비쌀 테니까. 물론 아이템 등급으로도 유니크한 물건이면서 유저에게는 아무 쓸모가 없는 것들도 있었다.

어린아이NPC가 소중하게 간직하고 있었던 낙서장 따위를 받는 일도 실제로 있다. 감동적인 서사의 클라이막스에 으레 등장하는 결말이었는데, 플레이어들은 보통 흔쾌히 받는다.

그 서사 자체에 대한 즐거움도 있겠지만, 가치 없어 보이는 그 낙서장으로 인해 연계되는 유니크 퀘스트가 있다면 다른 보상들을 얻을 확률도 있어서 말이다.

그리고 조금 더 세부적인 구분이 동시에 존재했는데, 마을간 시나리오, 지역간 시나리오, 대륙급 시나리오, 메인 스토리Main story로 나뉘어졌다.

마을간, 혹은 마을급이라 불리는 퀘스트들 중에서도 일반 마을급, 희귀 마을급, 고유 마을급이 있었고 지역간, 대륙급, 메인 스토리 역시 마찬가지였다.
물론 세계관의 넓이에 한계가 있다 보니 대륙급이나 메인 스토리 정도로 넘어간다면 대개가 희귀 급이기는 하다.
어지간히 뻔한 선택만 하지 않는다면 말이다.

같은 조건에서 발생하는 퀘스트라고 하더라도, 퀘스트를 수행하는 유저의 행동이 AI가 연산한 가장 흔하고 가능성이 높은 선택지만을 골라 간다면 퀘스트의 희귀도는 떨어지게 된다. 반대의 경우에는 수행 중에도 올라가게 되고.

규모와 희귀도 두 가지 조건이 있었는데, 마을간, 혹은 마을급은 가장 흔한 퀘스트들이었다. 마을이나 도시 내부에서 이루어지는 퀘스트들로 비련의 시나리오 전체 세계관에 그렇게 큰 영향력이 없었다.

물론 눈에 보이지 않는 영향력들이었고 얽히고 섥힌 정보의 갈래들을 따라가다 보면 무엇을 파생할 지는 몰랐지만, 일단은 그러했다.

어느 마을 주민의 개인적 사정에 의한 퀘스트이거나, 단발적인 것들. 도시 내부에서 플레이어들의 플레이를 돕기 위해 만들어진 기본 퀘스트들이 모두 여기에 속했다.

그 위에 '비련의 시나리오'에 영향을 얼마나 끼치느냐, 로 판가름되는 규모의 단계는 지역간으로 넘어간다. '지역'은 비련의 시나리오의 맵인 거대 대륙 콘란드의 일부 지방을 의미했다. 여러 개의 도시나, 혹은 한 지역에 모여 있는 왕국 정도의 규모에서 벌어지는 스토리들이었다.

왕국의 국내 정세에 관련된 일이라거나, 혹은 도시와 도시 간의 물건 배달이라거나, 혹은 그 정도 넓은 지방에 영향력을 끼치고 있던 막강한 몬스터를 사냥하는 일들 따위였다.

어느 정도 레벨과 플레이 시간이 쌓인 유저들은 대개 지역간 시나리오를 수행하게 된다. 주로 말이다.

   당연히 마을간 시나리오보다는 상위 규모의 것들이 하나하나의
플레이 시간이 길었고, 유저의 행동이 상충되지 않는 선에서는
얼마든지 몇 개 이상을 동시 진행 할 수도 있었다.
   적대적인 관계로 전쟁 중에 있는 한 쪽 왕국의 편을 들면서,
동시에 다른 편의 왕국 승전을 위한 퀘스트를 진행할 수는 없는
것이다. 물론 가능은 하다. 두 가지 동시에 받을 수는 있지만
클리어 조건 상 두 가지를 만족시킬 수는 없다.
   그런 경우는 일단 받아놓고 고민하며 한 가지를 진행하는
식이거나, 혹은 두 왕국을 오가며 첩자 행위를 하는 다른 특수
퀘스트의 시발점이 되는 과정일 것이다.

   대륙급은 말 그대로 콘란드 대륙 전체의 정세에 영향을 미치는
스케일을 의미했다. 아직까지 이에 대한 정보는 많이 없었다.
플레이어들이 경험하고 있는 퀘스트의 양도 적을 뿐더러, 그
진척도 또한 느릴 테다. 게다가 희귀 이상을 거의 무조건 보장하게
되는(규모가 커지면 퀘스트가 길어진다. 기나긴 선택지의 반복은
대개 차별성이 생기게 마련이었다)거대 퀘스트에 대한 정보는 알고
있다고 해도 섣불리 풀지는 않을 것이다.

   고작 게임이라고 하더라도 경쟁 심리 정도는 당연히 있었고,
MMORPG임과 동시에 서바이벌 게임의 형식인 비련의 시나리오는

고레벨 끼리의 그 경쟁 의식이 조금 더 날카롭기도 했다.

개인의 클리어가 타인의 승리를 방해하는 조건은 전혀 아니었지만, 한 치의 어긋남으로 발을 헛디디고 게임 오버를 당한다면 그대로 공든 탑이 무너질 수 있으니 말이다.

다시는 되돌릴 수 없고 게임을 플레이할 수 없다는 설정에 따른 긴장감은 아무래도 고레벨로 갈수록 더해지게 마련이다.

비련의 시나리오는 개인의 플레이와 타인의 플레이가 별로 접점이 없는 방식이었다. 만들고자 한다면 얼마든지 서로의 스토리를 엮어 가면서 시나리오로서의 게임이 만들어질 수 있었지만, 만약 솔로 플레잉으로 끝을 보겠다고 해도 아무런 강제성이 없었다.

어느 일국의 존망을 걸고 편이 나뉘어진 전쟁터에서 플레이어들이 서로 만난다고 하더라도, 굳이 그 플레이어를 죽이거나 퀘스트를 깨야만 게임의 끝으로 갈 수 있는 건 아니라는 말이었다.

그저 마지막까지 살아남은 플레이어가 된다면 유저들 중에서는 서바이버로서 챔피언의 자리에 오를 테였고, 스토리의 끝이라는 것도 자유도가 높은만큼 제약이 없는 방향성을 보여주었으니. 한 개의 퀘스트 시나리오가 사라진다고 게임이 돌이킬 수 없는 지경이 되는 일 따위는 없었다.

비련의 시나리오를 플레이하는 유저들은 알지 못하지만, 게임을

관장하고 있는 AI는 초지능을 가진 성능의 물건이었고 현실과
유사한 환경을 만들어낼 수 있는 기계였다.
　고작 게임 내 플레이어의 행동 변수를 예측하지 못해서
시나리오를 더 이상 이어나가지 못하는 일은 없었다.

　예측 밖의 행동이 나왔다면, 그저 그에 맞게 마치 인간처럼
대응하며 새로운 결말로 이끌 뿐이었다.

　대륙급, 의 퀘스트들은 정보가 많이 풀리지는 않았으나 일국
수준이 아니라 어느 지역의 열국들이 통째로 휘말린 스토리가 될
것이다. 그 열국의 영향력이 다른 지역의 정세에도 복합적으로
영향을 미치면서 종래에 대륙의 역사를 바꾸게 되는 퀘스트들.
　게임 내의 세계관에서 '혁신'이라고 할 만한, 인류사의 기록을
바꿀만한 그런 일들.

　그리고 메인 스토리라는 건 그런 대륙급의 스토리들이
플레이어에 의해 심화됐을 때를 말할 테였다. 대륙적인 인류사의
존망을 걸고 움직이는 거대한 퀘스트 시나리오.
　예컨데, 몬스터들을 장악하고 인류 멸절을 시도하는 '마왕'의
등장이나 그런 마왕의 절멸을 위해 움직이는 '인류의 수호자'의
등장이라거나, 뭐 그런 것들이었다.

　어떤 제작 계열의 스킬을 익히는 이가 충분한 명예 점수와

재화를 얻어 대규모의 개발을 통해 기술적 혁신을 일으킨다면,
그것 또한 대륙급이나 그 이상의 퀘스트의 단초와 참여가 될 수도
있었다.

"오면서…… . 뭐 별 거 안했습니다. 그냥 마라톤. 두 발로."
"엑."

청년, 최태현이 조금 떨어진 거리에 있는 제냐를 보면서 표정을
일그러뜨렸다. 그야말로 '더럽게' 넓은 시나리오 온라인의 맵을
이동하기 위해서 다양한 이동 수단들이 있다. 실시간으로 흘러가는
게임 내의 시간을 아끼기 위해서 대부분은 도시간 이동 이상이
되면 그런 것들을 사용한다.

흔한 것들로 마차니, 말이니. 온갖 종류의 기승 동물들과 다양한
이동기 스킬들을 말이다. 그 거리를 직접 걷는 건 실제 그만한
시간을 달리기에 쓰는 것과 똑같은 감각이었다.

굳이 여가 시간에 게임에 접속해서 그런 일을 하는 인간들이
많지는 않았다.

스킬 개발을 위해서 하는 인간들이 있기는 했지만, 최태현의
근처에는 없었다. 그는 괴짜를 바라보듯한 눈으로 제냐를 보았다.

"스킬은 많이 먹었습니까?"

다양한 특이 행동들을 통해서 얻어내는 스킬들은 보통 '먹었다'라고 표현한다. 새로운 스킬을 얻어냈냐는 말이었다. 시나리오 온라인의 데이터베이스에 있는 어마어마한 가짓수의 스킬들을 끄집어내기 위해 다양한 행동들을 해보는 걸 '스킬 딕skill dig'이라고 한다. 드릴이나 삽으로 구멍을 파듯이, 드러나지 않은 데이터베이스라는 거대한 범위를 직접 행동으로 파들어가는 짓이다.

그런 것들만 전문적으로 하는 양반들도 있었고, 대개의 라이트light유저들은 그런 디깅 유저들의 연구 결과를 수용하고 그대로 따라가는 식이었다. 어느 정도는 한다지만 시작 지점에서부터 그렇게 빡세게 하는 인간은 많지 않았다.

레벨이 올라가고 나름대로 폭넓은 개인 활동이 가능해지는 중반 레벨 이상에서 흔해지는 양상이지.

"네, 뭐 그냥. 달리기 좀 늘고. '마라톤'이라고 따로 있더라고요. 그거 먹고 또… 부엉이의 눈인가 생긴 것 같던데요."

"그런 식으로 하드 모드 플레이를 하니까 스텟이 높나 보군요. 보아하니까 시작한 이래로 줄곧 그렇게 한 모양인데요. 그게 아니면 20후반을 거의 다 찍은 물리 스텟들이 설명이 안 되니."

"그렇죠 뭐."

둘은 소소한 잡담을 나누면서 능숙하게 숲 길을 걸었다.

15. 멧돼지 사냥

'브라운 오크', 갈색 오크라 불리는 종을 찾기 위해서 걷는
여정이었다.

숲 속에는 다양한 짐승들이 포진해 있었고, 잘못해서 길을 들면
흉악한 몬스터의 영역을 지나가다 변을 당할 수 있었다.

움직일 때는 근처 맵에 대한 정보를 알아보고 지도 아이템
따위를 가져다가 길을 찾아 움직이는 게 보통이었다. 다행히 이
숲에는 그들 두 사람을 일격에 격살할만한 몬스터는 없었다.

잘못 걸린다면 얼마든지 도망칠 정도는 된다, 두 사람이.

세슈칸 근처의 헌팅 맵 중에서는 난이도가 낮은 편에 속하는
곳이었다. 그들이 걷고 있는 숲은 말이다.

대도大都 세슈칸에서 그리 멀리 떨어지지 않은 곳에 자리한
숲이었고, 그 위치나 도시로부터의 거리가 초보자 시절 많이 겪은
평화의 숲을 떠올리게 했다.

그보다는 조금 난이도가 있었으나, 세슈칸에 처음 도착한
비기너들이 사냥하기 좋다는 점에서는 거의 같은 종류였다.

이 맵에서 가장 주의해야 할 게 갈색 오크들의 무리였다.

잘못해서 거대한 집락을 건드렸다간 어지간한 레벨이 아니고서 상대할 수가 없다. 일을 크게 키우기 전에 그냥 도망쳐야 한다.

그들 또한 적당한 개체나, 혹은 몇 마리가 모여 있는 정도를 발견하기 위해 부지런히 걷는 중이다.

짐승형 몬스터들은 다양한 감각들이 발달되어 있고 또 그 NPC몹들이 제 것으로 삼는 영역이 클 때가 많았다. 그런 몬스터들의 어그로를 최대한 끌지 않기 위해서, 미리 알아낸 안전한 루트로 두 사람은 움직이고 있었다.

현실에서 다양한 야생 동물들을 조심하며 원시림을 걷는 것이나 비슷했다. 다른 점은 총이나 현대화된 무장들이 없어도 초인적인 전투 능력을 가지고 있다는 점 정도였다.

게임의 밸런스란 절묘해서 물론 그런 초인들을 곤란에 빠지게 만들만한 몬스터들이 많았지만.

개멋진나 최는 미리 세슈칸에서 활동하고 있었고, 파티 플레이를 위해서 미리 발견한 퀘스트 지점으로 제나를 인도했었다.
숲에서 실종된 애완동물을 찾는 사연이었는데, 키우는 짐승을 위해 목숨을 걸고 몬스터가 있는 숲에 들어갈 수는 없었지만 모험가들한테 부탁을 해볼 수는 있었다.

세슈칸의 외곽 거리에 사는 어느 평범한 가정 집의 소년이
사연의 대상자였고, 부탁을 해온 것은 그 집안의 가장인
아버지였다.

산책을 하다 목줄을 놓치고 한 눈을 판 사이 작은 강아지가 숲
쪽으로 사라져버렸고, 이후 숲 근처를 헤맸으나 발견할 수가
없었다.

며칠이 지나는 동안 어린 아들은 계속해서 울며 슬퍼하고 있고
마음이 상해 제대로 된 생활이 불가능하다.

어쩔 수 없다며 포기하라고 하던 찰나에 근처 여관에 묵던
마음씨 좋은 모험가이자 용병이 어차피 가는 길이니 수색을
도와주겠다고 한다, 라는 게 퀘스트의 흐름이었다.

그 마음씨 좋은 용병이 바로 개멋진나 최였고 말이다.

퀘스트 레벨은 '마을급'에 '희귀'였다. 도시 내부로 그 영향력이
제한되고 고작 마을 정도 안에서 벌어지는 사연이다보니 당연한
규모였다. 희귀도가 일반에서 올라간 것은 아마 개멋진나 최가
했던 행동들 때문일지 모른다.

그는 게임을 즐기고 있었고, 자신의 마음에 따라 행동했다. 고작
강아지를 찾는 일에 대단한 보수를 요구할 생각은 없었으므로
물질적인 사례를 받지 않겠다고 했다. 그리고 비교적 간단한

일임에도 파티원을 만들어 둘이 움직이고 있다는 점도 보통의
선택과는 다른 면일지 몰랐다.

어쨌든, 그가 애완동물을 잃어버린 소년과 했던 대화와 교감이나
뭐 다양한 미시적 선택지들 때문에 조정이 되었을지 몰랐다.

보통 이런 종류의 사연들은 마을급에 일반인 경우가 많았다.
그다지 대단한 시나리오로 연결이 되지도 않고, 단발적이다.

이와 비슷한 형식의 퀘스트들은 세슈칸 외곽 지역에 사는 수많은
가정집에서 다양하고 또 빈번하게 일어난다. 그다지 중요하지는
않으나, 나름의 애정을 쏟는 물건 혹은 애완동물 따위를 비기너
존이라 할 수 있는 숲에서 잃어버리고 그것을 찾지 못하는
이야기들.

대개는 엮여 있는 몬스터 무리가 있어서 그것들을 사냥하면 그
위치에서 발견이 되곤 한다. 언제나 해피 엔딩으로 끝나지만은
않지만, 어쨌든 그렇게 마무리가 된다.

애완동물이라면 아마 잃어버리고 난 뒤의 시점에 따라서 결말이
갈라지는 경우가 많았다. 한 달이 지난 시점에 퀘스트를 받았다면
보통은 몬스터들 부락에서 잡아먹힌 상태로 발견이 된다.
그 이내라면 아직까지 살아있는 채로 찾는 경우가 많았고.

퀘스트의 목표물로 설정된 몹들이 뜨고, 그 대략적인 위치 역시 인터페이스 창에서 설명을 해준다. 지도 상에 상세하게 나타나지는 않았지만 수색해야 하는 구역과 범위 정도는 알려준다.

보통 하루 혹은 반나절 정도에 끝나는 퀘스트였고, 그렇게 잡은 몬스터나 그 부락은 사라지고 그 위치에서는 다시 리젠되는 경우가 없었다.

거대한 초대륙.

그리고 그 안에 있는 다양한 맵 중에서 또 이 넓은 원시림.

그 안에서 다양한 몬스터와 짐승 몹들이 다양한 퀘스트에 얽혀서 위치가 바뀌어가며 리젠된다.

[갈색먼지 숲 남부 1섹터에서 갈색 오크 부락을 없애시오. 갈색 오크 부락 구조물 0/10, 갈색 오크 0/27]

제냐나 개멋진나 최가 퀘스트 창을 띄워 바라보면 이런 문구가 적혀 있는 반투명한 푸른 창을 시야 한구석에서 볼 수 있었다.

그들이 있는 곳은 세슈칸 근처, 갈색먼지 숲의 남쪽 부근이다. 세슈칸이 숲에서 벗어나 동북쪽으로 올라가면 있었고, 도시에서 남쪽으로 주욱 내려와 숲의 남쪽 입구로 들어와 헤매는 참이다.

숲에서 도시까지는 말을 타고 그리 빠르지 않은 속도로 몰아서 한, 두 시간 이내에 도착한다. 사람의 달리기로도 비슷한 시간에 도착할 수 있었다. 현실에서는 거의 전문 마라토너에 버금가는 속력으로 쉬지 않고 달리는 꼴이었으나 게임 내의 초인적인 육체라면 실용적인 이동 수단이다.

둘은 말을 타고 왔다. '개멋진나 최'가 다루고 있는 개인용의 말이었다. 운좋게 테이밍 스킬을 얻어 이동을 할 때 타고 다닌다고 한다. 숲 바깥에 표식을 걸고 묶어 두었다. 개인 사유물로 인정이 되어 NPC주민이나 플레이어가 건드리면 P.K와 같은 적대적 도난 행위로 인식된다.

명예 점수가 깎이며 또 선악 수치라는 게 있어서, 범죄 행위에 대한 대가를 치르기 전까지 악업 점수가 높으면 일반적인 NPC들에게 배척당한다.

개멋진나 최는 직접 스킬로 테이밍한 말의 안위나 대략적인 위치를 원거리에서도 알 수 있었고 말이다.

현실감을 강조한 시나리오 온라인에서 범죄의 대가는 제법 무겁다. 물론 그것들을 감당하고도 저지르는 이들도 있었고, 퀘스트를 수행하다보면 가끔 대역죄인의 신분도 되기는 하지만 말이다.

"브라운 오크라…."

"잡아보셨습니까?"

제냐가 혼잣말처럼 지껄이는 이야기에 개멋진나 최가 대답했다.
제냐는 고갤 저었다. 둘은 여전히 입체적인 숲길의 돌부리나
나무뿌리나 나뭇가지니 하는 것들을 밟고 넘으며 이리저리 방향을
꺾는다. 숲길은 사람이 다니도록 정비된 곳이 아니었다. 유저들이나
NPC들이 개간한 곳 역시 있었으나 그들이 가는 곳은 아니다.

그들은 몬스터들이 아직도 서식하는 원시림으로 가는 중이었고,
그 길은 짐승들에 의해 난 샛길들이 있거나 없거나 하는 환경이다.
오크들이 머무르고 있다면 그 큰 몸집을 위해 베어 넘긴
길목들이 있을 것이지만, 그 길목들을 대놓고 지나다닐 생각도
없었다. 오히려 피해서 소형 짐승들이 다니는 길 위주로 걷고 있다.

부락이던 오크 일개 개체이던 먼저 발견을 해서, 기습을 하는
것이 그들의 목표였다.

"평화의 숲 근처에는 회색 오크까지밖에 없으니까요. 그놈들도
당시에 제법 튼튼했던 것 같은데. 브라운은 좀 더 크죠? 어느
정도입니까, 체력이."
"한… 2,000정도는 HP가 나올 걸요."
"황야 지룡 보다는 낮네요."
"애초에 중대형 개체가 아니니까요."

375

보통 이족보행형은 소형이나 중소형일 때가 많았다. 오크들 중 플레이어들이 자주 볼 수 있는 가장 큰 종류인 붉은 오크가 중소형이다. 사람과 비슷하거나, 조금 더 큰 정도까지는 '소형'으로 취급되었다.

숲노루도 마찬가지다. 덩치가 큰 늑대라면 중소형이었고, 곰 정도는 되어야 본격적인 중형 몬스터들이다. 황야 지룡은 개체에 따라 약간 차이가 있지만 보통 중에서 중대형이다. 크기는 극소, 소, 중소, 중, 중대, 대, 거대형으로 나뉜다.

일반적인 상식에서 '괴물'로 분류되는 몸집들은 중형일 때가 많았다.

'대형'부터는 몬스터 자체의 희귀도도 있으므로 조금 발품을 팔고 고생을 해야 확인할 수 있는 경우가 보통이었다. 고레벨 플레이어들이 파티를 맺고 잡기 시작하는 몬스터들이다. '대'라고 한다면, 그건 생물중에서 가장 거대한 것들을 떠올리면 편했다. 코끼리, 기린, 혹은 고래. 크기 분류에서 가장 광범위한 종류는 '극소'와 '거대'였다.

다양한 몬스터들 중 입자형으로 만들어진 환상종이 있었고, 또 거대형은 그 크기에 제약이 별로 없었다.

현실에서 볼 수 있는 가장 거대한 생물부터 시작해서, 그 이상이 모두 거대형이다.

'체력'이라는 것은 어느정도 현실적인 체격에 기인하는 것이었으므로, 그 몸의 살집과 피가 많은 몹들은 체력 역시 높았다.

공격력이나 방어력 등 다양한 특수 조건들이 보잘것 없다고 하더라도 사냥하기에 극악한 난이도를 자랑하는 체력의 괴물들이 많이 있었다.

고수들 역시 그런 체력을 빨리 깎아내기 위해서 중대형 이상부터 파티 플레이를 추구하는 편이었다.

황야 지룡의 HP는 중에서 중대형인만큼, 그 체격에 대한 보정을 받고 있었고 일반적으로 5,000이상에서 심한 것들은 10,000근처까지 가기도 한다.

제냐의 체력이 초기에 1,000정도였던 것을 생각하면 상당한 차이였다. 거대한 체적과 체격을 가진 개체들은 그만큼 물리 보정이 붙어서 쉽게 닳지도 않는다. 거대한 규모를 깎아내려면 잔타로는 정말 많은 시간이 걸리게 되어 있었고, 거대한 충격량을 한 번에 주는 것이 더 나았다.

특별히 보호 능력을 스텟으로 가지고 있지 않은 개체라 할지라도 거대하다면 일반적인 물리 방어 능력이 보정으로 붙는 것이다.

그런 점에서 '지룡의 발톱 대거'를 가지고 황야 지룡의 체력을 동낸 일이 참 지독한 짓거리로 분류되는 것이다. 한 군데를 계속해서 파낸다거나, 정확한 일격으로 약점을 공략한다거나 하지 않으면 정말 영영 끝나지 않을 수 있는 일인데.

어지간한 집중력과 근성이 없으면 잘 해낼 수 없었다.

지금 제냐의 HP는 4,251이었다. 브라운 오크보다도 훨씬 높다.
플레이어는 플레이를 지속할 수록 점점 더 다양한 칭호와 스킬들을
쌓아가기에 비슷한 수준이라 보이는 몬스터들보다 훨씬 강해지게
마련이다.

그것도 일정선이 있어서 어느 정도를 넘으면 갑자기 몬스터들의
강력함이 기하급수적으로 늘기는 하지만. 그건 아직 제냐나
개멋진나 최가 신경쓸 부분은 아니었다. 적어도 레벨이 세 자리수
근처는 가야 일어날 일일 테니까.

또, 소형과 대형의 전투에 있어서 유불리한 점은 따로 있기도
했다. 크리티컬 히트가 존재하는 게임 내의 판정에서, 아무리
막강한 체력을 가졌다고 해도 머리에 심각한 손상을 입으면
방어력이나 체력의 보정과 관계 없이 막대한 피해를 받는다. 같은
에너지도 일점 집중을 통해서 급소를 뚫어낼 수 있다면, 그 급소
자체가 어마어마하게 거대한 중대형의 몸집을 가진 경우엔
박투전에 유리할 수 밖에 없었다.

그래서 보통 소형 개체인 인류 외형의 플레이어들은 갈수록
기동력을 추구하게 된다. 데미지 딜링을 위해 육성하는 쪽이라면
범위 공격을 준비하게 되고.

어디까지나 전투를 필수로 상정하고 캐릭터를 육성해나가는 플레이어들의 이야기였다.

MP(Mental Point)의 경우에는 그보다 훨씬 낮았다. 2,221.

그리고 파이어 볼 등 초상스킬을 다루는 MP지배력, 의지력도 전에 비해 늘었다. 이전에 황야 지룡을 잡을 때보다 1.5배는 더 강력한 화염구를 만들어서 쏠 수 있었다. 3, 4발을 연속으로 사용한다면 MP고갈로 탈진 증세가 오겠지만.
푸른 물약을 섭취하면서 원거리 전투를 지속한다면 충분히 강력한 전법이었다. 다양한 종류의 초상 스킬을 상황에 맞춰서 번갈아 쓰는 전문술사들에 비하면 모자라지만 그 역시 술사의 일종이라고 할 수 있었다.

물리 계열의 공격에 강한 내성을 갖고 있다면 결국 초상 스킬로 딜링Dealing(거래, 교환을 의미하나 온라인 게임 따위에서는 공격을 가해 상대의 HP수치를 떨어뜨리는 행위를 뜻한다)을 해야 했다. 그러기 위한 수단을 몇 종은 가지고 있어야 솔로 플레이라는 것이 정말로 성립이 될 테고.

"오."

개멋진나 최, 곧 최태현이 말했다. 그는 등에 지고 있는 광택이 나는 갈색 활의 몸체를 가볍게 말아 쥐었다. 사선으로 빗겨 매고 있었는데 그 포즈가 자연스러웠다. 오른쪽 어깨에는 화살통이 들려 있다. 제법 무거운지 부지런히 걷고 있는 와중에도 많이 흔들리지도 않는 화살들이 가득 들어차 있었다.

제냐가 사용하는 철목시보다 한 단계 높은 종류였다. 철시鐵矢였고, 비런의 시나리오 온라인 내에 존재하는 특수한 금속성 소재를 이용해 몸체를 만들고 손가락만한 길이의 깊은 화살촉을 끝에 매단 물건이다.

몸체는 철 종류로 이루어져 있으나 마치 현실의 알루미늄처럼 가벼운 물건이었고 그 속이 비어있었다. 특수한 공법으로 만들어내는 철시는 대도시에서도 취급하는 상점이 한정되어 있다. 본격적으로 궁사로서의 길을 가는 이들이 찾는 상점이고, 플레이 루트의 일종이었다.

물론 화살통에 든 것이 전부는 아니었다. 최태현 역시 인벤토리를 가지고 있고, 그것을 열면 화살통을 가득 채울만한 화살들로 반절이 채워져 있었다. 그의 가장 흔하고 효과적인 공격 수단이었으니 말이다.

거기에 몇 종의 스킬을 추가해 날리는 그의 철시들은 강력한 공격이다. 그레이 오크보다 한 단계 위인 브라운 오크의 거죽을 뚫어낼만큼 말이다.

그가 갑자기 다른 포즈를 취하며 입으로 소리를 낸 것은 일종의
알림이었다. 그가 곧이어 말했다. 걸음이 조금 느려졌다. 제냐 역시
그에 맞추어 속도를 줄였다.

"거의 다 왔는데요. 퀘스트 창에서 인도하는 목적지보다 조금 더
빠르네요. 부락은 아니고, 배회하는 개체들인 모양입니다."

개멋진나 최는 레인저로서 다양한 수색 스킬들을 갖고 있었다.
제냐의 것보다 조금 더 다양한 종류가 복합적으로 작용했고, 레벨
역시 한 두 수 정도는 위였다. 같은 방식의 행동을 꾸준하게
반복한다면 스킬이 먹는 경험치 역시 더 높을 수 밖에 없었다.
제냐는 레인저의 일종이지만 여러가지 클래스가 섞인 아류였고,
개멋진나 최는 오직 물리 계열 공격과 스텟만을 파고 직접적인
레인저 클래스의 기본 가지들이 되는 스킬들을 익힌 정통 레인저에
가까웠다.

그래서 그가 먼저 발견한 것이다. 원거리에서 움직이고 있는 세
마리의 브라운 오크들을. 눈에는 보이지도 않는 거리였으나 그의
감지망에 걸린다. 미세한 흔적의 변화나, 멀리서 불어오는 바람,
냄새, 약간의 소리 따위가 모두 초인적인 레인저의 판단 근거가
되어주었다.

거기에 약간의 정신 에너지, 초상력이 가미된 스킬은 물리적인 근거 외의 초자연적인 에너지의 흐름을 캐치했다.

기감氣感이라는 종류였다. 물리 계열의 스탯들을 찍어 나가는 전투 위주의 플레이어들이 가지는 초능력적인 감지 스킬이었다. 이 역시 같은 계열에 수많은 스킬들이 있었고, 희귀도와 능력에 따라 유저들이 갈라둔 도표가 있었다.

개멋진나 최가 가지고 있는 기감 스킬은 '매의 눈'과 '들쥐의 눈'이었다. 두 가지 모두 원거리 타격을 위주로 전투를 풀어나가는 레인저에게 필수적인 감지 스킬이었는데, 둘 중 하나만 가지고 있다면 그저 평범한 수색 스킬에 시력 확장의 효과밖에 없었다.

두 가지 스킬을 모두 같은 수준으로 익혀야 발휘되는 히든Hidden 효과가 있었고, 그 효과가 기감 스킬의 일종으로 취급된다.

기감 스킬들은 고급류로, 가장 낮은 것도 희귀였다.

매의 눈과 들쥐의 눈의 복합 효과로 나타나는 기감 효과는 희귀Rare에 속했다. 개멋진나 최는 두 가지 스킬 모두를 3단계로 구사하고 있었고, 그건 확실히 제냐보다 조금 더 앞선 수색을 할 수 있게 만들어주는 능력이었다.

제냐는 아직 기감 스킬이 없다. 부엉이의 눈이니, 매의 눈이니를 가지고 있었지만 들쥐의 눈은 아직 익히지 못했다. 숨겨진 효과의

최초 발현은 매와 들쥐의 눈이 같은 스킬 레벨을 가지고 있어야
했는데, 그는 이미 매의 눈을 3단계, Not Good으로 익히고
있었기에 효과를 얻으려면 좀 더 시간이 걸리는 상황이다.

들쥐의 눈은 정밀 수색이 주가 되는 퀘스트를 받아서 숲이건
산이건 들이건, 몸집이 작고 체고가 낮은 추적 대상을 찾아서 긴
시간 추적의 사투를 벌여야 얻어지는 물건이다.
제냐는 아직 그런 경험을 하진 못했다. 정확히는 했으나 스킬이
요구하는 경험치가 부족했다. 더 많은 행위와 시간이 누적되어야
했다.

"지금 우리 바라보는 방향 그대로 200m 앞입니다. 저쪽은 아직
못알아챘을 거에요. 세 마리입니다. 남서쪽으로 천천히 걸어가고
있고요. 저격 위치를 미리 잡는 게 좋을 거 같은데요."
"옙."

개멋진나 최는 그립을 쥔 활을 가볍게 등에서 꺼내며 앞으로
쥐었다. 본격적인 전투의 준비를 위함이었다. 그의 경장에는
여기저기 수납 공간이 되어주는 벨트나 주머니들이 붙어 있었다.
허벅지에는 소검이 있고, 등허리 부근에는 투척용 도끼가 X자를
그리며 엇갈려 매여 있다.

"공격력은 저보다 더 충실하실 것으로 알고 있고. 준비하십쇼.

저희도 남서쪽으로 크게 꺾어서 가다가 다가오는 놈들 사선에서 칩시다."

"오케이."

제냐는 시원스레 대답하며 'IV'라고 중얼거렸다. 인벤토리 창을 연다. 애용하고 있는, 여러 번의 수리와 손질을 거치고 손에 익을대로 익은 비스트 슬레이어를 칼집 째 꺼내서 등에 맸다. 철목시의 화살통도 하나를 꺼내 허리에서 왼쪽 엉덩이 부근으로 내려오도록 벨트를 사용해 묶었다.

그는 오른손잡이였지만 아무래도 비스트 슬레이어의 손잡이가 거추장스러우니 왼쪽에 화살통이 메어진다. 여차하고 거리를 벌려 마구 쏘아댈 때는 어차피 화살통을 어디에 기대어 두고 마구잡이로 쏴댈테니 그리 큰 문제는 없었다.

황야 지룡의 발톱 대거도 꺼내서 순식간에 익숙하단 듯 오른쪽 허벅지 홀드에 넣었다. 움직임을 위해서 무게를 최소화하던 것들을 모두 꺼낸다.

발톱 대거는 공격력을 위해서 피스 시의 여러 대장간을 찾아가 날을 갈고 독을 바르고, 제냐로서 거금을 들여 인챈트까지 맡겼던 물건이었다. 투척이나 상대의 급소를 찌르는 용으로 써먹는 비수였지만 이제는 근접전에서 상당히 치명적인 물건이 되었다.

발톱 대거의 칼날은 약간의 고온을 내면서 상대의 가죽에 열상을

입힐 수 있게 되었다. 깊이 찌른 뒤에 기능을 발휘하면 출혈을
막는 효과가 있었지만, 대신 고통은 크게 줄 수 있었다.

플레이어는 통각에 둔하나 몬스터들의 행동 원리는 통각에
예민하다. 플레이어 캐릭터들 역시 유저들은 느끼지 못하지만
강렬한 통각이 느껴질만한 상처가 있다면, 행동이 둔화되는 면이
있었다. 느끼진 못하더라도 작용은 하는 셈이다.
같은 원리로, PVP(플레이어 대 플레이어)싸움에서 같은 수를
쓰더라도 상대가 특별한 대응수가 없다면 움직임이 둔화될 테였다.

두 사내는 조금 더 잰 걸음으로 숲을 가로지르기 시작했다.
이래저래 길도 없는 곳이었으나 그렇게 장애가 되지는 않는다.
평화의 숲에서 익혀낸 움직임은 여기에서도 여전히 통용된다.

개멋진나 최가 발견한 오크들의 움직임은 느긋한 산보에
가까웠다. 이 일대는 저 갈색 오크들의 영역이었고, 천적 또한 별로
없었다.
그저 저 짐승들의 영역을 재확인하기 위해 일상적인 경계를 서는
것이다. 갈색 오크들은 그다지 긴장하거나 경계심을 보이지는 않고
있었다.

개멋진나 최가 알 수 있는 건 오크들의 크기를 비롯해 대략적인
외관과 위치, 그리고 움직임 정도였다. 그것만으로도 대강의 중요

정보들을 추리해내는 건 플레이어 개인의 자질이다.

오크들은 2m가 넘는 거구들이었고, 대충 철갑옷 조각들을 걸쳐 입고 있었다. 무기처럼 보이는 거대한 철검과 철퇴 따위를 이곳저곳에 매어 두었는데, 손에 들고 있지 않고 저들끼리 특별한 커뮤니케이션을 하지도 않았다.

거구의 이족보행 몬스터가 몸집과 다리에 비해 지나치게 천천히 걸으며 움직이는 그 이동 속도나 오크의 포즈 따위를 보고 개멋진나 최는 상대의 빈틈을 확실하게 찌를 수 있겠다고 느끼고 있었다.

최태현과 제냐 킴은 거슬리는 나무 뿌리나 나뭇가지 따위에 한 번도 걸리지 않고 재빠르게 움직였다. 각기 순발력이 높은 직군들이라 그렇다. 다양한 스킬 중에는 '숲 보행' 또한 있다. 레인저 직군의 필수 기본 스킬 중 하나였다.

반쯤은 뛰듯이, 빠른 템포로 둘은 쑥쑥 나아간다. 몇 분이 지나지 않아서 오크들의 이동 경로를 예상해 그 앞쪽 적당한 자리에 멈춰섰다.

"흠."

"여전히 200미터 앞입니다."

오크들은 부지런하게 걸었지만 그들이 더 빠르게 걸었다.

최태현의 말을 흘려 들으며 제냐는 적당한 나무를 찾았다. 저격 위치를 생각하는 중이었다. 제냐가 입을 열었다.

"각자 알아서 쏘는거죠? 저는 나무 위가 좋을 것 같네요."
"오. 입체적인데요."

섣불리 나무 위에 오르는 건 그다지 좋은 선택은 아니었다. 적절한 이동 스킬이 있다면 괜찮지만. 숲 보행을 뛰어넘어서, 입체적으로 날듯이 뛰어 다니며 상대의 공격을 피할 수 있을 때에 의미가 있는 행위였다.

나뭇가지 위에 간신히 몸을 기대고 있다가 위치가 들통난다면 꼼짝없이 포위당해 상대의 투척 공격 따위를 맞을 수 있었다. 제냐는 나름 자신이 있었다.

황야 지룡을 비롯해서, 피스 시 근처에서 혼자 사냥을 할 때는 어쩔 수 없이 게릴라전을 선택해야만 했다. 그가 추구하는 전투 방식 역시 그런 식이기도 했고. 혼자서 더 강한 적이나 많은 적을 상대하려면 부지런하게 움직여야 한다.

시간을 벌고 또 여러 번의 공격을 가하고. 계속되는 체력전으로 운동량을 채워야만 본인보다 강력한 적을 넘어뜨릴 수 있는 법이었다.

개멋진나 최는 적당한 수풀 속에 자리를 잡았다. 그의 모습이 잘 보이지 않는다. 쪼그려 앉으면 완전하게 성인 남성이 숨을 수 있을만한 오브젝트가 마침 있었다. '은신' 계열의 스킬과 함께 한다면 기척을 찾기가 더 어려워진다.

동물적인, 생물적인 움직임과 호흡을 최대한 죽이고 주변의 정물들과 하나가 되는 과정이었다. 아주 미약하고 가느다랗게 숨을 쉬며 필수적인 움직임마저 바람에 따른 풀잎의 흔들림 사이에 묻어버린다.

비런의 시나리오의 세계관 내에서 생물체들이 갖고 있는 '기氣', 곧 초상력이 있었는데, 어느정도 그것을 조작하는 계열이기도 했다. 연기의 일종이기도 하고 말이다.

분명 수풀 속에 몸을 파묻는 것을 보았지만 제냐의 눈에도 그가 보이지 않았다. 제냐는 그가 사라지는 것을 보고 적당한 나무 하나를 골라 발을 얹었다.

'나무타기' 스킬은 보유하고 있었다. 적당한 곳에 가지 하나가 있었다. 잡을 곳이 없었다면 로프를 이용하거나, 혹은 상처를 내서 패인 자국을 딛고 올라가려 했는데 다행이었다.

"흡."

제냐는 짧게 숨을 끊어 쉬며 점프했고, 2m보다 조금 더 위에
있는 나뭇가지를 쉽게 낚아채듯 말아 잡으며 위로 뛴 힘에
끌어올리는 완력을 더하며 몸을 띄웠다. 나무 둥치를 한 번
밟으면서 안정감을 더했고, 제법 굵은 나뭇가지와 나무 몸통
사이의 교차 지점에 발을 대각으로 밟으며 한 번 더 뛰었다.

곧바로 그 위에 있는 나뭇가지였다. 이제는 잡을 곳들이
많아지고 선택지가 풍부해졌다. 나뭇잎과 가지들 역시 풍성하다. 한
번, 두 번을 더 뛰자 도저히 아래에서는 닿기 힘든 지점까지
올라왔다.
　순식간에 수m는 되는 준수한 크기의 나무의 위까지 다다랐다.
꼭대기는 아니었고, 적당히 굵은 나뭇가지들이 모여 있어 안정적인
자세로 저격을 할 수 있는 지점이었다. 피라미드형으로 자라난
잎사귀와 나뭇가지들의 상단부 쪽 3분의 2지점 정도였다.

위로 올라오자 바람이 조금 더 부는 것 같았다. 나무가 막고
있던 하늘과 햇살 역시 아주 잘 보인다. 나뭇잎에 가려서 시야는
조금 더 제한이 되었지만, 상관은 없었다. 어차피 오크가 오는
지점은 들어서 대강 안다. 방향과 거리 말이다.

'매의 눈'을 발동했다. 자세를 잡고 사냥꾼의 감각을 비롯해
다양한 스킬 보정들이 걸렸다. 어떤 행위를 발휘할 때 자동으로
능력이 추가되는 패시브 계열을 많이 쌓아두고, 그 행위들을

위주로 플레이를 풀어나가는 것이 결국 가장 빠르다.

일종의 퍼즐과도 비슷한 것이었다. 스킬 스택Stack을 쌓아서 자신만의 전투법을 확립하는 것. 발견된 시나리오 온라인 내의 스킬들은 그 가짓수가 무궁무진해보이지만 어느 정도 계통도를 그려낼 수 있을 만큼은 파악이 되어 있다.

넓게 뭉뚱그려서 비슷한 효과를 내는 스킬들의 발동 자세들이 있었고, 한 가지 움직임으로 여러 가지의 효과를 동시에 받을 수 있는 일종의 콤보Combo(Combination, 정해진 여러 동작을 순서에 맞춰 수행하면 더 큰 이득을 볼 수 있는 게임 상의 조작법, 시나리오 온라인에서는 한 가지 자세로 여러 효과를 받을 수 있는 교집합을 의미하기도 함)를 생각하면 행동의 선택지는 조금 더 일률적으로 바뀐다.

상대의 행동 패턴을 빠르게 파악하고, 그에 맞추어 자신의 전략을 수립하는 행위가 필요했다. 비련의 시나리오 온라인에서, 고수로서 플레이어와 전투를 한다면 말이다.

단순히 플레이어만이 아니라, NPC들도 인류에 속하는 자들과 싸운다면 비슷한 전법이 유효했다. 게임 내의 시스템들은 어차피 NPC와 유저들이 공유하고 있으니 말이다. 물론 공략법 따위를 알고 시스템을 적극적으로 활용하는 유저들과 달리 NPC 주민들에겐 인터페이스가 없다.

그 인공지능들은 자신들이 어떤 스킬을 보유했는지 일람을 알

수도 없고 자신의 스텟 윈도우 역시 열어서 본인의 능력을 확인할
수 없었다.

 오픈 북 테스트를 하면서 전문적으로 시스템 내에서 육성이
가능한 유저들과는 분명한 차이였다.

 그러나, 비련의 시나리오 온라인은 기본적으로 '현실적'을
추구하고 있었다. 다양한 행동들이 굳이 공략법을 보지 않는다
하더라도, 어떤 '장인'으로서의 길을 가는 유저가 있다면 그에게
많은 보정들이 추가될 확률이 높았다.
 어떤 장인이 하나의 행동을 위해서 무수한 반복을 하고 여러가지
진리의 편린들을 깨닫고 지혜를 얻어가며 동작을 수정해나가는 그
과정이야말로 비련의 시나리오 온라인이 이상적으로 생각하는 스킬
획득의 시스템이었으니까.

 그런 의미에서, 오롯하게 한 분야에 몰입해서 '마스터'라는
별명을 얻을 정도가 된 NPC가 있다면 스텟 창이니 여러
인터페이스니 하는 것들이 다 무색해질만큼의 강력함을 얻을 수
있었다.
 실제로, 게임 내에서 최상위권을 차지하는 전투력의 보유자들은
일단은 전부 NPC들이었다. 선두를 달리고 있는 플레이어들이
인간같지 않은 힘들을 이미 보일 수 있었으나 그조차 아래로 두는
이들이다.

물론 세계관 내에서 그런 강자들이 흔하지는 않다. 콘란드 대륙에서도 손에 꼽는 자들이었고, 사회적 서열을 따진다면 하나같이 수위에 드는 인간들이었으니. 그런 자들이 많다면 그것 또한 말이 안되는 일이리라.

한 가지 행위를 날카롭게 가다듬어 누가 최고의 집중력을 보여줄 수 있느냐, 비련의 시나리오가 추구하는 스타일은 그런 것이었다.
 공략법을 가지고도 더 치열하게 전투력에 관한 육성법을 해낼 수 있겠지만은. 결국 보고 따라하는 것만으로는 부족했다. 정신과 감각에 호응하는 게임이었으므로, 이 게임의 최고를 가리는 지점에서 한 걸음 차이는 결국 그것이었다. 정신적인 집중력. 그건 뇌의 일이었으나, 뇌도 장기 중 하나였으므로 지극히 신체와도 연관이 깊은 일이기도 하다.

제냐는 빠르게 자신이 발휘할 수 있는 콤보들을 연이어 사용했다. 그건 그가 말했듯 여러 이상한 행위들을 하면서 자연스럽게 쌓아올린 것이었으므로, 또 각 행위들이 목적을 위해 정돈되듯 호응하듯 매끄러운 움직임이었다.

여러 가지 스킬을 켰고, 먼 거리에 있는 오크의 위치를 추적했으며, 게임 내의 육안으로 보이지 않는 오크의 위치가 걸렸다.

수풀, 나뭇가지 따위가 일렁거리며 천장을 덮고 있었지만 그 틈바구니 사이로 오크의 기척이 느껴졌다. 그건 명확한 추측이었다. 여러가지 정보들이 게임 내의 제냐의 뇌로 처리되면서 그 확실한 정보를 인터페이스의 형태로 그에게 알려주었다.

그러니까, 마치 야투경 따위로 열을 감지하고 어둠을 꿰뚫어 보듯 수풀 너머의 인형의 괴물들이 움직이는 게 붉은 색으로 나무를 넘어 가시화되었다. 스킬로 이루어진 눈으로 그것이 보였다.

걷는 것들의 무게와 태도, 그 성정 따위까지 파악하면서 제냐 역시 자세를 잡는다. 화살을 쏘아낼 자세였다. 가장 먼 거리에 빠르고 정확하게 꿰뚫는 초격初擊으로는 역시 활이 가장 알맞았다.

탄탄한 복합궁의 활대가 그의 손아귀에 한가득 들어왔다.

장궁의 한 종류였는데, 그새 무기 강화 과정을 한 차례 더 마쳐서 하위 복합궁4가 되었다. 이전에는 그저 나무의 색깔이었다면 약간 붉은 빛으로 윤기가 도는 광택이 겉에 있었다. 단순히 외형의 차이였으나 무기가 품고 있는 기운과 성능에도 변화가 있었다.

아이템으로서의 등급은 8등급이었다. 그리 나쁘지 않은 수준이다. 등급은 희귀도를 나타내므로 반드시 성능을 곧이 대변하지는 않지만, 희귀도로 따져도 초보자의 손에 들리기에는 충분했다.

붉은 장궁 위에 그가 애용하는 철목시가 걸렸다. 검은 화살과 그 끝의 은빛의 촉이 있다. 손가락 두 마디 정도의 삼각형의 촉이다. 예리하며, 꼬리 쪽으로 오면 두께감이 있게 조형되어 둔탁한 맛이 있었다.

제냐가 주로 느끼는 건 아니었다. 이 화살이 쑤셔박힐 몬스터들이 주로 느끼는 것이다. 그러나 멀리서 벌어지는 일에 대한 공감각이라고 할까, 일종의 상상력은 그런 손맛을 가늠하게 해주었다.

제냐는 나무가지 사이에 약간은 비스듬하게 서 있었다. 땅 위에서 저격을 할 때만큼 안정적인 자세를 찾는 건 지나친 욕심이었다. 등은 나무의 몸통에 기댔고, 발은 나뭇가지들이 얽혀있는 단단한 부분에 대었다. 나무 몸통과 가깝고 가장 두꺼운 부분이다.

두 발을 슬쩍 벌려 높낮이가 다르게 밟았고, 안정적인 자세를 찾은 뒤 상체를 앞으로 기울이며 장궁을 쏘아낼 공간을 확보한다.

허리가 약간은 구부정한, 기형적인 자세였지만 상관 없다. 제냐는 활의 명수라고 할 수 있었다. 이런 실력을 갖고 현실에 나간다면 분명히 그렇게 불릴 것이다. 정말 선수급들, 명인들과 견준다면 어쩔 지는 모르겠으나 일반인이나 아마추어의 수준은 한참 넘은 것이 분명했다.

하늘이 밝다. 제냐는 나뭇잎들 사이에 제 몸을 가리고 있었지만
쏟아지는 햇살이 기어코 그 틈바구니로 기어 내려와 그의 볼을
간지럽혔다. 시야를 방해하지 않는 게 다행이었다.
푸른 또 화창한 햇살 아래서 저격을 준비하는 일이라.
참으로 신나는 일이었다. 게임이었고, 또 할만한 사냥이었으니.

비련의 시나리오는 현실감을 일깨우는 제법 괜찮은 여가
생활이었다. 아직까지 그렇게 느끼고 있었다. 제냐는 철목시의 끝을
시위에 걸고 그대로 몸통 안쪽과 또 바깥쪽, 등의 모든 근육을
사용해 상체를 활짝 열었다.
그대로 한 팔만으로 시위가 끝까지 당겨진다. 장궁이자 복합궁인
이것은 괴물같은 활이었고, 현실의 어떤 인간도 제대로 다루지
못할 물건이었다. 제냐보다 몇 배는 큰 체적을 지닌 거대한 장사가
온다면 혹시 모를까.
어쨌든 제냐는 그것을 숨을 들이마시며 한꺼번에 당겼고,
철목시의 촉이 활대의 조준간에 딱 붙는다. 제냐는 한쪽 눈을
찡그렸다.

나머지 눈이 보고 있다. 여러가지 시야에 관련된 패시브 스킬들,
매의 눈이니 사냥꾼의 감각이니 궁술 스킬 그 자체까지 해서 그를
돕고 있었다.

아주 미세한 움직임이 그의 손끝을 떠민다. 그건 기이한 기분이었다. 그가 조종하고 있는 스스로의 육신이었으나, 스킬 보정에 의해서 '스킬'이 파악하는 그 위치로의 명중을 위해서 자세가 바뀌는 것이다.

제냐는 숨을 내쉬지 않았다. 들이마신 숨이 약간은 차오르기 시작했을 때, 조준이 정확하게 맞아 들어갔다.

화살촉의 첨단이 여러가지 가상의 궤도를 그리다가, 걸어오고 있는 갈색 오크 하나의 목을 노렸다.

신체에서 가느다란 부위인 목은 이런 장거리에, 엄폐물이 많은 데에서 노리기 알맞지 않은 부위였다. 그러나 그냥 강행한다. 그가 쏘는 화살은 이미 평범한 것은 아니었다.

SP가 약간 소모되는 기분이다. 강력한 물리력 이외에도 그의 화살에 초상력이 깃들었다. 구체화되지 않은 화염이었다. 아직 불꽃으로 타오르지 않으나, 화살의 주위에 일렁거리는 기운이 희뿌옇게 모였다. 그건 화살에 머무는 것이었다. 그대로 화살의 여행에 동참해, 목표물에 맞는 순간 파이어볼이 터지는 원리와 같이 상대의 신체에 손상을 더할 것이다.

큰 폭발은 아니었지만, 정확한 부위에 맞는다면 치명상을 그대로 즉사할 것으로 바꾸는 정도는 충분히 되었다.

그리고 이런 SP의 운행은 화살 그 자체의 궤적에도 영향을
미친다. 사소한 바람이나 장애물 따위를 그대로 뚫고 포물선
너머의 목표를 맞추도록 돕는 일이다.

화살에 일일이 SP를 소모해 강력한 힘을 부여하는 건 쉬운 일이
아니었다. 정확한 스킬이 아직 생기지는 않았다.

아마 이런 게 가능한 걸 보면, 게임 내에서 분명 활용하는
기술이며 스킬 또한 가짓수가 많을 법한데. 경험치를 채 다 채우지
못한 모양이다.

어쨌건 제냐는 원거리에서 일단 그가 가능한 가장 훌륭한 초수를
잡았고,

그대로 기회가 왔다고 생각한 순간 쏘았다.

*

16. 파티 플레이

초수의 화살이 날아갔다.

시위와 함께 끝을 잡은 오른 손가락이 그것을 놓쳤다. 강력한 장력은 그대로 화살을 퉁겨 밀며 앞으로 날렸다. 대에 고정되어 앞을 바라보던 살은 그대로, 앞으로 날았다.

곧 조금 아래를 향한 대각선 방향이었다. 꿰뚫듯이 날아간 그것은 바람의 영향을 이겨내는 것처럼 강한 기세를 가지고 있었다.

철목시는 일반적인 나무보다 비중이 훨씬 컸다. 밀도 역시 높았고, 그 질김 역시 강하다.

정말로 나무같지 않은 성질을 많이 가졌기에 철목이라 불렸고, 물론 비련의 시나리오 온라인 내에서만 자생하고 있는 가상의 식물이었다.

어쨌건 그 무거운 화살은 일반적으로 날릴 수 없으리라 생각되는 단단한 장궁의 시위에 걸려 유선형으로 구불지게 날았다. 육안으로 본다면 확인할 수 없으나 바람을 가르며 그렇게 흔들린다.

그 겉에는 발사시에 제냐가 휘돌게 만들었던 SP가 여전히

어른거렸고, 그 뿌연 기체는 실제 물질이 아니라 초자연적인
힘이었기에 화살의 운동에 떨어져 나가지도 않았다.
　도리에 그 몸체에 묻은 채 화살의 비행을 더욱 가속시키고
강력하게 만든다.

　쏜 살같이, 날아간 쏜 살은 일반적인 화살보다도 더 빠르게 나무
사이를 지났고 작은 잔가지 하나를 맞추었으나 그대로 장애물이
없었던 것처럼 꿰뚫고 지나갔다.

　얇은, 검지 손가락 같은 굵기의 것이었으나 날으는 철촉에
부딪히자 도끼가 지나간듯 전혀 지연을 시키지 못하고 지나가는
살을 보내주었다.

　그렇게 날아간 살은 순식간에 목표지에 다다랐다.
　애초에 제냐가 스킬의 눈으로 확인한 정확히 그 지점이었다.
　복잡한 연산 과정을 돕는 스킬은 여러가지 운동역학과 게임 내
물리엔진의 사실적 정보들에 기반한다.
　아주, 확률이 높은 저격이었다.

　세 마리의 갈색 오크들이 걷고 있었다. 그것들은 무척이나
두터운 갈색 가죽으로 뒤덮인 돼지의 면상이다. 일반적인 것보다도
멧돼지를 닮았다. 더욱 억세고, 송곳니가 튀어나와 있는 듯하다.
　그 털이 그렇게 무성하지는 않고 파충류의 그것을 닮은듯

매끈했다.

형상만은 돼지의 그것이었기에, 도리어 더 괴기스러운 느낌을
주었다.

악마의 이름에서 유래한 오크의 어원을 살펴본다면 그럭저럭
어울리는 꼴이었다.

세 마리의 체격은 약간씩은 달랐지만, 하나같이 2m의 체고가
넘는 거구에 장신들이다. 투구 따위는 없었고, 목 아래에 몸통과
팔다리에 헐거운 쇠나 가죽 보호대가 붙어 있다. 한 가지 세트set를
사용한다기보다 여기저기서 얻어낸 낱개를 기워 붙인 것 같은
꼴이었다.

대가리부터 손끝과 발끝까지 짙은 암갈색이었고, 개체에 따라
약간의 명도가 달랐다.

눈앞에서 본다면 공포스러울 꼴이었다. 2m의 거한이 앞뒤와
양옆으로도 비대했다. 거대한 멧돼지를 일으켜 세운 듯한
부피감이다. 물론 그것보다 훨씬 컸다. 이족보행이 가능했고,
안정된 척추를 가지고 있다. 길다란 팔은 도구를 유연하게
휘두른다.

몸통의 부피만큼이나 지지 않고 두꺼운 사지의 부피감은 그것의
완력을 짐작하게 만들었다.

맨 앞에 서 있던 한 놈은 반쯤 망가진 철퇴 따위를 들고 있었다.
사람이 휘두른다면 어지간한 장사가 아니고서야 들기도 어려운
크기였다. 어지간한 일반 남성의 머리통만한 쇳덩이가 달려 있고
가시가 돋아 있는 조형이다. 둥그런 쇠구는 삼분의 일 쯤 윗부분이
날아갔는지 울퉁불퉁했다.

그것으로 온갖 것들을 쳐부쉈는지 이런저런 찌꺼기나 먼지가
묻어 있다. 손잡이까지 통짜로 쇠로 된 물건으로, 어지간해서는
망가지지 않을 것 같다. 그렇기에 장사의 힘 이상을 다루는 브라운
오크가 들고 다니는 것이다.

맨 앞에 있던 한 마리가 아마 세 놈들 중 주장과 같은
것이었을지 모르겠다. 가장 키가 컸고 또 거대했다.
숨쉬기가 불편한듯 쿨럭거리는 소리를 쉴 새 없이 내며 걷는
오크들의 주장.

그 놈은 채 쇳덩이를 들고 휘두르지도 못했다. 그대로 팔을
움직인다면 거목이라도 한 부분이 쉽사리 패일 것 같은
느낌이었으나, 강력한 완력도 인지하지 못한 치명적인 일격에는 별
소용이 없다.
그런 법이었다.
전장과 전투라는 건, 또 생과 사라는 건 한순간에 결과가 극명히
갈려버리고 만다.

"치-익."

침을 뱉는 것인지, 숨을 뱉는 건지. 습기 찬 숨을 비대한 어금니 사이로 대충 다물어진 입 밖에 뱉어냈다. 걸걸한 성대는 인류라기보다 짐승의 것을 훨씬 닮은 괴악한 소리를 긁어내고 있었고.

여러 겹의 패인 주름과 얼굴과 목, 여기저기 드러난 살거죽에 가득하다. 다만 그 살거죽의 성질은 지극히 질기고 단단해보여 주름이라도 쉽게 요동하지 않는다.

오크 세 마리는 앞을 바라보고 천천히 걷고 있었고,

우두머리가 좁은 시야의 한켠에 무언가가 움직였다고 느꼈을 때였다.

사각은 아니었으나 속도를 포함하자면 그런 것이나 다름 없는 일격이 비수보다 빠르게 날아와 목에 틀어박혔다.

콱! 하고 살거죽을 철이 뚫어내는 소리가 들렸다. 섬뜩한 참음斬音과 함께 운동 에너지를 잃지 않고 가속해온 철목시의 대가리가 오크의 목줄기 왼쪽 상단부로 시작해 뒤쪽 하단으로까지 뚫고 나왔다.

402

"케르르르르."

내려고 내는 것이 아닌지, 목이 상하고 공기가 들어가고
가래라도 끓듯이 소리가 넘쳐 나왔다. 목 내부 기도와 식도를
골고루 지나며 갈라버린 철목시는 참수의 칼날과도 같다.

아지랑이같은 기운은 단단한 거죽을 더 쉽게 파고들게 만들었다.
열 에너지를 품고 있는 것이었고, 오크는 그 와중에 뜨거움을
느꼈다. 불에 타는 듯한 고통이 목으로부터 전해진다. 칼에 베이는
자상 역시 그런 감각을 느낀다고 하는데, 그보다 더 확실하고
이차적인 느낌이었다.

그건 곧 불길한 예감이었다. 무언가 일이 일어난다는 명확한
예지감이 오크의 뇌리에 박혔다. AI였고, 또 짐승이자 교활한
몬스터로서의 본능을 심어둔 지능이 여러가지 정보를 받아들이며
도출해낸 결론이었다.

오크의 예감은 맞았다.

철목시의 화살 전체에 어려 있던 SP는 작은 폭발을 일으켰고,
신체 내부에서 터진 그 충격은 가죽 바깥에서의 그것보다 지독한
일이었다.

오크는 그대로 절명했다. 숨이 끊어지면, 물리적으로 그 숨을

잇는 몸통과 머리 사이의 연결부가 사라지면 어떤 생명체도 더 이상 살 수 없었다. 고등 동물은 더욱 그러하다.

비련의 시나리오의 세계에서 괴랄하게 설정된 괴수들 중에는 가끔 예외가 있기는 하지만, 그건 잘 드러나지도 않는 비처의 히든 몬스터들이다. 일반적인 것들은 그 예외에 해당하지 않았다.

잔인한 연출은 그저 빛으로 이루어진 입자로 표현되며 가려진다. 오크의 부서진 신체 주위는 현실이었다면 붉었을 것이 그저 흰 빛이나 사람에 따라 무지갯빛으로 달라지는 빛의 입자가 채운다.

그것이 생명이 떨어지듯 신체의 절단부에서 줄줄줄 흘러 떨어졌고, 공중에 마치 연기처럼 흩뿌려지는 입자들은 얼마 멀리 가지 못하고 소멸한다. 땅에 떨어져 닿는 것조차 없었다.

신체의 단면 역시 들여다보면 내장은 보이지 않고 그저 모자이크를 대신하는 빛의 가루들로 만들어져 있었다.

애초에 몬스터라는 게, 게임 상에서 데이터로 이루어진 가상의 무언가라는 걸 대변하는듯한 연출이었다.

어쨌든 그렇게 순식간에,

'치명상'을 입어서 브라운 오크 한 마리가 모든 HP를 잃고 목숨을 잃었다.

이동 중에 죽음을 맞이한 몬스터는 그 자리가 아닌 본래의 시스템상 자리에서 리젠되는 경우가 많다.

시스템상 자리라 함은, '부락'에 소속된 집단 생활을 하는 몬스터에게 있어 부락의 내부였다. 만일 떠돌아다니는 개체라면 무차별한 난수 데이터에 의해서 아무데서나 다시 만들어질 것이다.

새롭게 만들어지는 몬스터 NPC의 데이터는 연속성이 없는 것이었다. 몬스터들도 오래도록 살아남은 개체들은 간혹 스킬을 익히게 되고, 강력한 전투법 따위를 알기도 한다. 물론 개체마다 종족값이 있어서, 이 종족값이라는 건 동물의 지능에 관련된 것이었으므로 어느정도 한계 이상 강해지는 건 불가능했다.

오크가 아무리 용을 써보아도, 고차원적인 무기술 따위를 알기는 어려운 것이었다. 그들은 그저 일차원적으로 쇳덩이 따위를 휘두를 뿐이다. 본능적인 공격법 따위가 몸에 익을 수는 있었지만.

그 이상을 바라보지 않는다면 결국 스킬 시스템도 성장으로 캐릭터를 이끌지 않는다. 이런 경우 몬스터가 강해진다는 건 훈련보다는 우연의 산물이었다. 우연한 경우에, 정확한 타이밍과 위치로 강력한 일격을 때려박은 타격이 스킬화 되어서 '강격'을 주기적으로 뿌려대는 오크가 나타날 수는 있었다.

극단적인 강함을 가지게 되지는 않지만 방심했을 때 상황이 뒤집히는 정도는 되었다.

그마저도 이렇게 원거리에서 친다면 큰 변수는 없다. 솔로 플레이에 알맞은 전투 스타일이 원거리 공격과 빠른 이동을 통한 유격전이 되는 것도 그런 점이다. 몬스터들은 결국 다양한 공격 옵션이 없는 경우가 많았고, 제 몸 주위에 공격을 흩뿌릴 뿐이라면 멀리서 거리를 주지 않고 제압하면 그만이다.

첫번째로 죽은 우두머리는 그런 경우였다. 쇳덩이 그 이상으로 보이지 않는 철퇴를 가지고 여러번 다른 몹들을 때려잡은 그 개체는 완력이 조금 더 강해졌고, 주기적으로 스킬 시스템에 의해서 공격력 보정을 받는 '강격' 스킬을 구사했다. 이제는 더 이상 쓰지 못한다.

첫 번째로 한 마리가 죽자, 그 뒤를 이어서 따라가던 십 수 cm정도 키가 작은 오크들이 기겁을 했다. 짐승들은 충격과 공포에 예민하다. 최대한 빠르게 인지하고 놀라야, 다음 위협을 피할 수 있으니까.
그런 의미에서 오크들 또한 그렇다. 본능을 따르는 족속들이었다. 예기치 못한 일격으로 조장을 잃자 그것들은 눈알을 데굴데굴 굴려댔다. 주위를 살핀다.

"카아아악!"

불안한 듯이 기성奇聲을 내지르는 것 역시 동시였다. 두 마리가 우왕좌왕 하며 그 자리를 잠시 돌았다. 소리를 지르며 주변을 봤지만 이상한 건 찾을 수 없었다. 178m정도 앞에, 나무 위 지점에서 쏘아진 화살이었다. 숲은 난잡하게 은엄폐가 되어 있어 육안만으로 가늠하기 힘든 거리다. 제냐는 스킬로 예측 저격을 한 것이었고, 정확히 쏘는 순간엔 눈으로 오크들을 보지 못했다.

멀리서, 제냐가 다시 시위에 화살을 걸었다. 빠르게 달려나가지 않는다면 결국 저격의 사냥감이 될 뿐이다. 오크들은 다리가 굳은 듯 먼저 뛰쳐나가지 않았다. 그것들은 조금 더 시간을 끌었고, 다시 걸린 철목시에 기氣, 곧 정신력 에너지가 서리고(물리 계열 스킬에 정신력 에너지를 섞어 쓰는 방식을 보통 기氣라고 구분지어 말하기도 한다. 순수한 정신력 에너지로 이루어진 초상 스킬과 다르게)강력한 장력이 걸렸다.

끼릭거리며 화살이 몸을 굽혔다. 제냐의 등 근육 역시 온갖 부하가 걸리며 상체가 활짝 열린다. 당겨진 한쪽 팔에 실린 힘이 어마어마하다. 이만한 힘 그대로 앞으로 쏘아낼 수 있다면 어지간한 사람에게는 둔기로 후려 맞은듯한 충격일 것이다.

아래의 수풀에 몸을 숨겼던 개멋진나 최, 최태현 역시 자신이 사용하는 화살에 철시를 걸고 있었다.
철목시가 날아간 것이 먼저인 터라 한 호흡을 더 죽이고 기다렸다. 제냐가 다시 제 2격으로 철목시를 걸고 조준할 때까지, 틈이 있었으므로 그의 화살이 먼저 날았다. 다행히 같은 녀석을 노리지는 않았다.

남은 갈색 오크는 두 마리다.

최태현의 시야 역시 은 엄폐된 수풀 따위를 꿰뚫어 보았다. 기감 스킬의 영역인, 들쥐의 눈과 매의 눈의 복합 효과가 톡톡히 그 진가를 드러냈다. 그건 일종의 공간감이었다.
3D 데이터로 구성된 맵을 보는 것 같았다. 색깔이 없이, 그저 구조만 선으로 그어져 있고 3차원 그림의 거리를 위해 그어진 격자무늬가 주변을 채운 그런 그림 말이다. 건축 설계를 위해서 컴퓨터에서 만들어내고 바라보는 형식의 그것이었다.

앞이나, 위가 아닌 일정한 반경을 그런 맵 데이터로 느끼며 목표한 지점을 확대해서 조금 더 명확하게 바라볼 수 있었다.
거대한 범위를 눈에 둔다면 결국 그 정보를 처리하는 눈은 하나기에 많은 것들을 놓치게 된다.
가로막힌 벽을 뚫어내고 그 너머의 빛을 바라보는 투시의 능력과도 비슷했다.

조금 더 자세하게 따지자면, 원격 시야 송출 로봇을 움직여서 오크들의 곁에 띄워놓고 그 자리를 관찰하는 일과 비슷하다.

그리고 저격을 위한 거리감이나 현재 위치에서의 방향 따위가 조금 더 세세하게 머리에 들어온다. 그런 스킬이었다. 활잡이들을 위한 물건이다.

개멋진나 최의 활은 제냐의 것보다는 더 탁하고 나무 색깔에 가까웠다. 평범한 빛깔이다. 그러나 제냐가 가진 것보다 조금 더 고급의 물건이었다.

제냐 킴이 쏘는 장궁보다는 조금 크기가 작았으나 여러가지 초상적인 현상들이 즐비하는 비련의 시나리오 세계에서 그런 물리적 제약은 꼭 같은 결과를 가져오지 않는다.

어떤 초상 스킬이나 인챈트가 걸리고 누가 쓰느냐, 어떤 스킬로 다루어지느냐를 따졌을 때 단검이 대검보다 훨씬 강력한 일격을 낼 수도 있는 것이다.

물론, 다른 여러 조건들이 같다면 단검보다는 대검이 강력한 것이 사실이다.

애초에 단검으로 발휘할 수 있는 스킬보다는 대검의 것이 더 파괴적이며 물리적으로 큰 에너지를 포함하는 것이 많기도 하다.

자신의 상체보다 조금 더 길다란 높이의 갈색 활은 부드럽게 구부려져 있다. 흔히 보는 국궁이 그러하듯 휘어져 단순한 모양이다. 손을 잡는 그립 부분에만 흰 천이 둘둘 말려 있다. 질긴 재질이었고, 꽉 말아쥐면 놓치기가 쉽지 않도록 거칠거칠한 느낌마저 좀 있다.

그 흰 천의 가운데에 제냐의 것처럼 철목시가 아닌 철시가 걸려 있었다. 나무로 만들어진 일반 화살의 몸체보다 철목시가 더 무거웠고, 그 다음에 철시가 더 무거웠다.
현실에서 이런 물건을 화살로 쏜다면 그건 묘기를 위해서 특수하게 만들어진 물건일 것이고, 제대로 날지 못할 테였다.

그러나 초인적인 힘과 초상 스킬이 존재하는 게임 내에서는 충분히 실용적이며 압도적인, 도리어 더 파괴적인 무기가 된다.

철목시로 만들어진 화살이 기氣력술로 위력을 더해 원거리에서의 저격이었으나 근처에서 날붙이를 휘두른 듯한 강력함을 보였다. 철시는 그 이상이다. 제냐보다 스텟은 낮았지만 궁술 특화의 레인져로서 여러가지 스킬들이 있었다.

사냥꾼의 자세, 사냥꾼의 감각, 이미 제냐가 가지고 있는 여러 스킬들에 더해 그 외의 것들이 작용했다. 궁도가의 마음가짐, 이라는 스킬은 화살을 시위에 거는 그 짧은 행위에 근육의 잔떨림을 없애주고 행동을 매끄럽게 만들어준다. 그런 일은 기본적으로 근력 보정이 들어가야 가능했으므로, 궁술에 있어서는 물리 스텟의 수치보다 더한 힘을 낼 수 있다는 뜻이었다.

'저격자의 시선'이라는 스킬은 시위에 건 이후의 행동을
보정한다. 화살을 시위에 걸거나, 원거리 저격 준비를 마친 뒤
발사하기까지의 시간에 근력을 더해주어 적은 힘으로도 조금 더 큰
공격을 위해 애를 쓸 수 있게 도왔다.

시위에 걸고 화살을 당겼을 때, 그 멈춘 자세에서 근육에 보정이
들어가는 스킬이다. 고요하게 머무르는 호흡과 시선은 그 화살촉이
노리는 곳을 바라본다. 저격자의 시선은 스킬의 이름과 같이,
명중률에도 어느 정도 보정을 준다.

준비를 마치고 쏘기 직전까지의 행동 보정이라는 건 당연히,
자세에 영향을 미치며 그건 명중률과 직접적인 연관이 있는
일이었다.

흔들림없는 눈동자로 개멋진나 최가 수풀 너머의 오크 무리들을
꿰뚫어보았다. 육안으로는 흐릿하다. 여러가지 것들이 거치고 또
거리가 멀어서 어림짐작으로 그것들을 확인하는 게 더해져야 한다.

기감 스킬을 비롯해 여러 감지계열의 스킬들이 작용했다. 조금
더 정확한 예측을 위해 다양한 정보를 전달한다. 먼 거리에서부터
전해지는 미세한 떨림과 소리들도, 번잡스러운 소리들 중에서
잡아채어 분석한다.

오크의 행동 원리를 파악하는 데는 '오크 사냥꾼'이라는 칭호가
유용했다. 제냐가 '지룡 사냥꾼' 타이틀을 얻은 것처럼 그는 오크에

대해서 가지고 있었다. 레벨과 상관없이 오크 족속을 삼 백 마리 이상 혼자 잡아내면 얻는다.

오크를 비롯해서, 이족 보행을 하는 비슷한 류의 몬스터들에게 추가 데미지가 가해지며 순발력 보정이 있었다.

플레이어들이 플레이하는 플레이어블 종족, 곧 인류는 몬스터들에 비해 근력이 부족하다. 신체적으로 본다면 완벽한 상위호환이나 다름없는 이족보행류 몬스터들을 잡기 위해서 인류가 발전시켜야 할 건 순발력이었다. 한 호흡에 더 빠르게 움직이는 그 능력이 상대의 호흡과 타이밍을 흐트러뜨리고, 그보다 빠르게 급소에 칼을 꽂아넣어야 괴물들을 잡을 수 있는 것이다.

체급적으로 격상의 상대에게 이기기 위해서는 그 수 밖에 없었다. 무기를 다루어야 했고 말이다. 마침 무기를 다루는 능력 또한 '순발력'에 포함된다.

또한 순발력은 이전에 말했듯 근력과는 궤가 달랐으나 이 또한 '근육'의 성능을 높이는 힘이었다. 신체의 말단 부위에 걸리는 근능력을 높이고 또 재빠르게 움직일 수 있는 반응성을 높인다.

미세한 조작이 가능하게 되고 정확도가 높아진다. 화살을 쏘는 일에 더욱 필요한 점이었다.

개멋진나 최는 그가 얻어낼 수 있는 다양한 스킬과, 또 각별히 칭호들을 그러모았다. 제냐가 했던 것처럼 애초에 특이한 방식으로

412

플레이하지 않으면 얻을 수 없는 것들도 있었으나 공략법을 보고 조금 더 쉬운 방법으로 플레이하면서도 모을 수 있는 게 많았다.

그러기 위해 있는 공략법이기도 했다.

인터넷 커뮤니티에서 긁어모은 정보들을 사용해 그는 자신의 플레이 스타일에 맞게, 주로 순발력을 올려주는 칭호들을 모았다.

여러가지 보정으로 인해, 그는 결론적으로 철시를 쏘아낼 수 있는 강한 힘을 보유하게 된다. 그가 다른 종류의 무기를 사용한다면 조금 더 힘이 떨어질 것이다.

그만큼 캐릭터의 육성법과 플레이 스타일은 밀접한 연관을 맺고 있었다.

비련의 시나리오는, 지독할 정도의 정확성과 장인 정신을 요구하는 게임이었다. 게임 주제에, 라고 말할 법 하지만 그것이 만든 이들의 정신이 아닐까 싶었다.

"푸."

개멋진나 최는 이미 멈췄던 숨을 이내 슬쩍 뱉으며 화살을 날렸다. 퉁, 하고 묵직한 파공음과 함께 화살이 날았다.

철시는 정말 화살같지 않았다. 슬로우 모션으로 화면을 찍어 본다고 하더라도 다른 화살들에 비해 유선적인 움직임조차 훨씬 적었다. 차라리 투창을 한다고 하는 게 맞으리라.

그 속이 비어 있고 가벼운 쇠였으나 쇠는 쇠다.

실질적으로 투창에 비슷한 것이 이루어졌다. 시위의 장력은 괴물같은 것이라 일반인은 결코 다루지 못한다. 현실에서는 기계를 이용해 당겨야만 하리라. 개멋진나 최 역시 그 화살 시위를 다루는 한 가지 행동 동작에만 온갖 근력 보정을 더해야 했다.

그의 활은 '철시궁'이라는 물건이었다. 철시 따위의 특수한 물건을 쏘아내기 위해 특수하게 제작된 것이다. 나무처럼 보이지만 그 내부에 여러가지 물질들이 배합되어 있는 소재였다. 겉 표면은 나무의 질감을 나타내되 몸체를 갈라 단면을 본다면 나무의 그것은 아니었다.

그 제작술에는 현실에는 중세 시대의 신비주의적 주술일 뿐인 '연금술'이라는 이름의 게임적 기술이 들어가 있었다.

실제로는 그저 마술과 같이 뜬구름잡는 이야기의 맥락으로 이어지는 실속없는 가설들의 나열이었지만 '판타지Fantasy'라는 장르를 가져 온 게임 내부에서 과학적 그 이상의 힘과 실용성을 가진 가상의 학문으로 나타났다. 이름만 가져왔다고 하는 게 맞으리라.

연금술, 이라고 하며 가치가 없는 소재들로 보다 가치가 높은 물질을 빚어내는 게 목표인 게임 내의 스킬들의 총체를 일컫었고,

게임 내 세계관에서는 일종의 학문으로 종사자와 연구자들이 아주 많은 종류였다.

그 분야의 일절을 가졌고 대가라고 할 수 있는 이들은 세계관 내에서도 아주 높은 신분으로 위치하며 고등급의 아이템들을 만들어낸다.

현재까지 유저들은 세계관의 절대적인 강자들의 수준을 따라잡지 못했다. 현재 플레이어들의 레벨 중 가장 높은 것이 300대였는데, 적어도 대륙 내 인류에서 가장 높은 수준인 이들의 레벨을 환산하면 500이상이라고 추정하고 있었다.

당연히 고레벨로 갈수록 레벨 업은 힘들어진다. 절대적인 총량 역시 많아지고, 같은 몬스터 캐릭터를 사냥해도 경험치로 바뀌는 것이 적다. 상대적인 강함이 약해지기에, '쉬운 사냥'이라고 시스템이 인식해서 그렇다.

경험치, 경험 수치라는 건 '경험'에 부과되는 것이므로 시스템은 그 행위의 내용을 세세하게 판별한다.

같은 적을 같은 강함의 유저가 잡더라도 얼마나 다양한 경험을 했는가에 따라서 경험치가 달라질 수도 있었다. 난전을 벌이고, 조금 더 고되게 잡았으면 그 사냥의 과정과 시간을 평가해 추가치가 붙을 때도 많았다.

비효율적인 방식으로 사냥을 해서 메인 인공지능이 평가하는

'평균 전투력'에 훨씬 못미치게 싸웠다면 딱히 추가되지는 않는다.

검사가 검을 들고 기술이 없이 미련하게 싸워서 많이 처맞았다고 하더라도 그것을 보다 양질의 경험으로 계산하지는 않는 것이다.

다만 검을 주력으로 사용하는 검사가 자신의 검을 내려놓고 양 주먹으로 비슷한 강함의 몬스터를 패서 사냥했다면 그건 색다른 유형의 방식이자 '고된 경험', 즉 양질의 경험으로 인정해 추가적인 경험치를 얻을 수 있었다.

제냐는 그런 식으로 보다 많은 경험치를 얻었다.

파티 플레이 역시 같은 식으로 계산된다. '하나의 전투'라고 인식되는 필드 내에서 몇 명이 공조를 해서 사냥을 했느냐, 그것이 개개의 전투에 얼마나 영향을 주었느냐를 따진다. 여러 명이 적은 적을 공략할수록 당연히 사냥은 쉬워지고, 그 난이도에 따라서 경험치는 낮아지는 셈이다.

많은 경험치를 얻기 위해서는 솔로 플레이로 거대한 난적을 잡는 게 가장 빠르다. 물론 사냥에서의 일이었다. 다양한 업적과 행위로 경험치를 얻을 수 있었고, 제작 계열의 스킬을 익히는 장인들은 자신의 작품을 만드는 일이 가장 많은 경험치를 얻을 방법이다.

비련의 시나리오 내부는 치안 환경이 그다지 좋지는 않았지만 전투만을 위해서 생겨난 세계관은 아니었다. 사람들의 일상이 있었고, 사회와 경제가 있고 또 문화와 역사가 흐르고 있다.

세세하게 설정된 다양한 이야기에 온전히 관심을 갖는 이들은 소수이긴 했지만, 파고들자면 또 얼마든지 롤플레잉을 깊이 즐길 수 있었다.

사교적 행위로 수많은 NPC들의 마음을 열고 교분을 맺고, 그들의 사연을 해결해주는 식으로도 경험치를 얻는 방법이 있다.

세계관에 영향을 미치는 것 역시 경험치를 얻기 가장 좋은 행동이다.

다만 명확하게 하나의 목적을 위해서 행해진 행위, 즉 사냥이나 아이템 제작 등 실물적인 행위는 그것만을 따진다.

다른 목적을 위해 행해졌고 결과가 눈에 보이는 그것들이 다시 세계에 미치는 영향을 모조리 고려할 수는 없었다. 그건 진정한 난수이자 미지의 영역이었으니까. 시스템 컴퓨터가 판단하는 한 개의 '행위'는 일정한 범위를 두고 있다.

지금 제냐와 개멋진나 최가 하고 있는, 저 오크 세 마리와의 전투가 한 개의 행위일 것이다 그리고.

개멋진나 최가 든 활은 중급 유저들도 흔하게 사용하는 아이템으로 7등급이었다. 제냐가 든 비스트 슬레이어와 동급이다. 희귀도만을 생각한다면 제냐는 초중반까지 즐겨 사용할 수 있는 레어 아이템을 극초반에 손에 넣은 셈이었다.

성능이 높은 물질 무기들은 '기력술'의 운용이 더 쉬운 특성을 대개 가지고 있었다. SP를 이용한 물리 공격 강화에 같은 에너지로도 조금 더 효율적인 위력을 발휘하는 것이다. 비스트 슬레이어 역시 약간은 그러했다. 지룡의 발톱 대거과 비교해서도 조금 더 그렇다.

철시는 굳이 따진다면 11에서 12등급 정도의 아이템이었다. 특수 소재의 철을 정련한 것에 불과하지만 SP에 반발을 일으키지도 않는다. 인위적으로, 또 기술적으로 고도의 집중을 발휘해 가다듬은 물건은 정신력 에너지를 담기에도 조금 더 편한 경우가 많다.

일부러 SP를 배척하는 성질의 물질이 가장 담기 어려웠고, 그 다음이 형편없는 솜씨로 만들어진 인위적 도구들이었다.

그 다음이 자연계에 존재하는 일반 물질들이었고, 그보다 조금 더 SP 수용력이 좋은 물질들이 장인들이 만들어낸 잘 가다듬어진 도구들이다.

철시는 잘 가다듬어진 것이다.

철시궁은 조금 더 그러하다.

화살과 활대에 전체에 제냐가 쏘아낼 때 그러했던 아지랑이가 다시금 생겨나 어른거렸다. 투명한 기운이 근처에서 일렁거린다. 연기 따위를 잘못 보는 것도 같았다.

개멋진나 최는 궁술에 있어서 기력술을 사용하는 걸 스킬화한 이후였다. 제냐보다 조금 더 앞서나간다고 볼 수 있었다.

공략법을 보고 경험치를 먹을 수 있는 행위를 반복한 것도 주효했다.

정말로 전투를 벌인다면 다양한 공격 옵션을 가진 제냐에게 털릴 확률이 좀 더 높기는 했지만. 어쨌든 화살만 놓고 본다면 더 강하다.

몸체에 걸린 SP로 인한 즉효적 강화가 철시궁의 지지력과 시위의 장력을 더욱 탄력적으로 만들고 강하게 했다. 화살 역시 날아가는 방향으로의 운동 에너지에 지지력을 받을 테다. 날면서, 공중에서.

철목시가 그러했듯 사소한 몇 가지 장애물 따위는 도끼날 앞의 잔가지처럼 치워버리며 전진할 것이다.

개멋진나 최가 개멋지게 당긴 시위의 손가락을 풀었다. 정련한 쇠처럼 약간의 매끈한 광택이 도는 색의 화살이다. 매끄러운 은빛이었다. 시위 부근에 닿는 꼬리 부분에만 화살깃이 달려 있다. 검지 손가락만한 두께감이었고, 앞에 달린 촉은 손가락 세개를 나란히 붙여 포개면 비슷할 듯한 폭이다. 길이는 길다란 중지 손가락보다 조금 더 길었다.

생선의 그것처럼 유선형으로 생겨 공기를 가르며 날아가는 모양새다.

철시가 공중을 넘어 난다.

바스락, 하고 최초에 그가 숨어있던 수풀의 걸리는 잎사귀들은 지워지듯 갈라졌다. SP가 담겨 기력술로 강화된 화살은 제냐의 것이 그러했듯 열기마저 띈다.

제냐가 파이어볼을 자주 사용해서 SP를 그렇게 이용할 수 있는 것과는 달리 개멋진나 최는 그렇게 하지 못했다.
아마 제냐가 기력술의 방식을 조금 더 자주 응용해서 사냥을 한다면 개멋진나 최의 것보다 조금 다르고, 혹은 강력한 기력술 스킬을 얻기는 할 테다.

그가 사용하는 건 '초기 기력술1-궁술'이라는 스킬이었다. 아직 칼이나 다른 무구를 사용할 때 응용하기에는 조금 벅찬 면이 있다. 스킬이 있다는 건 그것만으로도 에너지의 소모를 줄여주고 운용을 쉽게 만들어준다.

철시가 날며, 마치 나무로 만들어져 쏜 살처럼 혹은 더 빨리 숲을 가로지른다. 몇 개의 잎사귀를 치웠다. 잔가지 한 두어 개 정도를 베고 지났다. 기세는 조금도 죽지 않는다. 약간 포물선을 그리듯 날아간 단단한 쇳대는 파공성과 함께, 눈 한 번 깜빡할 새에 두 마리 오크 중 왼쪽에 있던 놈에게 가 닿았다.

개멋진나 최의 시선에서 볼 때 왼쪽이었다.

우왕좌왕, 하면서 두목이 죽고 옆으로 난 샛길을 살피던 놈의 옆 목이 철시에 걸렸다.

"크륵."

하고 끓는 소리를 마침 내던 차였고, 거의 그와 동시에 살가죽을 철시의 촉이 뚫었다.

콰득! 하는 소리가 난 건 가죽과 함께 내부의 뼈가 부숴지는 것이다.

제냐의 것처럼 폭발이 일어나는 효과는 없다. 다만 더 강력하게 날아갔고 날카로운 기세를 품은 화살이 반 이상이 그 목을 지났다. 두꺼운 목이었지만 손가락만한 철대가 박혔고, 그보다 더 넓은 화살촉이 앞길을 뚫자 생명 유지가 어려워졌다.
사람이라면 절명할 상처다.

그러나 오크는 괴물이었고, 또 가상의 괴물이었다.

강력한 체력, 완력, 여러 신체 능력을 장점으로 삼는 짐승이다. 놈은 터프하게 쓰러지지 않았다. 화살을 목에 박았으나 움직였다. 나머지 놈도 정신을 차렸다. 화살이 날아온 방향을 바라본다. 첫 번째 일격은 너무 화려했다. 짐승이라도 놀라 기겁할만했다. 두 번째는 조금 단단하고 무거운 화살이 날아왔을 뿐이다. 오른 쪽에 있던 오크 한 놈이 화살이 날아온 방향으로 냅다 자리를 박차며 뛰었다.

화살을 맞은 놈은 고개를 돌렸다. 아니, 몸을 회전시켜 날아온 방향으로 바라본다.

멀리서 기력 감지술로 장면을 확인하는 개멋진나 최에게 오크의 움직임이 전해졌다. 오크는 그대로 개멋진나 최와, 제냐가 있는 방향을 바라보았다. 그리고 한 걸음 걸었다.

지나친 터프함이었지만, 그것이 끝이었다. 오크는 두 걸음 째의 발을 디디다가 오른 발을 땅바닥에 내딛음과 동시에 무릎이 무너졌다. 땅에 두 무릎을 처박으며 키가 낮아진다. 쿵! 하는 소리와 함께 떨어졌고, 그 다음에 상체가 완전히 힘이 풀려 앞으로 고개를 처박았다. 다시 쿵! 하고 더 큰 소리와 함께 낙엽이

먼지처럼 일어났다.

오크는 아주 미약한 생명을 남겨두고 있었으나 시간문제였다.
치명상에 가까웠다. 아니, 치명상이었다. 단숨에 HP가 모두
사라지는 종류는 아니었으나 방어력이나 잔여 체력을 거의 무시할
정도의 상처는 되었다. 한 놈은 전투 불가능 상태가 되었고 그대로
내버려 둔다면 1, 2분 내에 죽은 뒤 이미 사라진 우두머리
오크처럼 빛의 입자가 되어 소멸할 테다.

우두머리 오크가 죽은 자리에는 이미 아이템 박스 하나가 놓여
있었다. 푸르스름한 색. 아날로그로 이루어진 현실적 세계와 장면에
어울리지 않는 뚜렷한 직선으로 이루어진 정육면체. 빛도 그림자도
제대로 받지 않고 저 혼자만 따로 색칠을 해둔 것같은 꼴로 눈에
띈다.
아이템 박스는 어쨌든 플레이에 있어 중요한 요소였고, 놓치면
안되니까 그토록 강조를 해둔 연출일지 모른다.

냅다 뛴 오크는, 멧돼지의 그것에도 표정이 있는지는 모르겠으나
그 털없는 매끄러운 갈색 얼굴을 이리저리 일그러뜨렸다.
치익거리면서 성대에서 숨과 함께 침 따위가 뱉어진다. 입이
제대로 다물어지지도 않는 어금니가 불편해 보인다.

둔중한 육신은, 2m를 넘는 거구를 지탱하는 다리답게 나름의

재빠름이 있었다. 그 강력한 근육은 동시에 각력으로 질주에
속도를 더했다. 거구가 달려오자 그 사이에 있는 장애물들은
정말로 빗자루에 먼지 날리듯 치워졌다. 거목을 쓰러뜨릴 순
없으나 잔가지 따위는 있으나 마나한 것이었다.

밟는대로 그 두꺼운 발가죽에 눌리자 덤불 따위도 없는 것처럼
납작해진다. 쿵쿵, 거리면서 달려오는 오크의 기세가 매섭고 또
용맹하다. 제냐는 최초에 노렸던 적에게 제 2격을 쏘아내기 전에,
상황이 변함을 바라보고 있었다.

순식간에 날아간 철시가 오크 한 마리를 죽였다. 그의 차례였다.
조준했던 위치를 바꾼다. 달려오는 오크의 위치는 더욱 알기 쉽다.
그 속력을 계산하기는 해야 했지만. 일직선으로 달려드는 무식한
움직임에 도리어 더 용이하다.

제냐가 조금 더 화살촉의 끝을 아래로 내리며 조준했다.

스킬이 정확하게 일러주었다, 그 쯤이라고.

약간 내리던 화살촉이 어느 지점에 닿자 제냐는 망설임없이
화살을 놓았다 그리고,

1초가 지나고 곧바로 파이어 볼을 캐스팅했다.

424

"파이어 볼."

철목시는 이미 시위를 떠나 날았다. 오크의 목, 은 달림과 동시에 이리저리 흔들리고 있어 사실상 맞추는 것이 거의 불가능했다.

그건 명인 그 이상의 솜씨여야 한다. 스킬로 따지면 현재 12단계 정도 발견된 급수에서 7단계 이상은 확실히 넘어야 할 테다. 달인 그 이상. 현실적으로 불가능한 묘기들을 아무렇지 않게 해내는 단계들.

오크가 불규칙적으로 또 상하좌우로 흔들면서 다가오고 있는 와중에, 가장 맞추기 편한 것은 아무래도 몸통 부위일 것이다. 그 정도만 하더라도 충분했다. 거구에게 걸린다고 해도 철목시는 약간의 저지력을 보인다.

콰득, 하고 두터운 가죽을 뚫고 철목시가 오크의 뱃가죽 위에 돋아났다. 오크의 인식에는 그렇게 느껴졌으리라. 시야가 좁은 상태에서 마구잡이로 뛰고 있었으니까. 격통이 있었지만 터프한 오크는 멈추지 않았다. 교활하나 그리 크지 않은 뇌와 지능이 일단 앞으로 달려가면 적이 있으리라는 사실에 집중하고 있다.

전투 시의 흥분 따위가 갈색 오크의 몸을 지배하고 있었다. 돼지의 그것을 닮은 대가리, 털을 다 뽑아내면 나오는 그

맨들거리는 것과 비슷한 낯짝이 조금 일그러졌다.

윗부분에서 다가와 대각선으로 꽂힌 철목시가 오크의 몸통 좌측 중앙을 파고드는 모양새다. 장기가 상했지만 그리 큰 부담은 아니었다.

오크의 기세나 속도는 별로 줄지 않았다. 쿵, 쿵 거리면서 지면에 있는 것들을 분쇄하며 다가오던 뜀박질이 한 두 박자 느려졌을 뿐이다. 그런 오크를 보면서 교대로 저격을 하듯 준비하고 있던 개멋진나 최가 다시 철시의 머리를 노려서 둔다.

오크의 길다랗고 또 두꺼운 다리가 그새 거리를 3분의 1정도 줄였다. 훌륭한 성과였고 또 위협적이었다. 다시금 뛰기 시작했는데 철시가 직선으로 다가왔다. 오크는 본능적인 위험을 느꼈다. 이번에 한번 더 맞으면 죽으리라는 감각이 발동했는 지도 몰랐다.

짐승의 본능으로 오크는 몸을 뒤틀었다. 오른 쪽으로 발을 밟으며 쿵! 하고 옆에 있는 나무에 그 몸통을 들이박았다. 거목이 묵직하게 흔들렸다. 그 정도의 기세로 자신의 달리는 관성을 제어한 오크의 옆으로 철시가 날아갔다. 십 수 m정도 뒤에 있는 나무의 몸통을 대신 갉아내며 틀어박힌다. 어찌나 강맹한지 그 화살깃까지 파고들었다. 옆에서 보면 화살의 들어간 부분은 보이지 않고 머리 부분만 뒤쪽으로 튀어나왔다. 오랜 수령의 나무를 거의

426

관통했고, 화살로 낸 것이라고 믿기지 않는 두터운 구멍과 패인 자국을 만들었다.

운좋게, 혹은 탁월한 감각으로 공격을 피한 오크는 거목의 나무껍질을 잔뜩 뜯어낸 뒤에 다시금 몸을 움직였다. 뒤트는 몸이 조금 굼뜨다. 한 번 멈추고 나니 상처가 영향을 미치는 것도 같았다.

그리고 그 정도의 지연이라면 충분했다.

제냐가 파이어 볼을 캐스팅하고, 완성시키기까지.

제냐가 마치 대포의 포신처럼 직선으로 쭉 뻗은 오른팔 앞에, 오른 손바닥에서 약 5cm 떨어진 허공에서 SP가 모여들었다. 본디 보이지 않는 초상적인 힘은 제냐의 의지력에 따라 일점에 집중되며 자연 현상의 일종으로 모습을 바꾸었다.

빛이 나는 광구가 만들어졌고, 그 위에 찰흙이 덮어지듯 점차 크기를 키웠다.

얼마 지나지 않아, 곧 수 초만에 성인 남성의 머리통만한 빛의 공이 형성된다. 그 뒤에 껍질을 씌우듯, 포장지를 감싸듯 붉은 기운이 넘실거리며 표면을 채우더니 불길의 일렁거림마저 재현한다.

빛의 구는 가만히 있었지만 그 표면이 끊임없이 운동했다. 작은 회오리를 형상화한 것 같았다. 이리저리로, 다양한 방향으로 회전하는 기체, 불꽃이 품고 있을 운동 에너지가 어마어마하게 느껴진다.

그동안 조금 더 진일보한 파이어 볼 스킬의 진수였다. 타들어가는 불꽃은 강력한 에너지를 보유했다. 시전 중에 제냐에게 해를 입히지는 않았다. 그러나 주위에 있는 나뭇잎들이 불에 타버렸다. 불길이 조금 번졌다.

산불이 날 정도로 화끈한 불길은 아니었지만 제냐의 앞을 가리던 잎사귀들이 사라져 시야가 조금 더 훤히 드러나게는 되었다. 그만큼 제냐의 모습 역시 바깥에서 볼 때 노출된다.

오크는 멀리서 빛나는 불꽃을 확인했다. 낮이었고, 시야 확보가 어려운 숲이었으나 그만큼 이질적인 기세였다. 붉은 불빛이 멀리서도 그 형상을 조금 드러낸다.

파이어 볼의 조준에도 저격 용의 스킬 몇 가지가 도움을 주었다. 궁술은 아니었지만 어쨌든 원거리 공격에는 통용되는 종류들이 있었다. '매의 눈'이 그것이었다.

제냐도 저격자의 시선을 가지고 있었다. 원거리전을 많이 반복하다보면 필연적으로 갖게 된다. 그리고 그건 파이어볼을 다루는 자세에도 도움을 주었다.

428

오크의 속력이 느려졌다가, 다시금 탄력을 받아 다가오고 있을 즈음이었다.

'스으으읍.'

제냐가 숨을 가늘게 쉬다가 잠시 끊었다. 그 타이밍과 딱 맞춘듯 손바닥에 있던 붉은 불덩어리가 손바닥 바로 앞에서의 연결을 벗어났다. 빠르게, 날아간다.

파이어 볼의 속력은 그리 느리지 않았다. 원거리 공격에 유용한 만큼이나 빠르다. 조금 더 고급의 초상 스킬, 대단위에 흩뿌려지는 종류라면 조금 느릴 수 있겠으나 파이어 볼은 기초적이고 또 빠르게 상대를 제압하기 위해 만들어진 스킬이었다.

둥근 불덩어리가 날고 있는 장면을 옆에서 잠시 찍는다면 좁고 찌그러진, 긴 도형의 모습이 나올 테였다. 그 정도로 바람을 가르며 빠르게 날고 있었다. 불길은 초상 스킬의 발현으로 만들어진 것이었으므로 그렇게 날아가는 와중에 흩어지지 않는다.

SP덩어리는 거추장스러운 것들을 이번에 다 태워버리며 전진했고 하강해서, 오크의 명치 부근에 착탄한다.

툭, 하고 최초에 닿는 소리가 났다. 오크는 명치께에 낡은 가죽 갑옷을 걸치고 있었다. 상체를 다 가리지는 못하고 중앙부터 왼쪽까지 심장 근처를 가리는 형상이었다. 그 위에 닿은 파이어 볼은 목표지를 발견하자마자 제 본성을 드러냈다.

화르르, 하고 그 불길이 몸집을 불렸다. 물풍선이 터지는 것과도 비슷하다. 마치 그물처럼 일어난 불길이 오크의 상체 전면으로 퍼졌고, 갑자기 터졌다. 그 가운데 있던 둥근 중심이 있다. 그것이 폭발을 일으키는 부분이다.

쾅!

하는 폭음은 화약을 실은 폭탄을 던졌을 때와 별반 차이 없었다. 강렬한 폭음에 열풍이 주위를 데웠다. 불똥이 조금 튀어 낙엽 부스러기를 얼마간 없앴다.

오크의 몸체는 심대한 타격을 받았다.

그대로, 크레이터처럼 상체 전면부에 구덩이가 생겼다. 물론 그 자리에 있던 내부 장기들은 소실된 셈이다. 열상으로 인해 그 주변까지 화상 자국이 생긴다. 곧 지나친 피해는 으레 그렇듯 빛의 입자로 가려진다.

상체 전면부가, 곧 흘러나오는 빛의 가루들로 덮였다.
"키우아이악." 간신히 살아있는 오크의 성대가 비명처럼 헛소리를 내뱉었다.

원래 붙어 있던 철목시가 내부에 파묻혔던 제 몸통을 더 바깥에 드러냈다.

"파이어 볼."

오크에게서 아직은 먼 거리. 더 이상 좁혀지기 어려워 보이는 간극 너머에서 제냐가 다시금 스킬의 이름을 읊었다. 아직 MP(Mental Point)는 많이 남아있었다. 몇 번은 여유롭게 더 캐스팅이 가능했다.

그김에, 조금 더 MP를 많이 투입해서(SP=MP, 굳이 따지자면 자연계에 있는 초상력이 SP이며 개인에게 귀속되는 에너지는 정신력 에너지로 불림. 이것을 물질에 실어 타격기로 사용할 때 '기'라고 부름)애초에 것보다 더 큰 화염공을 형성했다.

오크는 거의 탈진 상태였다. 상체에 저만한 구멍이 패이고 제대로 된 전투 능력을 보유하는 생물은 거의 없을 것이다. 체적에 비해 상당한 손실이었다. 같은 논리로, 그렇기에 중형 이상의 거대 몬스터들이 더 잡기가 어려웠다.

급소를 일점 타격하는 것을 제외한다면 HP를 없애기 위해 더 많은 분량의 파괴 행위가 필요했다.

그 몸집이 건축물 이상으로 넘어가기 시작한다면 일종의 공사나 크게 다름이 없었다. 움직이고, 또 끔찍한 수준의 초월 방어력과 견고한 단단함을 보유했다면 이제 토목 공사보다 아득하게 어려운 일이 되어버린다.

오크는 그 정도로 크지도 않았고, 그 정도로 끔찍한 몬스터도 아니었다.

이제 막 비련의 시나리오에 접속한 뉴비가 마주한다면 그렇게 느껴지겠지만. 둘은 이제 충분히, 어느 정도 대처 가능한 전투 스킬들을 익힌 노련한 초보자였다. 초보자의 티를 완전히 벗었다고 하기에는 아직 지나야 할 구간들이 조금 더 남아 있었다.

보통 30은 넘고, 4, 50은 지나고 있어야 중급자 이상, 초보자 티를 벗어낸 유저로 인식한다.

세슈칸은 그런 이들의 터전이기도 하다.

화구火球가 두 배는 더 커졌다. 빛나는 광량으로 주변에 있다면 눈살이 찌푸려질 것이다. 제나에게는 큰 영향이 없었다. 빛은 앞으로 뻗었다. 빛의 방향과 세기 역시 조작이 가능했다. 강렬한 열에너지를 다루는 초상 스킬을 발현할 때 동반되는 빛으로 주변을 제압하고 시선을 흐트러뜨리는 건 기초적인 전략 중 하나이다.

화구는 처음의 그것이 만들어지는 것과 비슷한 방식으로
만들어졌다. 크기 말고는 거의 다 같다. 타오르는 불길이 조금 더
커졌다. 표면에 일렁거리는 그게 구의 모습을 한 중심부 주위로 더
과감하게 움직였다. 작은 태양을 보는 것 같았다.

정말 있는 스킬 중에, '작은 태양'이라는 전설 급의 스킬이
있었다. 그것과 비교한다면 하늘과 땅 차이기는 했지만.
비유적으로는 그러했다. 오크가 다시 걷는다.
지독하게 터프한 행진이었다.

제냐는 그 행진을 이제 멈추어 줄 필요성을 느꼈다. 짐승의
목숨을 끊을 때, 사냥을 할 때는 단 번에 하는 게 좋다.
지독하게 어려운 난적을 상대로는 그마저도 쉽지는 않지만.
여유가 있다면 그렇게 하는 것이 차라리 낫다.

사냥감에게도, 사냥꾼에게도. 굳이 괴로운 장면을 오래 볼 필요는
없다.

제냐가 참았던 숨을 다시 이었고, 손바닥 앞에 고정되어 있던
거대한 화구가 날아갔다. 속도는 변함이 없었다. 이런 점이 초상
스킬의 강력함이었다. 더 많은 MP가 투입되어 비대한 에너지를
포함하고 있지만, 그게 물리적 무게로 환산되지는 않는다. 물론 더
큰 초상 스킬의 투사체를 더 빠르게 움직이려면 MP가 더 들기는

한다. 그러나 질량을 가진 물질을 이동시킬 때의 그 증가분보다는 훨씬 적다.

화살처럼, 대포알보다 더 큰 화구가 난다.

주변에 나무들이 거슬렸지만 그 표면을 긁듯이 태우고 지났다.

마지막에 다다른 오크의 몸체는, 긁는 정도로 끝나지 않았다.

화염이 오크의 몸통을 집어삼켰고, 곧이어 폭발이 일어났다.

오크의 상체는 형체를 잃어버렸고, 빛의 입자가 쏟아지며 순식간에 소멸한다.

앞을 향해 움직이던 오크는 그 자리에, 덩그러니 아이템 박스만을 남겼다.

수풀 속에서 다시금 철시를 건 채로 오크가 있던 자리를 노리던 개멋진나 최가 숨을 토해냈다. 저격은 숨을 자주 멈춰야 하는 행위였다. 반복한다면 고되다.

걸었던 시위를 천천히 풀었다. 한 번에 주었던 힘을 푸는 것도 영 쉽지만은 않다. 천천히 철시를 다시 빼서 집어든 그가 수풀에서 불쑥, 일어났다.

그는 제냐가 있는 곳, 그가 올라간 나무쪽을 바라보았다. 요란한 파괴 행위를 자행한 터라 그가 있는 위치를 찾는 게 전혀 어렵지 않았다.

개멋진나 최가 입을 열었다.

"죽여주는데요!"

제냐가 답했다.

"쭉쭉 갑시다!"

소란이 일어났던 숲은 몇 군데를 제외하고는 여전히 평화로웠다. 전투 중에 작은 벌레나 새들 따위가 날아간 것 같기는 했다. 먼 허공에서는 여전히 유유자적하게 새떼가 날았고, 햇빛 역시 여전히 화창하다.

그리 오랜 시간이 아니었다. 전투에 걸린 건 고작해야 십 여 분 안팎이리라.

***

17. '취륵'은 그렇게 죽었다.

"취륵."

오크는 어설픈 소리를 낸다. 대가리가 돼지를 닮았으니 어쩔 수
없다. 듣기 좋은 소리를 낼 수 있도록 만들어진 구강 구조는
아니었다.

팁, 하고 위로부터 흘러내려 덮힌 아가리의 위쪽이 하관을
누른다. 브라운 오크의 입매 근처에는 송곳니가 길게 뻗어 있었고.

어지간한 손가락만한 길이가 바깥으로 돌출되어 있었다.
여러가지 것들을 그것으로 물고 뜯고 부수었는지 많은 것이
묻었다가 지워진 흔적이 보인다. 절대로 하얀 색은 아니었고, 탁한
빛깔이었다.

브라운 오크의 짙은 갈색 거죽이 인상적이다.

오크 한 마리는, 저녁 무렵의 어둠가운데 움직이고 있었다.

부락.

얼기설기 만들어진 목책이 보인다. 대강 나무더미를 가져와 박았다. 그 외에 돌더미 따위를 가져다가 담장처럼 빙 두르기도 한다. 그 구조가 견고하다거나, 짜임새가 있지는 않았지만 적어도 오크들에게는 강력한 힘이 있었다.

그것들은 자연계에 존재하는 온갖 잡기들을 옮길 수 있는 완력이 있었고, 그 어떤 장정보다도 뛰어난 노동자였다.

단순한 일의 반복이라면 이런 오크 류의 몬스터들을 따를 이가 많이 없었다.

거기다 한 두 마리가 아니라 이십 여 마리가 넘는 숫자가 살아가는 부락이었으므로, 오크들의 마을은 자연스레 규모가 꽤나 있다.

그런 부락 내부에 원시적인 움막이 지어져 있었다.

오크들은 도구를 다루고, 갑옷을 걸치며, 움막을 지어 산다. 그냥 동굴에서 기거하거나 노상에 보금자리를 틀기도 한다. 이족보행을 하고 인간을 흉내내듯이 전투하지만 본질은 짐승에 가까웠다. 그 교활함은 본능적인 영역의 것이다.

몬스터로서 설정된 괴수에게는 '성정性情'이라는 것이 없다.

원숭이보다도 더 발달한 지능을 가지고 도구를 다루며 문명처럼 보이는 집락을 이루지만 어디까지나 게임 내의 설정에 관한 것이었다.

현실에는 저런 동물들이 존재할 수는 없었다.

갈색 오크 한 마리.

무리들 내부에서는 '취륵'이라는 코 넘기는 소리로 불리는 개체였다.

그 외에는 '취르륵', 이나 '취라륵', '카락', '켁', '타룩'같은 개체들이 있었다.

어쨌거나, 이 개체들은 저마다의 특성들을 보유한다. AI가 따로 데이터를 보관하면서 행동에 따라, 시스템이 관장하는 한에서 보상을 주고 있기 때문이었다.

몬스터들 역시 경험에 의해 강해진다. 그 강함을 제대로 벼려내고 사용하는가는 다시 다른 문제였으나 말이다.

태생적 한계 내부에서는 얼마든지 개체 차를 지니고, 간신히 필요한 전투력을 가꿔서 온 플레이어에게 험난한 경험을 시켜줄 수가 있었다.

땅거미가 진 어둑한 숲의 어느 한 자리.

오크들은 숲의 공터에 나무들을 꺾고, 자신들의 자리를 만들었다.
드문드문 지어진 집들이 불규칙적으로 만들어져 있다. 땅을 파고,
부수거나 꺾은 나무를 나란히 세워 그 위를 덮었다. 그 정도의
복잡한 구조체를 만든다는 건 그래도 상당한 지능이 있다는
뜻이기는 했다.

플레이어들이 마주하는 가장 지독한 종류의 몬스터들은 간혹
이런 이족 보행류이기도 했다. 무리지어 생활하며 손을 쓰고
도구를 다루는 것들이 만약 원시적인 부류라도 함정을
지어놓는다면, 플레이어가 거기에 당했을 때의 공포감은 이루 말할
수 없으리라.

기본적으로 완력과 체력에서 질 수 밖에 없는 괴물에게
교활함까지 지고 들어간다면 설 곳이 없었다.

물론 게임 내의 인류는 곧 신체적으로 초인으로의 길이 열려
있는 가상의 것이기는 했지만. 만약 비슷하거나 조금 더 강한
수준의 몬스터를 만났을 때 그것이 그런 계략마저 보인다면
말이다.

인간이 짐승을 잡을 수 있는 가장 손쉬운 방법은 지혜를
사용하는 것이었는데. 짐승과 머리를 맞대고 싸워야 한다면 사냥의
본질이 흐려질 수도 있는 연출이었다. 사람은 보통 사냥감으로서의

자신을 상정하지 않는다.

게임 내의 사냥과 전투는 어디까지나 현실에서 즐기는 그 레저Leisure의 연장선이었으니. 거친 게임 내의 세계관에서 괴수들에게 사냥당하는 자신은 어느 누구도 현실감 넘치는 그래픽과 연출 내에서 보고싶어 하지 않을 것이다.

그래서 위험 지역으로의 진행은 각오가 된 플레이어들이 하는 플레이 스타일이었다. 모두가 사냥과 전투를 업으로 삼고 경험치를 얻지는 않는다.

자유도가 높은 어떤 RPG게임들도 그런 방식을 취하지만, 비련의 시나리오는 조금 더 그 비율이 높았다. 전투 직종이 아닌 다른 직군을 선택해 게임 내의 생활을 이어나가는 플레이 방식의 비율 말이다.

다만 그것을 이겨내기 위해 궁리를 짜내고, 역경처럼 보이는 짐승들을 잡아냈을 때의 쾌감은 남다른 것이었다. 그 부분이 비련의 시나리오에서 역설적으로 가장 즐거운 부분이기도 했다.

제나는, 그런 즐거움을 딱히 포기하려 하지는 않았다.

"쿠륵."

털이 없는 오크. 둔중하게 생긴 그것이 천천히 걷는다. 거구의 몸뚱이를 지녔다. 2m하고도 반은 될 것 같은 거체이다.

어둠 속에서 드러나는 그 윤곽선은 사람의 것과는 조금 달라 보였다. 고대 시대에 전설로 있었다나, 전해지는 거인의 풍모가 저럴까 싶다. 다만 거인과는 달리 훨씬 멍청한 짐승의 뇌를 달고 있다는 것이 사냥꾼들에게는 위안이었다.
　짐승 중에서는 가장 교활하고 또 개중에서 두드러지는 편이었지만.
　그래도 짐승은 짐승이었다.

　땅바닥을 딛는 발은 맨 발바닥 그대로였다. 갈색 오크의 것 말이다. 다른 오크들은 해가 사라지자 일찌감치 제 움막 속으로 들어간 모양이다. 오크는 '야성'을 지닌 몬스터다. '야행성'이 있지는 않았다.

　이름의 어감이 비슷해 '오거Ogre'와 혼동되는 경우가 있었지만. 오크와 오거 중에선 후자가 조금 더 상위종이다. 더 거대하고, 강력하며 다양한 특질을 가진 짐승이자 괴물이었다. 비련의 시나리오 내에서 후자의 것이 훨씬 더 고레벨이 필요한 사냥감이다.
　오거는 야행성 속성이 있었고 '귀신'의 일종이기도 했다. 오크 역시 그 어원이 악마로부터 왔으므로, 귀신과 같지만 '야행성' 속성이 붙어 있지는 않았다.

아마 게임의 난이도를 위해서 조정한 설정이 아닐까 싶었다. 비슷한 계통이지만, 하위의 물건들인 오크나 고블린은 야행성이 없었다. 무리를 이루며 짐승 중 가장 교활한 놈들인 녀석들을 비슷한 레벨Level의 사냥자들이 상대하기 위해서는, 어느 한 순간 빈틈을 노려야만 했다.

낮과 밤 중에 놈들은 낮의 숲 속을 활보하는 놈들이었고, 밤이 되면 다른 들짐승들처럼 잠을 잔다.

물론 밤에도 여전히 강력하다. 타고난 완력과 체력이 죽는 건 아니었고, 어디까지나 야행성 속성으로 인한 추가적인 힘이 더해지지 않는다는 뜻이었다.

무리지어서 타고난 교활함을 이용해 초보자의 악몽이 될 수도 있는 몹Mob들이 하루 시간대의 반 이상을 버프(Buff, 열광자, 애호가. MMORPG따위에선 다른 캐릭터의 능력치를 일시적으로 증가시켜주는 지원 기술을 의미한다)에 걸린 것처럼 높은 스텟으로 다닌다면 게임의 밸런스가 너무 괴악해지는 일이리라.

중후반을 넘어가면서 다양한 속성과 특성들로 난이도가 널뛰기하는 것은 피할 수 없었지만, 뉴비들을 위한 배려 정도는 이 게임에도 있었다.

모든 게이머들을 탈락시키는 건 제작자의 제작 의도가 아니었다. 개발진들은 어디까지나 많은 수가 게임의 종지부를 찍기 원한다.

그럴 수는 없겠지만.

보다 많은 인원이 게임으로 즐거움을 느끼고 하루 여가 시간에 정신적 스트레스를 풀어낼 수 있다면 좋을 것이다.

사실, 공공연하게 드러나 있지는 않았지만 비련의 시나리오는 개발 도중의 물건이기도 했다. 이후에 더 괜찮은 녀석을 만들기 위해서 시험작으로 내놓은 것.

개발진들은 이 게임을 모델 삼아서 다양한 데이터 값을 긁어 모으고, 차후에 진보된 녀석을 내놓기 위해 오늘도 애쓰고 있다.

그 노고를 알아주는 게이머들은 별로 없지만 말이다.

오크의 움직임을 주시하는 눈빛이 있었다.

부락의 울타리 내부, 움막들 사이의 공터를 천천히 걷는 갈색 오크 한 마리. 거기로부터 멀리 직선을 이어보면 있는 자리였다. 오크의 시야에서 오른쪽 대각선 방향으로 쭈욱, 한 200m거리 정도 바깥.

마침 그 자리에 관측이나 저격에 좋은 높다란 수령이 오래된 나무 한 그루가 있었다. 숲에서도 유달리 눈에 띄는 부분이었다.

관측에는 좋으나 저격자의 위치가 너무 쉽게 노출된다는 단점 또한 있었다. 빌딩 숲에서 저격을 하려면 복잡한 공간이 필요하다. 저격의 방향과 포인트가 단숨에 노출된다면 저격자는 호위 인력에 의해서 생을 마감하게 된다.

그것을 벗어나기 위해서는 몇 가지가 필요했는데,

압도적인 화력이나 근접전에서의 전투 능력이었다.

그게 있다면 이미 저격은 단순히 암습이 아니다. 그냥 정면 대결을 해도 되는 지경이긴 하다.

기회를 노리는 은밀하고 신중한 저격과, 갈색 오크 부락을 통째로 상대하려는 정면 승부의 사이 어느 지점에서 두 사내는 총구를 디밀었다.

아니, 총구는 아니다. 화살의 촉을 그 방향으로 가늠하며 내밀고 시위를 당겼을 뿐이다.

제나는 SP를 운용했다. 곧, MP를 말한다.

이미 시간이 어둑해졌다. 한국의 시간과 비교했을 때 비련의 시나리오 내 시간이 네댓시간 정도 더 빠르다는 걸 인지하면, 어느새 그들의 실제는 '밤'이었다. 이른 저녁이나 한낮 즈음에 시작했던 플레이가 몇 시간을 지났다.

굳이 퀘스트 한 개를 한 번에 깰 필요는 전혀 없었음에도 그들은 일단 그렇게 했다. 기세를 타다보니 그렇다.

이미 오크 세 마리를 전에 해치운 것 말고도, 여러 번의 전투를
겪었다. 갈색 오크 네 마리를 두 마리씩 따로 잡았고 갈색먼지 숲
남부 섹터Sector에 존재하는 다종의 몬스터들과도 마주쳤다.
에인션트 그리즐리 베어, 개중에서도 갈색 털을 가진 놈과 다이어
울프라고 하는 더럽게 큰 늑대도 한 무리를 잡아 죽였다.

그리고 나서 휴식 시간을 가지고, 나름대로 재정비의 시간을
갖추며 무장을 정리하고 다시 노려보고 있는 게 지금이었다.

경험치는 잘 오르고 있었다. 확실히 파티 플레이는 효율적이었다.
제냐 역시 그것을 인정하지 않을 수 없었다. 혼자서 한 마리의
몬스터를 잡기 위해서 깨나 많은 품이 들게 되는데, 사람이 두
명이면 훨씬 적다. 시너지라는 게 있는 모양이다.
그 또한 어느 정도 실력 수준이 맞고 합이 맞아야 가능한
일이었는데, 아마 개멋진나 최와 제냐는 제법 아귀가 맞아떨어지는
콤비인가보다.

우연히 평화의 숲에서 만난 게 그들에게는 다행스런 일이었다.

어쨌든, 제냐는 그 몇 번의 전투로 몇 개의 스킬적 요령을
깨달았다. 무기에 SP를 싣는 것. '기氣'를 다루는 요령이다. 그

강화법이 극한으로 가면 이제 흔히들 말하는 검기, 라고 하는 걸 발출하게 된다.

검사란 어쨌든 날붙이를 다루는 자들 중에서 가장 수가 많은 부류였다. 근접전에서 체력으로 승부를 보는 인간들 중 중수 이상의 플레이어들이 '검기' 스킬을 갖게 된다.

비련의 시나리오 내 세계관, 곧 콘란드 대륙에서 NPC들은 중수 정도의 개체 수가 유저에 비해 적은 편이다.

전체 인구는 유저들보다 좀 더 많다. 그리고 최상위의 달인들이 훨씬 많았고.

유저들이 게임 내 설정상, 이 세계에 찾아와 보낸 수련의 시간을 생각하면 어쩔 수 없는 일이었다. 플레이어들은 NPC들과는 궤가 다른 성장 속도를 보인다. NPC들은 애초에 그런 이들이 아니었으니까. 세계를 정복하라고 둔 자들이 아니라, 그저 세계관을 구성하라고 설정해 둔 이들일 뿐이었다.

게임 내 세계는, 곧 그 스토리와 시나리오의 주연은 어디까지나 유저였다.

물론 그렇게 정해져 있다고 무조건적으로 단방향적인 게임 플레이가 강제되는 것도 아니었다. 유저가 고의로든 아니면 실력이 부족해서든 중도에 탈락하게 되거나, 세계관 내의 정복자로서 활약하기를 포기한다면 그저 NPC들에 의해서 시나리오 온라인 내 역사가 움직일 뿐이었다.

유저들이 게임 내 세상에서 무엇을 할 지는 본질적으로 자유였다.

기본적인 상식관에 저촉되지 않는 선에서 말이다. 건전한 게임 플레이. 그게 비련의 시나리오가 지향하는 바였다.

'검기'와 같은 기력 스킬들은 중수 이상이 다루는 스킬들 중에서 기본 스킬 따위로 분류되는 것이었다.

그것이 정말로 기초적이거나 쉽다는 의미는 아니었으나, 활용성과 발전도가 무궁무진하다는 점에서 그렇게 불린다.

다양한 종류의 초상 스킬들, MP를 이용하는 부류들이 극에 이르면 세계관 전체를 활보하고 오시할 수 있는 것처럼 기력 스킬들 또한 그러했다.

물리 스텟들 위주를 사용하는 근접전 등의 유저들도 후반에 가면 결국 정신력 계열의 스텟들을 찍어야 하는 이유가 되기도 했다.

물론 다양한 육성법과 플레이가 있는 시나리오 온라인 특성 상 한 쪽으로만 극단적으로 치우쳐서 끝까지 플레이하는 인간들도 있기는 했다.

어떤 식으로든, 세계관은 유저에게 문제와 난항을 선사한다. 그 고난들을 인식하고, 마치 퍼즐을 풀어나가듯 제멋대로의 답을 제시하며 새로운 가능성을 찾아 나가는 것이 또한 헤비한 게임 유저들이었고 말이다.

비련의 시나리오는 규격화된 공략법이 주어지는 게임은 아니었다. 개발진들조차, 기본적으로 광활하고 방대한 시스템 속에서 어떤 방식이 가능할 지 모두 파악하고 있는 건 아니다. 비련의 시나리오를 주관하는 것은 인간의 두뇌는 아니었고 초인공지능이었으며, 애초에 그 물건의 개발을 위해 모였던 천재들이 시험삼아서 운영하고 있는 프로그램이었으므로.

개발진들이 요구한 모든 사항들을 포함하면서 거대한 시스템을 구축하고 운영하고 있는 인공지능은 여태껏 역사상 존재했던 물건들 중 가장 뛰어난 녀석이었다.

현실과 닮았다,

라는 게 비련의 시나리오의 세일즈 포인트였으며 가장 놀라운 점이었다. 그것이 얼마나 닮아있는지, 얼만큼의 기발한 자유도를 허용할런지는 게임사 '태'의 수장이라고 할 수 있는 어느 중년의 사내도 알지 못했다.

어쨌든 제냐는, 모두 다루기로 했다.

솔로 플레이를 위해서 필요한 일이었다. 결국 그 길의 끝에 잡탕과 같은 흐지부지한 성장세의 캐릭터가 있을 수도 있기는 하다만. 어차피 처음 해보는 게임이었고, 그로서는 처음 가보는 길이기도 했다.

고작 게임의 세계였지만 그런 식으로 모험을 하면 즐거워 지는 법이었다. 나중에 도저히 길을 찾지 못하고 엉망이 되었다고 비련의 시나리오를 제 손으로 접는(게임을 그만두다) 한이 있어도 어쩔 수 없으리라. 그것또한 만족스러운 결말이었다.

뭐든지 뜻대로 되는 게 없는 인생인데. 게임이라고 그럴 필요가 있겠는가. 즐거움과 신박함을 찾아서 몰입해서 잘 즐기고, 스트레스를 풀고 새로운 경험을 해보면 될 뿐이지.

그런 점에서 시위에 건 철목시에 SP를 때려박는다. 요령은 여타의 초상 스킬을 사용할 때와 같았다. 그냥 MP를 MP지배력을 활용해 움직이고, 스킬의 도움을 받지는 않지만 손에 쥔 물체를 목표로 집약시키면 된다.

MP라는 건 찰흙과도 비슷한 면이 있다. 반발력이 있다가도 사용자의 의지력에 따라 움직이다 보면 관성을 갖기도 하고, 또 그런 것들을 한 데 모으면 접착력이라도 있는 듯 잘 붙고 또 한 덩어리가 되기도 했다.

모양을 자유자재로 변환시켜서 다양한 초상 스킬들을 구축하고 사용하기도 하니 그야말로 찰흙 비슷한 것이었다.

전체 MP량은 제한적이었고, 정신력 포인트를 회복시켜주는 푸른 물약을 계속해서 사용한다고 하더라도 결국 MP지배력이 부족하면 획기적인 공격력 상승은 없기는 했지만.

아무튼 계속해서 MP를 다루고 또 감각을 익혀나가는 건 상위의 전투직 플레이어로 가기 위한 필수적인 연습들이었다.

'기력'을 마스터하기 위해 달려가는 근접 전투 클래스들의 경우에는 물리 스텟과 조화를 이루어서, 체술과 무기술에 그것을 접목시키는 능숙함이 필요했다.

원거리 공격, 범위 공격을 주로 하는 초상 스킬 위주의 원거리 전투 클래스들은 MP만을 다루는 일에 온전히 집중하면 되었고.

철목시의 두툼한 화살촉에 기력이 서린다. SP, 그러니까 사용자가 다루는 MP는 곧 기라 불리는 상태가 되었다.

물질에 어리는 기운이 강력하다. 초상 스킬 같은 화려한 이펙트가 곧바로 나타나지는 않았다. 기본적으로 물질이 담는 그릇이 되어 그 안에 들어가고 있다.

그릇이 차고 흘러 넘칠 때가 제대로 된 시작이었다.

물론 그 이전의 양으로도 기력은 충분히 전투에 유의미한 위력을 보이지만. 본격적인 스킬으로써 다루어지려면 흘러넘치는 상태

정도는 되어야 한다. '스킬'로써의 기력술은 그 이후를 다루고 있는 기술이었다.

눈에 보이지는 않지만 시나리오 온라인 내에 존재하는 특수한 초상력의 입자가 철로 된 화살촉에 스며들었다. 장인이 벼려낸 마름모꼴의 화살촉 내부의 물성을 자극한다. 금속은 강화된다. 구조가 더욱 단단해지고, 질겨진다. 기력이 담긴 쇠날은 거대한 바위와 부딪혀도 잘 상하지 않는다.

기력술의 고수 플레이어들은 칼날마저 손쉽게 베어낸다.
부드럽게 말이다.

강도, 경도, 그 이상의 파괴력과 절삭력 따위를 모두 올리는 힘이었다. 촉에만이 아니라 화살대에도 깃들었다. 본디 나무였던 그것은 더욱 튼튼해져서, 그야말로 이름과 같은 질김을 갖게 된다. 철목시. 철과 같은 말이다.

그건 화학적인 변화라기보다는, 초상력으로 인해서 덧씌워지는 것이었다. 그러니까 물체의 무게가 늘어난다거나 하지는 않았다. SP를, MP를 머금은 화살은 날아가 오크의 몸체에 닿을 때까지 그것을 유지할 것이다. 화살 머리부터 시작해서 꼬리의 깃까지 충분하게 물에 적셔지듯 기가 담겨들어갔다.

무색의, 투명한 기운은 아지랑이가 되어서 그 바깥으로 넘쳐 나왔다. 우우웅, 하고 진동한다. 활대에 화살을 걸었을 뿐인데 그런 특이한 소리가 나는 상황은 다소 생경한 것이기는 했다. 무슨 미래 시대의 초전자 무기 따위를 가동할 때 날 법한 소리가 미세하게 들렸다.

어둔 밤이었고 숲은 고요했다. 풀벌레들이 우는 소리가 있었지만, 어느 순간부터 멎었다. 작은 짐승들이 돌아다니며 소란스럽게 구는 소리도 없다.

그것들도 시나리오 온라인 내의 생물들이라, 초상력의 변화와 전운 따위를 미리 감지했을 지도 모른다. 이곳의 몹들은 예민했다. 비단 현실에는 전혀 존재하지 않는 괴상한 괴수, 마수, 신비로운 기수(기이할 기)들만이 아니라도 그렇다. 실제 세상에서 MP를 다루는 일 따위는 없을 테니 혹시 모르지만.

야생동물들은 지진의 전조조차 미리 파악하고 자리를 떠난다고 하니 뭐 어느 정도 현실적인 표현일 지도 모른다.

제냐와 개멋진나 최가 준비하는 게 지진 정도의 일은 아니었다. 고레벨, 그러니까 300대 후반도 넘어서면 이론적으로 그런 것들도 발생시킬 수 있다고 하지만 지금은 턱없이 멀었다. 이론적인 스펙, 설정 상으로 현재 콘란드 대륙에서 가장 강고한 전투력을 가졌다고 평가받는 NPC초인들은 그런 일이 가능했다.

고작해야 두 팔과 두 다리를 가진 인간의 형태로 대륙에서 지진을 일으킬 수 있다니. 심각한 밸런스 붕괴가 아닐 수 없었지만 그들도 사람이었다. 어딘가에 치명상을 받으면 초인이건 뭐건 쉽게 절명하기도 했고. 또 단순한 전투력과 무력 이상의 사정과 정신적인 사연들이 그들을 이루고 있는 인공지능이었으므로 무차별한 악과 혼돈으로 세상을 물들이지는 않는다.

차후에 '마왕' 시나리오가 발동이 되어서 악하고 혼돈스러운 성향을 가진 몹들이 대거 등장하면 또 모르겠다.
현재 대륙에는 온갖 괴수와 마수들이 있었고, 그건 유저들이 잡아내야 할 사냥감들이기도 했다. 현재로서 유저들이 감히 도전하지 못하는 난이도의 괴수들 역시 수두룩했다.
그것들은 NPC주민들 중 최강자들이 그러하듯 국지적으로 천지를 진동시킬만한 힘과 전투력을 갖고 있었지만, 하나로 규합되는 편은 아니었다.

'마왕'이라는 극악의 시나리오는 그런 것이다. 각자 개인으로서 존재하는 마수들, 몬스터들이 하나로 모여서 인류 세력을 치기 위해 덤벼든다.
그 때의 대항점으로 '영웅' 시나리오가 존재했고, 그렇게 되었을 때 콘란드 대륙은 이분법적으로 나누어져 두 세력을 이끄는 유저나 NPC 중 승리자가 아마 게임의 마지막 씬을 차지하게 될 테였다.

시나리오의 결말은 여러가지였고, 마지막 씬은 대미를 장식할만한 스케일을 만족한다면 일단 대강의 클리어 조건은 만족하는 셈이었다.

'메인 스토리'급의 퀘스트들은 대륙 전역과 관계된 임무들 중에서도 강제적인 영향력이 큰 것이었고, 대륙에서 살아가는 모든 주민들의 직접적인 사정과 엮일 수 밖에 없는 이야기들이다.

모든 대륙 주민들의 운명을 결정할만한, 그런 이야기 말이다. 영웅과 마왕의 이야기가 그러하다. 모든 인류 NPC들의 생사를 결정짓는, 인류의 적의 대두와 그것의 퇴치를 내용으로 하는 스토리는 어쩔 수 없이 메인 스토리가 될 수 밖에 없었다.

제작 계열의 스킬을 연마하는 연구자, 와 같은 자들이 콘란드 대륙에 산업 혁명 따위를 일으킬 수 있는 물건을 발명한다면 그것 역시 메인 스토리로 취급될 테였고.

제냐가 그 만한 수준에 도달할 수 있을지, 는 모르는 일이다.

이 게임이 본질적으로 서바이벌의 형식을 취하고 있으니만큼, 다른 모든 사람들이 모종의 이유나 사고로 게임 오버가 된다면 플레이어는 그 혼자 남을 수도 있었다. 그러나 그렇다 하더라도 세계관 전체에 충분한 영향력을 발휘할 수 있을만한 역량이 되지 않는다면 메인 스토리를 진행하는 건 어려운 일이다.

그저 그렇게, 게임 내의 흐름에 휘말려서 살아가다가 게임을 주관하는 초AI가 연산으로 역사를 이끄는 것의 결말을 방관자로서 바라보게 될 테다, 그렇다면.

당장은 하루하루 수준을 높이는 일이 당면한 과제이다.

고작해야 게임의 일이기는 했지만.

제냐가 공격의 준비를 마치는 동안, 그 아래 아래 가지에서 개멋진나 최 또한 준비를 계속하고 있었다.

그가 하는 원거리 공격도 결국은 화살이다. 첫 번째 수는 둘 모두 같았다.

철시가 예의 그 복합궁에 걸린다. 철목시에 비해 은빛으로 빛나는 물건이었다. 그 끝만이 자연적인 형태의 깃이 붙어 인위적인 느낌을 조금 덜어준다. 장인의 손에 의해 제련된 그것에 개멋진나 최의 기력술이 스며든다.

'초기 기력술1-궁술'의 단계 역시 오늘의 사냥들로 경험치가 조금 찼다. 기력술2까지는 아직도 멀었지만, 스킬 내에서 단계를 높일 정도는 슬슬 되어간다.

철시가 웅웅거리며 MP를 받아들였다. 최태현의 MP는 제냐보다 적은 양이었다. 1,370. 기초가 1000즈음에서 시작한다는 걸 생각하면 거의 늘지 않은 양이었다. 실제로 그의 정신력 계열 스텟들은 10대 초반을 간신히 넘는다. 중반 즈음.

그런 기초 스텟들로도 그의 레벨대에서 기력술을 발휘하기에는 그다지 모자람이 없다. 푸른 물약 또한 넉넉하게 있기도 했고. 파이어 볼 스킬처럼 MP만으로 투사체를 형성하지 않기에 한 발 한 발에 대한 소모가 적다. 2, 30 정도가 적정선이었으며 과하게 투입한다면 100근처까지 갈 수는 있긴 하다.

멘탈 포인트가 많이 스며들기 위해서는 양질의 무구와 물질이 필요했다. 철시가 버틸 수 있는 한계도 그 정도 즈음이었다. 그 이상이 들어가면 공격에 제대로 MP가 실리지 않는다. 기력술로 무구가 강화되는 것이 아니라, 흘러넘치며 그 주변에서도 목격되며 화살 공격의 위력이 높아지긴 커녕 MP가 자연계로 흘러들어가버린다. 자연계에 존재하는 일반적인 SP의 상태가 되고 무의미하게 소모되는 것이다.

간혹 억지로 의지력을 발휘해 하위의 물질이나 무구에 지나친 기력을 넣으면 물질이 상하는 경우 또한 있었다. 정말 초고레벨의 기력술사가 기력술을 발휘해 근접 전투를 벌이려 하는데, 손에 쓰레기같은 녹슨 무기밖에 없다면 그는 그것을 1회용으로 쓰거나, 혹은 SP만으로 기검을 형성하는 게 차라리 나을 수도 있었다.
마치 초상 스킬 유저들, 초상술사들이 투사체를 비롯해 다양한 스킬을 MP만으로 처음부터 끝까지 형성해내는 것처럼 말이다.

분명 비효율적인 일이긴 했지만 기력술사 역시 MP를 다루는 직종이니만큼 가능은 했다. 물리 스텟에 투자한 시간과 경험들만큼 정신력 스텟이 부족해 지속력이나 위력면에서 훨씬 짧고 덜하기는 할 것이다.
그러기 위해서 좋은 무구는 필연적으로 또 필수적으로 필요한 것이었다.

상위의 전투에서는 어떤 아이템을 가지고 있느냐, 또한 중요한 승부처였다.

비련의 시나리오 내에서는 대부분의 귀한 것들이 그러하듯, 좋은 물건들은 고된 경험을 해내야만 얻을 수 있었다.

천운으로 조금 더 일찍 손쉽게 얻을 수도 있기는 하겠지만. '희귀도'라는 측면에서, 확률의 고난을 뚫어냈다는 사실은 변하지 않는다.

개멋진나 최는 조금 넉넉히 사용했다. 47즈음의 MP를 한 발의 철시에 넣는다. 일반적인 기력술 사격에 비해 배 가까이는 넣는 셈이다.
거리가 조금 멀기도 했고. 기선 제압을 위해서 그 정도가 좋을 테다.

어둔 밤.

활엽수들로 하늘을 가린 짙은 숲의 땅은 조금 더 빨리 어둠이
찾아왔다. 하늘을 가리는 그 활엽수종의 가장 높은 것의
틈바구니에서 두 사내가 타이밍을 재었다.

저 멀리에 있는 부락을 발견했을 때부터 조금 고민을 했고, 그냥
곧바로 해치우기로 생각해 돌입한 찰나였다.

7마리의 오크를 해치웠고, 그 갈색 오크들 모두 그들이 목표로
하는 부락에서 튀어나온 것들이었다. 그러고도 20마리가 여전히
부락에 남아 있었다.

운이 조금 더 좋지 않았다면, 부락 주위를 순찰하듯 떠도는
오크들을 다 발견하지 못했을 경우도 있었다. 뭐 물론 부락이
공격을 당한다면 주변을 배회하던 개체들도 돌아오기는 할 테였다.
오크들은 공동체마다 특유의 소리를 공유하는 녀석들이다.

긴 울음소리나, 혹은 다루는 도구를 이용해서 내는 그 소리들은
공동체를 구분하는 신호가 되기도 한다. 위험 신호를 듣고
부락으로 돌아올 테니 잡을 수는 있다. 한창 앞에 있는 무리를

459

상대하다가 뒤에서 덮치는 원군을 맞이해야 하니 조금 귀찮긴 했을 테였다.

이토록 퀘스트 진행이 깔끔한 것은 참 괜찮은 경우였다.

어둑- 해진 하늘에 달이 서서히 모습을 드러내고 있었다. 아직 완전히 다 가시지 않은 햇빛의 잔여량이 있었고, 달이 흐리다.

하늘 위는 어디까지나 그러했다. 우거진 나무들 아래의 땅에서는 완연한 밤일 것이다.

어둑해질 무렵 야행성 속성이 없고 낮에 활보하는 오크들은 움막에 들어가 휴식을 취한다. 어두워지면 자고, 한 두 마리 정도만이 번을 서듯이 경계를 할 뿐이다. 이번의 대상은 한 마리였다. 덩치가 갈색 오크들 중에서는 가장 크다 할 수 있고, 손에는 거대한 할버드(도끼창)하나를 들고 있었다. 나름대로 무구의 질이 나쁘지 않았고, 어느 인류에게서 금새 훔친 듯 보였다. 그것을 휘두르기에 충분하고도 남아 보이는 팔뚝이 위협적이다.

그래서 원거리에서 치는 것이다.

번을 서는 개체의 전투력이 뛰어난 듯 경계를 혼자서 하고 있다. 오크는 예민한 감각을 가졌지만, 주의력이 떨어졌을 때 그렇게 탐지 능력이 좋은 편은 아니었다. 전투 상태에 돌입하면 민감함을 보이면서 플레이어들의 허를 찔러 들어오기도 한다.

미리 거대한 오크 부락과 적대적인 관계가 되어서 전쟁이나 전투 상황이 벌어지면, 그 놈들은 그 주의력을 최대한 발휘해서 함정을 파거나 양동 작전을 벌이는 일마저 있지만.

어디까지나 위기를 모르고 있는 멍청한 갈색 오크 한 마리 정도는 손쉬운 상대였다.

기민하고 교활하며, 기본적인 근력 스텟이 인류보다 월등한 이족 보행의 괴수는 집중할 때와 아닐 때의 격차가 심하도록 설정값이 정해져 있었다.

빈틈을 노리란, 개발자의 친절한 안배였고

빈틈을 노리기로 작정한 제냐와 개멋진나 최가 동시에 시위에서 화살을 놓았다.

*

날아간 화살은 여정을 떠났다. 화살의 속도가, 초속 160m근처에 달했다. 한 순간 넉넉하게 눈을 깜빡거리고 뜸을 들일 즈음이면 화살은 그 여정의 반 이상을 해낸 셈이다.

그리고 다시 1초의 반. 또 그 반이면 오크는 둔감한 정신 속에서 이상이 일어남을 감지한 때였다.

옆을 바라보고 있던 민둥한 돼지의 대가리가, 오른쪽 사선 방향에서 자신을 향해 꽂히듯 내려오고 있는 검은 살을 발견한다.

어둠 속에서 그건 거의 인지하기 어려운 무언가였다. 밝은 낮이었다면 차라리 나았을 것이다. 은빛의 몸체를 가지고 있는 최태현의 철시 역시 같이 날아오고 있었는데, 그 철시에 담기고 곧 바깥으로까지 넘친 희끄무레한 기력의 형체가 빛의 반사를 조금 방해했다.

어둠 가운데 안개가 퍼지듯 은밀한 모양새로 두 개의 화살이 여행을 끝마쳤고, 제 주인의 의도대로 정확한 목표지에 그 대가리를 들이 박았다.

철로 이루어졌으며 날카롭게 갈아낸 손가락만한 길이의 길다란 화살촉들이, 단단한 거죽으로 덮인 오크의 몸체를 가격했으며- 그대로 뚫어 들어갔다.

콱-! 카각! 하고, 하나는 오크의 가죽 중에서도 단단하게 단련된 흉부에 맞아 저항감을 받더니 이내 무리 없이 쑤셨다.

사격, 두 발의 화살은 목적한대로 훌륭하게 도착했다. 두 사수로서도 아주 만족할만한 결과였다. 거대한 오크의 몸뚱이를 맞추는 일 자체는 그리 불가능한 일도, 어려울 일도 아니었다. 달인에 준하는 감각을 가지는 플레이어의 육체가 스킬의 다양한 보정을 받으면서 한 일이었기에.

기계가 끌어 움직이는 대로 정확하게 사선을 맞추고 손가락을 정확한 타이밍에 놓으면 될 뿐인 일이다.

단련된 플레이어, 게임에 익숙해진 고수들은 그 감각을 체감적으로 익히며 나중에는 스킬의 보정이 그들을 인도하기 전에 이미 정확한 위치에서 기술들을 표현하기도 한다.

그런 수준의 헤비 게이머가 되면 온갖 스킬을 조금 더 다변적으로 이용할 수 있는 지경에 이른다. '스킬'은 플레이어의 게임 내 생애의 기록이며 그 경험에 따른 전투 스타일 그 자체가 된다고 했었는데, 고레벨임과 동시에 괴랄한 플레이어로서의 경험치를 지닌 이들은 그 전투 스타일이 난해해지는 것이다.

그런 자들은 고레벨, 랭커Ranker라 불리는 자들 중에서도 특수한 이들이며 소수이다.

몬스터들을 사냥할 때도 조금 더 틈을 노릴 수 있는 실력가들일 테고, 특히 PVP(플레이어와 플레이어가 겨루는 것)을 한다고 하면 압도적인 승률을 얻게 된다. 그러지 못하는 자들과 싸운다면 말이다.

둘은 그 감각을 익혀가는 중이기는 했다. 둘 모두 게임을 할 때의 집중력 자체는 좋은 편인 인간들이었다. 게이머, 게임을 하나의 스포츠 종목에 비유한다면 둘 다 피지컬적 재능이 나쁘지 않은 것이다.

*

그런 감각적, 미세한 재능의 존재를 입증이라도 하듯 두 발의 화살촉은 오크의 몸에서도 갑주가 가리고 있지 않은 면을 정확하게 파고들었다.

오크의 거대한 몸뚱이 중에서도 방어구로 인해서 일단 막히지 않는 부분, 갈색의 거죽이 그대로 드러나 있는 부분, 그리고 거기서 다시 그들이 오크를 바라보는 각도 외를 제한한다면 명중이라고 할 만한 부분은 그리 많이 남지 않게 된다.

그쯤 되면 확실히 기예 이상의 기예였다.

하나는 흉골을 긁으면서 명치 부근을 비스듬히 파고들었고, 하나는 앞을 바라보는 오크의 오른쪽 목덜미 살을 파헤치며 들어갔다.

목덜미는 상대적으로 부숴야 하는 뼈의 양도 많지 않았다.

면적으로 보아도 그렇고, 개수로 보아도 그렇고.

목을 파고든 철목시는 그대로 목 뼈의 외부를 긁으면서 지나가 꿰뚫었다.

갈색 돼지의 목줄기를 끊어버린 화살은 목뼈의 앞부분에 제 몸을 부딪히면서 갔고, 거기에 담긴 MP는 물질적인 화살의 면적 이상의 범위에 2차적인 충격을 가했다.

오크의 두터운 목이 반쪽이 났다. 원기둥을 앞과 뒤로 구분했을 때 앞부분이 전부 패여 사라졌다. 곧 울대가 있던 부분들이다.

신체의 파괴와 동시에 내부 기관과 피가 흘러나오는 대신 빛의 입자들이 주변으로 흩어졌다. 생물의 내부에 흐르는 '피'에 대신인 그것은 상처의 양과 심각도를 구분짓는 역할을 한다.

원래대로라면 생물의 몸에 있다가 나올 그것들이 그렇듯, 입자는 처음에 흘러나오나 싶더니 곧이어 유량이 급격히 늘어나 다소 멀리까지 흘러간다.

입자 하나하나는 흰 빛, 혹은 각도에 따라서 여러가지 빛깔로 변형하면서 흩어진다. 점성이 있거나 결합력이 있어서 그것들끼리 모여 흐르지는 않았다. 메마른 모래알 가루가 떨어지듯이 그렇게 흩어졌다. 다만 자체적인 부유력이 조금 있는지, 먼지 가루가 공기중에 흘날리듯 천천히 멀리까지 뻗는다.

몹mob의 신체 내부에서 뻗어나온 것이 그리 오래까지
지속되지는 않았다. 이내 원래 없었다는 것처럼 게임 내 세계에서
그것들은 소멸한다.

죽어버린 몬스터의 데이터가 세계관에서 사라지듯이 말이다.

인류의 시체는 쉽게 사라지지 않는다. 물론 손상을 입는다면 그
부위는 빛의 입자화를 하며 흩어지고, 결국 그것은 소멸되지만
멀쩡하게 남아있는 나머지는 오래도록 세계에 잔류한다. 올바른
장례 절차를 위한 것이기도 했고, 그 상태에서 인류 캐릭터의
시체에 손을 대어 변형시키고 조작을 할 수는 없게 만들어져
있었다.

비련의 시나리오 내부에는, '악' 성향을 가지고 플레이를 하는
역할극 또한 존재했고, 마왕의 역할을 하면서 '어둠'과 '악'의 초상
스킬을 발현하는 술사들 중에는 인간의 육신을 대상으로 하는
스킬들도 물론 있기는 했다.
　그건 그럴 때의 특수한 절차와 과정을 거쳐서 발현되는 이벤트일
뿐이었다. 게다가 그런 클래스로 캐릭터를 육성하거나 게임의
플레이 방향이 정해질 때는 여러 개의 동의 문구가 들어가게 된다.
　미성년은 그런 식으로 플레이 할 수 없었고, 정신병력이 없으며

정신 상태가 건강하고 내성이 있다고 정신의학적으로 판단될 때
플레이가 가능하다.

또한 인류 캐릭터들에 대한 지나친 훼손이나 게임 내의 잔학성이
높아지는 일을 줄이기 위해 그런 플레이 시에는 마치 미성년들이
'데포르메 모드'를 사용해 현실성을 낮추고 생략된 그래픽으로
게임을 즐기는 것 같은 다양한 연출이 강제된다.

'악' 성향으로 플레이를 한다고 무조건 그렇게 되는 것은 아니고,
어디까지나 현실적으로도 연상이 가능할 정도로 지나친 상해와
잔인성이 플레이 시에 동반된다고 하면 그렇게 시스템이 움직이는
것이다.
　게임은 여가였고, 취미에 불과하다. 그런 일을 하면서 지나친
스트레스를 받을 필요는 없고, 비련의 시나리오의 개발진과
운영진들이 정의하는 '스트레스'에는 '선정성' 또한 포함되는
것이었다.

물론 현실적으로, 그런 연출이 필요하기는 했다. 현실에서 전쟁과
희생이 있듯이, 이 게임 내에도 이름 자체에서 암시하듯 여러 개의
비극이 있다.

저런 식의 '모드'가 강제되는 건 어디까지나 아주- 특수하고
특별한 경우의 일이었고, 만일 그런 게임 플레이 루트Route를 타게

된다면 플레이어는 '마왕' 중에서도 지독한 종류로 취급이 되어 온 대륙의 공적으로 불리게 된다.

'온 대륙의 공적'이라는 위명에는, 마왕과 영웅 시나리오가 발동이 될 때조차도 어느 정도 중립성을 지키는 특수 NPC들마저 그의 적이 된다는 뜻이었다.

마왕 시나리오의 플레이어로서는, 극악한 난이도의 진행이 될 테다.

빛의 입자에서 시작된 이야기를 다시 빛의 입자로 돌려보면, 오크는 두 발의 화살을 맞고 곧이어서 상처 부위에서 빛의 가루들을 흘려대고 있으면서도 잠시간 살아 있었다. 체력을 올려주는 종류의 스킬을 갖고 있는 것이 특징인 개체였다.

그것은 오크들 중에서도, 짐승의 대가리를 가진 괴수들 중에서도 유달리 터프한 녀석이었다.

한 발은 그렇게 목을 찢었고 나머지 한 발은 흉부에 틀어박혀 내부에 강한 충격을 주었다. 사선으로 꽂힌 화살은 '기'를 머금고 있었고, 그건 최태현이 날린 철시였다. 은빛의 화살은 그 광택이 흐려질 정도로 기력을 강하게 부여받은 물건이었는데, 기력들은 그대로 폭발력의 에너지가 되어 오크의 몸체 내부에서 터졌다.

목을 지나간 것은 완전히 뚫고 베고, 넘어가 먼 발치의 바닥에 대각선으로 박혔다. 흉부를 찢은 것은 뼈에 걸려 화살의 대가리와 꼬리가 밖으로 나온, 다소 잔혹한 꼴이었다.

상처, 피, 훼손에 대한 직접적인 연출은 없더라도 그 장면만으로 고통을 연상케 되는 것이 사람이었다. 제냐와 개멋진나 최는 모두 200여 미터 거리의 광경을 대강이나마 인지하고 있었다.

최태현의 경우에는 조금 더 직접적이고 사실적인 정보였고, 제냐의 경우에 그의 감지 계열 기술들은 아직 고급 스킬들이 아니었기에 예측과 추론을 시각 정보로 그에게 전달해주는 정도였다.

화살의 대가 몸을 뚫고 지나간 오크는 괴로움에 반사적으로 떨었고, 동공과 홍채가 살아있고 반응을 했다. 한 걸음, 아니 반 걸음 정도는 괴물이 발을 옮겼다. 그 두터운 갈색 발바닥이 흙먼지가 묻어나는 부락 공터의 땅을 디뎠다. 질질 끌듯 움직였고, 오크는 말을 하려 했지만 말을 하기 위한 신체의 기관이 상처 입어 빛의 입자화한 상태이다.

소리는 내지 못하고, 그것의 눈빛이 서서히 꺼져갈 때 결정적으로 최태현의 화살이 쿵! 하는 폭음과 함께 기의 폭발을 만든다. 가슴팍에 있는 온갖 중요한 장기들이 심각한 손상을 입었고, 오크는 더 이상 버티지 못했다. 목줄기가 날아간 것만 하더라도 이미 다운 당해야 할 상처였다.

잔여 HP나 여러 가지 특성과 상관 없이 치명상을 입으면 어떤

NPC든 플레이어든 게임 오버를 당하게 되어 있었다.

심장계가 기의 발출로 작은 칼날이나 발톱에 찢기듯이 갈기갈기 흩어졌고, 보이지 않는 내부에서 오크의 피부 아래가 온통 빛의 입자로 변하더니, 곧 오크가 체력이 0이 되었다.

몹은 그렇게 시나리오 온라인의 세계에서 퇴출되었고, 육체를 컨트롤하던 인공지능이 사라진 뒤 공터의 바닥에 천천히 둔중한 몸을 뉘였다.

앞으로 쓰러지듯 넘어가 거체에 어울리는 소리를 냈고, 흙먼지가 어둑한 가운데 피어오른다.

오크들이 밤에 둔하고 약점을 노출시킨다고 해도, 아예 못들을 정도의 소리는 아니었다. 악마나 귀신을 모티브로 한 그것들은 '짐승'의 특성들도 많이 가지고 있었고, 바깥에 있던 오크가 쓰러진 지점 근처 움막에서는 분명히 그것을 들었다.

잠을 청하던 19마리의 나머지 오크들 중 몇 마리가 서서히 기어나오기까지 조금의 시간이 걸렸다.

*

오크 한 마리가 눈을 떴다.

470

쿵! 하는 소리를 들은 것 같았다. 어두운 움막 내부는 아무런 광원이 없었다. 필요 하지도 않다. 오크들은 밤에 하는 일이 없었다. 몬스터Monster, 들은 육신을 갖고 있지만 정확하게 생물로 딱 떨어지는 생태를 갖는 존재들은 아니었다. 가상의 괴물과 귀신들을 엮어 만든 유저들의 사냥감이었고, 어떤 생식 활동을 하는 장면들이 게임 내에서 목격되지는 않는다.

그에 반해 현실에도 존재하는 동물들은 평범하게, 동물 다큐멘터리처럼 움직이고 생장한다. 리젠 또한 분명히 되지만, 그 외에도 자연스런 생식 활동을 통해서 개체수가 늘어나고 유지되기도 하는 것이다.

어쨌든, 오크들은 대강 짐승들을 잡아먹으며 배를 불리고 적대적 본능이 각인되어 있는 프로그래밍 설정값에 따라 인류 캐릭터들을 보면 공격을 한다. 그리고 그것들의 무구나 다양한 장비들을 빼앗아 저들이 사용하고, 대강 휘두른다.
어설픈 수준의 지능이 부여되어 있어 마치 원숭이나 영리한 동물들이 그러하듯 무리 생활을 하고 움직였고, 종족으로서의 특징을 보여주기 위해서라는 듯 부락을 만들고 움막을 짓는 정도까지는 무리없이 해냈다.

그런 식으로 부여받은 몇 가지의 특이한 고난이도 행위들 외에는 둔한 편이다. 인류형의 캐릭터들에게 주어지는 거의 완벽한 자유도에 반해, 몬스터들의 창의성은 굉장히 제한적이다. 그것들이 돌발 행동을 일으키는 확률 역시 적으며 그 가짓수도 한계가 있다.

결국 플레이어들이 주인공이며, 그들이 게임을 끝내야 하기 때문에 적으로 설정된 것들의 돌발 행동을 줄이려는 의도도 있었다.

그리고 그런 식으로 다소의 멍청함을 적에게 부여한다고 하더라도, 비련의 시나리오는 충분하고도 넘칠 정도의 난이도를 이미 가지고 있었다.

오크는 광원이 없었음에도, 그 민감한 감각으로 대강 자신이 누운 자리와 집 내부의 구조를 알고 있었다. 그것은 더듬거리며 금방 일어난다. 상체를 일으키고 오크가 들어와 서면 거의 닿아버리고 마는 천장 근처까지 머리를 일으켰다. 기다란 나무 따위를 가져오고 어디서 구했는지 영 모를 천 따위의 건축 자재로 주변을 둘러 만든 엉성한 집이었다.

텁텁한 내부의 공기.

출입구도 사실 제대로 되어있지 않아서 그대로 바깥의 물체들이 안으로 굴러 들어오기 쉽다. 바람을 타고 들어오는 먼지든, 낙엽이든.

오크들이 프로그래밍된 대로 움직이고 생활하지만 그들에게 온전히 청소라는 개념이 있을 리 없었다. 구조물을 세우고 부락을 형성하는 것만 하더라도 이미 충분한 일이었다.

애초에 본성으로 설계된 것, 모티브가 된 것이 돼지의 대가리인 사실만 보더라도 짐작할 수 있는 일이었다. 오크는 지저분한 곳에서도 멀쩡하게 살아간다. 야생이 보다 그들에게 어울리는 곳이었다.

거친 공기를 아무렇지도 않아 하는 돼지의 콧구멍이 있다. 그것은 약간 덮어진 헤진 천, 지푸라기를 엮은 것 따위를 들추면서 바깥으로 나왔다.

그리고 곧바로 화살을 맞아서 절명했다.

빛살처럼 날아온 화살은 어둠을 틈타 은밀하게 전진했다. 달빛에 반사되어 반짝거리는 일조차 별로 없이, 그저 어스름한 숲의 그림자들 사이에서 움직이는 안개인가 싶다.
다만 지독하게 빠르다는 것이 조금 다르다. 기력으로 감싸여 희끄무레한 겉모습으로 날아온 개멋진나 최의 철시가 오크의 안구를 파고든다. 왼쪽 눈알이 그대로 사라졌고, 컴퓨터에 의해 조직된 그 내부 기관이 그대로 망가졌다.

어떤 생물도 뇌가 거덜이 나면 움직임을 멈출 것이다. 근육

반응은 남을 지 모른다. 그리고 부위에 따라서 간혹 사는 경우도
있다고 한다. 저등한 생물이라면 중요 장기가 없어도 살 수
있다고도 하고. 그러나 오크는 아니었고, 살만한 분량의 손상은
아니었다.

기력의 칼날이 그 내부를 진창으로 만들었고 오크는 전원이
꺼지듯 그 시야가 사라진다.

거구를 일으켰던, 높은 위치에 머리를 두었던 짐승은 그대로
나오는 자세에서 앞으로 쓰러졌다.

이족보행 형의 몬스터들은 머리를 높이 두고 있고 죽을 때
앞으로든 뒤로든 잘 쓰러진다. 쿵, 하고 소리가 나며 그 안쪽에서
애써 잠을 계속 청하고 있던 개체들이 눈을 떴다.

한 움막에는 두, 세 개체가 같이 기거하고 있었다.

오크 부락은 27마리가 머물고 있는 곳이었다. 단순 계산으로
10개 즈음의 움막들이 있었다. 초가집처럼 지어져 있기도 하고,
질기고 통으로 된 가죽이나 천을 덮기도 한다. 거대한 짐승의
거죽을 그대로 벗긴 뒤 많은 처리를 하지 않고 그대로 덮은 집도
있었다.

어떤 곳은 어느 불쌍한 인류 캐릭터를 습격해 물자를 털었는지,
자세히 보면 구석에 국가나 도시의 문양이 작게 새겨져 있는 천도

있었다.

찌그러져 길게 뻗은 타원형의 부락이었다. 제냐와 개멋진나 최는 그 타원형의 삐죽이 뻗은 측면에서 이어지는 사선에 있었다.

타원이라곤 해도 거구 거체의 괴물들이 모여 사는 곳이다 보니 제법 컸고, 일견에는 그 모양이 잘 눈에 들어오진 않았다.

제냐와 개멋진나 최는 '들쥐의 눈'과 '매의 눈'을 사용해서 원거리를 감지하고 있었다. 제냐의 경우에는 아직 들쥐의 눈이 없었다. 조금 더 소형의, 저레벨의 몹들을 심혈을 기울여 사냥하는 시간이 많이 필요하다고 한다. 최태현의 말에 따르면.
제냐는 조금 일찍 레벨보다 더 강한 몬스터들을 상대하기 시작하며 다른 종류의 전투 스타일을 개발시키느라 여념이 없었다.

어쨌든, 원거리를 대강이나마 인식하는 건 다름이 없었다. 제냐의 시선에서 그는 일종의 사격 게임을 하고 있었다.

불투명한 흔적이 그의 눈에 어른거린다. 마치 투시를 하듯이, 수풀 너머로 가려져 있는 오크 부락의 모양이 대강 보였다. 스킬로 인해 집중된 시야는 그 일부 풍경을 조금 흐리게 만들었고, 목표하고 있는 오크 개체들만을 붉은 색으로 나타낸다.
그 외에 중요한 구조물이라 할 만한 움막들 따위가 보였고.

조금 흐린 화질의 표식들이었다. 제냐의 스킬이 완전하지 않은 탓이다. 그러나 그 정도의 모습만으로도 화살을 쏘아 맞추기에는 큰 어려움이 없다.

눈으로 보여주는 시각 관련 스킬은 곧 사격에 관한 것이기도 했다. 사냥꾼의 자세를 비롯해 그가 익혀 온 여러가지 스킬들의 보정이 복합적으로 작용하며 그를 이끈다.

정확히 어느 지점으로 자세를 조금 더 옮겨야 오크가 맞을지, 에 대한 감각이었다. 그 가상의 사격선이 시야로 보이는 것 같다. 게임 따위에서 증강 현실의 표현으로 명중률을 높여주듯이, 혹은 실제 현실에서 총을 쏘려 할 때 레이저 포인트로 착탄지를 미리 일러주듯이 이루어지는 일이었다.

제냐가 들고 있는 것이 총이 아니기에 그 가상의 사격선, 예측도는 구불지며 휜 곡선으로 나타난다. 기력을 싣는 철목시라 할지라도 총알처럼 완전하게 직선으로 날아가지는 않는다.

총알에 비하면 이십 배는 넘게 무거운 철목시를 수백 미터 넘게 일직선으로 꽂으려면 기계식의 무언가가 필요할 테였다.

아니면 그런 장대한 기계 장치를 대신할만한 초상적인 능력, 초인적인 힘과 거대한 활이나.

아직까지 제냐가 갖추지 못한 것들이었고, 제냐는 지금으로서 만족했다.

하나, 둘 오크들이 깨어나기 시작했다.

바깥에서 느껴지는 소란에도 불구하고 기민하게 움직이지는
않는다. 갈색 오크들은 전투 중에는 영리하나 태만할 때는 둔하다.
게다가 2m가 넘는 이족 보행의, 냉병기를 휘두르는 괴물은 이
숲에서도 강인한 존재였다.
　게임 내에서 '몬스터Monster'라고 특별하게 분류되는 존재들은
그런 경우가 많았다. 야생동물로 치면 늘 먹이사슬 최상위권에
있는 맹수와 같았고, 그 덕분에 늘 방심을 한다.

　시나리오의 컨텐츠 중 큰 갈래인 '사냥'이 성립하기 위한 중요한
조건이다.
　괴물들의 방심은.

　제냐가 두어 마리를 죽였고, 최태현은 세 마리 정도를 없앴다.

　그러고 나자 움막에서 더 이상 움직거리는 놈들이 없다.
나머지는 깊은 잠에 들었나보다. 오크들이 특별한 발악을 하기도
전에, 두 명의 화살의 명수들은 나오는 족족 그것들을 쓰러뜨렸다.

　갈색 오크가 원래 이토록 쉽게 잡을 수 있는 몬스터들은
아니었다. 단단한 가죽이나 포악함은 피스 시 근처 황무지의 '황야

지룡'을 닮았다. 인류형이라고는 하지만 곰을 연상시키는 덩치는 강력한 완력을 보유한다.

그런 놈들에게 둘러싸이기라도 한다면 사냥은 즉시 하드한 놀이가 되어버린다. 레져라고는 말 못할 무언가다.

두 사람이 브라운 오크를 상대하는 평균적인 레벨 보다는 전투력이 높았고, 장중단 중에서 중거리 즈음의 공격력이 가장 높은 궁사들이기에 가능하기도 했다. '경험과 시간'의 치환인 스킬은 결국 가짓수가 제한될 수 밖에 없었고, 한 가지에 특화된다면 다른 곳에 누락이 있다.

여러 스킬이 복합적으로 작용해 공격력을 높여주는 일정한 공격 형태가 있다는 말이었다.

최태현이 비슷한 조건에서 선제 공격을 할 수 있다고 하더라도, 근거리에서 칼을 사용한다면 갈색 오크 한 마리를 상대로도 깨나 시간을 들여야 하리라.

레벨이나 스킬적인 강력함 이상의 피지컬도 영향을 미쳤다. 감각이나 지능이 영향을 주로 미치는 게임 내의 운동에서 둘은 재능이 있는 편이었고, 스킬로 보정되는 그 이상의 명중률을 계속해서 선보였다.

아마 급소를 제대로 찢어발기지 못했다면 갈색 오크는 살아서 그 둔중한 몸으로 발악을 했을 것이고, 연달아 이어지는 클린

히트Clean hit가 아니었다면 부락 전체의 오크들을 한 번에
상대해야 했을 테다.

그런 일이 벌어지지 않아서 다행이었다. 바깥에서 일곱을 죽이고
시작했고, 밤의 어둠과 졸음을 틈타 다시 여섯 마리를 해치웠다.
오크 부락의 남은 짐승들은 14마리였다.

아직도 근접전에서 무리 없이 해치우기에는 조금 부담스러운
숫자다. 갈색 오크들의 HP가 2000부근에서 형성되고 특출난
개체들이 3000을 넘을 지 모른다.
다양한 시스템 보정이 갈수록 중첩되며 누적되는 플레이어들은
동 레벨의 몬스터들에 비해 HP 따위가 높은 경우가 많았다.
어디까지나 비슷한 체격을 가졌을 때는 말이다.

'비슷한'이란 범위에 갈색 오크도 포함이 되었다. 체감되는
크기는 곰과 비슷하지만 체구가 다르다. 이족 보행을 하며 사람과
닮은 신체에 돼지의 대가리가 달렸을 뿐인 오크들은, 건장한
장정이 살이 조금 붙고 체격이 커진 것이었다. 신체 구조도 곰을
모티브로 하는 몬스터들에 비해 유약했다.
어디까지나 그런 몬스터들에 비해서는 말이다.

무게 역시 잰다면 200kg을 넘는 정도가 최대일 것이다.
100kg대의 개체들 역시 흔히 볼 수 있었다. 그 두터운 살에는 근육

역시 상당했고, 정면에서 순수하게 힘겨루기를 한다면 적어도
레벨이 5-60은 넘는 물리 스텟 위주의 유저들이 아니고서야
이겨낼 수 없으리라.

가장 큰 경우, 거체가 3m에 달하는 붉은 오크들 중 몇몇 특이한
개체들이 '중소형'의 한계를 넘볼 것이다. 종족 중에서도 비대한
몸뚱이를 갖고 체력에 관련된 스킬들을 가졌다면 물리적인 힘과
HP가 탁월하게 높으리라.

그런 경우를 제외한다면 1:1의 비교를 했을 때 HP에 있어서는
유저가 높은 경우가 많다.

최태현의 경우는 갈색 오크들 중에서 체력 관련 스킬을 가진
개체들과 엇비슷하거나 약간 높은 정도였다. 그의 근력과 지구력은
제냐보다 낮았고, 스킬이나 칭호들 역시 근접 전투를 위한
것보다는 원거리 교전과 수색 따위의 일들을 위한 부류이다.
그의 HP가 3,441이었다.

시나리오 온라인의 전체 몹들을 두고 비교한다면 오크들은
사냥중인 제냐나 최태현과 비슷한 크기였다. 같은 소형에 포함되는
이족 보행형 몬스터들이었고 구분하기 위해 '인류형' 몬스터라는
말로도 불린다.
그러나 그건 거대한 분류법의 이야기였고 직접 맞닥뜨리면
그들보다는 확실히 거구에 거인이다. 근접 교전을 벌인다면

자연스레 타격전이 이어지고, 그럴 때 체적이 작은 쪽이 불리하다. 보다 손쉽게 다양한 부위에 공격을 가할 수 있었고, 그 부위에 급소가 포함되어 있다면 HP의 월등함과 상관 없이 치명상을 입을 위험이 있다는 이야기다.

애초에 제냐와 개멋진나 최가 오크들을 멀리서 잡아냈던 방법 역시 치명상을 노린 셈이니.

그래서 고레벨로 갈수록 다양한 방어구와 방어계열의 스킬 따위가 중요해진다. 급소를 피하기 위해 다양한 움직임과 전략들 역시 강구된다. 가장 흔한 해법 중 하나는 '보법'이라는 계열의 스킬을 극한으로 익히는 짓이다.

복싱의 풋워크처럼, 전투 시의 움직임을 보조하며 회피율에 보정을 가하는 보법은 플레이어들이 마치 스스로 소설 속 무예의 달인이 된 듯한 감각을 느끼게 해준다.

제냐는 나뭇가지 위에 구부정하게 선 채로 부락을 응시했다.

사격을 위한 목표물이 전부 다운되자 그의 시야가 조금 더 흐려졌다. 궁수로서 갖는 여러 스킬들의 연계 효과는 화살을 쏘고 공격을 할 때로 제한되는 부분이 있었다.
본격적인 기감 계열 스킬을 익힌 개멋진나 최는 조금 더 나았다.

제냐가 잠시 뜸을 들이다가 먼저 이야기를 꺼냈다. 그의 아래 아래 나뭇가지에서 자세를 잡고 화살을 쏘아대던 최태현이 말을 받는다.

"음…… 얼추 바깥은 정리한 것 같은데요."
"그러게요."

순찰도 없고, 더 나올 놈도 없을 듯했다. 2페이즈Phase(단계, 국면;게임 따위에서 흔히 사냥 중 혹은 전투 중 변화하는 상황을 표현하며 자주 쓰곤 한다)로 가야 했다.

두 번째 순서는 딱히 정해진 건 없었다. 두 사람 모두 정해진 대로 움직이는 걸 좋아하는 양반들은 아니다. 다만 스스로 익히고 있는 기술의 정체는 각자가 파악하고 있고, 그에 맞춘 양식 정도는 서로 공유하고 있었다.

이럴 때 결국 움직여야 하는 건 제냐다. 최태현은 그보다 근접 교전이 서툴다. 가능은 하지만, 오크 떼거리 사이에 들어가서 능숙하게 사냥을 이어갈 정도는 아니었다. 그게 일반적인 그의 레벨에서의 강함이었고, 제냐가 이상한 부류다.

제냐는 더 저레벨일 때부터 묘기를 벌이며 게임을 해왔다.

익숙한 요소들만 있지는 않지만 그다지 나쁘지도 않았다.
해볼만하다, 라고 제냐는 판단했고 최태현 역시 그에 동의했다.

최태현의 레벨은 32였다. 제냐의 레벨은 26이었고. 최태현은
레벨에 비해서 대충 적절한 공격력과 전투력을 갖고 있었다.
성장세가 그리 빠르지도 않고, 아주 느린 편도 아니다. 제냐는
레벨에 비해서 강했다. 레벨을 직접적으로 올리는 일, 그러니까
몬스터의 목줄기를 끊는 것 외에 특별하게 헛짓거리를 많이
했으니.
경험치 대신 스텟 상승이나 칭호 따위로 환산이 된 시간들이다.

아주 고레벨이 된다면, 제냐가 해오는 듯한 기행奇行들을
필연적으로 거쳐야 하기는 한다. 중반부를 뛰어넘고 초고레벨이
시작될 무렵 부터는, 플레이어들이 상대해야 하는 괴물들의 강함이
급격하게 올라가게 된다.
그건 일반적인 성장세나 폭으로는 설명할 수 없는 변화였고,
말로 일컫자면 '격'의 변화나 같았다.

어느 레벨 이상은, 몬스터도 그저 평범한 것들이 아니게 된다.
어느 시대의 전설로나 불릴법한 놈들이 나오게 되고 그만한
위용이나 특수한 능력, 그도 아니라면 그저 스텟이 말도 안되게
부풀려져서 등장한다.

그런 것들 앞에서 제대로 전투를 수행하기 위해서는 결국
시나리오 온라인 내 시스템이 이끄는 성장이 필요하고, 그런
성장만을 모아서 플레이어 역시 급격한 스펙Spec상승이 필요했다.
    '성장만을 모으다'라는 건 즉시 경험치로 환산되지 않는 다양한
기행과 고행들을 뜻했고, 가지지 못한 스킬을 디깅Digging해서
먹듯 다양한 칭호와 보정들을 얻어내야 했다.

    그러한 게임 내內적 노동의 필요는 플레이어 레벨 분포도에서
주변에 유저들이 희박한 지점으로 가면 갈수록 더욱 종용된다.
    게임이 그렇게 생겨먹은 탓이다.
    현재 최고위라고 평가받는 300대 레벨의 플레이어들이 느끼고
있을 테였고, 그들 역시 앞으로 나아가기 위해서는 필요한
점이었다.

    그런 불편한, 그러나 여가시간 내에 어떻게든 가능한 지점에
있는 다양한 작업의 결과물이 바로 콘란드 대륙의 최강자들로
평가받는 NPC들의 수준이었다. 500이상의 레벨로 환산되는
그들의 강함은 단순한 숫자 이상의 것이다.
    그 정도 경지에 다다른 NPC들은 모두 저마다의 특수한 스킬과
플레이 방식이 있었고, 남다른 칭호 역시 갖는다.
    그런 특이성 탓에 플레이어와 NPC간의 격차가 줄며, 순수하게
레벨만큼 혹은 그 이상의 강함의 격차가 다시 생겨난다.

제 스스로는 모르고 있었지만 제냐는 잘하고 있었다.

물론 공략법이건 뭐건 전혀 활용하지 않고 제멋대로 플레이하고 있었기에, 초반부의 손실이나 무지로 까딱하면 이도저도 아닌 능력치의 캐릭터가 될 위험성은 늘 존재하고 있다.

"먼저 드갑니다. …

원호, 지원 믿습니다."

제냐는 그렇게 말했다. 아래에서 대답이 들렸다. "그럼요."
게임일 뿐이었지만, 나름의 긴장감이 있었다, 이 세계는. '후우.'
제냐는 한숨을 내쉬었다.

들고 있던 복합궁을 내려놓는다. 정확히는, 인벤토리를 열어 그 내부에 적재했다. 활이 없다면 화살도 무의미하다. 철목시도 전통에 담긴 채로 넣었다. 몇 개 정도는 그냥 낱개로 적재했다. 똑같은 물건이라고 생각될 정도로 유사성이 있다면 그것들은 한 칸에 중복 적재가 가능했다.

어차피 인벤토리 내부의 적재량은 정해져 있으므로 유의미한 기능까지는 아니지만. 적재의 의미에서는.

출납할 때는 아주 편리했다.

장비를 살핀다. 등에는 비스트 슬레이어. 허리춤에 지룡의 발톱

485

대거. 손방패 하나를 구했다. 인벤토리로부터 꺼내서, 왼손 전완前腕부에 걸친 뒤 버클을 조정해 단단히 매었다.

제냐는 기본적으로 경장이다. 레더 아머의 일종이었고, 다양한 약품 처리나 스킬 처리가 되어 있는 물건이다. 아직까지 초보자 용이었고, 상점에서 구한 것이었으므로 그리 획기적이고 마법같은 성능을 보여주지는 않는다.

다만 생김새보다는 훨씬 튼튼했고 충격에 강했다. 갈색먼지 숲에 이르기 전에 정비를 한 번 말끔하게 했기에 깔끔한 편이었다. 세슈칸에 이르기 전에는 여기저기 헤지거나 더러운 부분이 많았었다.

세슈칸에 있는 무구 정비사의 솜씨는 피스 시보다 조금 나은 것 같았다. 실제였다. 각 시의 최고위 장인들이야 그들만의 기능을 겨루지만, 흔하게 찾아볼 수 있는 초보자 상점에서의 장인들은 도시의 평균적인 수준에 맞추어 그들 역시 능력이 설정된다.

조금 더 번화하고, 좋은 무구를 다루는 고객이 많은 곳에 조금 더 실력 좋은 업계 종사자들이 많은 건 어쩔 수 없는 일이다.

제냐는 마지막으로 물약을 몇 개 꺼냈다. 필리의 물약 상점에서 예전에 산 물건들도 그대로 있었다. 노란 물약은 정신각성제였고, 붉은 색은 HP물약이 아니라 사냥용 자극제였다.

정신각성제는 감각과 정신을 예민하게 만들었다. 순발력을 소량

올려주고, 정신력 스탯에도 영향을 강하게 미친다.

사냥용 자극제는 물리 스탯들을 일시적으로 증가시켜준다. 도핑doping이었다. 실제로는 그런 일들이 어떤 부작용을 끼치는지 제냐는 알지 못했지만. 의학 종사자가 아니라서.

게임 내에서의 각종 도핑제들은 별다른 부작용이 없었다. 초인적인 캐릭터의 신체라서 그런 걸지도 모르고. 일반 NPC들에게는 또 어떻게 작용될런지.

어쨌든 몇 종류를 뚜껑을 까서 벌컥벌컥 들이켰다. 양이 그리 많지 않다. 한 두 모금 정도면 사라진다. 물약 병은 그대로 버린다. '쓰레기' 정도로 취급될 정도로 무한하게 생성되고 재고가 채워지는 아이템 종류였다.

이런 류가 계속해서 생성되면 종래에는 콘란드 대륙 전토가 물약 병으로 가득 찰 수도 있었으므로, 내용물 없이 플레이어에게 떨어져 버려진 물약 병 아이템은 시간이 지나면 자연 소멸한다.

이런 설정이 갖추어지지 않았다면, 간혹 괴짜같은 인간들은 고레벨 플레이어가 된 뒤 막대한 젠Jen을 소모해 초보자 상점에서 무진장 생성되서 팔리는 물약 병을 사들여 정말 세계를 뒤덮었을 지도 모른다.

게임 세계란 그런 법이었다. 어딜가나 괴상한 사고를 가지고 시스템의 허점을 찾아보려는 유저들이 늘상 등장한다.

정신각성제와 사냥용 자극제 외에도 속력 증가의 주황 물약,
내구성 증가의 펜던트가 있었다. 회색빛의 보석이 달려있는
목걸이는 1회용 아이템Item이다. 필리의 물약상점에서 살 수 있는
기초용의 물건으로, 세게 쥐면 쉽게 부술 수 있다.

주먹으로 쥐고 부순 인간에게 강력한 SP가 부여된다. 보석 내에
스며들어 있던 초상력이 '물질'인 사용자의 육신에 머무르며
내구성을 강화시킨다.

사용자가 다루는 SP가 아니기에 기력이나 초상 스킬을 위한
정신력 에너지로 환원할 수는 없었다.

사용자의 의지력에 반응하지 않는 무기질적인 느낌의
에너지였다. 그러나 또 모른다. 비련의 시나리오 온라인의 세계는
깊은 시스템과 방대한 설정, 그리고 미처 겪어보지 못한
이야기들로 넘쳐나니까.

아주 고레벨이 되거나, 특질의 스킬을 익힌 뒤에 시도하면
사용자의 신체 바깥에 있는 자연계의 SP들도 움직일 수 있는
순간이 올 지도.

마치 돌의 기운이 제냐의 몸에 스며들듯이. 회색빛으로 빛나는
빛의 가루가 펜던트가 부서짐에 따라 퍼져나왔고, 그것은 허공을
휘돌다가 신체 이모저모에 붙었다. 일시적으로 회색빛의 기운이

그의 몸 전체를 감싸며 한 차례 빛났고 곧 사라졌다.

준비는 끝났다. 달려가면 될 차례였다. 제냐가 나뭇가지를 그대로 박찼다. 수 m는 훨씬 넘는 자리에 있던 그가 뛰었다. 입체적인 기동은 그의 장기라고 할 수 있었다. 그는 평화의 숲에서 온갖 종류의 박투를 벌였다.

다양한 형태의 짐승과 괴물들을 갖고 사투를 벌이는 연습을 했다. 자신보다 월등히 강하며 거대한 개체와 싸울 때는 지형지물을 이용해서 시간을 버는 게 필수다.

제냐가 가지고 있던 스킬 중 '안정적인 점프'와 '좁은 데 서기'라는 게 있었다. 입체 기동의 밑거름이 되는 스킬들이었고, 제냐의 운동신경보다 조금 더 나은 활약을 보일 수 있도록 그를 돕는다.

지면이 불안정한 상태에서도 힘을 실어 제대로 박찰 수 있게 해주며, 마치 중국의 무술 묘기 공연을 떠올리게 하는 기예로 이른다. 스킬의 끝에 다다를수록 말이다.

안정적인 면인 노상보다 훨씬 기형적으로 생긴 선형적인 나뭇가지들을 이리저리 밟고 뛰어 다녔기에 얻은 스킬이었고, 그런 노력을 더욱 도와준다.

제냐가 높은 나무에서 뛰어내려 몇 미터는 앞에 있는 작은 수목의 *끄트머리* 즈음에 착지했다. 물론, 그의 무게는 그대로였기에 쾌직, 하면서 몇 개의 나뭇가지가 얽히면서 부러진다. 애초에 그가 본 건 그 아래에 있는 탄탄한 나뭇가지 하나였다.

부서지는 얇은 가지들에 능숙하게 균형을 잡으면서 떨어진다. 손을 뻗어서 나무의 몸통이나 다른 가지에 적당히 걸어 추락을 멈췄다. 간신히 얼마 떨어지지 않고 디딜만한 가지에 발을 대고 멈추었다. 제냐가 다시 한 번 나뭇가지를 박찼다.

달빛이 휘영청.

야음을 틈타 마을을 습격한다. 인간의 것은 아니었고 오크Ork, 악마이자 괴물이자 짐승의 부락이었다.

제냐는 알지 못하지만, 비련의 시나리오에는 '세력도'라는 것이 존재해서 유저들이 인류 세력이 아닌 몬스터들의 것, 악이나 혼돈 성향의 NPC들의 세력을 줄여나가는 게 주요한 시나리오의 요소였다.
각 세력의 분포도에 따라서 이후 발발하게 되는 메인 스토리의 향방이 달라지게 된다. 없던 게 생겨날 수도 있었고, 있던 게 사라질 수도 있었다.

뭐- 자신이 있는 곳에서 미약하게나마 힘을 발휘하며 괴물들을

처치하는 모든 헌터 유저들이 대륙의 평화와 안녕에 기여한다는,
그런 범영웅적인 이야기의 일각이었다.

*

*

18. 범영웅凡英雄

'범영웅凡英雄'이 달렸다.

제냐 킴. 흑색 머리의 중간 체격. 날렵한 콧대에 얇상한 눈. 평범하게 생긴 동양인. 가죽 갑옷을 각부에 차고 있고 갈색 가죽 구두를 신었다. 목이 높이 올라와 발목 위까지 감싸는 전투용의 그것이었고, 밑창에는 쇠판이 달려 있었다. 그 사이의 면이 몇 겹으로 완충재가 들어 있어 찍기 따위의 발차기 시에 충격을 덜어준다.

최대한 무게를 줄이는 움직임을 해야 했다. 초상력을 이용해 특별한 스킬을 발휘하지 않는 이상 있던 무게가 줄어들지는 않았지만. 그래도 운동성이라는 게 있지 않은가. 최대한 관성을 이해하고 무게를 이동시켜서 날렵하게 난다.

그래, 날듯이 뛰었다. 나뭇가지와 가지 사이를 이동하는 제냐의 움직임은 그러했다.

20대 후반에 이르르는 물리 스텟들은 제냐가 초인에 버금가는 움직임을 하게 만들어주었다. 물리적으로 볼 때 '어?' 싶은 궤도의 동선이다.

마치 작은 원숭이나 특이한 동물들이 숲에서 그렇게 날듯이 몸집이 훨씬 큰 제냐가 그렇게 굴었다.

한 번, 두 번, 그리고 세 번.

몇 개의 나무들을 건너 뛸 때마다 수 m가 단축된다. 나뭇가지의 탄성마저 이용하면서 뛰었고, 손에는 어느새 꺼내든 로프가 하나 있었다. 오른팔 하박에 단단히 매듭으로 묶은 물건이었는데, 끝에 고리 형의 추가 달려 있다. 정 애매하면 이것을 날려서 적당한 데를 겨눈 뒤 던져 감는다. 탄탄하게 버틸만큼 묶였다고 생각되면 그것을 이용해서 추처럼 날았다.

낮은 데에서, 높은 곳에 건 뒤 점프를 보조하는 식이었다. 괴력이라고 불러야 할 힘에 약간의 요령을 섞으면, 도달한 뒤 강력한 완력으로 묶은 가지를 부수며 떼어낼 수 있었다.

스킬을 사용하면 단숨에 강한 힘을 발휘 가능하다. 검술, 박투술 따위의 스킬들은 특정한 동작에 근력 보정을 더한다.

공격이라고 생각될 정도로 적극적인 기세로 임팩트를 주고 팔을 뿌리면 박투술 동작의 일종으로 취급된다.

우득, 하고 단단히 묶였던 나뭇가지가 박살이 났다. 힘을 주려면 어딘가 지지대가 보통은 필요하다. 공중에서도 자세를 잡을 수는 있지만 지면이 있는 것보다는 덜하다. 지면은, 초인적인 움직임이 가능하다면 반드시 아래에 있지 않아도 좋았다. 등을 댈 수 있는 나무 몸체가 있는 것만으로도 강력한 폭발력을 발휘하는 게 가능했다.

제냐는 능숙하게 한 번 걸었던 추를 회수했다. 팩, 하고 힘을 주어 당기자 바닥에 떨어지던 것이 날았고, 나뭇가지나 잎에 몇 번 거치더니 금새 다가온다. 잡아서 팔에 다시 휘휘 감는다. 둘둘 묶어서 대강 추를 손바닥에 쥐었고, 손가락에 건 채 다시 날았다.

순식간에 부락 근처에 왔다.

부락은 고요했다. 어둠 속에서 움직이는 것들이 많지 않다. 오크들은 성질이 고약했다. 더군다나 부락을 이루고 생활할 정도의 집단이라면, 정말로 거대한 초괴수가 나타나지 않는 이상에야 이것들을 잡아 죽일만한 상대가 없었다.
그런 점에서, 오크들은 주기적으로 순찰을 돌며 자신들의 거처 주변에 둥지를 트는 것들을 잡아 죽이거나 쫓아낸다. 그 주위는 오크의 구역이 되며 야생 동물들의 공백 지대가 된다.

다소 제냐가 소란스럽게 이동을 해도 그에 맞추어 소음을 만드는 다른 짐승들이 없다는 뜻이었다.

풀벌레 우는 소리, 바람이 부는 소리, 푸드덕 거리고 나뭇가지 따위를 꺾으면서 제냐가 이동했고 이전에 섰던 것의 반 정도 되는 크기의, 건물 3층 즈음 되는 높이의 나무에서 제냐가 부락을 바라봤다.

부락은 넓이가 꽤 된다. 그 내부를 채우고 있는 듬성한 움막들이 보인다. 그 외의 시설물은 달리 없다. 전리품을 챙겨두는 구덩이 따위가 조금 보이긴 한다. 문명을 만들고 발전시키기 위해서 오크가 저런 집락을 구성하는 것이 아니었다.

설정된 데이터 값에 따라 저기까지만 하는 것이었지.

오크에게 지성이 없다는 것은, 창조성과 영혼이 없다는 말이었고 또 발전성이 없다는 이야기였다.

몬스터들은 강력하지만 돌연변이가 적다. 세계관 내에서 인류는 나약한 종족값을 갖지만 대륙의 절대자로도 군림할 수 있는 특징이었고.

같은 NPC라고 하더라도 시나리오 온라인을 관장하는 초AI는 미세한 부분에서도 차이를 두었다.

'영혼'의 유무를 게임의 데이터 값이 표현할 수는 없었지만, 적어도 그 눈에 보이는 특징들 따위라면 구현해볼 수는 있었으니.

제냐는 나무에서 MP를 소모했다. 들이킨 정신 각성제는 정신력 스탯들의 증가를 가져오고 MP지배력을 높인다. 각성제만 마시면 그다지 큰 효과는 없었다. 어차피 MP의 총량이 같은 상태에서 지배력이 높아진다는 건, 그 의지에 따라서 더 많은 양을 소모할 수 있거나 사소한 제어가 더 용이해진다는 말이었다.

정신각성제를 사용해서 큰 효과를 보려면 푸른 물약을 물처럼 마셔야 했다. 늘어난 MP지배력, 의지력이라고도 혼용해 부르는 그 힘을 제대로 써먹을 수 있을 만한 초상 스킬도 구비해두어야 한다.

시스템 내에서 캐릭터에게 주는 스킬란欄의 스킬이 없다고 해도 물론 기술은 사용 가능하다. 이전에 파이어 볼을 배우기 위해서 들었던 강의 중, 수강생이 파이어 볼을 형성해본 것처럼. 그러나 스킬 시스템의 인도와 보정이 없기에 훨씬 힘든 작업이 되고 만다. 아마 고레벨에, 시나리오 온라인 내에서 무수한 초상 스킬을 익히고 다루어서 인이 박힌 정도의 고수라면 보정 없이도 완벽 이상의 물건을 만들어낼 수 있을 테다.

정신각성제는 캐릭터의 스펙을 올려준다. 그 스펙을 지지해주는 다른 종류의 스텟과 에너지, 기술이 부족하다면 큰 효력을 보지 못한다. 적절한 사용을 해내지 못하는 뉴비에게 정신력 각성제는 그저 순발력 향상의 도구로만 쓰일 때도 많다.

제냐는 이제 파이어 볼을 능숙하게 다룬다. 적절한 양의 MP를 소모해서 형성하는 것 외에도.

무지막지하게 MP를 때려박아 거대한 화구를 만들어내는 것
역시 얼마든지 할만한 일이다.

보통 2000정도의 MP를 가진 이라고 할 때, 균일한 정신력 계열
스탯들이 있다면 100대의 MP를 한 번의 마법에 소비하는 것이
위력의 최적점이었다. 그 이상으로 가면 발동에 지연이 걸리게
되고, 디테일이 부족하다보니 명중률도 떨어진다.
　MP는 2, 300을 투입해놓고 실제 몬스터에게 가 닿아 입히는
피해는 그보다 훨씬 못할 수도 있는 것이다.
　손실률을 최대한 낮추며 제한된 시간 내에 최대한의 데미지로
MP를 전환하기 위한 최적점이었다.

　그러나 현재 정신력 각성제로 의지력이 올라갔고(도핑은
일시적으로 스탯을 상승시키지만, 그로 인해 캐릭터의 연관된
스펙까지 변하진 않는다. 체근지가 올라가도 HP는 그대로이며,
정집초의 세 스탯이 일시적으로 도핑되어도 MP는 그대로이다)몇
번의 연습을 거쳐서 '과용'에 익숙해진 제냐는 그 이상을 투자한다.
　하나의 초상 스킬에 말이다.

　이런 것이 의미가 있기 위해선 초탄일 필요가 있었다. 정신 집중,
시전 시간에 제약이 없는 암습일 때 무식한 MP의 남용이 비로소
의미를 가졌다.

제냐가 두 손을 앞으로 뻗었고, 밤 하늘 아래에 태양을
만들겠다는 수준의 집념으로 파이어 볼을 발동시켰다.

이번엔 입으로 중얼거리지 않았다. 능숙하게 MP를 인도해서
발화 지점을 잡는다.

제냐가 두 손을 앞으로 뻗었고, 밤 하늘 아래에 태양을
만들겠다는 수준의 집념으로 파이어 볼을 발동시켰다.

이번엔 입으로 중얼거리지 않았다. 능숙하게 MP를 인도해서
발화 지점을 잡는다.

양 손바닥의 앞, 약 1.5M정도의 거리를 띄우고 벌어진 일이었다.
나뭇잎과 가지들이 방해하고 있는 그 공간에 파이어볼의 발화점이
잡히고 MP가 모여들었다.

제냐의 정신 지배력에 따라 자연계에 원래 분포하는 것보다
명백하게 고밀도로 집적된 MP들은 초상 현상을 일으켰다.

스킬에 따라, 그리고 제냐가 심상으로 떠올리고 계산하는 수치에
따라 말이다.

형태는 원형. 크기는 처음에는 작은 점으로 시작한다. 좁쌀만한
것이 허공에서 생겨났다.

거기서부터, 현실에서는 이미 불가능한 지점이었다.

그리고 그 이전에 보이지 않는 '에테르' '마나'와 같은 초상적인 에너지조차 현실에선 찾아볼 수 없다.

그러나 이곳은 게임의 세계였기에, 보이지 않는 힘이 불타는 좁쌀을 만들었고

그것이 점차 크기를 키운다. 육안으로 관찰하긴 어려우나 맹렬하게 난방향 회전을 해대는 구형의 불꽃은 그 껍데기에 점점 붉은 불길이 덮여가며 더욱 크기를 키웠다.

좁쌀에서 쌀로, 쌀에서 콩으로. 콩에서 손가락만한 크기로. 손바닥과, 어지간한 공의 크기로. 구기 종목에서 쓰이는 것들 중에서 가장 큰 부류로 커지다가 더욱 MP가 진입하자 내부는 폭발을 일으키듯 격렬하게 운동하며 외부로 제 몸집을 불린다.

몇 초가 걸리지 않아서 사람의 대가리 수준을 넘어 어지간한 상반신만한 지름의 구형이 되었다. 한 아름에 다 안기도 어려운 수준이다.

제냐의 지배력 컨트롤은 놀라운 편이었다. 눈구나 힘을 쥐어 준다고 그것으로 바로 스포츠를 해내지는 못한다. 급변한 본인의 스펙에 적응하기 위한 감각 조정 또한 필요하다.

오랜만에 안 하던 종목의 운동을 시작한다고 할 지라도 그럴텐데. 제 몸의 근력 따위가 변질되었다면 더하리라.

오래된 것을 다루듯이 그는 MP를 형성했다.

이글거리는 불길이 몸집을 키우면서 자연계의, 원래의 불길이 그러하듯 연소했다. 연소 반응을 위해 태워먹을 것들이 필요하다. 그 주변에 있는 것들이 그 구체의 영역에 들어가자 싸늘하게 타들어갔다.

싸늘하게 타들어갔다는 말은, 분명 일반적인 불길과는 좀 다른 면이 있다는 의미였다.

온도가 전이되어 숲에 화재가 일어나지는 않았다. 그저 냉철한 검사의 칼날로 일정한 영역을 베어내듯이, 형성된 파이어 볼은 딱 제 몸체만큼의 영역에만 불길을 일으키며 거기에 닿는 부분을 소멸시켰다.

빛으로 이루어진 화구에 집어삼켜져 그 말단이 사라지는 나뭇가지들의 모습은 초자연적인 것이다. 정신력 에너지로 이루어진 초자연적인 불길은 자연계의 상식과는 거리가 멀었다. 온전하게 에너지는 안으로 수렴한다.
SF영화 따위에서 보는, 입자파니 뭐니 하는 초현실적인 무기의 구현화를 보는 것 같았다.

어차피 게임 내의 데이터 값이므로, 뭐 비슷할 수도 있었다. 그 겉모양이 고래의 냉병기라고 하더라도 거기에 세상을 부술 거력을 심어둘 수 있는 것이었으니.

겉으로 보기에 화려한 기계 장치의 작동을 구현하던, 초상 스킬로 그 과정을 대충 스킵skip(생략하고 넘어가기)하던 실상은 같은 것이다.

같은 물감으로 그리는 그림일 뿐이었다.

어둔 밤 숲에서 지독한 광량이 생겨났다. 수십 미터 바깥에서 벌어지는 일이었는데, 그 광구이자 화구는 화재로 이어지지 않았기에 여러 엄폐물들에 빛이 가려졌다. 어지간히 둔하거나 다른 곳에 시선이 팔리지 않는다면 분명히 알 수 있었다. 개멋진나 최는 기력술을 발동해 멀리에서 철시를 연사하기 위한 준비를 하고 있었다. 그 역시 도핑을 했다. 정신 각성제와 사냥용 자극제.

난사에 가까운 원호 사격과 기력술을 동시에 사용하기 위해서였다. 명중률을 높이기 위해서 황야 도마뱀의 독낭을 건조시켜 만든 주황빛의 알약 하나를 입에 넣어 씹기도 했다.

짜릿하고 씁쓰레한 미각적 통증과 함께 사용자의 감각을 조금 더 활성화시켜주는 비약이었고, 마찬가지로 필리의 물약 상점같은 1차 상점들에서 쉽게 구할 수 있는 품질의 물건이다.

시각과 청각, 촉각을 돋구고 순발력 중에서도 신체 말단의 미세 조정의 기능을 도와준다.

화살을 시위에 슬쩍 걸고 아직 당기지는 않은 최태현의 눈에
밝은 빛이 어둠 가운데 광선처럼 줄기를 뻗어대는 것이 보였다.
제냐 킴이다.

무식한 인간이다. 궁술과 수색전으로 제한한다면 그가
이기겠지만, 가지고 있는 각종 능력과 스킬들을 모두 끄집어낸다면
이길 수 있을까 싶었다.

최태현도 나름대로 자존심이 있는 편이었고, 그건 여가 시간에
즐기는 게임에서도 그다지 사라지지 않는 승부욕이었다. 그런
인간임에도 제냐를 보면서 고개를 저을 수 밖에 없었다. 괴짜는
어디에나 있다. 저 괴짜는 우연히, 그리고 지금까지는 이 게임에 잘
맞는 유형의 또라이인 모양이다.

다시,

제냐가 집중하고 있는 광구를 살펴보면 그것의 크기가 어느새
정점에 다다랐다. 정점이란 제냐가 발휘할 수 있는 지배력의
정점이었다. 사람의 상반신만한 크기를 넘었다.

중간 정도 체격인 제냐가 몸을 웅크리면 그 내부에 어렵잖게
들어갈 수 있을만한 구체이다. 정통으로 맞으면 오크의 몸통
정도는 날아갈 것 같았다.

MP는 2,000여 중 700이상이 들어갔다. 한 번에 이 정도를 사용하는 건 정신나간 짓이다, 보통은. 급격한 사용은 약간의 탈력감과 빈혈의 전조증세를 보이기도 한다. 그걸 위해 푸른 물약을 미리 마셨다.

푸른 물약은 MP의 농축체이기도 하다. 대단한 의미를 가진 물체는 아니었다. 특별한 에너지인 초상력이었지만 어디에서나 쉽게 구할 수 있는 푸른 물약이 대단한 비약이라도 된다면 게임 내 세계관이 너무도 쉽게 흔들릴 테다.
물약에 들어 있는 MP를 음용하는 것 외에 다른 방식으로 일깨워 사용할 수는 없었다.

푸른 물약과 비슷한 역할을 하는 특별한 아이템들은 물론 존재한다. 보다 상급의 것들로, 1회용도 있고 다회용도 있다. MP배터리 역할을 하는 물건들이었는데, 일단 제냐와 최태현의 수준에서는 꿈도 못 꿀 희귀도와 성능의 물건들이다.
복잡한 난전 중에서 포션을 일일이 마시는 딜레이Delay없이 계속해서 MP소모가 가능하다면 배터리라는 이름처럼 보조적인 MP통이나 다름 없었다. 정신력 스탯이 사실상 증가한 것과 같다.

물론 배터리를 전투 상황 중에 얼마나 충전할 수 있는가, 배터리의 양이 얼마나 되는가에 따라서 이야기가 다르긴 하다.

제냐는 소모하는 속도가 월등히 빨랐다. 푸른 물약이 보조하고 있지만 역부족이다. 이것을 던지고 나면 한 번 더 마신다. 아마 부락에 부딪히면 모든 오크들이 깨어날 것이다. 하나를 더 만들 시간은, 아슬아슬하다.

그 다음은 소형의 파이어 볼을 아무렇게나 던져야 한다. 지금에 와서야 이런 식의 운용이 가능했지 초기에는 그것만으로도 물론 강력한 공격이었으며 필살기에 가까웠다.
갈색 오크들을 상대로도 충분히 유효한 전법이다.

적당히 눈으로 가늠을 한다. 그리 멀지 않다. 추진력에 최소한의 에너지를 소모한다. 나머지는 전부, 폭발과 열량이었다. 불꽃을 주변으로 퍼뜨려 화재를 일으키는 것 역시 효율적인 일이다. 내부에 머금은 MP가 방출되며 불꽃이 해방된다면 부락은 일부가 화마에 휩싸일 것이다.

타오르는 불길 너머로 스킬이 시야와 궤도를 인도했다. 궁술로 인한 사격은 아니었으나, 그래도 원거리 공격에 보조를 맡는 것들이 남아 있었다. 매의 눈 역시 기능한다. 투척 궤도를 가늠했고, 제냐는 그대로 웅크린 채 폭발을 기다리는 파이어 볼을 전진시켰다.

그의 손아귀 근처에서 떠 있던 거대한 광구는, 퉁, 하고 살짝 밀려나더니 순식간에 가속력을 얻었다. 물리적인 물체가 날아가는 것과는 조금 달랐다. 질량을 가진 물체가 가속력을 얻기까지 최소한의 시간이 있는데 그런 게 아니라는 듯 손바닥 앞 1.5M의 자리에서 튕겨 나간 다음 순간 바로 질주를 했다.

파이어 볼이 달린다. 목표는 오크 불박의 중앙에 있는 한 움막이었다. 세모형의 지붕을 가지고 있고, 오크 한 두 마리가 그 내부에서 간신히 설까 싶은 곳이었다. 움막들은 대충 거적떼기 따위들을 덮어둔 모습이다. 문이랄 것도 변변찮아 대충 내린 그 천을 치우면 곧바로 내부와 외부를 동시에 볼 수 있었다.

가운데에 있는 움막 하나는 주변의 것들과 거리가 다소 가까웠다. 전체적으로 아무렇게나 지어진 부락의 구조였는데, 개중에서 가장 한 번에 많은 타격을 입힐만한 자리이다.

부웅, 하고 하늘을 가르는 파이어 볼이 위로 솟구쳤다. 제냐의 손 앞에서 떠난 게 고도를 높였고, 곧 거슬리는 숲의 일각을 태워먹으며 나무들보다 높은 자리에까지 올랐다. 특제, 특대 파이어볼은 일직선으로 날지 않았다.
제냐의 상상력이 그러하듯 심상 속의 궤적을 현실로 옮겼다. 제냐는 거대한 포탄을 생각했다. 화약으로 쏘아내는 거대한 철구.
포물선을 계산해서 착탄지를 맞춰야 하는 그 운동을 생각하고 보낸 것이다.

SP로 이루어진 초자연적인 화구는 재빠르게 포물선을 그렸다. 그건 다소 이상한 운동이었다. 하늘로 솟구칠 때 조금 느렸다가, 절정 부분에서 가속도를 받아 빨랐다가, 다시 아래로 떨어질 때 중력의 영향으로 강하게 꽂히는 건 아니었다.

포물선의 곡선을 따라 움직이지만 그 착탄을 세 구간으로 나눴을 때 상승과 직진, 하강이 모두 속력이 같았다.

마치 멀리서 어떤 어린아이가 크레파스로 주욱 선을 그으며 장난을 치는 것 같은 움직임이다.

실제로, 어둔 밤하늘에 나타난 거대한 광구의 이동은 그런 선을 잔상으로 남기기도 했다.

불꽃은 꼬리가 없었으나 빛은 남았다.

제냐는 눈살을 약간 찌푸렸다. 그의 눈에도 지나치게 밝은 빛이, 몇 초를 채 지나지 않아서 오크 부락에 도착했다.

오크들은 자던 와중에 그들의 악몽을 맞이했다.

아니, 악몽이 아닌 개체들도 있었다. 파이어 볼에 정통으로 맞아버린 한 놈은 꿈을 꾸던 그 자세 그대로 모든 HP를 상실했다.

단 꿈 속에서 하나의 설정값이 사라졌다.

콰앙~!

굉음이 숲을 쩌렁쩌렁 울렸다. 기대한 대로의 연출이며 소리며,
진동이었다. 폭발력을 지닌 화구는 부락 중앙의 움막 첨단에
닿았다. 온전한 구체를 지니고 있던, 거대한 짐볼처럼 생긴 그게
모양을 변형시켰다.

꿈틀거리며 마치 점성이 있는 슬라임처럼 구체가 못생긴 형태로
스스로를 바꾸었고, 그 화력과 에너지가 그대로 움막을 내리
누르고 천을 태워먹으면서 내부로 들어갔다.

나란히 두 개체가 누워서 자고 있던 움막 내부.

갈색 오크 두 마리, '케르륵'과 '타룩'은 마을 중앙에 집을
가지고 있으며 조장 급의 실력을 가진 놈들이었으나 눈꺼풀 너머로
타는 듯한 빛을 새벽녘에 갑자기 느꼈고, 그 다음 '케르륵'은
무엇도 인지할 수 없었다.

그대로 한 마리의 게임 내 생활이 종료되었다.

불길이 번진다.

움막 내부에서 그 폭력성을 터뜨린 화구는 삽시간에 화마로
변질되었다.

살라먹을 수 있는 모든 가연성의 소재들을 집어삼킨다. 천막

내부의 산소가 사라졌다. 타는듯한 고온.

말 그대로 타오르는 고온이 파이어 볼에 직격으로 맞지는 않은 '타룩'의 거죽을 태운다. 두터운 돼지의 피륙이 액체처럼 변질되면서, 그리 오래지 않아 타룩 역시 치명상을 입고 HP가 쭉쭉 달았다.

타룩은 눈을 떴다.

'고통'에 시나리오 온라인 내부 생명체들은 제대로 반응한다. 본질적으로 생명이 아닌 그저 AI가 만든 프로그램들일 뿐이었지만, 그것의 시뮬레이션 정보에 따라 모티브가 되는 다양한 자연 생물들의 반응을 흉내낸다.

타룩은 제 몸에 불이 붙은 야생동물다운 황급함을 보여주었고, 날뛰려 했지만 그리 오래지 못했다. 천막에서 채 벗어나기도 전에 수컷의 HP가 0에 수렴했다. 빛나는 폭염 속에서 돼지의 거죽이 끓는 물 속에 들어간 무언가가 허물어지듯이 물러졌다.

곧이어 단단했던 괴물은 육신을 잃었고, 빛의 입자가 사방으로 터져나오며 흔적도 없이 사라졌다.

그 자리엔 두 개의 아이템 박스가 남았는데, 획득 권리자가 건드리지 않은 아이템 박스는 어떤 충격에도 반응하지 않고 그 자리에 유지된다. 그 위치에는 있으나, 공격적인 충격들에 대해서는 다른 차원에 있는 양 그렇게 말이다.

파괴 불가 오브젝트였고, 다만 중력에 따라 아래로 떨어지므로 지면을 없애버리면 영영 찾지 못할 수도 있었다.

움막 내부에서 몸집을 키운 화구가 불길을 뻗어대면서, 천과 목재로 지어진 집을 없애버린다.

지면에 닿으면서 굉음과 함께 폭발했고, 곧 그 불길의 말단이 주변에 있는 움막에까지 번져나갔다. 강렬한 폭음과 함께 폭탄이 터진 듯 지변이 패였고, 그 충격은 바람을 동반하며 또 화구가 조각나 여기저기로 튀어나가는 결과를 가져왔다. 일반적인 불똥보다는 훨씬 거대한 것. 그러니까 일부러 화염탄을 조제해서 던진 것마냥 큼직한 불덩이들이 사방 수m를 가뿐히 넘는 거리로까지 날았다.

근처에 있는 탈만한 것들에 옮겨 붙은 불길은 삽시간에 부락을 밝게 밝혔다.

제냐는, 그 시점에서 부락 근처로 다시금 뛰어오고 있었다.

파티 사냥의 시작이다. 파티Party는 아니었지만. 그만큼 요란하기는 할 것이다. 오늘 이 부락에 있는 오크들은 한 마리도 남길 수 없었다.

그리 대단한 결심도 아니었다.
아무리 스릴이 넘쳐도 단지 게임을 하고 있을 뿐이었으니.
당연하고, 할 수 있는 일을 순식간에 해치우기 위해 온 것 이상도
이하도 아니다.

*

움막들에 불이 옮겨 붙으면서 부락의 불길이 일었다.

부락의 불길은 충분한 광량을 주었고 아닌 밤중에 연회가
시작되었다.

밝은 대낮처럼은 아니지만 아무리 밤눈이 어두운 자라도 길과
모양을 훤히 알 수 있을 정도로 불타오른다.

최태현은 폭음을 신호로 알고 시위에 메긴 철시를 확
잡아당겼다. 여러 보정이 그의 화살이 갈 길을 일러준다. 그는 그
인도대로 화살의 시작점을 잡았고, 날카로운 화살촉의 머리에
기력이 스며든다.
아지랑이가 나타남과 동시에 그의 MP가 줄어들었고, 그는
소란과 함께 부락 공터로 하나 둘 나오는 오크들의 대가리를

노렸다.

가장 안 쪽에 있는 것.

제냐가 달려가고 있는 부락의 동쪽 울타리 근처에서 먼 놈부터 잡는다. 원호를 하다가 제냐를 맞출 수는 없었다. 제냐 역시, 그의 화살의 사선을 방해하지 않기 위해 높이 뛰지 않는다. 낮은 뜀박질로 부락을 향해 성큼성큼 다가간다. 한 걸음과 한 걸음 사이의 간격이 멀었다. 제냐는 숲 속에서의 입체 기동이 아주 능숙했다.

원숭이나 날다람쥐가 그러하듯 뛰어댄다.

제냐는 그 사이 하나의 파이어 볼을 더 만들어낸 뒤였다.

그의 오른손의 바닥이 하늘을 향하고 있다. 무언가 불편하게 물건이라도 들고 있는 모양새였고, 힘을 써서 들어야 하는 것은 아니었으나 화염의 공이 그 위에 둥둥 떠 있었다. 제냐의 움직임에 따라 기둥으로 이어져 박힌 듯 따라오는 화염공은 불길이 일렁거리지만 맞바람에 사그라들지도 않고 더욱 밝게 빛나기만 한다.

타오르는 주황색의 화염은 일정한 크기를 유지하고 있었다.

그래봬도 100포인트에 근접한 MP가 들어간 화염공이었다.

크기가 때로 모든 걸 말해주지는 않는다. 밀집된 정신력 에너지가 터져나가려는 걸 붙잡기 위해서는 조금 더 집중을 해야 할 필요가 있다.

제냐는 뛰면서 능숙하게 고집적 파이어 볼을 만들고 유지했다.

부락의 울타리에 다다랐고, 마지막 얕은 나무의 어느 가지에서 오크들이 얼기설기 만들어 둔 잡동사니의 벽면 윗자락을 쿵, 하고 밟았다. 그대로 부수며 다시 뛴다. 오크들이 움막에서 모두 튀어나왔다.

잠이 한 번 깨고 나니, 브라운 오크들의 면상이 볼만하다. 그다지 분간이 되지 않는 돼지와 비슷한 대가리라 하더라도 표정이라는 것이 있었다. 한껏 찌푸려지고 그 눈도 제대로 뜨지 못하는 꼴들이 가관이었고, 또 다행이었다.
아직 온전히 경계 태세를 갖추며 상황을 인지하기 전에 한 방을 더 먹일 수 있었다.

밤 중.

제냐는 멀리 타오르는 화재의 불길보다는 가까이 선 거구의 오크들을 바라보며 오른 손을 붕 휘둘렀다. 돌팔매를 하듯 깔끔하게 허공을 휘저은 오른 팔이었고, 그 앞에 붙어있던 화염구가 날았다.

파이어 볼은 부락의 울타리 근처 즈음에 움막을 짓고 생활하던 한 놈의 대가리에 직격했다.

그리 크지 않은 개체에 살도 많지 않았다. 돼지라는 모티브에 기꺼이 순응하듯 살집을 키우던 놈들과는 조금 달랐다. HP가 다소 적고 순발력에 특화된 개체였는데, 제대로 된 교전에 돌입하기도 전에 머리에 화구를 맞았다.

이전의 것보다 조금 더 단단해 보이는 빛나는 공은 오크의 머리에 맞자 그대로 폭발을 일으켰다. 펑, 하고.

제 녀석이 쌓아온 순발력을 발휘해보지도 못하고 맞이했다.

소설로 치자면, 굳이 설정을 잡고 지면을 할애해서 등장시킨 인물이 허무하게 죽는 것이나 마찬가지였다.

그리고 그 점이 바로 게임의 장점이다.

방대한 데이터Data가 집약되어 있는 입체적인 시뮬레이션 공간.

한 사람의 머리와 손으로 다 표현할 수 없는 거대한 세계가 표현되는 곳이었다.

제냐는 그런 점이 아주 마음에 들었다. 기술의 발전은 그래픽과, 그것을 비롯한 다양한 오감 구현 시스템에서 여실하게 드러난다.

또 하나의 현실에 가깝다.

본질적인 의미에서의 현실은 아니었지만, 비유적으로 말이다,
비유적으로.

예술이 삶에 대한 모방이라고 했을 때. 게임 역시 현실에 대한
모방에 불과했다. 모방으로서 들을 수 있는 최고의 찬사는 원본
대상 그 자체라는 이야기를 들을 때일 것이다.
비련의 시나리오는 분명 그런 위치에 있는, 가장 앞 선 기술력의
프로그램이었다.
제냐는 이것이 어떻게 구현되는지 여전히 이해하지 못하면서,
계속 달렸다.

파이어 볼 몇 개를 완성이 되자마자 적당한 각도로 쏘아 날렸다.
날아가는 화구가 마치 투수가 던져낸 강속구처럼 뻗는다.
빛줄기가, 마치 화살이 날아들듯 오크들의 품을 파고들었다.

직전에 부락으로 다가서며 죽인 놈으로 13마리가 남았었고, 한
마리가 다시 자리에 누웠다. 다른 하나는 파이어볼을 대가리에
맞았음에도 치명상이 일어나지 않았다.
제냐는 그것에게 먼저 다가갔다.

울타리인지 담인지, 둑인지 모를 것을 밟고 넘어간 제냐는 부락
내부의 지면을 밟고 달렸다. 어느새 빼어든 비스트 슬레이어가
있다. 이번에는 왼 손에 파이어 볼이 금세 형성되었다. 형체가

불안정하고 또 불완전하다. 화구라기보다는 그저 불꽃이 그의 손에 있었다.

자연적인 촛불이 그러하듯, 바람에 일렁거리는 화염처럼 흐트러졌다.

그럼에도 위력은 크게 떨어지지 않는다. 세세한 계산을 도출해 낼 시간이 없었기에, 제냐는 그대로 오크 한 마리에게 다가간다. 움막 하나를 제치고 돌아가서 금세 닿았다.

저 자신보다 더 키가 큰 놈이었다. 오크가 멀뚱히 서있다가, 재빠르게 다가오는 제냐의 신형을 보고 그 손을 휘둘렀다. 무기도 하나 챙겨나오지 않은 어수룩하고 둔한 놈이었다. 크기는 2미터 20에서 30정도. 체격은 중간 정도. 갈색 오크들 중에서.

입고 있는 갑주는 제법 탄탄해 보였고 그리 많이 부서지지 않은 물건이다. 제냐는 정면에 때릴 만한 곳이 안보여 한 바퀴, 돌았다.

부웅, 하고 제냐의 대가리를 노리고 오크의 양 손이 주먹을 쥔 채 내려쳐지는데 그것을 피한다. 달려가던 기세 그대로 죽이지 않고 왼 발을 박차 오른 쪽 대각선으로 속도를 높여 들어갔다.

오크의 휘두름을 피해 품 안으로 들어갔고, 그대로 오크의 몸을 기둥처럼 쓸며 뒤를 잡는다. 다행히 등판은 갑옷들이 너덜너덜한 부위가 많았다.

제냐는 그대로 쓸고 들어가서, 왼 손에 만들었던 화염을 오크의 왼쪽 옆구리 뒷면에 처박았다.

쿵! 하는 폭음이 들렸다. 초상적인 불꽃은 이미 폭탄이었다. 굉음과 함께 불꽃이 터졌고 오크의 살이 익었다. 익는 모습을 제대로 볼 수는 없었지만, 터져 나오는 빛의 입자에 그것이 충분한 데미지를 입었다는 걸 이해하라 수 있다.

제냐는 그대로 비스트 슬레이어를 휘둘렀다. 아래로 검끝을 내리고 달리던 그 외날검을 능숙하게 손 안에서 놀려 오크의 상처 부위에 가져다 대었다. 그리고 긁어내듯이 당기면서, 크게 벤다. 검술 스킬이 활용되는 것은 물론이다.

박투술 따위로 근접 전투에서 근력이 조금 더 올라간다. 도핑의 효과도 있었다. 제냐는 온 힘을 다해서 톱질을 하듯 외날을 거치른 가죽이 벗겨진 자리에 대고 베었고, 더 큰 출혈이 일어난다.

붉은 색의 핏방울이 튀지는 않았다.

어둔 밤에도 무지갯빛으로 빛이 나는 입자가 쏟아져 나온다. 그 내부 장기도 상했을 것이다. 거기서 멈추지 않고, 제냐는 비어 있는 왼손으로 허리춤에 달아 두었던 지룡의 발톱 대거를 꺼내들어 그대로 찍었다.

몇 가지 인챈트와 강화로 조금 더 급수가 올라간 발톱 대거는 치명적이다. 불그스름한 그 날에 독과 치명상을 유발하는 기운이 스며들어 있었다.

정확히는 화염의 기운이다. SP 중에서도 불의 속성을 지닌 것들이 내장되어 있다. 다 사용하고 나면 제냐로서 직접 충전을 할 수는 없었고, 자연적으로 시간이 지나야만 한다. 배터리를 인위적으로 충전시키는 일은 기계의 기판을 열어서 내부를 손보는 것과 비슷한 일이었고, 아티팩트를 다루는 전문적인 아티피서나 기능공이 와야 했다.

오크의 옆구리는 엉망이었으나, 제냐는 조금 더 심한 상처를 주기로 했다. 비어 있는 듯 보이는 그 빛의 자리에 발톱 대거가 찍힌다. 당기면서 한 발 물러섰던 제냐는 순식간에 왼 손에 대거를 쥐고 앞으로 다가가며 옆구리를 찍었다. 푸욱, 하고 부드러운 것에 들어가듯 대거의 칼날이 깊숙이 들어간다.

지룡의 발톱 대거라는 이름답게, 마치 발톱처럼 곡선으로 휘어 있는 날의 끝이었다. 근접전에서 상대에게 상처를 유발하기에 좋다. 거죽이 발톱 대거의 칼날보다 무르다면 출혈로 상대를 다운시키는 것 역시 유효한 전법이다.
지금은 내부에서 발화해서 HP를 크게 깎아먹는 용도로 사용한다.

극심한 고통은 정신적 쇼크로 이어지고, 신경계를 건드리는 듯한 그 충격은 HP에도 영향을 미친다.

강렬한 정신 계통 초상 스킬의 작용 역시 HP를 깎았다. 환상, 악몽 따위를 다루며 상대에게 보여주는 초상 기술들이다.

그런 류는 아니었으나 어쨌든, 그런 부가적인 효과를 줄 정도로 싸늘한 고통이었다.

지독한 화염에 당하는 화상은 때로 냉기와 닿는 것처럼 느껴진다고도 한다. 감각 계통이 맛이 가는 것일 수도 있고, 주인을 보호하기 위해 방어 기제로 작동하는 일일 수도 있었다.

순발력이 빨랐던 개체, 남부 1섹터의 부락 내 갈색 오크였던 '카학'이 그렇게 소리 없이 비명을 질렀다.

얼굴이 시꺼멓게 타들어갔다. 파이어 볼에 일단 한 번 대가리를 맞았던 흔적이다. 눈빛이 흔들리고 제대로 시야에 무언가를 잡지 못했다. 카학의 시점에서는 고통과 고통으로 이어지는 사건의 연속뿐이었다.

제냐를 잡으려 한 순간의 기억도 날아간다. 그 정도의 고통이었다.

옆구리 내부, 장기와 닿아있는 그 곳, 시나리오 온라인 내에서 표현되지는 않는 빛의 입자 내부의 비가시적 공간에서 발톱 대거가 발화했고, 붉게 달아오른 칼이 무형의 화염을 토해낸다. 불꽃으로 만들어지지는 않았으나 칼날 표면의 온도가 올라가고 그에 닿은 면이 타오른다.

그에 더해서 칼날에 최초에 발려 있던 독들이 신체 내부로 침투했다. 오크나 짐승, 각종 몬스터들에게도 효과적으로 통하는 사막 전갈의 독이었다.

피스 시와 세슈칸 사이에 있는 황야 지대, 개중에서도 물이 없고 모래로 뒤덮인 사막의 전갈은 독성이 강했다. 살아있을 때보다 죽었을 때 채취한 것이 더 강하다. 그것을 농축액으로 만들어 여러 특수 처리를 하게 되면 이제 몬스터 따위에게도 통하는 맹독이 되는 것이다.

그것만으로 다운시키긴 어려웠지만, 거구의 갈색 오크를 찌릿하게 만들어주며 움직임을 둔화시킬 수는 있었다.

그나마 조금 다행이었다.

독의 독성이 돌면서 오크에게 느껴지는 격통이 다소 줄어든 게 사실이다.

다른 종류의 데미지가 서로를 상쇄시켰다. HP는 신나게 줄어들어 이내 100 근처로까지 떨어지고 말았지만. 오크가 느끼는 격통이 줄었다는 이야기다. 제냐는 대강 끝났다는 걸 깨달았다.

본능적인 깨달음이기도 하다. 칼을 꽂고 있는 오크의 움직임, 근육의 세기, 호흡 따위가 미약해졌다. 서서히 굳어간다.

살았으나 거진 죽은 몸이었다. 발톱 대거로 그 내부를 슬쩍 더 베어내며 바깥으로 호쾌하게 꺼냈다. 촤악-. 하고 돼지의 살을 가르는 소리와 함께 무기가 나왔다. 그 표면에는 빛의 입자가 묻어 발려나왔다.

한 번 허공에 자연스럽게 휘두르자 모두 떨어지고 만다. 거대한 출혈은 시각적 오브젝트였고, 때로 시야를 가리기도 한다. 그리고 소멸하기 전까지는 실체 역시 존재해서, 어떤 공격이 막히는 원인이 되기도 했다.

본질적으로 '피'를 표현하는 것이기에 그러했다. 시각적으로는 다른 물질로 치환되었고 이내 사라지지만 그 전까지는 본질적으로 피처럼 세계 내에서 존재했다.

점성도 없으며 액체조차 아니었지만 실체로서 세계관 내에 자리를 차지했으며 충격을 받으면 더 빨리 사라진다. 그 말은, 충격량을 흡수할 수 있다는 뜻이었다.

임시적인 질량을 가진다고 생각하는 게 간편한 이해였다.

제냐는 대거를 빼어들고 쓰러지기 시작하는 '카학'을 뒤로하고 다시 뛰었다. 11마리 남았다.

오크들이 어수선하게 소란을 일으키고 있었다. 저들이 시작한 소란은 아니었으니, 당황하고 있다. 각자 움막이나 주변에 두었던

무기 따위를 챙겨서 주변을 두리번거렸고 제냐가 발견되기까지
오랜 시간이 걸리지 않았다.

갈색 오크 열 마리라면 조금 터프한 게임 플레이였다.

제냐의 내구성이 그 정도로 좋지는 않았다.

몇 개의 물약을 먹고 피부나 뼈가 강화되었으나 방어구처럼
써먹을 수는 없었다. 게임 내에서 손상은 그대로 신체 기능 저하를
일으킨다. 위기의 순간에 생명을 연장시켜 주는 안전 장치 정도로
생각하고, 가급적 맞지 않는게 좋았다.

어둔 밤, 화재로 움막이나 연소재들이 타올랐다. 붉은 빛 주황 빛
따위가 부락을 밝힌다.

바깥으로 나온 짐승들이 제냐를 보고 근처에 있던 놈들부터
달려들었다. 거리가 먼 것들은 머리를 슬슬 쓰기 시작한다. 가까이
다가갔고, 멀리 돌아서 포위를 하려고 움직이기도 한다.

그럴 때 최태현이 필요한 것이다.

최태현이 화살을 놓았고, 철시가 날았다.

1, 2초 뒤에 이미 철시가 목적지에 닿는다. 제냐로부터 멀리
떨어져서 포위망을 형성하려던 덩치 큰 놈 하나의 오른 눈알에
박혔다. 삼국지에 나오는 하후돈은 왼쪽 눈알을 다쳤다고 하던가.
고대 전쟁 시대에 일어났을 법한 일화를 무수하게 만들어내는 그는

훌륭한 명사수 이상이었다.

말했듯 스킬로 보정된다고 하더라도 그 정도 수준에서 이런
명중률은 상당히 어렵다. '희귀' 스킬로 스킬 레벨도 12단계에서
중간 이상을 달성했다면 스킬 보정만으로도 가능할 지 모른다.
제나나 최태현이 갖고 있는 스킬들은 대개가 일반이었고, 그마저
그리 높지 않다.

게임 내에서 전투력은 레벨과 그에 따른 스탯도 중요했고,
스킬의 숙련도 역시 많은 부분을 차지했다.

그런 일반론의 계산에서 벗어날 수 있는 게 게임 내부 요소로
변화시키기 어려운 게이머 본인의 감각이다. 바깥에서 궁술의
달인이나 명수가 플레이를 한다면, 그는 상위의 스킬을 더 빨리
익힐 것이며 스킬 경험치가 올라가는 속도 역시 빠를 테다.
조금 더 복잡하고 고도의, 그리고 시스템 AI가 파악하는
'정답'에 가까운 동작을 해낼 수록 추가적인 경험치가 부여되는
방식이었으니.

그리고 스킬은 기본적으로 무언가를 제한하는 것이 아니라
캐릭터의 행동에 더해지는 것이었기에, 아무런 스킬이 없다고
하더라도 적절한 근력 스탯만 보유한 뒤엔 그저 바깥에서와 똑같은
명사수로서 화살을 쏠 수도 있었다.

실제의 몸과 게임 내에서 캐릭터를 다루는 감각 간의 차이만 좁힐 수 있다면, 게임에 적응하는 다소의 기간만 있다면 말이다.

현실에서의 경험은 입체로 구현된 가상에 불과한 게임 내에 유용될 수 있었다. 그러나 게임에서의 경험을 그대로 현실로 가져가는 건 어렵다. 게임 내에서 실제 게이머가 사용하고 있는 건 감각과 신경, 정신 따위밖에 없었다.
실제의 몸은 그저 침대형에 내장된 시뮬레이터이든 외장형의 기계이든 사용해 편안한 자리에 누워 있을 뿐이었으니까.

실제로 게이머의 육신이 움직이는 부분은 신체의 전기 신호들 정도였다.

그러나 반대로 말한다면, 이곳에서의 '감각'은 확실히 바깥에서도 적용할 수 있다는 이야기다. 간혹 그런 계통의 직군인 인간이 게임 내에서 플레이를 하며 현실에서의 직업을 연마하기도 한다. 훈련을 위해서 들어오는 것은 아니었고, 여가를 위해 플레이를 하면서 겸사겸사 연습도 하고 있는 것이다.

현대에 와서 대장장이라는 직군은 거의 찾아보기 어려운 것이기는 했지만. 그래도 쇠를 다루고 기계를 주조하거나, 혹은 예술품을 만들어내는 장인류는 여전히 명맥이 있었다. 그런 자들도

자신의 직군과 비슷한 클래스를 게임 내에서 가지며 직업 연마의
일환으로 더하는 경우가 더러 있었다.

제냐는 평범한 대학생에 불과하다.

어쨌든 제냐는 뛰었고, 최태현은 가만히 있되 화살이 날게
만들었다. 먼 거리로부터 오크들이 하나, 둘 씩 쓰러진다. 그의
철시는 강력했다. 가용한 기력을 다 때려박아 한 발 한 발을
묵직하게 쏘아댔다. 급소에 맞아서 내부 장기가 박살이 나는,
크리티컬 히트가 아니라면 물론 한 발로 갈색 오크를 죽이기에
벅찼다.

기예에 다시 기예를 더한 것 같은 묘기 사격이 적중하는 대로
오크가 쓰러졌고, 그게 아닌 경우에는 몇 발이 한 마리의 몸에
꽂혔다.

갑주를 입은 곳에 화살이 들어가면 그다지 깊이 박히지
못하거나, 혹은 튕겨나가기까지 했다. 오크가 적극적으로
움직이면서 각을 뒤틀면 화살이 힘을 받지 못하고 미끄러지는
것이다.
그런 경우에는 갈색 오크의 거체에 비해서 흐르는 입자는 아주
적은 양이다. 전통의 철시 30발을 모두 소모하고, 십 수 마리의
오크들 중에서 최태현이 잡은 것은 네 마리였다. 개중 두 마리는

한 발에 죽였다.

최태현이 네 마리 중 두 마리를 고역적으로 잡아내고 있을 때, 제냐도 물론 놀고 있지 않다.

제냐에게 오크들이 달려들었다.

일렁이는 화마가 무서운 짐승의 면상과 낯짝을 더욱 기괴한 각도로 비추었다. 어른거리면서 또 아래에서 솟구치는 불빛으로 나타나는 오크의 낮은 게임의 장르가 공포가 아닌가 생각될 정도의 모습이었다.

최태현의 견제 사격으로 포위망이 형성되지는 않았다. 그저 근처에 있던 오크들이 적극적으로 직진을 해왔을 뿐이었다.

당장 눈 앞에 보이는 것이 세 마리다. 그 뒤에 몇 마리가 더 있을 것이다. 전방에서 세 개 방향으로 동시에 짓쳐든다. 앞, 좌, 우.

정면에서 달려드는 놈이 가장 컸다. 투실하고. 오크가 다룰 수 있는 무구의 종류는 한정되어 있었다. 놈은 할버드를 다룬다. 할버드라고 해봤자, 도끼의 날 부분이 뭉툭하게 사라져있었다. 그냥 거대한 메이스의 끄트머리에 뾰족한 가시가 달린 것이었다. 기형의 무기이다.

좌, 우에서 덤벼드는 놈들은 조금 특이했다. 하나는 배틀 엑스를 들고 있다. 저만한 크기의 배틀 엑스를 대체 어디에서 구했는가, 하는 문제는 적절한 게임 상의 연출이라고 설명할 테였다. 어쨌든 오크들의 무장 상태는 근본적으론 나쁘지 않았다. 무기들의 내구성이 다 닳아 있을 뿐이었지. 좋은 것들을 들고는 있었다.

제냐가 바라볼 때 좌측에서 덤비는 마지막 놈은 거대한 외날검을 들고 있었다. 도, 그러니까 일본식의 카타나를 닮았다. 저런 물건이 왜 오크의 손에 있는가… 모르겠지만 어쨌든 가장 무구의 상태가 좋기도 했다.

그 장도는 어지간한, 체구가 작은 인간의 키만한 길이였고 다른 거병들에 비하면 조금 얇았다. 내구성이 안좋았다면 부러졌을 텐데, 역설적으로 상태로 본다면 가장 좋은 놈이었다. 오크가 최근에 얻은 전리품이 아닐까 싶었다.

셋 중 가장 먼저 닿을 건 좌측의 카타나를 든 놈이었다. 제냐는 선택을 바꾸었다. 오른 쪽으로 박차고 뛰었다. 가장 느리게 다가오던, 거대한 배틀 엑스를 든 갈색 오크에게 다가갔다. 놈은 가죽 갑옷에 이상한 짐승의 거죽을 둘러싸고 있었다. 피부를 보호하는 면적은 가장 멀쩡하다. 다른 놈들은 흉갑이니 뭐니, 몸통을 가렸지만 군데군데가 부서져 있었는데 이 놈은 적어도 몸통은 드러나는 부위가 없었다.

머리에도 이상한 가죽 모자를 뒤집어썼다. 피나 땟국물 따위가 묻었는지 색깔이 이상하게 변색되고 오래된 썩은 내가 날듯한 물건이었다.

제냐는 더 오른쪽으로 뛰었다. 세 오크를 앞에 두고 있지만 가장 빠른 건 제냐였다. 거대한 몸집을 가지고 있다면 순발력을 위해 필요한 에너지가 더 많이 필요해진다. 제냐는 이들 중에서 가장 작고, 완력도 없었으나 빨랐다.

정면에서 눈에 불을 켜고 달려드는 임전 태세의 오크들은 별로 쉬운 상대가 아니었다. 애초에 가장 나약한 부류였던 회색 오크조차 멀찌감치서 잡지 않았는가.

다만 해야할 때는 해야 한다. 제냐는 처음 한 마리를 그랬던 것처럼, 상대가 배틀 엑스를 휘두르는 타이밍을 쟀다.

위에서 내려치지 않았다. 다가오는 제냐를 보고 공격의 방향을 바꾸었다. 오크는 그대로 야구 배트로 날아드는 공을 치는 것처럼, 한껏 오른 쪽으로 배틀 엑스를 뒤틀어 뒤로 당긴 후 가로로 베었다.

파공음이 묵직하고 또 무섭다. 날이 온통 빠져있는 거대한 쇳덩어리에 맞는다면 가죽 갑옷이나 내구성 도핑 포션이 제 역할을 할 지 알 수 없었다. 못해도 치명상이고 죽지 않는다면 다행이었다.

치명상을 당한다고 해도 많은 양의 HP는 시간을 벌어줄 것이다. 죽기 전의 마지막 발악처럼 움직이는 그 순간이 더 길어지고, 상처에도 일순간은 저항할 수 있을 테다. 그 사이에 붉은 물약을 미친듯이 들이켜야만 살 수 있다.

손도 쓰지 못하고 죽어야만 하는 상황에서도 막대한 HP는 즉사에 약간의 지연을 더한다. 그 상태에서 회복에 필요한 아이템Item이나 적절한 조치가 없다면 곧바로 사망, 곧 게임 오버에 이르는 것이었고.

보통 유저들이 상대한 몬스터들의 경우, 이런 저레벨 구간에서 몬스터들이 그런 치료 효과의 아이템을 갖는 경우는 없었다. 몬스터들의 수준이 높아진다면, 자체적으로 회복 계열의 초상 스킬이나 특수 능력을 개체 성질로 갖고 있는 경우들이 있었다.

'히드라Hydra' 같은 놈들이 그것이다. 꼬일대로 꼬여버린 인생의 문제나 매듭, 갈등 따위를 상징하기도 하는 그 그리스 전설의 괴물은 비련의 시나리오 내부에 훌륭한 소재가 되어 재창조되어 있었다.
허구 속, 전설 속의 일화와 똑같이 비련의 시나리오 게임 내의 히드라는 그런 모티브를 갖고 끊임없이 머리가 자라난다. 도마뱀의 꼬리나, 혹은 하등 생물의 분열 재생 따위와도 닮은 모습이었다.

다만 집채가 그저 장난감처럼 보이는 크기의 괴물이 그런 분열 재생을 한다는 건 게이머로서 끔찍한 광경이긴 했다만.

제냐는 날아오는 횡베기에 피할 길을 찾았다. 순간적인 판단과 두뇌 회전은 게이머로서 필수적인 피지컬의 요구 조건이다. 제냐는 게이머는 아니었지만, 재능은 있었다. 그는 그대로 속도를 죽이지 않고 뛰기로 했다.

'보법'이 작용하고 있었다. 전투 회피나 박투술의 몸놀림 역시 그의 움직임을 돕는다. 머릿속으로 플레이어가 상상한 최적의 움직임을 게임 내의 결과로서 도출하기 위해, 캐릭터의 신체 운동을 컨트롤한다. 근육들이 미세하게 움직인다. 제냐의 정신성에 의한 반응이기도 하지만 시스템 AI가 주관하는 스킬로서의 반응이기도 하다.

보법은 전투 시의 움직임이었고, 기예의 일종이었다. 그렇기에 레어 스킬이다. 춤보다도 조금 더 기묘하고 유연한 동작이 가능하게 해주었고, 그것은 제냐의 발상을 도왔다. 제냐의 몸이 뛴다. 생각보다 힘이 더 필요했다. 가진 근력과 순발력을 이용해서 뛰며 도끼가 휘둘러지는 그 횡베기의 높이보다 더 위로 간다.

오크는 애초에 낮게 휘둘렀다. 제냐가 자신보다 훨씬 작고 낮으며 빠르게 다가오고 있었기에, 높이만을 맞춘 다음에 거대한

범위를 그 긴 팔과 체격으로 커버하면서 배틀엑스를 휘두른
것이다.

어지간한 성인 여성만한 길이에, 다시 그 여성이 팔을 벌린 것과
같은 너비의 도끼날이 끄트머리에 달려 있었다. 제냐는 뛰었고,
앞으로 뛰었다. 다이빙을 하듯 들어간 움직임은 아슬아슬하게
도끼날을 피했다.

오크는 팔을 쭉 뻗으면서 긴 거리를 담기 위해, 야구배트를
휘두르듯 길게 움직였으므로 상체가 무방비했다. 온 힘을 다해
휘두른 공격에 몸통의 무게 중심마저 흔들린다. 제냐는 노리기
쉬운 빈틈에 속으로 환호를 했다. 그 짧은 순간에 사태를 인식하는
눈은 캐릭터에게 기본적으로 달려있는 최상급의 동체 시력
덕분이다.

캐릭터의 움직임 자체가 화살의 속도와도 같이 되어버리는
랭커Ranker수준의 플레이 때는 다시 동체시력을 위한 스킬이 따로
필요해진다.

일부러 얻으려 하지는 않아도 되는 것이, 그만한 움직임을 하기
위해 필요한 동작 스킬에 포함되어 있는 경우가 많았다. 움직임
스킬을 얻다 보면 자연스럽게 시력과 감각에 관한 스킬에 대한
필요 조건도 채워져서 순서대로 획득하는 게 일반적이다.

유니크, 혹은 레전드 급의 보법에는 '안력眼力'과 신경 반응에

대한 효과도 극소하게 들어 있고, 그것들이 모여서 별개의 감지 스킬 하나 분량 정도의 효력이 될 때 즈음이면 그런 이름의 스킬을 따로 얻게 된다.

제냐는 뛰었고, 오른 손에는 도刀, 비스트 슬레이어를 그리고 왼쪽에는 대거Dagger를 들었다. 비스트 슬레이어의 그립이나 가드 등의 장식에는 푸르스름한 도료가 발려져 있었다. 그것이 사실 도료인지는, 제냐는 확신할 수 없었지만. 원래 그런 색깔의 금속이 있는 것인지 가늠할 눈이나 지식까지는 없었다.

그리고 지룡의 발톱 대거는 그 날면이 불그스름하게 색깔이 조금 변한다. 발려 있는 독기나 열기로 치환되는 SP의 작용이 그런 식으로 연출이 되는 것이다.

시나리오 온라인 내의 다양한 아이템이나 스킬들은 다양한 이펙트Effect 연출들을 갖고 있는데, 보통 직관적인 경우가 많다. 불그스름하다면 불꽃과 관련된 것이고, 푸르스름하다면 대강 바람, 물, 얼음과 관련된 힘인 것처럼 말이다.

그런 상성 파악에서 지나치게 꼬아두면 게임의 난이도가 쓸 데 없이 올라간다. 개발진들이 원하는 분량의, 방향성으로의 고생과 고난이 정확하게 있는 것이다.

양 팔로 두 검을 늘어뜨린 제냐가 앞으로 날았고, 그 비스트 슬레이어의 검극 끄트머리가 휘둘러지는 배틀엑스에 아주 살짝

닿아 퉁겨나왔다. 탕, 하고 무릎 어딘가를 쳤을 때 다리가
튀어오르듯 검날이 올랐고, 그 기세가 마침 달갑다는 듯 제냐는
흐르듯 움직였다.

아주 높이 뛰어서 오른 무릎을 굽혀 오크의 안면에 갖다 박았다.
앞으로 움직이던 놈이었기에 상체와 머리가 조금 내려오면서
쏠렸고, 그 덕분에 편히 칠 수 있었다. 카운터를 당한 것처럼, 제
스스로 움직이던 에너지에 제냐의 타격이 합쳐져서 오크는 잠깐
머리가 어질거렸다.
그러고도 별반 뇌진탕이나 반응 지연을 일으키지 않는 건
짐승으로서의 터프함이다. 오크들은 하나같이 팔다리, 그리고 목
따위 연결부위가 굵고 잘 부러지지 않았다.

쇠도끼라도 가져와야 베어낼 수 있는 부분들이다. 그래서 제냐는
쇠로 그렇게 하기로 했다. 빠각, 하는 소리와 함께 오크의 낮고
들린 코가 망가졌다. 제냐의 무릎 보호대 주위에 빛의 입자가
흘러나와 잠깐 묻었고, 그대로 관성을 버리지 않은 채 오크의
목덜미를 팔로 껴안으며 붙었다.
남은 왼 발로 걸리는 데를 아무데나 눌렀다. 오크의 가슴께가
제대로 걸렸다. 제냐는 대거를 쥔 왼 손으로 오크의 대가리를 품에
안았고, 왼 발로 그 몸을 등산하듯 오르며 공격에 썼던 오른
다리마저 사용해 아예 올라탔다.

묘기에 가까운 동작이었으나 어떻게든 해내고 있다. '보법'에
필수적으로 포함되는 균형 감각의 보정이 없었다면 불가능하리라.
그 전부터도 몬스터들을 달고 도망치는 일을 하면서, 나름대로
뛰어났든 혹은 게임 내에서 개발이 되었든 했겠지만 그것만으로도
부족한 서커스였다.

오크의 어깨를 밟으며 일어섰다. 비스트 슬레이어는 마침 위로
올려든 참이다. 오크가 휘청거리며 앞으로 무너졌다. 배틀엑스를
날렸던 무리한 중심 이동도 문제였고 제냐에게 얻어맞은 것도
이상이었다. 제 자리에서 넘어지려는 놈의 흔들거리는 어깨를 슬쩍
차며 공중에 떴고, 그대로 비스트 슬레이어를 상체를 한껏 숙이며
아래에 갖다 박았다.

도의 칼날 끝은 날카로웠다. 유연하게 굽은 제냐의 몸처럼,
부드럽게 그것이 마침 뒤에 비어있던 오크의 등께를 찔렀다.
푸우욱, 하고 칼날이 들어갔다. 척추를 비롯해 뼈에 걸리지 않고
살과 장기만을 파먹은 비스트 슬레이어를 공중에서 제비를 돌듯
돌아 그 기세대로 꽂아 넣고, 자연스럽게 놓치며 땅에 착지했다.

오크의 어깨 위는 2m 부근이다. 그 위에서 슬쩍 뛰고 돌며
내려온 제냐가 등으로 낙법을 했다. 땅에 닿자마자 앞으로
구르면서 움직였고 턱을 최대한 당기며 약한 목이나 안면을
보호했다.

한 바퀴 반 쯤 굴러 벌떡 일어난 제냐를 기다리는 건 십 수 걸음 바깥에서 다가오는 갈색 오크들이다.

지나친 놈이 셋이었고, 한 마리가 방금 등에 칼을 박고 쓰러졌다. 죽은 건 아니었다. 제냐가 느끼기에도 아직 부족했다. 슬膝격 한 방에 도신을 등 뒤에 박아넣은 정도로 몬스터들은 잘 죽지 않는다.
체적이 클수록 그러하다. 조금 더 과감한 파손을 일으켜야 했고, 심각한 충격을 줘야 한다. 제냐는 얼른 뛰었다. 한 놈이라도 줄이는 게 낫다는 판단이었다. 다른 놈들이 제냐에게 다가오는 것보다 제냐가 다시 돌아가 쓰러진 놈의 등에서 비스트 슬레이어를 뽑아드는 것이 더 빨랐다.

수욱, 하고 무른 것에서 나오듯 빠진 비스트 슬레이어는 확실히 명도였다. 짐승 류를 상대할 때 추가 데미지가 있었다. 오크에게 정확하게 들어가는 지는 알 수 없었다. 돼지 대가리를 하고 있었지만 일단 이족 보행을 하고 있으니.
아마 '야성'에도 비율이 있어서, 야성 속성을 갖고 있으며 짐승형인, 그리고 야성 속성이 몬스터의 특성값에 큰 부분을 차지할 수록 비스트 슬레이어가 강해지는 식이리라.

돼지 대가리 부분 만큼은 더 효율적이다. 제냐는 그렇게 판단했다.

그리고 앞으로 엎드러진 놈의 뒷목께를 그대로 찔러 넣었다. 힘을 잃고 무방비 상태가 된 오크를 절명시키는 건 간단한 일이었다. 놈은 반항을 하지 않았고, 목덜미 부근에 별다른 방어구도 없었으며, 남다른 스킬을 보유하지도 않았다.

그대로 크리티컬 히트가 발생하면서 오크의 목숨이 끝났다. '지연'이 일어날 틈도 없었다. 완벽하게 몸통과 대가리를 분리시켰으니까.

HP가 100,000이 넘으면, 설령 분리된다고 하더라도 약간의 지연이 있다. 초 단위거나 혹은 더 짧을 그 시간 안에 레저렉션Resurrection따위의 치료계 최상급 스킬이 발현된다면 사는 것이다. 그와 동급의 회복 아이템이 들이부어져도 혹시 모를 테고.

일반적으로 동급이라고 한다면, 정물인 아이템보다 동물인 NPC나 플레이어의 스킬이 조금 더 급수가 높은 경향이 있었다. SP의 성질에 관한 문제였는데, 아티팩트라고 불릴만한 아이템이라 할지라도 끝없이 움직이며 운동하기 좋아하는 초상력을 아무런 의지가 없는 물건에 담는 건 어려운 일이었다. 어려운만큼, 손실이 일어났다.

계속해서 의지력을 발휘해 MP들을 다루어내고, 즉각적인 스킬을 다루는 플레이어의 초상 기술이 효과가 좋은 면이 있고, 아이템

류의 효과들은 아주 근소하게 급이 떨어지는 면이 있다.

물론 아이템 쪽이 확연하게 급수가 높다면 무의미한 비교이기도
하다.

비스트 슬레이어가 목줄기를 꿰뚫었고, 가볍게 기력술을 담아서
움직이는 것으로 두꺼운 부위를 갈랐다.

오크 하나가 갔고, 제냐는 앞에서 달려드는, 곧 더 가까운 카타나
오크와 할버드 오크를 향했다.

뒤에서 두 마리가 더 근접해 있었다. 아까 언뜻 보기로 두
마리가 더 있었다. 그의 시야에 닿는 부분에 있는 놈들이고,
자유롭게 그에게 다가올 수 있는 놈들이었다.

이제 여섯 마리.

최태현이 원호 사격을 해서 더 줄여준다면 좋겠지만, 아니라면
어떻게든 해야 했다.
순서가 중요하다, 순서가. 여러 마리를 한 번에 한 명의 몸으로
상대할 때는 말이다.

시간과 호흡을 이쪽이 가져오고 조절할 수 있다면 상대는 여러

명이어도 결국 일격밖에 내지 못할 테다. 그걸 위한 순발력이고,
회피율이다.

그런 전략적 생각에 따라 제냐가 쉬지 않고 땅을 굴렀다. 보법
스킬이 최고조로 발동되고 있었다. 플레이어의 전투 스타일에 따라
스킬도 영향을 받는다. 스킬을 더 잘 이용하는 인간도 있고, 같은
패시브 스킬이라 할 지라도 그 능력을 최대한으로 끌어내지 못하는
자들도 있었다.

제냐는 스스럼없이 전장으로 뛰어들었고, 상대의 칼날을
바라보며 정면으로 피하기 위해 움직였다. 전투 시의 회피,
전장에서의 생존을 위해 짜여진 보법 스킬의 존재 이유가
그것이었으므로, 곧 그렇게 행동할 때 보법은 최대한의 보정과
도움을 제냐의 캐릭터 신체에 부여했다.

*

불타는 숲.

화재는 부락 너머까지 번져나가지는 않았다. 게임 내의 시스템은
변수를 은근히 차단하는 면이 있었다. 고의적으로 일으키지
않는다면, 어지간해서는 대형 화재가 일어나기는 어렵다.
물론 일부러 불을 놓는 방화범들의 행각까지 막으면서 게임의

리얼리티와 자유도를 해치지는 않았다. 현실의 정돈된 사회 속이라면 그럴 수 없겠지만. 게임 내에서, 얼마든지 불지르기는 전략적인 용도로 쓰일 수 있다.

그리고 그 결과물은 고스란히 자신이 당해야 하는 면이 있다. 리얼리티를 살린다는 취지에서, 대형 화재가 일어나면 그 어려움 역시 캐릭터에게 고스란히 전달된다.

숨을 쉬기 어렵고, 고온으로 달아오른 대기와 다양한 유독성 기체들이 폐부로 들어온다. 피부가 달아오르고 불길이 치솟는 곳에서 잠시도 버틸 수 없다.

내화성 도핑 물약이나 스킬, 아이템, 뭐 다양한 종류의 강구책이 없다면 그대로 게임 오버다.

잘못 저질렀다가 순식간에 거대한 필드가 전소되고 그 내부의 게이머들이 단체로 게임에서 퇴장당할 수도 있었다.

의도적인 P.K(Player Killing)를 배제하기 위해 어떤 개연성 없이 유저들을 노리고 그렇게 행동한다면 물론 운영사의 제재를 받을 수는 있다.

일반적으로 게임을 플레이하려는 동선을 과하게 방해해서는 안되는 불문율이 있었다.

그 선은 애매하지만 잘 생각해보면 확실하나. 시나리오 온라인이

제공하는 컨텐츠를 즐기기 위해 본인의 게임 플레이에 충실하다가
생기는 사고들은 '게임적'인 일이었다.

컨텐츠 플레이가 아닌 악의적으로 다른 이들의 여가와 게임
플레이를 방해하기 위한 행위는 게임 내적 행위가 아닌 게임
외적의 인격적 문제로 판단하고 게임 내에서의 활동에 제재가
가해진다.

어떤 인간이 어떤 식으로 게임을 플레이했는가, 하나의 행위를
하기 전에 게임 내에서 그 캐릭터가 어떤 역사를 만들어왔는가, 를
판단해서 악의적인 트롤링Trolling(게임의 시스템을 망치고
플레이를 방해하는 악의적인 행위. 혹은 협동 게임에서 실력이
아주 낮은 사람을 향해 원망을 토해낼 때도 쓰인다)인가 건전한
게임 플레이의 수순인가를 판단하는 것이다.

행동의 역사가 있고 개연성이 있으며, 일관성이 있다면 그래도
참작될 여지가 있다. 개연성이 있게 모든 플레이와 캐릭터 육성,
퀘스트 진행을 하면서 또라이 짓을 했다면 그것 역시 하나의
길이기는 하다.
그 플레이 스타일에게 시스템이 수여하는 보상은 어마어마한
패널티와 하드 모드의 난이도이니.
그것들을 견뎌낸다면 어떤 의미로는 가장 비련의 시나리오라는
게임을 틈바구니에서 잘 이용하는 게이머이기도 할 것이다.

아무튼, 게임 내에서 지나치게 다른 사람의 플레이를 방해하는 짓거리를 한다면 그건 운영진이 행동 이전으로 게임 내 데이터를 회귀시킬 수도 있는 일이었고, 사례 역시 종종 있어왔다.

레벨이 높은 플레이어들이 게임 플레이보단 다른 사람에게 악의적으로 행동하고 스트레스를 풀려고 구는 건 어느 온라인 게임에나 생기는 양태이다.
현실에서의 삶이 쓰레기이듯, 다른 곳에까지 그런 쓰레기를 옮기는 일이었다.

그런 경우에 초보자 존에서 맥락도 없이 P.K당한 뉴비 캐릭터들은 부활하고, 게임 내 캐릭터 살해 행위를 한 이들은 대륙법에 의해서 처벌을 받는다.
게임 내 캐릭터에게 인생이 있다면, 그 인생이 한순간에 나락으로 치닫는 수위의 처벌들이다.

어쨌든 그런 불 속에서.

일렁거리는 화마의 부락 속에서 또 어스름한 달빛의 아래에서 몇 마리의 오크들이 살아서 병장기를 꼬나쥐고 움직였다. 그 내부에 한 명의 인간 전사가 있었고, 멀리서 원호하는 궁수가 부지런히 철시를 날려대고 있다.

번져오는 불길이 매섭다. 움막들의 위치는 다소 떨어져 있었지만, 때마침 숲 안에 바람이 불면서 부락 내부에서 이곳 저곳으로 번져갔다. 그래도 아마 바깥으로까지 가진 않을 테다. 시스템은 의미없고 우연한, 또 갑작스러운 대재앙을 반기지 않는다.

'우연'에 의해서 별 일이 일어나지 않는 쪽으로 정리될 것이다.

제냐는 대거를 든 손으로, 파이어 볼을 발동시켰다. 입이 움직일 필요는 없었다.

파이어 볼의 위치에 대해서는, 익숙하지 않은 지점으로 조정하려면 다소의 시간이 걸린다. 여러 종류의 초상 스킬을 익혀서 다양한 상황과 설정값을 인지하고 있는 상태의 캐릭터 신체라면 여유롭게 변용을 줄 수도 있었다.

'제냐 킴'이라는 캐릭터는 아직 초상 기술에 그만큼 익숙해지지 않았다.

그도 아니라면 김서원 자체가 감각적으로 MP를 다루는 일에 능숙함을 보여야 할텐데, 그런 종류의 재능은 없었다. 차분히 연습을 해 볼 시간도 없었고.

결국 급작스럽게 만들어내는 기초적인 초상 스킬은, 늘 같은 자리이다. 오른 손바닥에서 조금 떨어진 전방.

'오른 손 앞'만 비슷하면 된다. 거리는 조절이 가능했고, 제냐는 그냥 대거의 자리에 불길을 일으켰다. SP, 곧 MP(정신력 에너지)로 만들어진 불꽃이 순식간에 생성되었다.

불과 제냐가 몇 걸음 앞에 오크를 두고 달려가면서 한 짓거리다.

대거의 손잡이부터 온 검신이 불길에 휩싸였다. 불길과 대거는 같은 자리에 공존하고 있었다. SP가 겹친다. 대거에 있는 SP역시 일으켰다. 인챈트Enchant는 초상 스킬로 아이템에 SP를 부여하는 작업이었고, 이미 만들어진 무구를 한 단계 위의 성능으로 강화시키는 공정이다.

발톱 대거는 화염의 SP를 갖고 있었고, 대거에 담긴 SP를 제냐가 유용할 수는 없었지만 공명시킬 수는 있던 모양이다.

제냐는 부지불식간에 아티팩트 류의 올바른 사용법에 대해서 깨우쳤다. 아니, 아직 제대로 알지는 못한다. 전투의 상황 중이었고, 되는대로 가용한 수단들을 모조리 쓰고 있을 뿐이다. 원리에 대해 인지하고 응용을 하려면 몇 번의 시도와 실전이 더 필요하리라.

어쨌든 제냐의 SP와 대거의 화염 속성 SP가 서로 시너지를 내면서 위력이 강맹해졌다. '파이어볼'이 일시적으로 대거의 불에 호응하며 섞였다. 기력술을 고급 경지까지 익히면 유형화된 기운은 무구의 바깥으로 새어나와 강철의 칼날보다 훨씬 단단한 칼날을 형성한다.

마치 그런 현상처럼, 대거는 제 몸집보다 큰 불길로 옷을 입었다. 카타나를 든 놈이 조금 더 빨랐다. 할버드를 든 녀석은 움직임도 공격도 반 박자 정도는 느리다.

굳이 먼 거리에 있는 카타나를 향해 갔고, 놈이 호응하듯 제냐에게 마주 다가왔다. 둘의 속도가 겹치자 금방 만났다. 카타나는 대각선 베기다. 제냐의 시선에서 왼쪽 상단에서 오른쪽 하단으로 휘두른다. 칼날이 살아 있었다.

오크 주제에, 갖고 있기에는 제법 명검이다.

제냐는 불꽃의 대거를 그 자리에 댔다. 무식한 짓거리였다. 어지간한 작은 체구의 사람만한 키. 그 키만한 검신을 지닌 카타나의 일격에 고작 손바닥보다 조금 더 긴 검날을 가진 대거를 가져다 댄다는 것이 말이다.

질량의 차이가 있었다. 거대한 일격은 재빠르기까지 했다. 대신 제냐는 다가가던 중간에 움직임을 멈췄다. 적절한 지점이었다.

카타나 오크, 그러니까 저들의 신호로는 '쿨럭'이 한 걸음 더 제냐 쪽으로 다가왔다. 제냐는 느려지거나, 혹은 멈춘 상태에서 그의 일격을 맞았고 그 순간은 다른 방향으로 이동을 할 여력이 남아 있는 때였다. 보법이 발동되었고, 제냐는 눈 깜빡할 새에 자세를 바꾸어 카타나가 휘둘러지는 방향으로 뛰었다.

제냐의 시선에서 오른 쪽이다. 하단베기라지만 어쨌든 오른

쪽으로 휘둘러지는 검격이었다.

대거를 슬쩍 가져다대었고, 그것으로 공격을 무마하려는 생각은 없다는 듯 칼날만 막으며 길게 뛴다.

카타나의 궤적에서 벗어나기가 무리였기에 저지른 짓거리였다. 불길에 휩싸인 대거는 일순간 아이템으로서의 내구도 역시 강해졌다. 총체적인 내구성, 그러니까 수치상의 값은 변하지 않았지만 한 순간은 더 강한 충격에 의연하게 버티는 경도와 강도를 갖게 되었다.

일시적인 것이고 그렇다 해도 약간의 내구도 수치 하락은 있을 수 밖에 없다.

제냐가 카타나의 방향대로 밀려났다. 옆으로 뛰었기에 카타나의 궤적을 아예 벗어나기까지 자연스럽게 밀리다가,

그럼에도 그 길이 때문에 끝이 걸릴 듯하여 그냥 자리에 엎어진다.

대거에 가로막힌 검날은 제법 저항감을 느끼며 속력이 죽었고, 제냐는 땅바닥을 기듯 엎드러지며 칼날을 피했다.

불꽃에 휩싸였던 대거가 그냥 날아가버렸다, 마지막 순간에는.

제냐가 압도적으로 불리한 자세였다. 김서원은 아랑곳하지 않고

몸을 웅크리더니 앞으로 뛰듯이 굴렀다. 몇 바퀴를 구르자
카타나를 든 놈의 뒤였다. 둔중한 오크가 자세를 바꾸기 전에 이미
김서원은 일어나 있었다. 한 손에는 비스트 슬레이어가 여전히
들려 있다.

검신은 미약하게 녹빛을 띄고 있다. 어떤 금속의 속성인진 잘
모른다. 둔중한 검날은 파괴에 용이하다. 오크에게도 잘 먹힌다.
할버드를 든 놈은 우왕좌왕하다가 제냐에게로 곧바로 덮쳐든다.
오크의 걸음으로 세 발자국 정도 떨어져 있다.

그 정도면 충분하다. 제냐는 MP를 소모해서 비스트 슬레이어의
검날을 강하게 만들었다. 카타나를 든 놈과 검술 승부를 해야 하나.
내키지 않았지만 어쩔 수 없다. 그가 다시 붙었다. 팍, 하고 땅을
박차며 들어간다. 거대한 검신은 제로 거리의 박투에는 영 불편한
것이다. 그래서 대거를 쓰려고 했던 거였는데, 카타나에 밀려
날아갔고 뒷자리 흙바닥에 박혀 있었다.

대거의 표면에 일어났던 불길이 다 해소되지 않아서 아직도
이글거렸다.

그것이 어찌되었든, 제냐는 비스트 슬레이어의 그립을 양손으로
잡으며, 옆으로 늘어뜨린 채 달렸다. 카타나를 든 놈이 반대
방향으로 늘어뜨리더니 가로 베기를 해온다. 제냐가 다가갔으므로

금새 공격 범위 안에 들어갔다. 또 맞아줄 생각은 없었다.

제냐가 양 손으로 쥐고 휘두르는 비스트 슬레이어를, 이번엔 전력으로 카타나의 공격에 마주 대었다.

거리감이 중요하다.

이번에도 제냐는 다가가다가 한 걸음을 덜 갔다. 카타나 검신의 끝부분, 첨단과 비스트 슬레이어의 가장 힘이 잘 받는 구간이 맞부딪혔다. 먼 거리에서 힘을 내는 오크의 장신이 버겁다. 완력적으로 지지만 검극에 힘이 실리는 부분에 온 무게를 실어 버티는 제냐는 만만치 않다.

챙! 카칵, 하고 두 개의 검날이 서로 쓸렸다. 아슬아슬하게 맞은 카타나가 힘을 잃었다. 아래로 떨어진다. 제냐는 그 틈에 다시 파고 들었다. 칼을 대고 누르는 것만으로 단단한 물체를 벨 수는 없었다.

거리가 곧 힘이었으니, 제대로 베어내기 위해서는 준비 동작이 필요하다.

카타나의 검날을 두려워 할 필요가 없다는 뜻이다.

그는 그대로 사선으로 떨어진 외날검의 몸체를 미끄러지듯 타고 달려갔다. 대거가 없는 게 아쉽다. 아쉬운 대로, 비스트 슬레이어를 갈겼다. 카타나를 막으면서 다가가면 비스트 슬레이어가 아래로

떨어진 자세다. 그대로 달려간 기세를 살려 호쾌하게, 위로
쳐올렸다.

스킬은 아니었으나 그래도 MP가 실려 기력술과 비슷한 효과를
내는 비스트 슬레이어는 충분한 파괴력과 절삭력을 가진 무기다.

오크는 마침 하체 부위의 방어구가 다소 부실했다. 가랑이
부분에는 다 헤진 가죽 정도만이 있었고, 하드한 갑옷 부위가 전혀
없었다. 비스트 슬레이어는 그 지점을 시작으로 뱃거죽을 지나
명치 부근까지 갈색 오크의 내면을 탐구하고 바깥으로 다시
나왔다.

호선을 그린 녹빛의 검날에 빛의 입자가 묻었고, 허공에 멈추지
않고 한 번 촥 털어냈다. 크리티컬 히트였다. 타이밍이 좋았고,
마침 갑옷 부위가 공격 방향에 알맞게 비어 있었다. 비스트
슬레이어는 짐승을 잡았다. 이 정도의 상처라면 회복은 불능이었고,
얼마간 움직일 지는 모른다.

아무리 터프한 괴물이자 귀신의 일종이라고 해도, 이 오크가
몸통에 든 내부 기관을 다 쏟아내면서 살 수는 없었다. 물리적인
육신을 갖고 있다는 설정이었으니. 제냐는 그것으로 카타나 오크를
끝냈다고 느꼈다.

그 거체가 비틀거린다. 제냐는 감각을 활성화시켰다. 집중하는
것만으로도 그럴 수 있다. '전투 감각'이라는 스킬은 쉬지 않고

연전을 펼치면 얻을 수 있는 기본 스킬이었다. 난전 속에서도
들어야 할 소리나 기척을 보다 선명하게 느낄 수 있게 해준다.

그 감각으로 느꼈을 때, 쓰러지는 카타나 오크 너머에서 할버드
오크가 공격을 해오고 있었다.

오크의 몸체 바깥, 오른 쪽으로 시야를 돌리자 과연 감각과
일치하는 시간대에 할버드의 끄트머리가 뻗어 있다. 그대로 크게
베어내는 궤적이다. 제냐는 높이를 가늠했고, 바닥에 냉큼 엎드렸다.
몸을 둥글게 말아 흙바닥에 얼굴을 가까이 댔다. 절을 하는 것도
같았다.

쓰러지던 카타나 오크의 옆구리를 패핵, 하고 둔중한 쇳덩이가
쳤다. 그렇잖아도 치명상을 입어 죽기 직전의 상태였던 오크는
'ㅏ'자로 참상을 입으며 절명했다. 눈빛의 선명함이 사라지고
의식을 잃는다. 빛의 입자가 엎드린 제냐의 근처 땅바닥으로
우수수 떨어졌다.

충격을 받아 옆으로 넘어간 카타나 오크의 발에 채였다. 제냐는
그대로 거체에 휩쓸리지 않기 위해 다시 굴렀다. 왼쪽 대각선
방향이라고 생각되는 곳으로 마구잡이로. 칼을 든 채로도 용케
굴러내서 일어났는데, 할버드 오크의 바로 아래였다.
제냐는 비틀거리며 앞으로 제 몸을 던졌다.

다시 자세를 잡고 비스트 슬레이어를 위로 들었다. 할버드 오크는 제 몸으로 휘두른 병기의 질량을 감당하지 못하고 회복이 느렸다. 제냐가 훨씬 빠르다. 그는 파이어 볼을 형성했다. 구체조차 아니었다. 양 손으로 그립을 쥔 자리에 불길이 치솟았다.

비스트 슬레이어는 기력술에 용이하다. 인챈트 따위로 등급이 오른 대거보다도 조금 더 그렇다. 아이템에 속성이 딱히 있지는 않았지만, 아마 불의 SP도 받아들일지 모른다.

불확실한 시도는 성과를 보였다. 파이어볼의 불길이 그립을 지나 검신까지 뻗는다. 의지력을 발휘해서 불꽃을 조절했다. 융화가 되었는 지는 잘 모르겠다. 그러나 적어도 비스트 슬레이어의 칼날에 머물고는 있었다.

시너지가 있는 방식인지는 모른다. 곱셈의 위력은 아니더라도, 최소한 일반적인 공격보다 조금은 더 강하겠지. 제냐는 그렇게 생각하며 달려들었다. 보법은 제냐를 최단 거리의 공격 동선으로 이끌었다.

강하게 땅을 박차면서 마치 레슬링의 태클을 걸듯 다가간다. 검을 든 결투에서 그런 식으로 움직였다간 어디 한 구석이 날아가게 마련이었지만, 그 정도 동작 속도를 제어할 수 있는 강력한 근력과 순발력, 또 동체 시력 따위가 있다면 가능한 전법이었다.

달려드는 것처럼 빠르게 휘둘러지는 상대의 검날의 궤적을 보고 피할 수 있다면.

다행히, 상대의 공격을 피할 기회는 없었다. 할버드를 든 놈은 생각보다 조금 더 느렸다. 오크가 움직이는 것보다 넉넉잡아 한 호흡 하고 반은 빨리 제냐가 준비를 마쳤고, 남은 시간동안 그는 오크가 걸친 판금 갑옷의 부서진 자리를 찾아 검날을 꽂아 넣을 수도 있었다.

쑤욱, 하고 비스트 슬레이어가 화염과 함께 갈색 오크의 가슴팍을 가르고 들어갔다가, 금새 나왔다. 그 거죽이 열리면서 빛의 입자가 보였다. 그리고 흐르듯 떨어져 나온 뒤 여기저기로 흩어진다. "키이이익!" 하고 할버드 오크가 울었다.
사정을 봐 줄 여유는 없었다. 그냥 돼지라고 하더라도 고기를 위해서는 잡아야 한다. 거기다, 돼지의 대가리를 가졌을 뿐이며 그보다 머리 두 개는 크고 쇳덩이를 휘둘러대는 괴물을 상대 중이라면 더욱 망설일 수 없다.

제냐는 오크의 왼 다리에 갑옷이 없는 걸 보고 바로 비스트 슬레이어로 주욱 긁으면서 뒤로 빠져 나갔다. 시간이 얼마 없었다. 벌써 다른 놈들이 지척이었다. 제냐는 원기둥의 표면을 긁듯 검날을 대고 자르면서 돌았고, 뒤에서 다시 허벅지 뒷부분을 찔렀다. 비스트 슬레이어의 검날이 오크의 다리 앞 면으로 나왔다.

그리고 왼 손을 들었다.

구체 형태를 만들 겨를도 없이 불길이 치솟았다. 다른 건 필요
없다. 그냥 열량만 있으면 된다. 아주 약간의 폭발력도 있으면
좋고. 대강 형성한 그것을 오크의 상처 구멍에 쑤셔 넣듯 가져다
대었다.

불길이 제냐의 의지력에 따라 약간 전진했고, 비스트 슬레이어의
검날로 만들어진 그 틈새를 열고 들어간다. 쾅! 하고 폭음이 일면서
오크의 다리 내부에서 폭발이 있었다.

그 내부 근육이나 뼈가 상하고 날아갔다. 강력한 불꽃으로
사라지지 않은 부위의 신경들도 손상을 입었을 것이다. 제냐가
보는 건 그저 어둔 밤하늘 아래, 불티처럼 흩어지는 빛의 입자들과
그 입자가 모여 만들어진 신체 내부의 단면 뿐이었지만.

어쨌든 시스템 상 있을 건 다 있고 적절한 위치에 데미지를
가했다면 그에 맞추어 기능이 떨어진다.

오크는 왼 다리를 잃었다. 제냐는 살 부위를 꿰뚫었던 비스트
슬레이어를 검날 방향으로 움켜 쥐고, 앞으로 빼냈다. 오크의 다리
반쪽을 갈라내면서 검이 나온다. 손에 걸리는 감각이 아주
묵직하고 저항감이 있었다.

거죽도 살도, 오크는 거체를 유지하는 만큼 질기고 단단했다.
MP를 슬레이어의 검날에 바르지 않았다면 빼내지도 못했을

것이다.

제냐는 MP가 얼마 남지 않았다고 느꼈다. 빈혈기가 돌지는
않았다. 그러나 조금 더 낭비하면 아마 올 것도 같다. 그의 MP가
2000을 넘겼는데, 대략 4분의 1 정도 남으면 이렇게 된다. 제냐는
생각하면서 움직였고 또 주변에 대한 시야를 유지했다.

앞 선 세 마리를 잡는 동안 뒤에 있던 놈들이 다가왔다. 한 놈이
그의 뒤에서 철퇴를 들고 팔을 들어올리고 있다. 제냐는 할버드
오크의 마무리를 하진 않았지만, 일단 냅다 달렸다. 어쩔 수 없다.
자신보다 거대하며 HP량도 많은 상대를 잡을 때는 히트 앤 런
전략이 유효했다.

갈색 오크 한 마리 한 마리는 제냐보다도 체력 포인트의 양이
적었지만, 십 수 마리의 HP를 모두 합친다면 순식간에 준보스 급
대형 개체가 되어버리고 만다.

초보자 존을 벗어나 본격적인 필드에서 중형 개체 이상은
10,000단위였다. HP가. 황야 지룡은 중형이었으나 뉴비들이
선택하는 저 레벨 도시의 근처 필드에 출몰하는 몬스터였다.

물론 그 비슷한 것들이 다른 필드에 있을 때는 또 이야기가
달라진다. '지룡'이라 이름 붙은 계열의 몬스터도 종류가 다양하다.
게다가 '황야 지룡'이라고 이름이 같거나 혹은 비슷한 놈들도 전혀
다르게 생긴 게 있었다.

초보자들이 상대하는 중형 몬스터 황야 지룡은, 정확히 '평화의 숲 근처 황야'에 서식하는 황야 지룡이었다. 다른 도시에 가서 임무를 받았다가, 그저 이름이 같다고 찾아가보니 아예 다르게 생기고 크기마저 아득히 다른 경우도 있었다.

퀘스트를 제대로 수행하기 위해서는 다양한 정보 수집이 필수이다. 게임 내에서 발품을 팔아 얻는 방법도 있었고, 바깥에서 인터넷 커뮤니티 따위를 이용하는 방법도 있었다.

인터넷에서 정리된 공략본 따위를 보는 게 물론 가장 빠르고 편리하다.

게임 내부에서는 플레이어의 역량에 따라 얻기 힘든 고급 정보들을 얻을 수는 있었다. 남다른 행동거지로 NPC들의 호감을 특별히 많이 사던가, 혹은 명예 점수가 높아 콘란드 대륙의 시민들로부터 '적극적' 이상의 협조를 끌어낼 수 있다면 가능한 방법이었다.

물론 NPC들에게 굳이 직접 탐문을 하지 않아도 스스로 필드에 나가 관찰을 하고 발견을 하는 방법도 있다. 세계관 내에서 사상적으로 유해한 행위, 극악한 짓거리 따위가 아니라면 자유도는 현실에 거의 근접했다.

그것을 다루고 있는 초인공지능, 시스템 AI가 혁신적인 성능을 갖고 있었기에 가능한 게임 스타일이었다.

하나의 목표를 달성하기 위해서, 창의성을 발휘한다면 정말 오만가지의 수단과 방법이 나올 수 있는 것이다.

갈색먼지 숲의 오크 부락을 처치하는 퀘스트 역시 그렇다.

제냐와 개멋진나 최는 경험치를 올리고, 사냥 컨텐츠를 즐길 겸 스스로 전투에 돌입했지만 면밀한 준비 뒤에 함정을 판다거나, 독이나 화재 등 인력으로 일으킬 수 있는 재앙을 사용해 오크들을 몰살시켜도 별 문제는 없었다.

그 모든 것들이 다른 누군가의 도움 없이 스스로 준비해 만든 결과라면 충분히 토벌로 인정받는다.

오크를 때려 잡고 있었는데, 그럴 일은 거의 불가능하겠지만 혹시 자연적인 게임 내 시스템에 의해 벼락이 떨어져 그 개체가 죽어버린다면. 캐릭터의 전투 양상이 지속 가능한 상태였고, 또 절반에 근접한 HP를 깎아냈다고 한다면 사냥한 것으로 취급된다.

온전하게 혼자 잡은 것보다 경험치도 적고 전리품도 줄겠지만. '사냥을 했냐 아니냐'의 판단에 있어서는 한 것으로 친다.

그러나 얼마 HP를 깎지도 못했고 마저 깎을 가능성조차 희박한, 사냥자의 상태가 죽어가는 꼴이라면 그런 일이 벌어졌을 때 사냥한 것으로 치지는 않았다.

쿵!

하고 제냐가 벗어난 자리를 한참이나 뒤늦게 오크의 철퇴가
가격했다. 흙바닥을 패이게 만들 정도의 충격이었다. 삽이 없어도
저 짓거리만 반복한다면 깊은 구덩이도 팔 수 있겠다.

팔다리가 긴 놈이었다. 키가 2미터 50에 달할 정도로 컸는데
체구가 투실한 편은 아니었다. 조금 이상하다고 느껴질 정도로
마르고 긴 놈이다. 그 긴 팔다리를 휘적거리며 움직이는데, 이동
속도는 빠르지만 세세한 동작은 조금 굼뜨고 세밀한 정확성이
부족했다.
저런 오크가 전투력이 급등하려면 '무술' 계열의 스킬이
필요했다. 오크가 그런 고난이도 동작 전반에 보정을 얻는 스킬을
얻을 확률은 거의 제로에 가까웠지만.

이지가 없고 향상심이 없는 괴물들이 스킬의 보정에 의해서
'연마'된다면 인류측, 플레이어측의 난이도가 비정상적으로
올라간다.

몬스터를 잡고 사역할 수 있는 혼돈, 악 성향의 희귀하고 특이한
클래스가 마음을 먹고 오크의 행동을 강제해서 익히게 만든다면
혹시 또 모른다.

그럴만한 품을 들였을 때 과연 오크 한 마리의 성장치가 들인 시간에 비해 어마어마하게 높을 지는 다른 문제였다.

제냐는 아예 자리에서 거리를 벌리려다가, 그가 있는 쪽에서 왼쪽 멀리에 박혀 있는 발톱 대거를 발견했다. 기왕 줄행랑을 치는 것, 그 쪽으로 달음박질 쳤다. 금세 닿아 대거를 챙겼고 몇 개의 움막을 지나쳤다.

오크들의 태세를 살핀다. 그에게 다가온 놈이 한 마리. 그 뒤에 이어서 오는 게 또 하나.

저 멀리 최태현이 죽인 놈들이 있는 것 같았다. 조금 더 떨어진 자리에 두 마리가 살아 있었다.

할버드 오크를 뺀다면 네 마리 남았다.

쉬익,

하고 주변을 정리하는 제냐의 시야에 철시가 날아가는 게 보였다.

쾩!

소리를 내며 그게 다리가 망가진 할버드 오크의 남은 다리에
박혔다. 종아리는 판금 갑옷이 남아 있었고, 허벅지가 없었는데
용케 맞추었다. 한 발 더 날아든다. 이번에도 그 옆을 쑤셨다.
기력이 담긴 철시가 깊이 박혀들어 그 끄트머리가 반대편 다리에서
나올 지경이다. 제냐가 멀뚱히 서 있는 사이 연사로 날린 건지
철시가 계속 날아들었다.

좋은 타이밍이었다. 그렇잖아도, 원호가 간절했는데.

제냐는 비스트 슬레이어와 대거를 교차시키며 X자로 들었다. 양
손에서 파이어 볼을 일으킨다. 빈혈기가 조금 돌았다.

"……."

그 자리에서 대거를 허벅지의 홀더에 집어 넣고 급하게 IV라고
중얼거렸다. 인벤토리에서 푸른 물약 하나를 꺼내들어 까
목구멍으로 내용물을 넘겼다.

철시의 원호로 오크들이 잠시간 정신이 없었다.

*

19. 불타는 부락

최태현이 화살을 쏴 날린다. 한 호흡에 한 발. 그는 정신없이
철시를 집었다. 전통을 자신의 발치, 나뭇가지 위에 용케
세워두었다. 넘어지지 않게 나무의 몸통에 평행하게 붙여 세운 뒤
제 다리로 앞 쪽을 막고 있었다.

태현은 앉듯이 살짝 무릎을 숙이면서 발뒤꿈치 쪽으로 손을
내린다. 전통에 튀어나온 시위의 깃이 걸린다. 철시. 곧 철로
이루어진 화살의 감촉이 느껴진다. 쏜살같은 손놀림으로 하나를
걸어 빼내고, 일어서면서 각궁의 시위에 그 엉덩이를 걸었다. 깃과
함께 살대를 손가락으로 틀어 쥐고 철시의 촉이 조준대에 오른다.

스킬이 불이라도 붙은 듯 끊임없이 그 효력을 발휘하고 있었다.
그런 기분이었다. 쉴 새 없이 계속해서 기력을 돋구며 궁술을
발휘하는 일이 말이다. 어둠 속에서 붉은 궤적이 흐릿하게 보인다.
점선으로 이루어진 그건 띄엄띄엄, 화살이 나아갈 방향을 예측해서
보여주고 있었다.

화살촉이 조금이라도 흔들리거나, 활대가 구부러지면 가상의

궤적 역시 달라졌다. 저 멀리에 있는 오크들의 움직임이 입체적으로 그에게 느껴진다. 그의 시선은 어둠 속의 숲을 바라보는 시야와, 그 위쪽의 3분의 1정도를 차지하는 오크 부락의 조감도가 있었다.

그리고 그 아래 부근의 3분의 1은, 붉은 점선의 궤적을 좇아 닿는, 착발 지점의 1인칭 근접 시야가 있었다.
오크들의 몇 걸음 앞 정도로 고정되는 원시遠視는 스킬을 사용한 공격의 결과를 보다 상세하게 가늠하게 돕는다.

현장을 딱 붙어 바라보는 제한된 1인칭 시점은 '궤적'에 영향을 받은 효과였으므로 최태현이 자세를 바꾸어 발사선이 달라지면 빠르게 이동한다.
익숙하지 않은 사용자가 그 화면에만 집중하면 어지럼증을 조금 느낄 수도 있었다.

가장 큰 시야의 부분, 가운데 지점에 드러나는 건 캐릭터가 보고 있는 육안의 시점이다, 물론.

한 발 또 한 발이 날아간다. 의도한 지점에 맞아서 오크가 다운될 때마다 최태현은 속으로 쾌재를 질렀다. 비련의 시나리오는 압도적인 현실감을 제공한다. 거기서 오는 손맛이란 다른 류의 게임과는 비교할 수 없는 쾌감이기도 하다.

현실과 가장 맞닿아 있는 것. 집안에서 사냥 스포츠를 즐기는 일과 비슷했다. 오크의 대가리 하나를 철시가 다가가 꿰었다. 급소가 파열된 거대한 오크 한 마리가 그대로 쓰러져 움직이지 못했다.

전투 중에 곧바로 몬스터의 시신이 사라지지는 않았다. 때로 거대한 떼거리를 상대함에 있어서, 몬스터의 시신은 그대로 지형지물이 되는 경우도 있다.

그가 근적해서 붙는 시야로 제냐가 싸우는 것을 지켜보았다. 놀라운 수준의 움직임이다. 레인저 트리Tree(계통도, 계열)의 길을 걷고 있는 최태현이었지만 근거리에서 저 상대들을 두고 싸우라고 하면 제냐처럼 움직이는 건 힘든 일이었다.

적어도 몇 종류의 근접 전투 관련한 스킬들이 중첩되어야 가능한 움직임들이다.

그리고 그것을 위한 배짱과 감각도 있어야 했고.

최태현이 당장 스킬을 얻어서 각 동작과 근육 부위에 보정을 얻는다고 하더라도 저렇게 깔끔하게 상대의 공격들을 피해내지는 못하리라.

갈색 오크들은 플레이어 한 명, 제냐보다 전체 HP가 적기는 했지만 체적이 크고 강력한 힘을 갖고 있었다. 어지간한 타격으로는 HP가 쉽게 줄어들지도 않는다.

거대한 덩치에는 그에 맞는 공격을 해야, 그 육신이 부서지면서 데미지demage 판정이 들어가는 것이다.

제냐는 묘기를 부리듯 몸을 유연하게 굽히고, 또 구르고 하면서 MP를 소모하고 있었다. 검날에 기력을 발라 절삭력과 공격력을 높이고 있었고, 또 파이어 볼의 다른 용도를 찾았는지 불길을 근거리 전투에 적합한 형태로 바꾸어 부닥치고 있었다.

난전이었으므로, 그 쪽으로 지원 사격을 하는 일은 조금 힘들었다. 최태현은 활의 명인이나 마찬가지인 조준 솜씨를 게임 내에서 갖고 있었지만 순간순간 전황과 위치가 180도로 바뀌고 있는 자리에 활을 쏘는 것은 이미 예지의 힘이 필요한 영역이었으니.

제냐와 조금 거리가 떨어진 놈들을 위주로 잡고 있었다. 화살을 쏘아내던 중 약간의 소강상태가 일어났길래, 조금 전까지 제냐와 붙어 있던 놈을 맞추어 잡았다.

할버드를 들고 있는 놈이었는데, 허벅지에 갑옷이 없는 자리를 노리고 날린 것이 제대로 적중했다. 그는 집중력을 날카롭게 갈아나갔다.

만약 제냐와 원거리 소통을 하면서 예정된 자리에 상대 몸의 급소를 둔다면 전투 중에 붙어 있는 놈들을 쏘며 직접적으로 개입할 수 있겠지만, 그런 전략까지 준비해두진 않았다. 대개는, 임기응변으로 어떻게든 한다, 였다. 골자는 말이다.

두 명 다 그래도 깨나 강력한 플레이어들이었기에 가능한 짓거리였다.

물론 강력함이란 상대적인 말이었고, 여기서의 그 말은 '갈색 오크'들을 사냥하는 평균적인 플레이어들보다 그들의 전투력이 높다는 의미였다.

당장 그 위의 레드 오크들만 상대하더라도 두 명이서 한 마리를 상대로 낑낑대며 잡아야 하리라.

같은 오크 계열 내에서도 분리된 종의 차이와, 강력함이 다르다는 건, 수치적인 것도 있지만 AI가 자체적으로 부여하는 종족 한계에 관련된 말이기도 했다. 그러니까… 갈색 오크들 중에서 여러가지 스킬을 익히고 개체적 평균치를 훨씬 뛰어넘는 놈들이 나올 확률이 어느 정도로 고정되어 있다. 그것을 만약 레벨 30이라고 친다면 거기서 +10정도 가기가 아주 힘들 것이다.

레드 오크들을 예컨데 5, 60이라고 한다면 거기서 조금만 더 가도 이미 갈색 오크는 까마득한 자리다.

그리고 갈색 오크들보다 레드 오크들이 조금 더 쉽게 스킬을 익히고, 명민하게 군다. 스킬을 익혀낼 확률이 조금 더 높으며 그것을 보다 발전된 형태로 가다듬어 사용할 확률 역시 높은 것이다.

오성悟性이라는, 어느 무협지에 나올 법한 능력을 가상의 스텟으로 삼는다면 해당하는 수치가 보다 위인 셈이었다.

하드 웨어는 물론이고 소프트 웨어적으로도 보다 강력해서, 그 정도 레벨에 걸맞은 전투력이 형성되는 셈이었다.

몬스터는 AI가 부여한대로 그저 문명 파괴의 집행자로서 행동할 뿐이었지만, 그 단발적인 전투와 플레이어들을 괴롭히는 일만큼은 머리를 쓰는 놈들이었다.

다만 이전에 기술했듯 그 머리를 쓰는 것에도 분명 제약들은 존재했다. '무술'같은 고등 스킬들을 익히지는 못한다. 그들이 얻는 것은 '강타'나 '연격'과 같은 액티브 스킬 부류가 압도적으로 많다.

패시브 스킬의 복합적 사용과 연계로 그 진가를 발휘해내는 것은 인류측, 곧 플레이어들, 곧 지성체들의 힘이었으니 말이다.

일반적으로 몹들은 패시브 스킬을 적은 확률로 얻게 되더라도 그 발전형까진 익히지 못하고, 아주 단순한 효과로 그 효능을 활용하는 경우가 전부였다.

최태현은 멀리서 바라보고 있는 입장이었지만, 그들이 잡고 있는 부락 내의 오크들도 개중 액티브 스킬을 가진 놈이 조금 있는 것 같았다.

스킬은 행동에 강제성을 띠게 만든다. 정확히 말하면 강제보다는 유도가 정확할 것이다.

같은 공격을 하더라도 정해진 자세와 궤적으로 행했을 때 추가적인 데미지를 입힐 수 있다면 누구라도 선택이 편향되기 마련이었으니.

그런 식으로 전투의 스타일이라는 것이 시나리오 온라인 내에서 정해지게 되는데, 약간 특이한 방식- 곧 개성이 있고 일정한 스타일을 보이는 오크들이 더러 있었다. 팔놀림이 조금 빠른 놈, 한 방 한 방이 다른 개체보다 유달리 강력한 놈.

배때기에 굳은 살이 박히고 지방과 근육이 들어차서 맨 가죽임에도 조금 더 방어력이 높은 놈 등.

갈색 오크 정도만 되어도 초보자들 수준에서는 깨나 까다로운 놈들이다. 철제 무기를 다루면서 본격적으로 '전투'다운 양상을 보이는 놈들이니까.

물론 인간의 전투술을 익혔다고 더 강하다는 논리는 아니었다. 두 앞 발과 이빨만 가지고도 대륙을 오시할만큼 거대한 괴물 늑대같은 놈도 있는 판국에.

다만 같은 종류라면, 같은 크기에 힘과 스킬을 가진 오크라면 무기를 다루고 힘을 효율적으로 다루는 편이 더 강력한 쪽이라는 건 당연지사였다.

최태현은 벌써 몇 개 째인지 지겨울 정도로 활을 쟀다.

오크의 눈깔. 붉은 선이 가 맞는다. 약간의 예상도를 그려내는 것이었으므로, 아주 근시적인 미래에 대한 계산이 들어가 있는 궤적이었다. 관성에 따라 어느 정도 움직임을 나타내고 있는 물질에게, 화살의 비행 속도를 집어넣어 봤을 때 저게 맞겠느냐, 싶은 이치를 따져서 그에게 보여주고 있는 스킬의 원리다.

그런 스킬의 예상치에 대한 감각 역시 중요했다. 주어진 스킬을 그대로 쓰는 것이 아니라, 분석해서 제 손에 맞게 사용하는 건 고급 플레이어, 일류 게이머로 가는 지름길이었다.

고작 게이머에서 일류가 되어봤자 무얼 하겠는가,

할 수 있겠다만.

어느 분야든 일류가 되어봄직한 건 당연한 말이었다. 어떤 곳에든 정력과 시간을 갈아넣어 일류가 되어보면 다른 분야에서의 일도 어느 정도 견적이 나오게 된다.

그것이 범죄따위의, 애초에 합당하지 않은 일만 아니라면야.

그런 점에서, 자신의 취미 여가 시간을 마음껏 비련의
시나리오에 갈아넣고 있는 두 사람이었다. 갈아넣는다는 말은, 그
취미에 사용하는 그 순간만큼은 다른 무엇보다도 고도의 집중력을
발휘해서 게임을 하고 있다는 말이었고

곧 현재를 살고있다는 얘기였다.

많은 정보들이 난립하고, 진짜와 가짜를 구분하기가 얼핏
어려워보이는 첨단 사회였지만. 그럼에도 불구하고 현재를
살아가는 정열은 고대 시대나 지금이나 다를 것이 없었다.

그 상징이, 지금 이렇게 게임으로 구현된 원시의 전투
현장일지도 모른다.

그 옛날에 어떤 사냥꾼이 자신의 밥을 벌어먹고 가족들을 위해
화살을 시위에 걸고 거리를 잰 뒤 눈을 맞추어 발사했듯이,

최태현 역시 그러했다.

한 쪽 다른 감은 눈은 아무것도 보지 못한다. 뜬 눈 한쪽의 시야는 세 개로 구분되어 그가 원하는 화면에 집중해볼 수 있었다. 순식간에 여러 정보를 받아들이면서,

그리고 그 다양한 감각을 하나로 버무려 최태현이 결론을 내렸다. '여기다'라는 결론 말이다. 이 지점에서 손 끝의 긴장을 풀고,

깃을 놓아주면 화살은 자유로운 비행을 시작한다.

'기'력을 머금은, SP를 독보다도 더 진하게 처바른 철로 만든 화살이 날았다.

추진체는 없었으나 얼핏보면 그에 뒤지지 않을 것 같은 기세로 날아간 초자연적인 게임 내의 공격이

오크 한 마리의 심장 부위를 맞추었다.

얇은 철판이 있었음에도 그것을 뚫고 말이다.

최태현은 현장, 현실감, 실전 뭐 그런 것들 속에서 고도의 집중을 해나가며 자신의 스킬이 발전하고 있다는 것을

느끼진 못했다.

아마 이 전투가 지나가고 수치와 스펙을 본 다음에 알게 되리라. 지금 이 순간에는 그저 자신이 할 수 있는 일에 집중하고 있을 뿐이었다.

최태현의 콧잔등에 작은 날벌레가 앉았다가,

그가 아무런 반응이 없자 곧이어 날아가버렸다.

어둔 밤이다. 달이 휘영청 밝아온다.

바깥의 시간은 몇 시일까. 한국 시간으로 지금 그들이 있는 게임 시간보다 다섯 시간이 빠를 것이다. 밤이 점점 깊어져 가는데, 한국도 이미 해가 저문 이후일 것 같았다.

여름 날의 해는 늦게 저무니까, 아직일 지도 모르고.

최태현은 MP가 동날 때까지 계속해서 화살을 쏘아 날렸다.

심장에 화살이 박힌 놈은 터프하게도 살아 움직였다. 심장 끝을 긁었지만 철판도 있었고, 흥부의 살집과 근육이 워낙 비대해서 꿰뚫지 못한 탓이다.
실제로 내장 기관으로서의 심장에 무언가가 닿았음에도 움직이는

568

꼴이 과연 생물이 맞나… 싶기도 하지만 야성을 지닌 오크들의
기세란 그런 것이었다.

한 발로 안 된다면, 여러 발을 쏘아주면 될 일이다.

화살은 아직도 많이 남았다. 꺼내 놓은 전통의 화살이 다
비어가지만 인벤토리 안에는 아직도 몇 개의 화살 다발들이 남아
있었다.

곧 그가 꺼내놓은 것을 다 털었고, 인벤토리를 열어 전통을
갈았다.

*

최태현은 원거리에서 훌륭하게 사격을 해주었다. 부담이 줄었다.
제냐로서는 제 앞에서 다가오고 있는 놈들, 두 마리만 처리하면 될
일이다.

한 마리는 철퇴를 들고 있었고, 키가 크고 길쭉한 돼지 새끼였다.

다른 한 놈은 반대로 키가 좀 작고, 다만 근육과 살집이 가득 차
있어서 두터운 질량감이 드는 놈이다. 갑옷도 어디서 주워서 기워
입었는지 철갑옷과 가죽 갑옷을 이곳저곳에 덕지덕지 붙여서 입고

있다.

무기로는 쌍도끼를 들고 있었다.

두 놈 다 그렇게 까다로운 부류는 아니었다. 철퇴 역시 한 번 공격을 날리고 나면, 저것이 능숙한 철퇴술 계열 스킬을 익혔을 리가 없으니 지연이 길 테다. 쌍도끼는 위협적이지만 도끼 투척의 명수일 리가 없는 오크의 손에 들려 있다면 거리만 벌리면 그다지 위험하지 않은 무기였고.

대형에, 오크의 강력한 근력으로 이리저리 휘두를 수 있는 장병 위주가 가장 신경 쓰이는 부류였다.

제냐는 다 마신 푸른 물약의 유리, 로 만들어진 듯한 병을 옆으로 던져버렸다.

아주 튼튼하고 잘 깨지지 않는 특수한 소재로 만들어진 포션 병은 흙바닥 위를 튕겨 튀었다.

불규칙적인 바운스로 제멋대로의 궤적을 그것처럼, 제냐 역시 달려야만 했다.
여러 명의 상대와 정면에서 맞서야 하는 불리한 전투에서는 그것이 중요했다. 한 대씩 맞아주다간 스쳐가는 충격이라 할지라도

570

나중에 너덜너덜해진다.

상대 무리의 예상을 모두 깨버릴 정도로 빠르거나 계산 밖의 동선으로 튀어서 피해야만 한다.

난전에 돌입하기 전에 '자신은 럭비공이다, 혹은 아무렇게나 내던진 저 비대칭적인 굴곡의 물약병이다'라고 생각한다.

거리를 잰다.

급하게 벌린 거리를 아직 다 채우지 않았다. 상대가 말이다. 제냐는 불타는 숲 속의 부락을 배경으로 삼아 다시 달렸다.

손에는 여전히 비스트 슬레이어, 대거가 들려 있었다. 물약을 마시느라 잠시 홀더에 끼웠던 것을 빼들어 고쳐잡은 뒤다.

제냐의 속도는 빠르다. 눈으로 쫓지 못할 정도라고, 는 못하겠으나 적어도 튀긴 공만큼은 얼추 비견이 될만큼 빨랐다.

이 세상에 있는 어떤 구기종목도, 사람이 공보다 빠른 종류는 없었다. 특수하게 일부러 만들어진 종목이 아니라면야 그럴 것이다.

지금의 제냐는 축구라고 친다면 얼추 쏘아진 공과 비슷한 속도로 달리는 게 가능해 보였다.

근거리에서 그런 갑작스러운 가속을 본다면, 마치 땅을 접어 달리는 것처럼도 보인다. 그 왜, 고대의 전설에 나오는 축지법.

그것과는 별로 상관이 없는 다종의 스킬 트리가 만들어내는 복합 효과였으나. 어쨌든 제냐는 달렸고,
아마 이 싸움이 끝나고 살아남는다면 그는 많은 스킬을 먹을 가능성이 있었다. 단박에 얻지는 못하더라도, 최소한 요구 조건들 중 일부는 채울 테였다.
시나리오 온라인이 제공하는 극한의 상황 속에서 그 이상의 몰입으로 견디어 내고 이겨낸다면 시스템은 그만한 보상을 늘 하게 마련이다.

개멋진나, 와 제냐는 다소 미련하다 싶을 정도로 싸웠다.
보통은 금력金力을 이용해서 폭발력있는 소모형 아이템들을 대거 사용하던가, 사람을 불러와서 잡는 일을 단 둘이서 일일이 해내고 있었으니 말이다.

최태현의 궁술은 정말 제법이었다. 원거리에서 몇 마리의 오크를 동시에 상대하는 것이나 다름없는 퍼포먼스를 보이고 있었으니.
전장에서 만난다면 가장 믿음직한 원호군이다. 제냐는 마음놓고 달릴 수 있었다.

순식간에 먼저 앞으로 튀어나온 철퇴 오크의 근처에 다다랐다.
정면으로 치고 들어가진 않았다. 철퇴를 든 놈이 그를 노려서 팔을

휘두르기 쉬운 궤적으로 들어갔다.

오크의 시선에서 본다면 왼쪽으로 파고드는데, 대놓고 그의 몸을 노출시키며 가고 있었고 또 휘두르기 좋은 궤적과 타이밍으로 가고 있었다.

당연히 노림수이다.

철퇴 오크는 복잡한 생각까지 할 수 있는 놈은 아니었고, 그저 눈에 보이는 것을 정확하게 치는 것만으로도 제 능력의 한계를 발휘하고 있는 셈이었다.

그들이 들고 휘두르는 무기의 묘용이란 그런 것이다. 그걸 잘 해내는 놈이 무리에서 아마 대장을 맡는 것일 테고.

철퇴가 제냐가 딱 예상한 속도와 위치로 날았다. 제냐는 이미 휘둘러진 그것의 궤적이 바뀔 일이 없다고 생각했다. 갈색 오크는 이미 팔을 높이 쳐들어, 그 어깨의 힘이 들어가며 움직였다. 제냐는 그 시점에 이미 변속했다. 타격 지점까지 오던 그였으나 직전에 속도를 조금 줄였다.

호흡을 가다듬고, 한 번에 폭발력있게 쏘아나가기 위해서였다.

철퇴 오크의 바로 앞에 닿기 전, 약 2, 3m 지점에 도달하기 몇 미터 전부터 슬렁슬렁 들어갔다. 제냐는 자신이 머릿속으로 계산한

위치에 닿자마자 온 힘을 다해 뛰었다. 폭발적인 각력이 폭발적인
대시를 만들어냈다.

오크는 타이밍을 잃었고, 그보다는 자신이 던진 철퇴의 일격을
회수할 생각도 없었다. 생각을 한다 하더라도 수단도 없다.

오크의 왼쪽 옆구리를 지나쳐 접어 들어간 제냐는 갈색 오크의
뒤를 먹었다. 온 힘을 실어 공격을 하고 있는 오크의 등근육이
보인다. 근육이 보인다는 말은, 맨가죽이 그의 눈 앞에 있었다는
이야기다.

철퇴를 휘두른 놈의 등판이 별다른 갑옷 없이 그대로 노출되어
있었다. 그 척추 라인이 보인다. 살에 파묻혀서 보이지 않을 듯도
싶었는데, 거대한 체구만큼이나 오크들은 그 뼈대도 강력하고 또
커다란지 잘 보인다. 베어야 하는 제냐의 입장에서는 아주
다행이다.

제냐는, 두 팔에 든 두 칼을 그대로 두 개 다 역수로 쥐고서
찔러 넣었다. 젓가락 두 개를 이용해 스테이크를 찍어내듯이,
그대로 이족보행 괴물 돼지의 후면을 갈아냈다.

칼날이 그 골육을 부쉈다.

기력이 실린 두 날은 화염의 기운마저 어려 있었고, 참상과

열상이 동시에 만들어지며 빛의 입자가 그 후방에서 쏟아졌다. 철퇴 오크가 비명을 지르며 꿈틀댔다. 그것이 이성을 잃으며 눈이 붉어진다.

뒤를 돌며 제냐를 쳐다보려 했으나 제냐 역시 그대로 방향을 따라갔다. 등판에 박힌 두 자루의 역수검을 유지한 채다. 손잡이를 잡고 기승용의 물건에 올라탄듯이 굴었다. 로데오를 하듯 두 자루의 검날과 오크의 몸집의 연결을 유지하며 그 움직임에 따라 유연하게 대처했다.

몇 초 더 그렇게 한 것만 하더라도 충분히 대단한 순발력과 감각이었다. 제냐는 최대한 크게 궤적을 도려내며 칼을 회수했다. 철퇴를 든 놈은 오크들 중에서는 조금 길다랗고 마른 놈이었는데, 그 길다란 몸에 그와 마찬가지로 긴 상흔이 났다.

상흔이 제대로 보이지는 않는다. 생김과 동시에 흰 빛의 가루가 쏟아졌으니.

제냐는 다시 거리를 벌렸다. 뒤로 벌리고 있는데, 그 사이에 두 자루의 쌍도끼를 든 놈이 다가옴이 느껴졌다.

전투에서 뒤를 볼 수 있는 능력은 아주아주 중요하다. 제냐는 기본적인 수준의 감지는 가능했다. 본격적인 기력 감지는 불가능했으나, 초보자 티를 벗어나는 사냥들을 해내면서 전투 감각의 효과를 내는 스킬들 정도는 얻어놓았다.

상대의 움직임을 촉각과 청각 따위를 이용해서 훨씬 예민하게 깨닫고 곧바로 반응하는 것이다. 공기의 흐름이나 미세한 진동으로 느껴지는 소리만으로 가상의 사각지대를 머릿속에 그려내고, 그 내부에서 움직이는 사각지대 속의 적을 보는 것이다.

최태현의 시야가 분할되며 여러 가지 장면들이 보이는 것과도 비슷했다.

투실한 놈이다. 여기저기 갑주들을 잘도 껴입고 있다. 둔중한 걸음으로 다가오는 것이 보인다. 그의 바로 몇 걸음 뒤였고, 쌍도끼 하나를 휘두르려고 그 균형을 무너뜨리며 오른 팔을 크게 들어 올리는 예비 동작이 보였다.
거리감각이 그다지 좋은 놈처럼 보이지도 않았다. 그대로 휘두르면 아마 허공을 맞을 것 같은데. 일찍 팔을 들어올린 듯하다.

제냐는 일단 뒤를 보고 있으니, 앞으로 뛰었다. 그의 좌측 앞에 아까의 철퇴 오크를 두고 오른 쪽 대각 방향으로 뛴다.

그가 사라진 자리 그 언저리 즈음에 쌍도끼 중 우수右手의 것이 휘둘러졌다. 가만히 있더라도 허공을 베었을 지 모른다.

제냐는 아직 완전히 다운되지 않은 철퇴 오크를 경계하면서 뛰쳐나갔고, 그대로 빙글 돌며 두 마리를 다 시야에 넣었다.

그가 신경써야 할 건 어느새 그 눈 앞의 두 놈 뿐이었다.

최태현은 원거리에서 화살로 많은 오크들한테 충분한 데미지를 주었고, 마지막으로 남아 있던 두 마리마저 상대하고 있는 듯하다.

여기저기 철시의 살대가 꽂혀 있는 두 놈이 지금 제냐가 싸우고 있는 자리에서 조금 떨어진 위치에서 허우적대고 있다. 자세히 가늠하지 않고 그 꼴만 보더라도 HP의 상당량을 이미 깎아 먹은 것을 알 수 있었다. 최태현은 제대로 하고 있었다.

제냐만 제대로 하면 사냥은 금방 성공적으로 끝날 듯하다.
얼마 남지 않았다. 철퇴 놈은 거의 그로기 상태였다. 거체였으나 그 거체에 어울리는 큰 상흔을 내어주었으니, 시간만 끌면 알아서 다운될 놈이다.
그 직전에 여력이 조금 남아서 한 두 방 정도 반항을 한다면 그것만 조심하면 된다.

데미지가 없이 살아 있는 오크는 눈 앞의 쌍도끼 하나 뿐이다.

쌍도끼의 눈이 붉다. 이미 야성 수치를 한껏 끌어올려 달아오른 듯한 모양새다. 제 부락의 동료들이 모두 다 죽었으니 그럴 만도 하다.

오크 부락을 하나의 집단, 하나의 보스 몬스터라고 친다면 거의 막바지에 달한 것이니. 저 오크 한 마리가 시작부터 그런 광화 모드의 조짐을 보인다고 해도 이상할 건 없다.

철판 갑옷으로 투구나, 상체 전면, 양 팔의 대부분, 그리고 다리의 대부분을 가린 놈이었다. 칠 만한 곳이 별로 보이지 않아 까다롭다.

쌍도끼를 든 놈이 한 번 크게 휘청였다가 다시 자세를 잡았다. 회복하는 그 시간이 빠르다. 팔다리가 앞선 놈보다, 그리고 평균보다 짧아 보이는데 생각보다 밸런스가 좋았다.

타이밍을 잘못 잡으면 귀찮은 난전이 될 지도 모르겠다. 박빙의 승부, 뭐 그런 것 말이다.

제냐는 집중력을 발휘해야 하는 그런 건곤일척의 승부를 좋아했지만 굳이 해야 하나, 싫은 마음도 크다. 어쩔 수 없는 경우에나 그렇지 피할 수 있다면 쉽게 잡는 것이 가장 좋은 법이다.

게임도 마찬가지이고, 대부분의 목표 또한 그렇다.

제냐는 효율을 추구했다. 쌍도끼를 든 놈은 발이 느렸다.

그는 대거를 허벅지에 있는 홀더에 잠깐 찼다.

뒤로 뛸 준비를 한다. 그리고 푸른 물약 하나를 IV라고 급히
중얼거리며 꺼내 마신다.

그가 물약을 마시고 있는 동안에도 놈은 달려들지 않았다.
그르르, 거리면서 성대를 떨어 울리고 노려보고 있을 뿐이다.
제냐가 몇 모금만에 물약병 하나를 비우고 그것을 집어 던졌다.

MP가 차오를 듯한 기세가 느껴진다. 묘한 충만감이다. 그가
오른 손을 앞으로 뻗었다. 그 앞에서 열량이 느껴지더니, 이내
신비한 화구가 생성된다.

말도 안되는 일이지만 게임 세상 내의 일이다. 정신력 에너지로
불꽃을 만들어내기도 하고, 다양한 기현상을 일으키기도 하는 곳의
일일 뿐이다.

화염덩어리가 이글거린다. 그것이 자신한테 위협이 된다는 걸
깨달은 건지, 쌍도끼를 든 놈이 크어어! 괴성을 지르면서 달려들기
시작했다. 제냐는 뒤로 뛰었다.

급격하게 움직이면서 캐스팅Casting을 계속하는 건 어려운 일이었다. 어느 정도 형성되어 크기가 커져가던 화구가 그 거대화를 멈춘다. 제냐는 재빠르게 달아났다. 부락 내의 불타버린, 부서진 움막 몇 개를 지나치면서 갔고, 쌍도끼를 든 놈의 시야를 한 순간 벗어날 정도로 움직인다.

몇 초 정도 벌었다고 느꼈다. 제냐는 다시 캐스팅했다. 화구가 커진다. 야구공만한 것이 점차, 그의 손바닥 너비를 훨씬 넘었고, 축구공만한 크기를 향해 간다. 그워어! 마지막 남은 생존자의 처절한 울부짖음이 다 스러진 움막의 폐허 너머로 들렸다. 코앞인데 둔하고 광폭화한 오크가 그를 제대로 찾지 못하는 모양이다.

부스럭, 거리는 소리가 났으나 오크는 듣지 못했다.

다만 그 코는 살아 있었는지 혼자 쌍도끼를 들고 씩씩거리다가, 이내 제냐가 있는 방향 쪽으로 몸을 틀었다.

움막에 가려 보이지 않던 놈이지만 제냐를 향해 똑바로 다가간다.

제냐는 그것을 느꼈고 다시 달아났다.

한 두 번, 그 짓거리를 반복하며 제냐가 화구를 제 머리통만한 크기로 키웠다.

쌍도끼 오크보다 순발력이 명백하게 우세하기에 할 수 있는 일이다.

그리고 마지막으로 한 마리만 남았으니까,

리스크 관리가 완벽하게 가능하고 우세할 수 있는 전략이 있다면 이용하지 않을 이유가 없기에

제냐는 한 십 여 미터 정도 거리를 벌린 뒤, 잠깐 지친 것처럼 호흡이 오르고 느려진 오크를 겨냥해 손을 내밀었다.

오른 손바닥 앞에 생겨난 머리통보다 큰 시뻘건 화구. 그 표면은 일렁거리며 거친 불꽃이었다. 작은 태양의 모형과도 같은 그것이

발사,

라고 생각하자마자 그대로 발동되었다.

의지력은 캐릭터의 정신파, 신경파 따위를 읽어서 가동하는 힘이다. 그것 역시 실질적으로 스텟이 있어서 정신력 계열

스탯들이 올라갔을 때 조금씩 증가하게 되어 있다.

한 종류가 아니라, 초상 스킬을 자주 사용해서 의지력 자체가 복합적으로 조금씩 올라가는 방법 역시 있다.

근접 전투를 자주 반복할수록 물리 스탯이 올라갈 확률이 높고 가파르게 상승한다. 초상 스킬 위주의 전투나 행위를 반복할수록 정신력 계열이 마찬가지로 상승한다.

캐릭터의 행동은 스킬과 스탯이 복합적으로 작용해 계속해서 시스템적인 보상을 받게 되어있으므로, 캐릭터의 플레이 스타일이 한 가지 계열의 행위에 편중된다면 그대로 가속도가 붙듯 한 가지에 몰입하게끔 유도된다.

그래서 듀얼 계열이 희소해진다.

물론, 비련의 시나리오 온라인의 초AI는 시스템 내의 모든 행위를 계산에 넣는다.

그 말인즉슨 듀얼 계열의 특이한 플레이 스타일 역시 한 개의 스타일과 계통도의 한 갈래로 인정해서 그것에 특화된 스킬 따위를 제공한다.

관련한 아이템들 역시 존재하기도 하고.

그러나 강력한만큼, 많은 재주가 필요한 게 사실이다. 두 가지

능력을 한 전장에서 발휘하며 체계적으로 쓰려면 개인이 머리를 더 써야 한다. 그리고 전투 중에 자신이 감각하는 시간과 동작하는 순간을 더 잘게 쪼개서 한 시도 버리지 않고 움직이며 또 다음 동작을 위한 예비와 준비로 사용해야 했다.

자신만의 더 촘촘하고 지독한, 고유한 계획과 스타일을 완성시켜 그것을 수행해야 한다.
한 인간이 두 일을 해내려면 결국 그렇게 해야 하는 법이다.

모든 이도류가 그러하다. 다른 이들이 하나에 집중할 때, 두 가지를 하면서 모두 성과를 내려면. 그리고 그 시너지로 1에 집중했을 때보다 총합적 결과에서 승리를 가져오기 위해서는.
A와 B계통을 '1'만큼 익힌 사람한테는 지지만, 0.7까지는 무조건 익힐 수 있다면, 그리고 다른 이들이 A에 1을 집중하느라 B는 0.5밖에 해내지 못한다는 법칙이 있다면.
그러면 이도류인 이들은 B가 0.5인 A플레이어에겐 B의 전장에서 승리를 하고, 반대인 B플레이어에겐 약점인 A로 싸우는 전략을 짜서 승리하면 된다. 그러면 총체적인 시간과 노력, 재능은 같은 1.5-1.4언저리에서 끝나지만 그 스위치switch(체육 시합 따위에서 공수나 멤버를 전환하는 전략)가 완벽하다면 누구를 상대로도 이겨볼만한 플레이어가 되는 법이다.

두 종류의 칼을 들어놓고 그것이 유연하게 바뀌며 공조를 이루지 못하고 서로를 방해한다면, 듀얼 클래스를 익히는 방식은 그저 초라한 잡캐(雜캐릭터Character, 잡종 따위의 의미로 게임에서 육성 전략에 실패한 캐릭터를 낮잡아 부르는 말)를 만드는 일에 그치고 말 테다.

두 가지 일을 번갈아 하면서도 집중력을 잃지 않고, 도리어 자신만의 새로운 길을 개척해낼 수 있는가. 그것이 듀얼Dual 계열을 자신의 스타일로 삼은 게이머들에게 부과되는 테스트이다.

제냐는 남들보다 조금 더 복잡하며 헷갈릴만한 일을 하는 데 있어 나름의 재능을 보이고 있었다. 그가 바깥, 곧 현실에서 삶을 살며 잡기를 익히는 데 능한 편은 아니었다.

다만 게임 내에서, 이 두 종류 스타일에 대해서 그럴 뿐이었다.

늘상 잡다한 공상을 즐기며 시간을 헛되이 보내는 성격이긴 했다, 늘. 공부를 하면서도 어느새인가 다른 길로 새서 결국 여러 분야나 과목을 익히기는 한다.

한 가지 거대한 테두리 내의 다양한 작업 분화에 대해 재능이 있는 편인지도 모른다. 어쨌든 공부를 하는 건, 도서관 한 구석에 앉아서 여러가지 교과서를 번갈아 보면 될 뿐인 일이었으니까. 분명 다른 일이고 여러가지 종류지만 결과적으로 그가 해야 하는 일은 같았다. 의자에 앉아서 책을 보는 일.

게임 내의 작업도 그는 그렇게 느끼는 지 모른다.

파이어 볼이 날았다.

어둠을 갈라 얼마 되지 않는 거리를 지나쳐서, 화염구가 오크의 대가리에 맞는다.

그것은 유동체, 개중에서 질퍽한 액체처럼 변형되었다.

밀가루 반죽이 어느 고체에 부딪힌 듯 오크의 대가리 형상에 따라 움푹 들어갔고, 그 바깥 부분들이 튀어나가 대가리 전체를 감싼다.

그건 농밀한 화염으로 이루어진 불의 구였고, 곧 지옥의 온도가 오크를 태웠다. 키이이이! 그에 걸맞은 비명이 성대를 긁어 울린다. 게임이라는 사실이 없다면, 현실에서 듣는다면 소름이 끼칠 지도 모른다. 실제로 어느 도축장 따위에 가서 소, 돼지의 단말마만 경험해도 사람이 진이 다 빠지게 마련이다.

어느 정도 지나친 자극에 대해서는 플레이어들의 신경을 보호하는 시스템이 있었다. 날카롭게 느껴지는 소리나, 자극적인 비쥬얼들이 곧이 곧대로 뇌에 각인되지는 않게끔 한다. 휘발성의 기억처럼, 혹은 정신없는 와중에 흘려듣거나 보는 영상처럼. 그렇게

주의가 흐트러졌을 때 사람이 정보를 받아들이는 상태를
일시적으로 유도해 어딘가 멀게, 이질감이 느껴지는 광경처럼
보이게끔 하는 것이다.

통각에 대해서 둔하게끔 하는 신경적 보호 시스템이 있는 것과
같았다. 정서적으로 별 문제가 없고 무리가 없는 일들,
일상생활에서도 볼 법한 풍경이나 혹은 아름다운 자연의 장관에
대해서는 그런 것이 없다.
좋은 기억은 오래.
지독한 기억은 기억에서 흘러가버리게끔.

게임 내의 시스템은 유저들을 그렇게 인도했다.

초인공지능이 만들어낸 갈색 오크 개체, '쿠르륵'의 신경계가
타들어가듯 격렬한 신호를 뇌로 전달했다.
아찔한 열감과 함께 뇌리가 고통으로 가득찼다. 시야가 흐리며
붉은 불길 사이로 흐릿한 시선이 적을 쫓는다.
이미 화염은 물리적으로 오크의 신경 계통을 태우고 있었다.
시각 역시 불길이 눈으로 들어가며 사라졌어야 하지만, 강인한
짐승의 신체는 얼마간 버틴다.

쿠르륵이 쌍도끼를 들었다.

적의 냄새, 가 났던 곳은 깨나 멀다.

그것이 달렸다. 최후의 달리기라도 되는 양 미친듯이.

머리에는 불길이 타오르지만 기세는 죽지 않는다. 눈을 감아도 냄새로 상대의 위치를 알 수 있었다. 두터운 몸이 그 팔다리를 흔들면서 빠르게 뛰었다.

발바닥 아래의 흙이 패인다. 강력한 대시Dash에 자갈 따위가 튀긴다. 퍽, 퍽. 소리를 내며 한 걸음 한 걸음 뛴다. 냄새가 가깝다.
시야는 그새 거의 사라졌다. HP가 상당량 줄었다. 거꾸로 말하자면 '상당'량에 불과했으며, 수치로 봤을 때 반절 이상이 남았지만 맞은 부위가 좋지 않았다. 얼굴에 몰린 감각계에 부상이 심하다. 전투 능력은 HP의 하락보다 훨씬 큰 폭으로 떨어졌다.

한 번의 방심이 목이 날아가는 장면으로 연결되는 실전(게임이지만, AI인 오크를 의인화하자면)에서 감각의 마비는 치명적이었다. 그저 좋은 샌드백, 커다랗고 움직이는 표적지에 불과한 꼴이 된다.
그 때 전사가 살아남을 수 있는 길은 하나뿐이다.
상대도 자신과 마찬가지인 상황으로 끌어당기는 것. 세밀한 감각이 필요 없는 진흙탕 난전, 제로 거리의 난타전으로 초대하는 방법이다.

전진밖에 남지 않은 놈이 희미한 후각의 잔향을 따라, 그 길을 걸어갔다. 어두침침한 오크의 시야다. 그 검은 광경 속에 색으로 친다면 누르스름한 연기 한 줄기가 빛나며 얇게 이어지는 것 같으리라.

그 줄을 따라가면 제냐가 있다. 제냐가 더 빠르다.

하지만 제냐 역시 마주 달려들었다.

상대가 어느 정도 죽었다고 생각했기 때문이다. HP도 빠지고 상태도 안좋아진 갈색 오크 한 마리는 별다른 부상이 없는 제냐를 결코 맞상대해서 이길 수 없었다.
갈색 오크 한 마리라면, 사실 제냐가 위험을 회피하지 않고 정면에서 칼만 들고 붙어도 이길만한 대상이었다.

여러 마리이기 때문에 이토록 빙빙 돌아왔을 뿐이다.

제냐 킴도 마지막 정도는 화끈하게 마무리하고 싶었다.

그리고 또 왜인지 모를, 시나리오의 부속에 불과한 오크의 움직임에 감정 이입이라도 되었는지 모른다.
비열하고 교활하며, 혼돈스럽기 짝이 없고 인류를 적으로 여겨

먹어 치우는 괴물 새끼들이었지만.

군이 그럴싸한 역할을 부여해주자면 '전사'의 그것과 닮아 있을 것이다.

제냐 역시 전사의 일종이었다.

그 현실의 몸뚱이는 허여멀건, 실내등 아래에서 공부만 파고 있는 대학생에 불과했지만.

어떤 현대인도 야성 정도는 가지고 있었다.

그런 성정을 풀어낼 수 있는 것이 스포츠였고, 약간 강도 있는 레저였으며 비련의 시나리오 온라인 내에서의 전투였다.

한 쪽의 불길이 타오르듯 전의가 끓자 제냐 역시 마주 끓었다. 자연스러웠다.

제냐도 군이 피하지 않았다.

숨을 가라앉히고 다가오는 놈을 똑바로 노려보았다.

눈을 잃은 전사와 두 눈 버젓이 뜨고 카운터 어택Counter attack을 노리는 전사. 어느 쪽이 유리한 지는 말할 의미도 없다.

쌍도끼를 든 놈의 왼 팔이 올라갔다. 아주 올라간 건 아니었다. 슬쩍. 냄새로 파악하는 건지, 대충 거리는 잡고 있는 것 같다. 타이밍에 맞춰 휘두르려고 간을 보는 듯하다.

그 정도의 감각과 머리씀만 하더라도 오크 치고는 놀라운 수준이다. 제냐는 기다린다. 도끼와 비스트 슬레이어의 거리는 비슷하다. 오크가 훨씬 거구이고, 도끼 역시 그에 맞추어 거대한 놈이라 그렇다.

팔다리가 짧고 투실한 놈이라고 하더라도 2m가 넘는 거체였다. 달려드는 기세로 친다면 상당한 원거리 타격이다. 근접전에서는.

한 발, 두 발. 더 다가온다. 서너 걸음쯤 앞에 있었다. 제냐는 오크를 노려봤다. 말이 달려드는 것 같다. 중갑옷을 껴입은 자이언트 피그Pig. 시야를 매우는 거체의 돌진은 기병 앞에 선 보병의 심정을 약간이나마 느끼게 해준다.

찌를만한 곳이, 정면에서 노림직한 큰 부위는 얼굴 뿐이다. 잔열이 남았다. 연기가 달려드는 외중에도 그 면상에서 계속 피어오른다. 빛의 입자가 얼굴에서 쏟아진다. 살아 움직이고 있으니, 빛의 입자가 표면을 가렸을 뿐 그 내부는 멀쩡하다는 의미이다.

하나, 둘. 제냐가 속으로 숫자를 셌다. 무게 중심을 살짝 들며

어디로든 움직일 수 있게 몸을 살짝 띄웠다. 양 발의 끝과
뒤꿈치는 땅에 대고 있다. 발바닥을 오므리며 준비한다. 탄력감을
유지하고 허리 부근에 힘을 주고,

오크가 도끼를 들어 휘둘렀다. 대각선. 오크의 좌수가 올랐다
허공을 쓸어내린다. 부웅, 하는 파공성. 두려울 정도지만, 맞지
않으면 두려움 뿐이다. 아무 상처도 없이 지나가는 일격이다.
제냐의 시선에서는 우측에서 좌측 하부로 내려오는 궤적이다. 그냥
뒤로 뛰었다. 오크는 한 걸음, 그리고 한 도끼가 더 남았다. 몸이
기울 정도로 휘둘렀다가, 오크가 놀랍게도 한 바퀴 돌았다.

그대로 원심력을 이용해서 앞으로 내딛은 발을 축 삼아, 턴을
했다. 춤을 추듯한 동작인데 그 육중한 몸이 용케도 흔들림없이
해냈다. 오른 손에 든 도끼가 그 회전력을 담아 날아온다. 한 바퀴
날아돌아, 우수의 도끼는 뒤돌아베기의 자세였다. 무술의 단초라고
볼 수 있었다. 우연이든, 오류든, 돌연변이든 뭐든.

한 걸음 더 성큼 다가와 베려 하는 무딘 도끼 날에 제냐 역시
살짝 당황을 했다. 예상 밖의 움직임이다. 다만 오크는 제냐보다
훨씬 크고 팔이 높다. 뒤돌아베기의 각도를 아래로 세세하게
조정하지는 못했다. 제냐의 위치에선, 머리나 어깨 즈음에 걸릴
법하다. 가까이 다가가면 아래로 기운 팔과 도끼의 연장선이라 더
높다.

왼 손에 들렸던 도끼는 힘을 잃었고 공격에 쓰이지 않는다.

순간의 순간에 제냐 킴은 한 걸음 성큼, 들어갔고

오크의 허리 부근에 아래로 축 늘어진 왼쪽 손 도끼를 발로 퍽, 찬다.

물론 허리를 접고 고개를 숙이며 아래로 파고든 것이다. 거치적거리는 다른 쪽의 도끼를 밀어내며 그 겨드랑이 즈음으로 들어간다. 제냐는 기형적인, 곡예에 가까운 움직임을 해냈다. 탄력과 유연성, 근력이 모두 필요한 무용 동작의 하나같기도 하다. 대거를 역수로 쥐었다. 그대로 올려치듯 오크의 겨드랑이에 가져다 댄다. 찍으려 했지만, 오크도 움직인다.

그대로 크게 들었던 오른팔 겨드랑이를 깊게 베었다. 키익, 하고 잔 신음을 내뱉는 것 같았다. 제냐도 정신이 없다.

한 바퀴 도는 오크의 궤적에서 반 발짝 떨어져야 했다. 옆으로 빠져 나왔다. 볼품없이 나온다. 제냐도 여유가 많지는 않았다. 뛰어서 바닥에 닿았고, 그대로 구르듯 멀어졌다. 오크는 회심의 일격이 실패했고 도리어 자상을 입었다. 그 부위 역시 불에 타는 듯한 고통이 일어난다. 독 역시 발려 있었기에 움직임도 둔해지리라.

소모전이 된다면, 제냐가 유리했다. 무수한 황야 지룡을 잡아낸 방식이었다. 지룡의 발톱 대거로 지룡을 잡아왔고, 관련된 칭호마저 얻어낼 정도였다.

그에 비한다면 갈색 오크는 격이 조금 떨어지는 상대다. 이족 보행형 괴물이 내뿜는 투지는 만만치 않은 것이었다만. 의지 높은 인간의 전사가 연상이 될 정도로.

빙글, 손 안에서 대거가 굴렀다. 손잡이를 쥐고 한 손으로 몇 바퀴든 돌릴 수 있었다. 손에 완전히 익은 무기다. 카아아악!

오크가 발악을 했고, 그 불타버린 얼굴은 빛으로 덮여 있다. 그것이 방향을 찾았다. 제냐는 몇 번 더 할 수 있었다. 그러나, '쿠르륵'이 자신 쪽을 바라보자 가차 없이 바로 한 발을 앞으로 디뎠다.

팔은 어깨까지 써서 붕, 큰 궤적을 그리며 휘둘러진다. 앞으로 쏘아낸 대거가 직선으로 날았다. '투척' 역시 그가 갖고 있는 스킬이었다. 원래 대거류는 이렇게 사용하는 것이 더 잦은 사용법이리라.

붉게 이글거리는 듯한 검날이 곧게 던져져 오크의 미간, 즈음으로 보이는 곳에 박혔다. 빛으로 덮여 보이지는 않았지만, 그것이 골과 내부의 장기를 파괴했다. 골수까지 깊이 들어가 쇠와 열, 독이 헤집는다.

'치명적인 손상'을 입은 오크는 그대로 절명했다. HP가 얼마나 남아 있었든 상관없이, 별다른 특이성이 없는 몹은 뇌가 없이는 활동할 수 없다. 여타의 짐승들이 그렇듯. 상식선에서 그 끈질긴 강력함이 발휘되는 것이다.

단말마도 없이, 거친 기세로 콧김을 뿜는듯, 헐떡거리는 어깨로 전투를 이어가려던 놈이 끝났다.

쿠르륵이 다운되었다. 그대로 앞으로 쓰러졌다. 쿵!

시원한 소리가 났다. 전사의 마지막이다.

제냐는 고개를 갸우뚱, 하며 목관절을 풀었다. 그가 뒤를 돌아보았다.

타닥거리며 허물어지는 부락의 모습이 군데군데 보인다. 구조물들은 듬성듬성 있으며, 부락이라는 티만 날 정도로 지어진 시설물들이다. 그것들이 전부 화마에 사라져가고 있었다.

오크의 비명 소리가 들리지 않는다.

누군가 싸우는 소리도 없다.

최태현은 명사수였고, 강력한 기력술을 사용한다. 초보자, 혹은 중급자에 한 발 걸친 그 언저리 수준에서 그는 상위권의 강자였다.

오크들은 모두 죽었다.

[갈색먼지 숲 남부 1섹터에서 갈색 오크 부락을 없애시오. 갈색 오크 부락 구조물 10/10, 갈색 오크 27/27]

제냐가 인터페이스를 눌러 퀘스트 창을 열었다.

어느새 끝나 있었다.

화려하게 캠프 파이어를 한 것처럼 불티가 날리고 연기가 하늘 위로 오른다. 어둔 밤 부락 하나가 끝을 맞았다.

"쩝."

전투를 끝낸 제냐가 입맛을 다셨다.

오늘의 게임은 길었다. 정신밖에 쓴 것이 없지만 피로한 느낌이 드는 것도 같다.

최태현을 불러 아이템 박스를 같이 정리하고, 돌아가야 하리라.

집중한만큼 많은 것을 얻을 것이다. 이건 그런 게임이었으니까.

현실에서도, 무언가를 노력하면 그만큼 얻게 마련이다. 현실은 게임이 아니었으므로, 요구되는 경험치량이 압도적이며 현실의 무게와 절망을 이기지 못한다면 그 단 열매를 맛보지도 못한다만.

즐겁게 즐겁게.
뭐든 그렇게 해야 했다. 제냐는 대거와 비스트 슬레이어를 인벤토리에 넣었다. 불꽃 사이로 쌀쌀한 바람이 지나가는 것이 캐릭터의 피부에 닿아 느껴진다.

***

20. 세슈칸에서.

다음 장면은 무엇일까.

제냐 킴은 세슈칸의 어느 여관에 앉아서 책을 보고 있었다.

'김서원'이 아니라 '제냐 킴'이라고 불리고 있으니 당연히 게임
내부의 일이다. 오늘도 지루한 수업을 마치고 돌아왔다.
전공을 잘 선택했는가에 대해서는 끊임없이 고민을 하게 된다.

어쨌건, 노력하면 따라갈 수는 있는 것 같았다.

그가 다니고 있는 대학교는 제법 수준이 있는 곳이었다. 아주
명문이며 뭐 굴지의 대학교는 아니었지만 그래도 서울 소재의
학교였고, 공부를 하지 않으면 들어올 수 없다. 운이 받쳐준다고
하더라도 최소한의 요구 조건은 맞춰야만 했다.

개중에는 머리가 좋은 놈도 있고, 아주 공부를 잘했으나 그보다
상위의 학교에서 미끄러져 차선책으로 낮은 곳에서 장학금을
받겠다며 온 놈들도 있었다.

제냐, 그러니까 김서원은 개중에서 중간 정도의 입학 성적이다.

머리 자체를 본다면 그리 떨어지지는 않는 것 같았다.

공부를 못하는 곳이 아니었으니 공부와 담 쌓은 놈들도
아닐텐데, 수업 중에 주변의 표정을 본다거나 교수님의 질문에
대답하는 꼬라지들을 들으면 영 흥미가 동하지 않는 자신과 별반
다르지 않구나, 느낀다.

다들 어찌저찌 따라가고 있었다. 모범생도 엘리트도 늘 있었으나.
평균적으로는 그러했다. 공부에 대한 열의가 있는가, 하는 이야기일
테다. 그런 건.
대학교는 학문의 성지요 전당이라고 하지만 배움에 열의가 높은
인종은 그리 많지 않았다. 한 줌 정도? 그마저도 진실로 그럴 지는
잘 모른다. 전공이라, 자기 삶이라. 어려운 문제였다.

공부가 아니라 삶의 문제인가.

사락, 하고 종이책의 페이지가 넘어가는 소리.

양피지는 본 적도 없다만, 대충 그런 느낌이 아닐까 싶은 질기고
고급스러워 보이는 종류였다. 크기가 조금 크기도 했고, 삽화도

풍성하게 그려져 있었다.

내부에는 그가 알아먹을 수 없는 비련의 시나리오 온라인 내의 '산슈카Sanshuka' 왕국어로 글이 적혀 있었지만 그가 스타팅 포인트로 선택한 피스 시市는 애초에 산슈카어를 사용하는 동네였다.

그곳에서의 삶이 제냐라는 캐릭터의 기본 설정이었으므로, 무리 없이 읽을 수 있다. 설정 인터페이스에 들어가 언어 관련을 조작하면 되는 문제였는데, 만약 지어진 그대로의 원문을 보고 싶다면 번역 기능을 꺼버리면 된다. 그렇게 특별히 건드리지 않는 이상 캐릭터 '제냐 킴'이 읽고 이해할 수 있는 언어들은 모두 한국어로 번역되어 자연스럽게 읽히고 들렸다.

현실의 전 세계에 대응되는 대大륙은 그야말로 거대한 땅덩이였다. 지구 상에 어떤 대륙보다도 거대하다. 6대주에 속하는 대륙 중 두 세 개 정도를 합친 정도의 넓이였으니.

그 안쪽에 형성된 지형만 하더라도 갖가지였고, 다양한 환경에서 자생하는 동식물들 또한 오만가지 종류가 있었다.

대강 그런 상식을 전반부에서 설명하고 있는 책이었다.

지금 제냐가 읽고 있는 책 말이다.

그가 있는 곳은 베이지 색 톤의 밝고 따뜻한 분위기로 인테리어 치장을 한 목재 여관 방 안이다. 3층 방의, 거리쪽으로 창문이 나 있는 1인실. 탁자에는 공학 등Light이 있다. 지금은 켤 필요가 없지만.

바깥은 밝은 한 낮이었다. 오늘은 수업이 조금 일찍 끝났다. 저녁을 먹고, 바로 게임에 접속하고 시간이 조금 지난 참이다. 현실 시간으로는 오후 7시 즈음. 게임 시간으로는 정확히 오후 2시 02분이었다.

시계가 없어도 시간은 볼 수 있다. 시스템 인터페이스 중에 시간 창window역시 있었으므로. 워낙 거대한 땅덩이이니 지구에서 각국의 시간이 다르듯 이곳 역시 달랐다.

세슈칸이나 피스 시를 오가는 정도의 지역 내에서 달라질 일은 없었다.

지구의 별이 둥글고 자전하기에 시간이 다르듯, 그런 설정을 그대로 가져온 걸 보면 아마 콘란드 대륙 역시 둥근 별 위에 뜬 대륙인 모양이었다.

구형의 별이 아닌 모습을 상상할 수 없긴 하지만, 현대인으로서. 어쨌든 게임 속 이야기이니 판타지의 구조를 아무렇게나 짤 수도 있었을텐데. 그런 부분들에 대해서는 현실의 것과 같이 한 모양이다.

그는 창가 자리에 앉아서 책을 읽고 있다. 작은 공부용 책상과 의자. 책상 앞에 앉아 책을 내려보다가 고개를 슬쩍 들면 바로 큰 창문이 있다.

바깥으로 열린 창문은 청명한 하늘과 그로부터 뻗는 햇살을 그대로 받는다.

오크 부락 사냥 퀘스트는 아주 잘 끝났다. 그 이후에 제냐도 최태현도 스킬을 두 세개 정도씩 먹었다. 고급 스킬들은 아니었고, 단순한 종류이기는 했지만. 스킬 레벨이 오른 것도 있었고.

둘의 파티 플레이는 제법 괜찮은 효율이었다. 제냐와 최태현, 곧 게임 아이디로 개멋진나 최는 몇 번의 사냥을 더 이어나갔다.

게임 바깥에 사계절이 있듯 게임 내에도 계절감은 있었다.

무더운 여름. 약 일주일 반 정도가 흘렀다. 세슈칸에 오고 나서 말이다. 둘은 부지런히 움직였다. 갈색먼지 숲의 여러 구역들을 오가면서 갈색 오크, 검빨 줄무늬 다이어 울프, 갈색 곰, 교활한 회색 늑대 팩션Faction을 처리했다.

물론 갈색먼지 숲에 존재하는 해당 종을 전부 토벌했다는 말은 아니다.

어디까지나, 두 명의 초중급 플레이어가 해낼 수 있을 정도의 사냥을 했을 뿐이다. 단 둘 치고는 깨나 많이 잡아 죽이기는 했지만.

그 과정에서 레벨이 많이 올랐다. 제냐의 레벨은 이제 35였다. 그 언젠가, 피스 시에서 이동할 때 갑자기 맞닥뜨려 제냐를 태워준 변신술사 고양이의 레벨이 그 즈음이었을 것이다.
당시의 제냐는 '코미어'라고 하던 그 검은 고양이를 '중수' 정도로 인식했었다. 비련의 시나리오에 어느정도 적응을 한 완숙한 플레이어 말이다. 초보자 티를 조금 벗은.

물론 레벨도 있었고, 초보자가 구경하기 조금 어렵다는 변신술 스킬의 사용자라 그럴 지도 몰랐다.
그러나 어쨌든, 제냐도 지금은 30대 중반의 레벨이었다.

레벨 업으로 얻게 되는 포인트, 가상점수는 소모품과 장비를 갖추기 위한 최소량을 제외하고 모두 스텟 성장률 증가에 다 때려박았다.

스텟의 기준이 되는 원점, 약 각 스텟의 10포인트가 실질적으로 낼 수 있는 위력을 x라고 했을 때, 스텟 11은 1.1x의 위력을 보인다.
21은 10단위를 한 번 넘었으므로, 2.2x가 되고.

31은 4.4x가 된다.

이후로 갈수록, 스텟 1은 똑같은 숫자 1처럼 보이지만 전혀 다른 의미를 갖게 된다. 50에서 51이 되는 일과 10에서 11이 되는 일은 요구되는 시간과 정해진 동작 경험, 노력의 수준이 다르다.

고로 스텟의 증가가 아닌 x에 대한 배율로 봤을 때, 1x에서 2x로 가는 시간이 약 10%언저리 단축되는 듯했다. 성장률 증가에 한 포인트를 박았을 때 얻는 효과로 말이다.

두 개 포인트를 한 스텟, 예컨데 근력에 투자하면 증가폭은 갈수록 조금 줄게 되어 있어서 17%언저리가 된다. 세 포인트를 넣으면 22%. 네 개를 추가하면 25%. 다섯 개 27%. 여섯 개 29%. 일곱 개 30하고도 소수점 약간. 여덟 개면 32%. 아홉 개면 33%. 열 개면 다시 조금 반등해서 35%이다.

성장률에 대한 보정 효과는 1레벨에서 2레벨로 갈 때까지, 한 개 레벨 구간에서 유지된다. 2레벨이 되어 새로운 가상 점수를 얻게 되면 이전의 효력은 사라진다.

위의 세세한 비율에 대한 건 게임에서 제공하는 정보는 아니었고, 하드한 헤비 유저들이 직접 자신의 시간을 갈아 넣어 플레이해보며 얻어낸 수치들이었다.

고로, 다소 주먹구구식 검증으로 인한 것이라 언제나 같은 결과를 낸다고 말하기는 힘들었다.

헤비 유저들이 자신들의 템포로 게임 플레이를 빡세게 했을 때 시간을 잰 것이니.

'시간'이라고 하나의 기준으로 말하기는 했지만 결국 세세한 행동과 경험으로 나뉘는 것이고, 어느 정도 점진적인 부하를 잘 거느냐가 요구되는 조건이었다. 해당 스텟의 능력을 근육이라고 친다면 말이다.

정신력 계열의 스텟들도 근육과 비슷하게, 어차피 사역하는 힘이었고 기준이 있는 수치였으므로 단순히 그 힘을 많이 사용하면 훈련이 되게 되어 있었다.

조금 더 잘 부하가 걸리고 스텟이 잘 오르는 행동과 경험을 게임 내에서 발견해서 더 빨리 오르는 자도 있을 테고, 반대의 경우도 있을 테다.

거기다 스텟이 오르는 조건들조차 현재 입증된 방법들만 사용한 것이니. 그 외의 변수들에 대해서는 고려되지 못한 연구다.

그럼에도, 어쨌든 친절하게 고 레벨 고수들이 풀어낸 정보를 잘 이용하는 초보자들이었다. 제냐 역시 가상 점수를 사용하기 전에 찾아는 보았다.

약 2레벨 업마다 1포인트를 젠Jen으로 환전했고, 1레벨 당 10-

그러니까 나머지 19포인트는 전부 스텟 성장률에 때려 박았다.

근력에 모두.

근력은 보통 힘으로 대변되는 스테이터스 포인트이며 직접적으로 근육의 위력을 키워준다. 물리적 공격의 타격력을 결정하는 가장 중요한 요소이기도 하다.

거대하고 비대한, 거구의 사내들이 간혹 자랑하는 덩어리 큰 근육과 흡사했다. 체형이 그렇게까지 획기적으로 바뀌지는 않지만, 체격 내에서 어느 정도는 변화되기도 한다.

애초에 정도 내에서의 현실 지향을 모토로 삼는 게임이었고, 근력 스텟을 올리기 위해서는 단순하게 무거운 물건을 들었다 났다 한다거나, 맨손 운동 따위를 했어야 하니까 말이다.

그런 운동을 고강도로 해댄다면 어느정도 체형 변화는 있어 주는 것이 게임적 연출을 위해서도 알맞은 현실성 표현이었다.

제냐는 많은 시간을 들여서 게임 내에서 근력 트레이닝을 하진 않았다.

그것도 따지고 보면 참 웃기는 장면이었다. 현실에서의 근육 트레이닝도 많이 하지 않는 실정인데. 게임 내에서 근력 스텟을 위해 땀흘리며 움직이고 트레이닝을 하다니.

물론, 비련의 시나리오 온라인이라는 게임은 실제 사용자의 뇌파,

정신파, 신경 따위에 영향을 주기에 아주 약간의 효과는 있다고
한다.

누워서 잠만 자고 있는 모습으로 보이지만, 적어도 머리로
골몰히 생각하며 마인드 트레이닝을 하는 수준의 효과는 있다고
말이다.

사람은 머리로 정확하고 세밀하게 상상을 할 때, 그에 맞추어
근육을 약간 움직이게 되어 있었다. 실제로 동작을 하지 않아도, 그
동작을 할 때 쓰이는 해당 근육들에 약간의 반응이 가게 되는
것이다.

그런 작업이 반복되다 보면 동작의 유기적인 연결성이
늘어나기도 한다. 하루 종일 어떤 춤 동작의 연결을 생각하면서
마인드 트레이닝을 하다가 연습 시간이 다가와 실제로 행동을
하면, 아무런 생각을 하지 않던 인간보다는 머릿속으로 '그 생각'만
하던 인간이 훨씬 잘 하게 되고 빨리 느는 건 아무래도 어쩔 수
없는 일이다.

비련의 시나리오는 이전에 말했듯 학습 프로그램으로서의 가치도
조금은 있었다. '현실'이 상위의 개념이고 '게임 내부'가 하위의
개념이라, 바깥에서 익혔던 기술과 노하우들을 게임에 적용하는 건
별 무리 없이 가능하지만 게임 내부에서의 기술들을 현실에서
익히는 건 어렵고 불가능하다.

당연히, 게임 내의 세계는 판타지이며 실제 사람은 누워서 자고 있을 뿐이니까. 그러나 그렇다 하더라도 막대한 손실율을 감당하고, 또 판타지와 현실 사이의 세계관 간극을 고려한 뒤에, 아주 약간의 지식이나 행동적 노하우들에 대해서는 현실 세계로 가져갈 수도 있다.

몸을 움직여 일하고 기술을 쌓는 사람들, 장인들, 마스터들. 그런 류의 인간들 중에서도 간혹 재미로 비련의 시나리오를 플레이 하는 자들이 있다. 그런 이들을 바깥에서의 기술 연마를 게임 내부에서도 계속 한다.

진지한 검도 수련자, 궁도 수련자, 아직도 존재하는 대장장이들, 뭐 그런 사람들. 아주 복합적인 일을 수행해야 하는 부류의 인간들은 게임 내에서, 정신적으로 탈력 상태를 유지하면서 다른 환경 속에서 자신의 일을 더 해보기도 하는 것이다.

장난처럼 보이지만 새로운 가능성을 발견하고 다각도에서 훈련을 바라보기 위한 시도들이었다.

어쨌든, 제냐는 '공략법'이라고 인터넷 커뮤니티에 나와있는 그대로 근육 트레이닝을 하진 않았다. 어느 정도 참고를 하기는 했지만. 결국 요는 운동이고 근육에 부하를 걸면 되는 것이다. 특별한 기구를 만들거나 사서 헬스 트레이닝을 하는 것보단 이 세계에만 있는 거대한 물건들에 시비를 거는 일이 훨씬 효율이

좋다고 그는 생각했고,

초보자 존에서 그러했듯 다양한 몬스터들과 드잡이질을 했다.
오크로 시작해서 늑대, 곰 따위까지 종류를 가리지 않고.
근접전에서 무기의 종류를 제한한 채 박투전을 해나간다면 그것이
곧 가장 하드한 수련이었다. 하루 종일 야생의 원시림을
뛰어다니고, 나무를 타고, 괴물들과 힘겨루기를 하고, 철목시를
수도 없이 쏘아내고.

다른 이들도 물론 사냥에서 하는 행동들이었지만 제냐는 조금 더
진득하고 오래, 고생스러운 방식으로 전투의 묘미와 진가를
체험해보는 셈이었다.

그 과정에서 '철목시'는 '철시'로 바꾸었다. 궁술가의 테크닉
트리Tree에서 본다면 한 단계 위의 물건이기도 했다. 철목은
어쨌든 나무였고, 솜씨 좋은 장인들이 합금을 주조해 뽑아낸
철시보다는 위력과 강도면에서 한 수 아래의 아이템이다.
MP를 소모하는 기력술에 있어서도 철시가 조금 더 반응성이
좋았고 말이다. 더 많은 양의 MP를 담기에 수월했고, 그로 인한
파괴력 증가율도 더 컸다.

개멋진나 최 역시 레벨이 많이 올랐다. 전투 경험치는
제냐보다는 최태현이 더 많이 먹었다. 제냐는 전투의 과정 자체를

지속하며 다양한 경험을 했고, 곧 그것은 스킬 성장을 위한 단초가
되었다. 레벨 경험치는 실제로 몬스터에게 데미지를 크게 주고
마지막 목을 따야 얻는 것이었으므로, 다종의 몬스터들과 지루한
공방전을 이어나가는 행위 자체가 캐릭터 레벨을 올려주지는
않는다.

물론 제냐가 오랫동안 어그로Aggro를 끌어주며 몬스터들의
이목을 잡기에 사냥이 수월해지는 점도 있다. 팀 워크 관점에서
그런 행위는 전체 전투의 난이도를 낮추기에 추가 경험치를 받기도
한다. 또 워낙 대량의 몬스터들을 둘이서 잡아오기도 했고.
　여러 요건들을 고려해서, 제냐가 달성한 레벨이 35인 것이다.
최태현은 그보다 조금 더 높다. 39였다. 애초부터 제냐보다 레벨이
높은 상태에서 파티를 시작하기도 했고, 또 그보다 게임에 더 자주
로그인 하는 모양이었다.

바깥에서 최태현은 회사원이었고, 전문대를 졸업한 뒤에 어느
중견 기업에 취직해서 멀쩡히 일하고 있는 모양이었다.
　관련한 전문 기술이 요구되는 직무였고, 매번 풀타임으로
일하지는 않았다. 아침에 가서 저녁이 되기 전에 퇴근을 했고, 그는
그 여가 시간의 대부분을 진지하게 비련의 시나리오에 갈아넣고
있었다.

제냐는 공부를 해야 한다거나, 시험이 있고 과제가 있다거나

하면 유동적으로 플레이 시간이 달라진다. 생활 전반에 남는 모든 여가 시간을 비련의 시나리오에 때려박고 있지도 않았고.

최근에는 거의 매일 저녁 이후 시간을 이곳에 투자하고 있는 실정이었지만.

휴식 시간에 즐기는 여타 활동 중의 하나였던 것이 슬슬 제 1순위의 취미로 올라오고 있는 중이었다.

최태현 역시 제냐가 변화를 겪었듯 스펙이 업그레이드 되었다. 그간의 전투 중에 철시보다 한 단계 위인 적赤목시로 바꾸었다.

철목시와 비슷한 이름으로, 쇠보다 무른 것이 아닌가 할 수 있겠으나 철목시보다 조금 더 강했다. 그 끄트머리에 달린 화살촉은 다양한 합금으로 만들어낸 고급품이 달리고. 그리고 철시보다 더 MP 수용성이 뛰어나다. 적목은 특수한 목재였고, 초상 스킬을 위주로 전투를 풀어나가는 술사들의 스태프Staff로 쓰이기도 하는 소재였다. 물리적인 공격력에 있어서는 철시보다 반 수 정도 떨어진다.

그러나 기력술을 제대로 사용할 수 있는 중급 이상의 전투직 플레이어라면, 철시보다 월등히 높은 공격력을 결과적으로 낼 수 있는 화살이었다.

운용하는데 있어 MP를 계속해서 잡아먹기에 조금 더 다루기가 까다롭고, 고단수의 플레이어가 사용하게 되는 물건이다.

관련한 스킬들도 여러 종류가 있었다. 근거리에서 견제와 거리 벌리기, 그리고 원거리에서 다양한 도구를 이용해 전투를 풀어나가는 레인저Ranger이지만 기력술을 제대로 써먹으려면 정신력 계열의 스텟과 MP량이 필요하다.

그것들을 보조해주는 패시브 스킬 역시 여러 종이 있었고, 최태현은 원호 사격을 위주로 파티 플레이에서 전투 역할을 맡으며 해당하는 스킬들을 조금 얻었다.

본격적인 화력 증가를 위해서 캐릭터의 육성을 갈고 닦고 있는 중이었다.

MP위주의 스텟도 이전보다는 성장세가 높아져서 밸런스 잡힌 전투직이 되어가고 있다.

이제는 그가 화살을 쏘는데, 슬슬 그 공격에 걸리는 연출 이펙트가 단순한 물리 공격인지 아니면 초상 스킬인지 헷갈리기 시작하는 경계에 있었다. 적목시가 머금고 다시금 뱉는 붉은 기력의 아지랑이가 화살의 크기보다 훨씬 크게 주변을 휘감고 날아간다. 언뜻보면 원거리에서 빠르고 또 작게 만들어 날린 파이어 볼이 아닌가 싶을 정도였다.

관통력 역시 향상되어서, 거목을 깔끔하게 구멍내고 그 너머의 몹에게 유효타나 치명타를 먹일 수 있는 수준이다.

스륵.

제냐가 읽고 있는 책이 한 장 더 넘어갔다.

어쨌든,

그래서 제냐는 책을 읽고 있다. 비런의 시나리오 내부에서
어지간한 행동들은 퀘스트와 얽혀 있다는 점에서 그냥 보고 있는
중은 아니었다.

바깥으로 세슈칸의 인도가 보였다. 그가 3층에 있었으니, 조금
작은 크기로 멀게 보이는 인물들이 대로변을 채우며 오간다. 피스
시에는 초보자들이 아주 많았다. NPC인지 플레이어인지 다 구분할
수 없는 대량의 인원들이 늘 거리를 매우고 있었다.

세슈칸은 피스 시보다 조금 더 넓고 크다. 사람들이 몰리는
구획이 있었고, 그 자리에선 피스 시보다 더 많은 인파를 보게
된다.

제냐가 베이스 포인트로 삼는 여관은 중심가도에서 조금 떨어진
한산한 길목이었다. 그럼에도 불구하고 아래 도로를 지나는

사람들이 많다.

제냐는 그들에게 언뜻 눈을 주었다가, 하늘을 쳐다봤다가. 길목에
세워진 작은 관목들에까지 눈길을 주었다가. 다시 책에 집중했다.

초반은 세계관에 대한 설정 조금, 그리고 이후에 콘란드 대륙의
개략적인 역사로 이어지는 내용이다. 이야기가 진행되면서 산슈카
왕국의 이야기로 발전한다.
피스 시 까지를 영향권으로 두고 있는 산슈카 왕국.
정확히 말해 피스 시는 도시 국가의 개념이었고, 어떤 나라에
속하지는 않았지만 인접국 산슈카의 움직임에 많은 영향을 받는다.
언어 역시 왕국어를 쓰고 있었고.

산슈카는 고대에 제국이었고, 현재는 콘란드 대륙 중부 지역에
국토를 지키며 존속하고 있는 왕국이었다.
고대라고 해봐야 그리 길지 않은 시간 전의 일이었는데, 약 천
여 년 정도 이전. 그 당시의 위세가 참으로 대단해서 중부
지역에서 주로 쓰이는 언어 종류 중 하나가 되었다.

세계관 내의 설정이라 제냐가 생각할 바는 아니었지만
사용하기에 간편하고 간단한 언어라는 점도 한 몫 했다.
예전의 영향이야 어쨌든, 지금 쓰기에 불편했다면 영향력이 보다
덜했으리라.

천 년 전의 제국, 그리고 그 이전부터 존속했던 산슈카의 명맥은 선사시대 직전까지 이어진다.

게임 내의 역사에서 말이다.

문명이 발상하고 역사서가 기록하는 콘란드 대륙의 이야기는 게임 내 설정으로 약 만 여 년 전 즈음에 시작되었다.

만 년.

감각할 수도 없고, 짐작하기도 어려운 시간이다. 과학 서적에서는 천문학적인 숫자들을 잘 얘기하고는 하지만. 그 하루와 한 시간을 살아가는 현실을 생각하고 만 년을 바라본다면 그렇다.

자신의 생애의 백 배를 곱해도 닿을까 말까한 일이었으니.

의미적으로 보았을 때, 10,000이라는 숫자가 나름대로 특별해 보이기 때문에 어떤 추론자들은 비련의 시나리오가 플레이 되고 있는 현재 세계관의 역사를 두고 이야기하기도 한다.

애초에 설정되고 기획된 역사의 마지막 부근이라는 것이다. 콘란드 대륙에서 주욱 이어지던 인류 문명과 역사의 어떤 변곡점이 될 만한 사건이 플레이어들이 겪고 있는 현재 시기에 일어날 수 있도록 조정되어 있고, 그것이 아마 메인 스토리의 내용이 되지 않을까 하는.

멸망이든 변화든 재생이든. 비련의 '시나리오'의 종장 부근을 걸어가고 있다는 내용이었다. 플레이어들은.

대륙 중부. 개중에서도 중심지 인근에 위치한 산슈카 왕국.

건국 근처의 이야기는 전설처럼 전해져 내려오는 것이었고, 중세나 근대로 넘어오면서 눈여겨 볼만한 세세한 사건들이 나오게 된다.

산슈카 왕국의 역사를 단선적으로, 또 대략적으로 풀어내는 서적은 다양한 정보를 포함하고 있었다.

초상 스킬에 대해서, 또 아직 제냐가 얻지 못한 패시브와 액티브 스킬들의 단초에 대해서.

그것들을 사용하며 전투에 임하고 위업을 역사서에 남긴 인물들의 행동 묘사는 스킬의 형태에 대한 정보를 전달한다.

스킬의 형태에 대해서 알면, 그것을 얻게 되는 습득 조건 역시 대강 추리할 수 있었다. 철검 한 자루로 거암을 부수는 '강격' 스킬이라면 아무래도 그런 비슷한 막대기라도 들고 거대한 것을 부수기 위해 노력하는 게 스킬 습득을 위한 요구 경험일 것이다.

정확히는 알 수 없지만 얼추는 상상해볼 수 있었다.

제냐가 지금 그런 역사서, 동화책, 소설책을 합쳐 놓은 듯한 내용의 삽화가 들어간 양장본 책을 읽고 있는 건 퀘스트 때문이다.

1개 도시 내에서 벌어지는 마을급 퀘스트 중에서 고유Uniqe급 의뢰다.

최태현과는 관계 없이 따로 플레이를 하다 우연히 얻는 것이었다. 세슈칸 거리를 걸으며 평범하게 게임을 즐기고 있다 어떤 NPC와 마주쳤다.

NPC들이 벌이는 다양한 사건들, 이벤트Event들은 무작위로 발생한다. 언제나 비슷한 조건 내에서 발생하며 반복 퀘스트로 플레이어들에게 주어지는 경우도 있기는 하다만. 본질적인 조건은 일단 무작위성이 있었다. 그것이 적냐, 많냐 하는 문제이지.

사람이 측정할 수 없는 거대한 난수를 다루며 현실과 비슷한 세계를 시뮬레이팅 하는 초인공지능의 결과물들이었다.

비련의 시나리오 내에서의 사건과 이야기들은 현실과 흡사한 느낌으로 발생하고 사라진다.

세슈칸의 어느 골목 부근으로 우연히 들어간 제냐는 지름길인 줄 알고 어둔 거리를 걷고 있었다. 거대한 도시는 어디에나 난개발된 지역이 있게 마련이었고, 태양빛이 기세 좋게 비추는 대로가 있다면 작은 골목 또한 있었다.

높은 건물들, 개중에서도 사람이 잘 쓰지 않는 폐건물 비슷한 종류 사이엔 햇빛도 잘 들지 않고 인적도 드물다. 그런 으슥한 곳에서는 잠깐 사이에 무슨 일이 벌어져도 모를 것이다.

그래도 세슈칸은 치안이 제법 괜찮은 곳이었고 주민들의 생활 수준도 평균치가 높은 편이었는데. 어떤 연유로든 범죄적 행위는 발생하곤 한다.

지나치게 자극적인 장면들에 대해선, 미성년자나 유소년층에 걸려 있는 '락'이 작동해 비쥬얼적으로 드러나지 않게 만든다.

혹시 어떤 우연에 우연이 꼬리를 물어 전쟁터나 아수라장이라고 표현해야 할 만한 구덩이같은 상황에 그런 플레이어가 빠진다면, 곧 시각적으로 얻을 수 있는 정보가 거의 없을 정도로 주변이 엉망이라면 비상 로그아웃이 발생하기도 한다.

비상 로그아웃을 세 번 정도 겪으면, 게임 오버와 같은 취급으로 해당 플레이어는 게임에 다신 참여할 수 없게 된다.

비련의 시나리오는 게임일 뿐이었고, 정서적으로 해악을 미칠 영향이 있다면 게임을 플레이하지 않는 것이 옳은 일이었으니까 말이다.

제냐는 성인 인증과 정서적으로 치명적인 결함이 없는 사회 구성원임을 게임에 등록할 때 증명했고, 스스로도 비쥬얼적인 락을 걸어두지 않았다. 락을 걸면 선정적인 장면은 피와 살이 빛의 입자로 대신 표현되어 모자이크 처럼 나타나듯 다른 방식으로 시각이 바뀐다. 데포르메된 고무 인형같은 세계와 인물들로 표현이 되고, 살인-강도와 같은 행위를 직접적으로 연상할 수 없게끔 결정적인 장면이 페이드 아웃된다.

물론 게이머로서 제대로 된 플레이를 하기에 올바른 선택은 아니다, 락을 거는 건.

그러나 간혹 하드 모드 그 이상의 난이도를 경험하고 싶다고 하는 헤비 유저들이 기행으로 락을 걸어두는 때도 있다.

전쟁터에서 주요한 공격 장면을 시각으로 감지할 수 없는 상태로 싸우는 것이다. 정신나간 양반들이 아닐 수 없었으나, 최상위권이나 그 언저리에는 그런 기이한 놈들도 존재했다.

세슈칸의 으슥한 골목에서 제냐는 공교로운 장면을 발견했다.

너무 짜여진 것처럼 고급스러운 마차가 한쪽 귀퉁이에 서 있다. 그 좁은 틈새로 사람의 흔적과 비명소리가 들렸다. 제냐는 게임에서 보여주는 특이 상황에 반응해 마차를 밟고 올라섰다.

골목에서 그렇게 행동할 때, 어디선가 그 마차를 본듯하다고 느낀 건 착각이 아니었었다.

시야가 트이자 그는 한 명의 아리따운 소녀와, 성숙한 여성. 그리고 노인과 청년 둘. 다섯 명이 핍박을 받고 있는 광경을 볼 수 있었다.

노인을 비롯해 사내 셋은 이미 쓰러져 길바닥에 널브러져 있다.
노인은 마지막까지 사투를 벌이고 저항을 한 듯 빛의 입자로
표현되는 부상 연출이 온 몸 이곳저곳에서 나고 있었다. 그들을
압박하는 자들은 대 여섯 명 정도 되는 건장한 괴한들이었고,
하나같이 얼굴을 까고 있다.

우락부락한 몸집에 거친 턱수염. 제멋대로 기워 입은 듯한
패션에 무기만은 제대로 날 선 것을 쥐고들 있다.
부리부리한 눈빛에 제대로 씻지 않은 외모. 누가 보아도
괴한처럼 보이는 작자들이었지만 제나는 굳이 편견을 가지지는
않았다.

게임 상의 연출 의도가 중요하다. 여기서 누가 선역이고
악역인가. 어떤 주제를 가지고 진행되는가. 그에 맞추어 행동해 줄
생각이었다.

정황상 고급스러운 마차를 이런 골목까지 이동시킨 작자들도
참으로 수상하기는 하지만, 어쨌든 저 치들은 이런 으슥한 곳에서
괴한들의 습격을 받은 모양이었다. 노인 하나 청년 둘, 세 명의
사내가 나름대로 분전을 했지만 이기지는 못한 모양이었고.
어떤 의도를 품은 놈들인지는 모르겠으나 일단 얼핏 보기에는

아리따운 두 명의 아가씨와 소녀, 여인들이 위험해 보이기는 한다.

아마 최악의 상황이 되더라도 직접적인 장면까지는 가지 않을
것이다. 그렇게 AI들의 지능 시스템에 락이 걸려 있다. 비련의
시나리오는 어디까지나 '시나리오'였고, 영화로 친다면 19세 이하
관람불가의 그것은 아니었다.
배우가 되는 NPC들은 삶 그 자체를 연기하지만 해당하는
부적절한 연출에 대해서는 알아서 피해가는 모습을 보인다.

뭐…… 최악의 상황이 되더라도 칼을 들이대어 무정하게 죽이는
정도. 고문을 가하는 것도 아마 플레이어가 볼 수 있는 연출은
아닐 것이다. 무척이나 특수한 상황에서 그런 씬 근처에 갈 수는
있겠으나.

으르렁거리는 짐승, 늑대처럼 서서히 포위망을 좁혀가는
남자들이었다.

제냐는 가만히 지켜봤고, 이미 쓰러진 두 청년은 등판을 보인 채
그 손아귀에는 전투의 흔적인 무기를 아직까지 쥐고 있었다.
싸울 수 있을만한 자들 중 유일하게 의식이 있어 뵈는 노인이
힘겹게 고개를 까딱거렸다.

그래, 이 순간.

이 순간이 아마 퀘스트의 발생 시간이었을 것이다.

마차에 올라탄 제냐를 바라보는 노인이 있었다. 흰 머리를 짧게
깎고 고급스런 옷을 입은, 집사, 세바스찬 풍의 노인이다. 턱시도와
함께 입은 고급스런 양장이 여기저기 찢겨지고 풀어져 있었다.
액션 스릴러 영화의 연출처럼 피 대신 빛의 입자를 묻히고 흘리고
있었다. 노인이 골목 벽에 기대어 쓰러져 앉은 그 근처로 빛이
흐른다.
남자의 피다.

노인이 갈색 눈동자를 빛내며 마차 위, 하늘 즈음을 바라보다가
누군가의 시선을 느낀 것인지 거기를 바라보았다. 제냐와 눈이
마주쳤다.
노인의 표정은 헤아릴 수 없는 감정을 담고 있었다.

제냐는 그 순간 노인의 생애에 대해서 잠깐 생각해보게 되었다.
누군가를 지키기 위해 평생을 바쳤을 그런 표정 연출이었다.
그리고, 지금 이 마지막 시간에 그 임무를 다해내지 못해서 회한이
창자로부터 들끓는 듯한 그런 감정이다.
그게 다 죽어가는 어느 노인의 표정과 눈빛에서 보였다.

제냐는 더 이상 재지 않았다. 일단, 퀘스트를 맞닥뜨렸을 때

플레이어는 진형을 정하고 선택을 저질러야 했다.

양측으로 대립하는 상황이라면 누구의 편에 설 것인가.

그 선택에는 어느 쪽이 유리한가도 있고, 일견 도의적으로 어느 편이 선역인가 하는 고민도 있다.

제냐는 일단, 노인과 함께 마차를 탔었던 듯한 고운 차림의 귀족적 인물들을 도와보기로 했다.

이것이 고도의 함정일 확률도 있었다. 비련의 시나리오는 정말로 만만한 게임이 아니었으므로 말이다.

한 무리가 짜고서, 골목 으슥한 데서 위기에 처한 아녀자 역할을 하고 나머지가 위협하는 불량배 노릇을 하다 멍청한 시선과 모자란 정의감을 가진 플레이어를 유인한다. 별다른 생각도 안해보고 아녀자를 구하기 위해 덥썩 다가간 플레이어의 뒷덜미에 한 패였던 그녀가 별안간 태도를 바꾸어, 준비한 독침 따위를 찔러넣는 것이다.

그런 경우에 다시 다음 장면은 분화되는데, 거기서 그대로 게임 오버가 될 수도 있고 혹은 생명에는 지장 없는 마비류의 약물이라 의식을 잃고 깨어나보니 모든 소지품을 잃은 뒤 어느 노예 상단의 매물로 팔려나갈 수도 있었다.

하드- 모드.

비련의 시나리오는 정말 갖가지 시나리오가 준비된 세상이었고,
인생의 밑바닥부터 왕후장상의 라이프 스타일까지 경험해볼 수
있는 세상이었다.
어떤 이들은 명예 점수와 함께 딱 일정한 적정 수치까지의
강함만을 완성시킨 뒤 신분제가 존재하는 이 중세 시대에서 화려한
귀족 생활을 즐기기 위해 게임을 하기도 한다.
그들은 그 생활 자체가 게임의 메인 컨텐츠이자 목적이었으므로
더 이상 게임 클리어를 위해 향상심을 발휘하지는 않는다.

뭐, 각종 플레이 스타일을 방목하듯 인정하고 있는 게임이니 그
또한 훌륭한 게이머로 인정하기는 한다.

제냐는 그런 게 목적은 아니었다. 궁금증으로 콘란드 대륙에서
갖가지 생활상에 대해 경험해보고 싶기는 하지만.
어쨌든.

제냐는 일단 속는 셈치고, 노인의 연기로는 표현할 수 없을 듯한
그 표정에 한 번 행동을 해보았다.
당시는 화창한 낮이었고, 좁은 골목 사이의 하늘 위로 햇빛이
있었다. 그늘지고 어둡지만 시야가 제한되는 수준은 전혀 아니었다.
세세한 인간들의 동작과 표정, 주름까지 잘 보인다.

고급진 마차의 지붕 위에 올라타 쪼그려 앉듯 있던 그는 그것이 애초부터 뛰어나가기 위한 스타팅 자세였다는 듯, 다리를 풀며 뛰었다. 자세를 일으키며 그대로 앞으로 넘어지듯 나간다. 한, 두 발 정도 더 걷고 지붕의 끄트머리 즈음에서 자신의 몸을 발사했다.

*

비련의 시나리오 온라인:Slow fantasy 1권 끝